COMO EJÉRCITO PODEROSO

Charles W. Conn

Historia de la Iglesia de Dios
1886-1976

Versión al español
por
Wilfredo Estrada Adorno

Edición revisada, 1995

LIBROS POR CHARLES W. CONN

Like A Mighty Army (1955)
Pillars of Pentecost (1956)
The Evangel Reader (1958)
Where the Saints Have Trod (1959)
The Rudder and the Rock (1960)
The Bible: Book of Books (1961)
A Guide to the Pentateuch (1963)
Christ and the Gospels (1964)
A Certain Journey (1965)
Acts of the Apostles (1965)
Why Men Go Back (1966)
A Survey of the Epistles (1969)
The Pointed Pen (1963)
Highlights of Hebrew History (1975)
A Balanced Church (1975)
The Anatomy of Evil (1980)

EN ESPAÑOL

La Biblia: El Libro de los Libros (1979)
Una Iglesia Balanceada (1979)
Como Ejército Poderoso (1980)

COMO UN

Charles W. Conn

EJERCITO PODEROSO

UNA HISTORIA DE LA IGLESIA DE DIOS 1886-1976

Versión al Español
por
Wilfredo Estrada Adorno

En gratitud porque temprano en su vida ella decidió dejar a un lado sus ambiciones privadas para compartir aquellas de su esposo, y porque con su confianza serena en Dios, ha sido una fuente de inspiración y un pilar de fortaleza para él, este libro es afectuosamente dedicado a
MI QUERIDA EDNA,
cuyo deleite en la vida es mantener en oración a los miembros de su familia y en quien se encarnan las virtudes cristianas de una mujer piadosa; el corazón de su marido está en ella confiado y sus doce queridos hijos se levantan y la llaman bienaventurada.

PROCLAMA

En reconocimiento por sus contribuciones a la herencia y cultura de la Iglesia de Dios, el Concilio Ejecutivo nombró al Dr. Charles W. Conn como el primer historiador oficial de la denominación en enero de 1977.

Por cuanto el Dr. Charles W. Conn ha hecho una contribución significativa al cuerpo de literatura pentecostal; y

Por cuanto miles de horas han sido dedicadas a la investigación histórica con el objetivo de preservar la rica e ilustre historia de la Iglesia de Dios y para darle dirección a su futuro; y

Por cuanto él ha recibido aclamación a nivel mundial por su habilidad en este campo; y

Por cuanto él ha escrito tres libros de historia de la Iglesia de Dios, a saber: *Como Ejército Poderoso*, la historia de la Iglesia de Dios; *Por Donde han Caminado los Santos* (*Where the Saints Have Trod*), historia de Misiones Mundiales de la Iglesia de Dios; y *El Lector del Evangelio* (*The Evangel Reader*), una historia del ministerio editorial y publicitario de la Iglesia de Dios; y

Por cuanto, Como Ejército Poderoso ha sido revisado y actualizado por él después de tres años de intensa investigación,

Resuélvase por lo tanto que este Concilio Ejecutivo General, en sesión el 12 de enero de 1977, designa a Charles W. Conn como historiador de la Iglesia de Dios.

El Concilio Ejecutivo

12 de enero de 1977

PREFACIO

Escribir historia con el corazón es realmente un logro y aquí el historiador Charles W. Conn lo ha conseguido de manera sobresaliente. En *Como Ejército Poderoso*, Conn ha indagado la historia de la Iglesia de Dios desde sus obscuros orígenes hasta su presente sitial de vasta influencia en el mundo cristiano. Desde comienzos del siglo, la iglesia ha estado a la vanguardia del avivamiento pentecostal; una de las más significativas renovaciones espirituales en la historia del cristianismo.

La Iglesia de Dios comenzó con la convicción de un número de personas de las montañas de Tennessee y Carolina del Norte de que las denominaciones existentes habían decaído espiritualmente y que necesitaban reforma y avivamiento. El fruto de esta convicción fue un derramamiento fresco del bautismo escritural del Espíritu Santo. La tarea del historiador fue examinar el registro de esta convicción y seguir su curso desde sus comienzos hasta el tiempo presente. El resultado es un relato sobresaliente de cómo Dios le dio vida, esperanza y crecimiento a hombres de fe en este siglo. Desde sus débiles y tenues raíces, la Iglesia de Dios ha experimentado noventa años de crecimiento fenomenal; ciertamente es un fenómeno de crecimiento y su historia es la narración de un milagro.

Para darle cohesión y perspectiva a su abarcador estudio, el autor traza la aspiración de los creyentes pentecostales desde la renovación de la experiencia en el Aposento Alto y la extiende hasta la aplicación de dicha experiencia en la vida moderna. Bajo el estilo persuasivo del autor se ve cómo esta fe primitiva de la

Iglesia de Dios se ha mantenido singularmente estable y efectiva a través de las presiones de constantes conflictos y pruebas.

Nosotros consideramos que *Como Ejército Poderoso* es un clásico de escritura histórica, una obra de arte. Es muy fácil imaginar la persistente tarea que el autor tuvo que realizar para traducir su estudio a la forma escrita. Uno puede ver fácilmente las agotadoras horas entrevistando a personas con memorias de recolección imprecisa; el estudio y análisis de registros frágiles y borrosos; la separación de lo significativo de aquello trivial y redundante, y la organización del relato en una forma fluída y legible. El éxito del autor en esta tarea sugiere que fue ungido espiritualmente para la misma. Aquellos que trabajaron de cerca con él durante la investigación y la redacción de este trabajo, tienen la convicción de que el autor frecuentemente fue guiado por lo que los escritores llaman inspiración y los predicadores unción.

Si el doctor Conn ha escrito una historia con el corazón, quizás se deba a que su corazón es parte integral de lo que él ha escrito. Él no ha sido un simple observador de los eventos que ha descrito, sino parte esencial y vital de los mismos. Él ha hecho algo más que registrar una historia; ha ayudado a formarla.

Nosotros, el Concilio Ejecutivo de la Iglesia de Dios, presentamos esta monumental obra histórica con gratitud a Dios por sus bendiciones y guianza, las cuales forman parte de nuestra herencia. Recomendamos esta edición revisada de una obra bien reconocida, a todos aquellos que quieran saber más acerca de los caminos de Dios en los asuntos de los hombres.

EL CONCILIO EJECUTIVO

Marzo 1977

PREFACIO DEL AUTOR

—¿Por qué molestarse en leer historia? —se preguntan algunos.

—De veras, ¿por qué?

La historia puede, y por todos los derechos debiera, ser tanto informativa como amena. De hecho, no es exagerado decir que cuando es precisa y bien escrita, la historia es totalmente emocionante. En un registro bien entretejido, el pasado se revive placenteramente. Más aún, el pasado sirve como punto de referencia para el presente y da una perspectiva equilibrada para el futuro. Como dijera en cierta ocasión el filósofo español Jorge Santayana: "Los que no recuerdan su pasado están condenados a repetirlo". Los hombres son advertidos por los errores de la historia, de la misma manera en que son inspirados por los triunfos de ésta. Así que los hombres que se preocupan por el futuro escriben acerca del pasado.

En esta historia de la Iglesia de Dios he tratado ansiosa y consistentemente de registrar el pasado de la manera más fiel. El esfuerzo total ha sido satisfactorio aunque muy laborioso. Quizás así es como deben ser las obras históricas; ya que nada menos que Samuel Johnson, el celebrado *Dr. Johnson* de las letras inglesas, observó que, "lo que se escribe sin esfuerzo generalmente se lee sin placer". Thomas Carlyle y Winston Churchill hablaron de la tiranía de la investigación y la escritura histórica: "lo que comienza como un compañero placentero, finalmente se convierte en un rudo mayordomo que lleva al historiador al agotamiento y la obsesión". El escritor debe descubrir y preservar hechos elusivos y eventos complicados; él no puede descansar hasta terminar la tarea. Una vez más, Samuel Johnson dijo: "Cuando un hombre escribe de su propia mente, escribe rápidamente. La mayor parte del tiempo del escritor se emplea en leer para poder escribir; un hombre tendrá que consultar más de la mitad de una biblioteca para poder escribir un libro".

La redacción de *Como Ejército Poderoso* ha sido una tarea de muchos años; de varios años de pasar del tintero al papel y de muchos más de investigación y búsqueda. Fue mi buena fortuna tener como amigos y colegas a muchas personas, ahora fallecidas, cuyas obras se registran aquí. Además, he leído y vuelto a leer todo lo escrito por y acerca de aquellos que vivieron la historia que he registrado. Incluso, he tenido ilimitado acceso a los archivos y registros de la Iglesia de Dios y de todos sus departamentos. He viajado extensamente y esta oportunidad me ha llevado prácticamente a cada escena mencionada en la obra, lo cual le ha añadido una dimensión de satisfacción a la escritura, y ojalá también a la lectura de la misma.

Cuando se publicó por primera vez *Como Ejército Poderoso* en 1955, observé que, "sin duda algunos errores se han filtrado en el libro. Debido a que las fuentes existentes no los revelan, vamos a confiar en que son insignificantes". Felizmente, ese ha sido el caso. Veintidós años de estudio y exámenes adicionales no han expuesto ninguna deficiencia significativa de los hechos anotados. Yo sería menos que un ser humano, y menos que franco, si no sintiera y admitiera agradecimiento por esto. Esto también es igualmente cierto con relación a la amplia aceptación de la edición original.

Desde que se publicó la primera edición han surgido algunas fuentes nuevas y ha habido un cambio de desarrollo en lo que es significativo. Por lo tanto he vuelto a escribir totalmente algunas secciones y condensado otras para incluir el nuevo material. Gran parte de la escritura original se ha quedado intacta. Al extraer y añadir nuevas secciones al original, se ha eliminado el punto donde comienza el nuevo material. No hay costura ni articulación, sólo una unificación gradual de lo viejo con lo nuevo. La obra total ha sido refinada para asegurar la consistencia de estilo.

Como señalé en la primera edición, he tratado de hacer un esfuerzo honesto por escribir objetivamente —en la medida en que la objetividad sea factible para alguien que ha sido parte integral de la historia que escribe. Yo espero que el esfuerzo haya sido exitoso. Y sé que en la medida en que uno puede conocer su corazón y sus intenciones, la escritura ha sido franca, honesta e imparcial. He tratado de escribir historia y no propaganda, de registrar las cosas tal como ocurrieron y no como me hubiera gustado que ocurrieran.

RECONOCIMIENTOS

Sería muy difícil mencionar a todos lo que me han ayudado para hacer posible esta edición revisada de *Como Ejército Poderoso,* desde un simple concepto hasta una realidad impresa. Sin embargo, hay varios reconocimientos que se deben hacer. El Dr. Ray H. Hughes, quien era Supervisor General cuando el Concilio Ejecutivo comisionó la revisión, y el Dr. Cecil B. Knight, Supervisor General al momento de completarse la obra, han sido de gran ayuda y apoyo a través de todo el proyecto. Ninguno de los dos ha tratado de interponer su propia opinión en ningún momento, aunque han sido consistentes en su ayuda y consejo. De hecho, el Concilio Ejecutivo ha sido de apoyo y estímulo — y debo decir, paciente.

Lewis J. Willis, mi amigo y colega por mucho tiempo, Director de Relaciones Públicas de la Iglesia de Dios, ha puesto a mi disposición su equipo de trabajo y personalmente ha leído las pruebas impresas. Sus observaciones son apreciadas en gran manera.

La hermana Ruth May, secretaria de registros de las oficinas generales de la Iglesia de Dios, ha ayudado a buscar fuentes borrosas y por mucho tiempo olvidadas, para los propósitos de verificación. La hermana Carolyn Dirksen, Profesora Asistente de Inglés en el Colegio Lee, quien ayudó en la edición del manuscrito, merece reconocimiento. La hermana Lucille Walker, gentil dama de letras, dio generosamente de su tiempo y de sus extraordinarias habilidades para leer todas las pruebas impresas del texto. La hermana Pamela Pressley y la hermana Darlena Hammonds, mis secretarias estudiantes, me han ayudado mucho con las tablas y los índices (éstos aparecen en la edición en inglés). La hermana

Margarette Catha, secretaria administrativa del Supervisor General, ha dado apoyo constante.

Físicamente, el libro es una creación de *Pathway Press*.

El hermano Flavius J. Lee, hijo, asistente administrativo del publicador, ha hecho todo el esfuerzo posible para lograr que la calidad física del libro esté a la par con su mensaje. Además del escritor, él es la única persona que ha estado íntimamente envuelto en la tarea de ambas obras, el original y la edición revisada. El hermano Gene Cannon, compositor, le ha dado corazón y aliento al libro; el hermano Ron Hood, artista del departamento gráfico de la Iglesia de Dios, ha captado el espíritu de la obra con sus ilustraciones.

La hermana Evaline Echols, mi asistente administrativa en el Colegio Lee, merece una palabra especial de agradecimiento. Ella ayudó en la investigación, tomó notas de entrevistas, transcribió el manuscrito tanto de mi puño y letra como de mis dictados, y leyó las pruebas impresas en todas las etapas del desarrollo del manuscrito. Su dedicada habilidad fue como una segunda mano derecha para mí.

Como en todo lo que hago, quien comparte el crédito conmigo es mi querida esposa, Edna. Por treinta y seis años, ella me ha animado a llevar a cabo tareas arduas, me ha apoyado en el logro de las mismas y ha aplaudido la terminación de éstas. La dedicación de este libro a ella es sólo un modesto reconocimiento a sus extraordinarias y desinteresadas contribuciones en toda mi vida y labor. Como la musa de antaño, ella es una constante inspiración para mí.

CHARLES W. CONN

Colegio Lee
Cleveland, Tennessee
Marzo 1977

SOBRE EL TRADUCTOR

Wilfredo Estrada Adorno es pastor de la Iglesia de Dios en Barrio Palmas, Cataño, Puerto Rico, capellán del Hospital de Veteranos en San Juan, Puerto Rico, y profesor de Nuevo Testamento y Ministerios en el Colegio Bíblico Interamericano, Saint Just, Puerto Rico.

Recibió licenciatura de Educación Cristiana en el Colegio Lee, 1966; licenciatura en Educación y Sociología, Universidad de Puerto Rico, 1967; maestría en Divinidad de la Universidad Emory, Atlanta, Georgia, 1973. Actualmente es candidato al grado de Doctor en Ministerios de la Universidad Emory, en Atlanta, Georgia.

PREFACIO DEL TRADUCTOR

La tarea de traducir al español la monumental obra del doctor Charles W. Conn, *Como Ejército Poderoso*, ha sido una profunda experiencia de comunión con Dios. Muchos fueron los momentos en que dejé la tarea de traducción a un lado para irrumpir en alabanzas, al sentir, corazón adentro, el mismo toque que Dios le había dado a aquellos hombres y mujeres: personas humildes y sencillas que frente al vendabal permanecían firmes, creyendo y ganando almas para Cristo.

Los hombres y las mujeres que han forjado la historia de la Iglesia de Dios bajo el poder del Señor, merecen nuestro cariño y representan puntos de referencia en nuestro peregrinaje. A la vez, nos aseguran que se puede vivir en comunión con el eterno y soberano Señor en medio de las contradicciones de este mundo.

Esta historia está llena de hombres y mujeres de una fibra especial. La mayoría de ellos se podrían describir con la declaración del apóstol Pablo: "Mirad hermanos, vuestra vocación, que no sois muchos sabios según la carne, ni muchos poderosos, ni muchos nobles, sino que lo necio del mundo escogió Dios, para avergonzar a los sabios y lo débil del mundo escogió Dios, para avergonzar a lo fuerte; y lo vil del mundo y lo menospreciado escogió Dios, y lo que no es, para deshacer lo que es, a fin de que nadie se jacte en su presencia" (1 Corintios 1:26-29). Son los hombres y las mujeres de cualidades como éstas los que hacen de *Como Ejército Poderoso* una historia de proyección trascendental.

El Doctor Charles W. Conn, quien además de escribir forma parte de la historia misma, ha reconstruido tan vívidamente "los hechos de los apóstoles de la Iglesia de Dios", que mientras ésta se lee el lector está bajo la impresión de que viaja al tiempo y espacio del lugar de los hechos.

Como Ejército Poderoso es una historia singular; la historia de la Iglesia de Dios —la iglesia pentecostal más antigua. Todo miembro de la Iglesia de Dios de habla hispana que desea conocer las raíces históricas de su iglesia, debe leerla y saborearla en actitud de oración y reverencia.

En la tarea de traducir *Como Ejército Poderoso,* muchas personas han sido de particular ayuda al traductor. De éstas, las siguientes merecen mención especial: el autor de la obra en inglés, Doctor Charles W. Conn, insistentemente animaba al traductor en su tarea. La hermana Gricelle Cruz ayudó en la traducción de los apéndices. María del Pilar y Carmen Alicea ayudaron a revisar la traducción al español. La hermana Alba Nelly Meléndez de Marrero pasó muchas horas tomando dictado y transcribiendo de cintas magnetofónicas.

La ayuda de Carmen, mi esposa, es incalculable. A lo largo del proyecto me estuvo animando y cedió mucho de su tiempo para que se pudiera concluir la tarea. Con ella y mis cuatro hijos, Willie, Keila, Wallie y Wilmer estoy endeudado.

WILFREDO ESTRADA ADORNO

7 de abril de 1980
Barrio Palmas
Cataño, Puerto Rico

El doctor Charles V. Cotto, quien además [illegible] forma parte de la historia misma, [illegible] [illegible] los [illegible] de los apóstoles de la [illegible] [illegible] [illegible] espacio del lugar [illegible]

[illegible] [illegible] historia [illegible] de la Iglesia de [illegible] la Iglesia [illegible] [illegible] [illegible] para que [illegible] conocer las raíces históricas de su Iglesia [illegible] lectura y [illegible] en [illegible]

[illegible] [illegible] de [illegible] ayuda a [illegible] traducción. De éstas [illegible] [illegible] mención especial el [illegible] de la [illegible] en inglés [illegible] [illegible] [illegible] [illegible] de [illegible] [illegible] del [illegible] ayudaron a revisar [illegible] traducción al español [illegible] [illegible] de [illegible] [illegible] pasó muchas [illegible] [illegible] y transcribiendo de cintas magnetofónicas.

La ayuda de Carmen, mi esposa, es incalculable. A lo largo del proyecto [illegible] y [illegible] de su [illegible] para que [illegible] con ella [illegible] [illegible] y Wilma, [illegible] estoy en deuda.

[illegible]

[illegible]

CONTENIDO

INTRODUCCIÓN

RAÍCES DE SANTIDAD

Los períodos de despertamiento espiritual dicen mucho acerca de la historia del cristianismo, particularmente de su expansión en Norteamérica. El último período de gran avivamiento ocurrió alrededor del comienzo de este siglo, y debe considerarse junto con "El Gran Despertamiento" del siglo 18, "El Segundo Gran Despertamiento" de la última parte del siglo 18 y primera parte del siglo 19, "El Gran Avivamiento del 1800-1801", y los avivamientos individuales de evangelistas como Finney y Moody. A este último avivamiento se le refiere en esta obra como "El Despertamiento Pentecostal". Comenzó en la última década del siglo 19 y ha continuado vigorosamente hasta el presente.

A diferencia de "El Gran Despertamiento" y de "El Segundo Despertamiento", que sucedieron mayormente en Nueva Inglaterra, y "El Gran Avivamiento", que se mantuvo en los estados de la región apalache, el avivamiento pentecostal se ha esparcido por toda la tierra. A diferencia de los avivamientos de Finney, Moody y otros, "El Despertamiento Pentecostal" no ha sido obra de ningún hombre o grupos de hombres. Distintivamente, éste apareció espontánea y simultáneamente en muchas regiones distantes del mundo. En diversas ocasiones, los participantes de un despertamiento en algún lugar estaban totalmente ajenos a avivamientos similares en otros lugares.

Las raíces de la fe pentecostal se encuentran en el avivamiento de santidad que apareció durante la segunda mitad del siglo 19. En realidad, el énfasis pentecostal es simplemente una extensión de los primeros conceptos de santidad. Sus adherentes sostienen firmemente que los preceptos pentecostales y de santidad son inseparables, y sólo se consideran diferentes de otros creyentes de santidad por la experiencia espiritual posterior que han recibido. La historia de la fe pentecostal tiene que comenzar con la historia de la separación de la santidad.

MODERNISMO Y FUNDAMENTALISMO

No hay evidencia de que los primeros grupos de santidad intentaran formar nuevas sectas o denominaciones. Estos eran separatistas o no conformistas —tal como habían sido los líderes de otros grandes movimientos en la historia de la iglesia. La salud espiritual de las iglesias decayó durante el siglo 19. Se establecieron fuertes líneas de división entre lo que se conoció como el modernismo y el fundamentalismo. Perry Miller data el origen de esta disensión con la aparición de un naturalismo presuntuoso y sofisticado para mediados del siglo 19.

> Aquí, contendería yo, está el comienzo de la división que posteriormente en el siglo se convertiría en el abismo fatal entre lo que, por razones de espacio, llamaré "Fundamentalismo", y todas las múltiples formas de liberalismo que encontraron acomodo en un teísmo gentil de evolución y en la "alta crítica". La línea de batalla no estuvo tan clara en 1850 como en 1900, debido a que los predicadores de avivamiento todavía estaban muy ocupados peleando con abejas,[1] mientras que los naturalistas todavía eran muy ambiguos o mostraban muy poco interés en las ideas que establecieran un abierto desafío a la ortodoxia dominante.[2]

El abismo se abrió más a través de una conspiración de las influencias liberales. La iglesia se convirtió en un escenario de luchas en todas partes. La teoría de la evolución de Darwin se convirtió en una de las líneas de combate más divisorias. La sofistería reemplazó a la teología. El pensamiento de Kant,

---

[1]Referencia a la declaración de Abraham Lincoln: "Cuando oigo predicar a un hombre, me gusta verlo pelear con abejas" -implicando, por supuesto, con ademanes emotivos— lo cual siempre ha caracterizado a la predicación de avivamiento.

[2]De: *Religion and Freedom of Thought*, por Perry Miller, Robert L. Calhoun, Nathan M. Pusey y Reinhold Niebuhr, pág. 18. Derechos reservados, 1954, de Union Theological Seminary, Doubleday and Co. Usado con permiso.

Emerson, Newman, Voltaire, Schleiermacher, Carlyle y un enredo de teólogos, filósofos y poetas llegó a ejercer más influencia que la Palabra de Dios en muchos púlpitos. La Biblia fue grandemente olvidada. Esto contribuyó al deterioro de la vida evangélica de las iglesias. Un historiador conservador ha declarado:

> En el siglo 19, la religión y la filosofía estuvieron grandemente afectadas por la crítica bíblica y el modernismo. Bajo el liderato de Voltaire, se desarrolló una escuela de filósofos y críticos que enseñaban que gran parte de la Biblia estaba llena de errores. El más famoso de estos críticos fue Renán, quien en sus biografías de Cristo señaló que éste era sólo un hombre, y que tanto el Antiguo como el Nuevo Testamento contenían numerosos mitos y leyendas.
>
> Tanto el modernismo como el socialismo generaron mucho escepticismo entre las multitudes. Consecuentemente, las personas comenzaron a desertar de los servicios de la iglesia y perdieron interés en la religión.[3]

Este empeoramiento de la religión perturbó a muchos cristianos devotos que no podían aceptar el nuevo liberalismo. Ellos se retiraron de las iglesias y comenzaron a adorar en pequeños grupos de creyentes con una fe común. Surgió un avivamiento de proporciones modestas. Los grupos de santidad —más de veinte— aparecieron gradualmente en la escena norteamericana. Miller ha señalado:

> El protestantismo puede llevar en sus lomos la división de la disensión, pero aun a un Bossuet se le haría difícil redactar la crónica y mantener en su lugar las divisiones y separaciones, los sismos, embrollos y divorcios que formaron la historia de la iglesia norteamericana desde 1776 hasta 1865.[4]

Esto fue más real en los años siguientes —casi desde 1865 hasta 1925. Los grupos de santidad lucharon por mantener viva la fe en los corazones de los hombres. Inevitablemente, los grupos separatistas que ya no podían asistir a las iglesias históricas, se convirtieron en iglesias por derecho propio. Un escritor contempo-

---

[3] Albert Hyma, *World History: A Christian Interpretation* [Historia Mundial: Una interpretación cristiana] (Grand Rapids, Mich.: Wm. B. Eerdmans, Co., 1942), pág. 355.

[4] Miller, *op. cit.*, pág. 16.

ráneo ve en este proceso divisorio la verdadera fortaleza del protestantismo:

> El genio de la iglesia cristiana evangélica se encuentra en sus pequeñas unidades de trabajo. A través de estos grupos de familias denominacionales, el vasto programa cristiano evangélico mundial se lleva a cabo. Frecuentemente se sostiene que estas divisiones del cristianismo son en detrimento de la causa de Cristo. Hay muchos que piensan que es esencial tener una gran organización centralizada de todo el cristianismo evangélico. Hay varias razones por las que el escritor contiende que esto no es así.
>
> Primero, el mundo tiene ante sí el desalentador ejemplo de por lo menos dos grupos religiosos altamente centralizados, cuyas almas han sido amenazadas por recurrir a la política del poder. Éstos son: el catolicismo romano y el catolicismo greco ruso. ¿Qué seguridad hay de que si el vasto mundo religioso evangélico se condensara en un poder político con gran potencial, no fuera absorbido por orgullo presuntuoso y pusiera su alma en peligro?
>
> Segundo, las incontables bendiciones que Dios ha impartido en muchas familias de fe evangélica, son evidencia de su aprobación a la obra que están haciendo ...[5]

El amanecer de Pentecostés

Como Ejército Poderoso no es una historia del movimiento pentecostal como un todo. Es la historia de la Iglesia de Dios, que es el grupo pentecostal más antiguo. Su existencia data desde el 1886, cuando comenzó como un grupo separatista de santidad. Esta primacía de la Iglesia de Dios entre los cuerpos pentecostales,[6] también revela que no se originó como un grupo pentecostal.

Durante los primeros diez años de su existencia sólo fue uno de entre los muchos grupos de santidad que comenzaron a aparecer. El bautismo del Espíritu Santo, con su distintivo de la glosolalia (hablar en otras lenguas), apareció regionalmente después de una década, y universalmente después de una generación de historia de la Iglesia de Dios. Poco después del comienzo del presente siglo,

[5] W. Earle Smith, *Foundations for Freedom* [Fundamentos para la libertad] (Philadelphia: The Judson Press, 1952), págs. 74, 75.

[6] La Iglesia de Santidad Bautizada en Fuego, ahora fusionada con la Iglesia de la Santidad Pentecostal, se organizó en 1898; las Asambleas de Dios comenzaron en 1914; la Iglesia Internacional del Evangelio Cuadrangular comenzó en 1923.

algunas personas en regiones aisladas recibieron el bautismo del Espíritu Santo. El derramamiento universal comenzó en 1906.

Muchos factores han contribuido a la expansión del movimiento pentecostal. Quizás el más grande de todos sea el hecho de que el modernismo se difundió junto con la expansión pentecostal. El hambre espiritual entre las multitudes de las iglesias históricas las llevó a la religión sencilla que predicaban las iglesias pentecostales. La división final del modernismo y el fundamentalismo ocurrió durante el primer cuarto de este siglo,[7] período en que el movimiento pentecostal hizo algunos de sus más importantes avances. La Enciclopedia Americana dice:

> Los cinco puntos del fundamentalismo son:
> La inerrancia e infalibilidad de la Biblia,
> El nacimiento virginal y la completa deidad de Cristo,
> La resurrección literal del cuerpo,
> El sacrificio expiatorio de su muerte por los pecados del mundo, y
> La segunda venida en forma corporal a la tierra.
> Los fundamentalistas declaran tener una creencia irrefutable en estos dogmas, mientras que los liberales niegan su validez o sostienen que no es esencial creer en ellos.[8]

Mientras que los bautistas, presbiterianos, metodistas y otros discutían sobre estas cosas en sus iglesias, convenciones y asambleas, los creyentes pentecostales seguían ganando convertidos para Cristo.

Éstos no sólo eran militantemente fundamentales, sino que también tenían el mensaje positivo de la santidad y del bautismo con el Espíritu Santo.

EL PROPÓSITO PENTECOSTAL

Si el movimiento pentecostal nació en un tiempo de tempestad teológica —modernismo versus fundamentalismo—, ha florecido en medio de una creciente apostasía. Muchas nociones teológicas aberrantes han hallado oídos dispuestos en el siglo 20. No es

---

[7] *Encyclopedia Britannica* (14ª edición), vol. 9, págs. 921, 922.
[8] *The Encyclopedia Americana* [La Enciclopedia Americana] (edición de 1948), vol. 12, pág. 162.

exagerado sugerir que un propósito del movimiento pentecostal ha sido contrarrestar los sonidos teológicos disonantes y caprichosos: la adoración feliz y sencilla de cristianos llenos del Espíritu, ha sido un oasis en medio de la turbulencia de la duda y la negación. En un tiempo cuando algunos eruditos sofisticados declararon que Dios está muerto, los creyentes pentecostales demostraron que Él no sólo está vivo sino que todavía se manifiesta en medio de su pueblo.

Los creyentes pentecostales jamás se han considerado a sí mismos más allá de creyentes cristianos con una ortodoxia sencilla. Su experiencia es simplemente una bendición más profunda en sus vidas cristianas. Ésta no suplanta ni sobrepasa al evangelio de Jesucristo como el Hijo de Dios. El reclamo pentecostal de ser cristiano no es una pretensión infundada, pues Jesucristo es aceptado literalmente tal como se le representa en la Palabra de Dios; Él es Señor, Salvador y Redentor soberano, y Rey de toda la tierra.

Aun cuando la fe de los pentecostales era sincera y sencilla, éstos fueron objeto de desdeño y mofa hasta mediados del siglo veinte. Sin embargo, también para mediados del siglo veinte, el movimiento pentecostal obtuvo un respeto intelectual tardío. Un artículo del Dr. Henry P. Van Dusen, publicado en *Christian Century* (Siglo cristiano) en 1955, fue típico de este nuevo respeto y aceptación. Hablando sobre los grupos pentecostales, dice:

> "Sectas marginales" las denominamos, de una manera despectiva, menospreciativa, ligera y condescendiente. Indudablemente que son "sectas", brotes de iglesias previamente establecidas, al igual que muchos de *nuestros* antepasados espirituales —bautistas, congregacionalistas, metodistas, discípulos, amigos y todos los demás; sí, al igual que en los ojos de Roma, todos los protestantes son "sectas". ¿"Marginales"? ¿Al margen de qué? De *nuestras* sectas, para estar seguro, del protestantismo ecuménico. Pero, ¿al "margen" del cristianismo auténtico, de la verdadera iglesia de Cristo? Eso no es cierto de ninguna manera, especialmente si la regla de medir es la afinidad de pensamiento y vida con el cristianismo original, el cual todos compartimos orgullosamente como progenitor, y en cierto sentido, norma. Muchas de sus huellas son fuerte, inevitable e

> innegablemente reproducidas en este "nuevo cristianismo", tal como lo fueron en los albores del histórico "protestantismo sectario":
>
> Ardor espiritual, a veces con emocionalismo excesivo, aunque no siempre.
>
> Experiencia inmediata del Cristo vivo, a veces con aberraciones.
>
> Confraternidad íntima y sustentadora, a veces con excesos.
>
> Dirección del Espíritu Santo, a veces con reclamos exagerados, aunque no siempre.
>
> Escatología intensa, así como la iglesia primitiva, pero no mucho más extremada que lo que está en boga en algunos segmentos del respetable protestantismo ecuménico y contemporáneo.
>
> Sobre todo una devoción dedicada, transformadora, y de siete días a la semana, sin importar la limitación de su perspectiva, al Señor de toda vida.[9]

Como si estuvieran de acuerdo, otros escritores comenzaron a darle crédito, y otros periódicos y revistas, tanto religiosas como seculares, enfocaron su atención sobre el movimiento pentecostal. Otro desarrollo dramático de la década de los 50, alentado por la nueva atmósfera hospitalaria y una persistencia pentecostal, fue una aceptación de la experiencia pentecostal en numerosas denominaciones históricas. Entre bautistas, metodistas, presbiterianos, y hasta en episcopales y católicos, de repente surgió el sentido de que la experiencia proclamada por los pentecostales había sido cierta todo el tiempo. Estos creyentes llenos del Espíritu, llamados "carismáticos", debido a que la palabra griega para dones espirituales es *carisma*, constituyen un cuerpo paralelo de creyentes pentecostales.

Con esto, el propósito pentecostal llegó a su plenitud. El lugar del movimiento pentecostal fue tan permanente en el mundo cristiano, como vital había sido su impacto para éste.

La Iglesia de Dios estuvo a la vanguardia del despertamiento pentecostal desde sus comienzos. Pero esa es una larga historia, a la cual debemos ir ahora mismo desde sus comienzos.

---

[9]Henry P. Van Dusen, *The Christian Century* [El siglo cristiano], 17 de agosto de 1953, págs. 946-48.

CRONOLOGÍA

1884	La insatisfacción por los credos y rituales en las iglesias establecidas conduce a Richard G. Spurling a un nuevo estudio de las Escrituras y la historia de la iglesia.
1886	Se organiza la Unión Cristiana con ocho miembros, en el Condado Monroe, Tennessee.
1896	Gran avivamiento en la Escuela Shearer, Condado Cherokee, Carolina de Norte, con el prominente líder W. F. Bryant.
	Junto con Spurling, hijo, el grupo de Tennessee se combina con el grupo de Carolina del Norte.
	Alrededor de cien personas son bautizadas en el Espíritu Santo y hablan en otras lenguas.
1896-1902	La persecución amenaza a la Unión Cristiana.
1900-1902	El fanatismo casi destruye a la Unión Cristiana.
1902	Se adopta como gobierno un plan sencillo.
	Se cambia el nombre de Unión Cristiana por el de Iglesia de Santidad.
1903	A. J. Tomlinson se une a la joven iglesia y es seleccionado como pastor.
1905	La iglesia se extiende a Georgia; se establecen dos nuevas iglesias en Tennessee.
1906	La primera asamblea anual se reúne en el Condado Cherokee, Carolina del Norte, con veintiún delegados.
	Los líderes de la iglesia se cambian al Condado Bradley, Tennessee.
1907	Se cambia el nombre de Iglesia de Santidad a Iglesia de Dios.

1908 La Iglesia de Dios informa un total de doce congregaciones locales. Un gran avivamiento barre todo Cleveland, Tennessee.

1909 Se instituye la posición de Supervisor General. A. J. Tomlinson es seleccionado.
La Iglesia de Dios se extiende a Florida y Alabama.

1910 El primer misionero sale para las Islas Bahamas — R. M. Evans. Comienza la publicación de *Church of God Evangel (El Evangelio de la Iglesia de Dios)*.

1911 Se nombra a los primeros supervisores estatales —a siete estados.

1916 Se compra un auditorio para las asambleas anuales en Harriman, Tennessee.
Se instituye el Concilio de los Doce; los miembros se nombran en 1917.

1918 Comienza el primer semestre de la Escuela de Adiestramiento Bíblico — Nora Chambers, maestra.
Se cancela la asamblea anual debido a la epidemia de influenza.

1920 Se construye un auditorio para la asamblea en Cleveland, Tennessee.
Se inician un Orfanatorio y un Hogar para Niños — Lillian Kinsey, matrona.

1923 A. J. Tomlinson es residenciado como Supervisor General. F. J. Lee es electo Supervisor General.

1928 La Iglesia se extiende a 32 estados.
S. W. Latimer se convierte en el Supervisor General debido a la muerte de F. J. Lee.

1929 El Esfuerzo Juvenil se convierte en un auxiliar oficial de la iglesia.
Se publica *The Lighted Pathway* (La Senda Iluminada) — Alda B. Harrison, editora.

1934 El Departamento de Música contrata a su primer editor musical —Otis L. McCoy.
La asamblea anual se reúne en Chattanooga, ya que no cabía en el auditorio de Cleveland.
El Colegio Bíblico del Noroeste, en Minot, Dakota del Norte, tiene su primer semestre.

1935 J. H. Walker es electo Supervisor General.

1936 Se organiza las Trabajadoras Voluntarias.
Se comienza el Colegio Bíblico Internacional en Saskatchewan.

1938 La Escuela de Adiestramiento Bíblico se cambia a Sevierville, Tennessee.

1941 Sólo a los ministros varones se les permite asistir a la asamblea, debido a la epidemia de polio.

1943 La Iglesia de Dios se une a la Asociación Nacional de Evangélicos.

1944 John C. Jernigan es electo Supervisor General.

1945 Un nuevo Hogar para Huérfanos se incorpora en Kannapolis, Carolina del Norte.

1946 Las asambleas se cambian de reuniones anuales a bienales.
Se instituye la posición de Director Nacional de Escuela Dominical y Juventud —Ralph E. Williams, director.

1947 La Escuela de Adiestramiento Bíblico se traslada a Cleveland, Tennessee, y se le cambia el nombre a "Colegio Lee".

1948 H. L. Chesser es electo Supervisor General.

1949 El Hogar de Niños se cambia de Cleveland a Sevierville.
La Escuela Bíblica de la Costa Oeste comienza en Pasadena, California.

1951 La Iglesia del Evangelio Completo de la Unión de Sudáfrica se fusiona con la Iglesia de Dios.

1952 Zeno C. Tharp es electo Supervisor General.

1954 Se construye nuevas oficinas generales y facilidades para la casa de publicaciones.

1956 Houston R. Morehead es electo Supervisor General.

1957 La juventud de la iglesia da inicio al programa Jóvenes en Acción Mundial Misionera (JEAM) [*Youth World Evangelism Appeal (YWEA)*].

1958 Se inicia la transmisión radial "Adelante en fe".
James A. Cross es electo Supervisor General.

1960 Se adopta una resolución de afirmación de la santidad.
La Iglesia de Dios auspicia el viaje a las Islas Bahamas para el 50 Aniversario de Misiones.

1962 Wade H. Horton es electo Supervisor General
A. M. Philips, Primer Asistente del Supervisor General, fallece en el puesto.

1963 Se inicia un programa de retiro para los militares.
Se organiza el Departamento de Evangelismo y Misiones Nacionales.

1964 La Asamblea General se reúne al oeste del río Mississippi, en Dallas, Texas.
Se crea un Comité Nacional de Laicos.
Las Trabajadoras Voluntarias se convierte en un departamento general.
Se le cambia el nombre al Concilio Supremo por el de Concilio Ejecutivo.

1966 Charles W. Conn es electo Supervisor General.
Se integran las obras anglo y afroamericana.

1967 Se forma una amalgamación con la Iglesia Bethel del Evangelio Completo en Indonesia.

1968 Se termina de construir un nuevo edificio para las oficinas generales.
Se crea un Comité General de Educación.

1969 El Colegio Lee recibe acreditación como un colegio de artes liberales de cuatro años.

1970 R. Leonard Carroll es electo Supervisor General.

1971 Se crea un Centro de Investigación Pentecostal en el Colegio Lee.

1972 El Supervisor General R. Leonard Carroll fallece en el puesto.
Ray H. Hughes es electo Supervisor General.

1973 La Conferencia Internacional de Evangelismo se reúne en la Ciudad de México.

1974 Wade H. Horton es electo Supervisor General por segunda ocasión.

1975 La Escuela Graduada de Ministerios Cristianos de la Iglesia de Dios comienza su primer semestre.

1976 Cecil B. Knight es electo Supervisor General.
Se instituye el Colegio Bíblico de la Costa Este en Charlotte, Carolina del Norte.

Parte Uno

El Despertamiento Pentecostal 1886-1905

Capítulo 1
EN BUSCA DE AVIVAMIENTO

1. La religión en las montañas

Las montañas Unicoi se alzan paralelas a los valles que sirven de límite entre Tennessee y Carolina del Norte y descienden en inclinadas laderas hasta la frontera norte de Georgia.

En esa remota región de los Estados Unidos, la vida era trabajosa y difícil durante la última parte del siglo diecinueve. Por las inclinadas laderas y a lo largo de los estrechos y retorcidos valles, los labriegos sacaban de la tierra su escaso sustento, tras el arado, tirado por bueyes. Los pocos que tenían una mula o un caballo eran considerados por los demás como ricos. Las cosechas no eran muy abundantes, pues la colorada y estéril tierra apenas producía lo necesario bajo las rudas manos de quienes la labraban. La áspera y resistente vestimenta de estos montañeses, con la excepción del atuendo "dominguero", era hecha en casa, con la lana de las ovejas que apacentaban a lo largo de las rocosas laderas.

Pocos asistían a la escuela porque los campos demandaban atención y predominaba la urgencia de proveer el pan diario; por lo tanto, "los libros" tenían que esperar. Familias numerosas llenaban las mesas, haciendo de la comida una necesidad y de la educación un lujo.[1] Eran escasos los libros en esa recóndita área rural. Hasta bien entrado el presente siglo, los libros más voluminosos con que contaban eran la Biblia, *El progreso del peregrino* y el *Diccionario Webster.* Estos constituían la única literatura que adornaba muchos de los hogares de estas montañas, aunque

---

[1]Hasta 1940, según el censo de ese año, había más hijos por familia en esta región montañosa que en la mayor parte del país.

algunos ni siquiera contaban con éstos.[2] Esta región tenía pocos habitantes y las comunidades estaban esparcidas; sin embargo, eran felices con su rústico estilo de vida. De todas las regiones de la tierra, ésta parecía la menos adecuada para producir hombres o incidentes notables; sin embargo, fue aquí donde nació la Iglesia de Dios.

El protestantismo florecía en esta zona montañosa; el catolicismo era desconocido o lo consideraban como pagano. Asistir a la iglesia era el gran evento de la semana. La gente era tan religiosa como agraria y la iglesia era más que un lugar de adoración: era el centro de su vida social e intelectual. No obstante, fue en esta región en donde se desarrollaron variantes endémicas de tempestad eclesiástica que amenazaban con hacer estragos en las iglesias establecidas. Los credos y las tradiciones oscurecieron la adoración sencilla. El servicio a Dios perdió el entusiasmo y la espontaneidad y se convirtió en una rutina. Lo ritual rivalizaba con la fe; las iglesias ganaban gente para sí mismas, no para Cristo; había una actitud de tolerancia hacia el pecado, aunque no se admitiera con palabras; los prejuicios denominacionales produjeron un clima de tensión y la rivalidad denominacional era denunciada con más fuerza que el mismo pecado.[3] Entre la semana santa y el tiempo de cosecha, cada iglesia, sin fallar, tenía una especie de convención, en la que se estimulaba algún tipo de respuesta espiritual, se daban actividades sociales para los jóvenes y se procuraba romper la monotonía de los adultos. No obstante, el avivamiento genuino casi había desaparecido.[4] Estas cosas eran muy graves para muchos cristianos sinceros, quienes las soportaban pacientemente con la esperanza de que llegaría un avivamiento de adoración y fe verdaderas.

---

[2] North Callahan, *Smoky Mountain Country* [Región de la Montaña Smoky] (New York: Duell, Sloan and Pearce, 1952), pág. 192.

[3] *Tennessee, A Guide to the State,* [Tennessee, una guía al estado] (New York: The Viking Press, 1939) pág. 114. Un predicador "caracterizó a sus rivales como 'mercenarios, orugas, fariseos, hipócritas, lacayos, simiente de la serpiente, edificadores necios a quienes el diablo ha guiado al ministerio, perros muertos que no pueden ladrar, hombres ciegos, muertos, poseídos por el diablo, rebeldes y enemigos de Dios'".

[4] Phillip M. Hamer, Edwin P. Conklin, *Tennessee —A History, 1673-1932* [Tennessee —Una historia] (New York: The American Historical Society, 1933), vol. 2, pág. 820.

2. Urgía un avivamiento y cierta reforma

Para 1884, algunos de los inconformes sintieron la necesidad de buscar algún tipo de avivamiento y reformas en lugar de dejarse llevar por la corriente que se alejaba de la Biblia y la adoración que ella enseña. Cerca de la comunidad de Coker Creek, en el Condado Monroe, Tennessee, un ministro licenciado y pastor de la iglesia bautista se entregó a la oración, el estudio de las Escrituras y de la historia de la iglesia en busca de una salida del pantano de las tradiciones, el legalismo y la eclesiolatría.[5] Aunque ya tenía setenta y dos años de edad, y no contaba con el vigor físico de sus años mozos, dentro de su anciano pecho palpitaba un corazón joven y valiente. Su desgaste físico no le había causado ningún decaimiento mental; las fibras de su mente estaban tan vigorosas y alertas, como las de su moral. Aunque Richard G. Spurling no estaba solo en su preocupación, fue él quien se atrevió a desafiar el estado deplorable de su amada iglesia. Tal parece que sus primeros compañeros de oración y estudio fueron su hijo, Richard G. Spurling, y un hombre llamado John Plemons. Por más de dos años, Spurling y sus amigos expusieron a la iglesia la necesidad de un despertamiento genuino y transformador. Guiados por la Palabra de Dios y por el ejemplo de la iglesia apostólica, estos hombres delinearon el curso a seguir. "Con oraciones, lágrimas y ruegos" se trazó una analogía entre la iglesia anterior a la Reforma y la presente tibieza y el alejamiento de la fe. Desafortunadamente, el avivamiento no llegó, pues sus ruegos dieron en oídos sordos y corazones insensibles.

Las condiciones no eran mejores en 1886. Richard G. Spurling y los que compartían su preocupación tal vez no estaban conscientes de que las circunstancias críticas en las Montañas Unicoi eran sólo una muestra en relieve del panorama general de modernismo

---

[5]La información de este período es tomada, en su gran mayoría, de *Una breve historia de la Iglesia de Dios*, que apareció como una introducción a la compilación de un libro de *Enseñanzas, Disciplina y Gobierno de la Iglesia de Dios*, publicado en 1922. No aparece el nombre del autor, aunque se nombra a L. Howard Juillerat como compilador del mencionado libro. Existe la idea de que fue A. J. Tomlinson quien la escribió, por la similitud con algunos de sus escritos conocidos y porque cambia de tercera a segunda persona cada vez que él entra en la narración. Ya que la identidad del autor es debatible, el nombre de Juillerat es usado a través de todo este libro, no como el autor, sino como el compilador y editor.

y liberalismo que cubría a la cristiandad. El disgusto y la inquietud que prevalecían, eran una amenaza contra los principios fundamentales del cristianismo occidental. Los tiempos eran severos y la fe evangélica tenía que luchar por su existencia contra las fuerzas que sobrepasaban el nivel de comprensión de muchos fieles creyentes en la Biblia, como los hermanos de Coker Creek. Estas fuerzas eran de diversas clases: teológicas, sociales, educacionales, económicas, filosóficas, políticas y psicológicas. Esta lucha se volvería más intensa durante la primera parte del siglo veinte y continuaría hasta la época presente.

Hacia el verano de 1886, el pequeño grupo de Coker Creek reconoció lo inútil de sus esperanzas de revitalizar la adoración en sus propias iglesias. Era evidente la falta de preocupación por parte de las denominaciones locales en cuanto a la decadencia espiritual. No sólo ignoraron los ruegos de los creyentes, sino que éstos fueron ridiculizados y recibieron un trato hostil. Para los líderes de la iglesia y la comunidad, estos creyentes eran tan molestos e incómodos como lo fueron Elías para Acab, Juan el Bautista para Herodes y Jesús para los fariseos. Los religiosos formalistas se sienten incómodos cuando están entre creyentes más profundos y fervorosos y quisieran alejarse de ellos como si se tratara de una plaga, y buscan siempre la manera de evadirlos como a desquiciados mentales. Así de mortificantes vinieron a ser Spurling y sus compañeros a aquellos que no pudieron comprender su visión.

Las conclusiones a las que llegó este grupo se conservan en una crónica de ese conflictivo período:

> El resultado de la oración y las investigaciones del hermano Spurling y sus compañeros probaron tres cosas a su entera satisfacción.
>
> Durante los siglos 16 y 17, cuando los nobles e ilustres reformadores estaban liberándose del horroroso yugo del romanismo e iniciaban lo que comúnmente se conoce como el protestantismo, fallaron en reformar los credos: adoptaron la ley de la fe cuando debieron haber adoptado la ley del amor; también cometieron el error de no dar preeminencia a la dirección del Espíritu Santo y la conciencia.

> Ellos reconocieron que la iglesia del Señor sólo puede existir donde los hijos de Dios observan su ley y su gobierno divino.[6]

3. Nace una iglesia

A medida que el descontento de estos hombres se cristalizaba en objetivos específicos, ellos decidieron tomar alguna acción: había que conducir una junta con los que tenían afinidad de opiniones y hambre espiritual. El jueves 19 de agosto de 1886 habría una sesión en la casa de reuniones de Barney Creek, una casa de madera rústica, construida por Spurling y otros, cerca de la confluencia de los arroyos Barney y Coker.

El día señalado, un pequeño grupo de creyentes se reunió en la ruda casa, como a tres kilómetros de la línea limítrofe entre Tennessee y Carolina del Norte. Esta sencilla reunión se inició con una oración para pedir la dirección divina en un momento en que se requería de decisiones positivas y corazones firmes. El venerable Richard G. Spurling habló con vehemencia acerca de lo crítico del momento en que vivían, la necesidad de ánimo espiritual y unidad cristiana, y de la dirección divina que los había unido. Su seriedad y sinceridad produjeron en él una elocuencia tal que sólo se puede comparar con la respuesta entusiasta de las personas que lo escuchaban. Si en la iglesia había oposición a la reforma y la santidad, lo único que quedaba era separarse de la misma para adquirir una identidad espiritual genuina. Se tenía que formar una unión cristiana que reafirmara las doctrinas intrínsecas de la Biblia y los puntos vitales del servicio cristiano, y cuyo objetivo fuera "restaurar el cristianismo primitivo y lograr la unión de todas las denominaciones".[7]

---

[6]L. Howard Juillerat, *Minutas*, (Cleveland, Tenn.: Church of God Publishing House, 1922), págs. 7, 8.

[7]Elmer T. Clark, *The Small Sects in America* [Las sectas pequeñas en América], edición revisada (Nashville, Tenn.: Abingdon-Cokesbury, 1949), pág. 100. A pesar de que Clark no es del todo preciso con relación al movimiento pentecostal, y parece no simpatizar con éste, sus observaciones son de interés. "El movimiento moderno (pentecostal) comenzó en el área montañosa del este de Tennessee y del occidente de Carolina del Norte en 1886, bajo el liderazgo de dos predicadores bautistas, R. G. Spurling y R. G. Spurling, hijo. En ese año, R. G. Spurling, padre, participó en un avivamiento de santidad en el Condado Monroe, Tennessee y, debido a las oposiciones de sus compañeros bautistas, organizó un grupo independiente llamado Unión Cristiana, al que denominó como un 'movimiento de reforma' para restaurar el cristianismo primitivo y lograr la unión de todas las denominaciones".

Sin entender a cabalidad cuán importante era la ocasión, aunque reconocía el impulso divino en su interior, el devoto pastor invitó a los oyentes a que formaran una unión cristiana:

> Todos los cristianos aquí presentes, que deseen ser libres de los credos y las tradiciones de los hombres, y tomar el Nuevo Testamento o la ley de Cristo como su única regla de fe y práctica, la cual da a cada uno derechos y privilegios por igual para interpretar como su conciencia le dicte, y estén dispuestos a reunirse como la Iglesia de Dios para celebrar sesiones de negocios, pasen al frente.[8]

Sólo ocho personas aceptaron la invitación. Aquel era un paso decisivo, pues significaba separarse de la iglesia en que habían nacido y crecido para aventurarse, sin experiencia, a tomar un camino nuevo, sin antecedentes, teniendo como guía y norma solamente su fe en las Escrituras; sólo ocho estuvieron dispuestos a dar este paso. Sin embargo, los ocho lo hicieron sin vacilación. Spurling y siete hombres y mujeres pasaron al frente y solemnemente se estrecharon la mano en señal de confraternidad cristiana.[9]

4. La unión cristiana

Acto seguido, se celebró una sesión de negocios. Se decidió que la naciente organización se debía llamar Unión Cristiana, puesto que su propósito era lograr la unidad de los cristianos de todas partes. A pesar de que estos fundadores se veían como una unión o asociación, más que como una iglesia, acordaron recibir nuevos miembros dentro de la comunión del grupo si éstos eran de buen carácter cristiano y estaban dispuestos a aceptar las obligaciones que los primeros ocho habían estipulado. En caso de que un ministro deseara adherirse a la Unión Cristiana, la licencia u ordenación que él tuviera en su denominación sería válida en la Unión. Esto mostraba más esperanza que razón porque parecía

---

[8] Juillerat, *op. cit.*, pág. 8.

[9] Los nombres de los primeros miembros son: Richard G. Spurling, John Plemons, Polly Plemons, Barbara Spurling, Margaret Lauftus, Melinda Plemons, John Plemons, hijo, y Adeline Lauftus.

poco probable que ministros licenciados y ordenados quisieran unirse a un grupo con un futuro tan incierto.

Spurling era el único ministro en el pequeño grupo y así fue como se le reconoció dentro del mismo. Mientras fue pastor en la iglesia bautista, había sido fiel a su cargo. Quizás algunos lo consideraran como un fanático o radical por su énfasis en la santidad y la consagración y por su anhelo utópico de reformar a su iglesia, pero nadie podía impugnarle su lealtad a ella. Él fue establecido oficialmente como el líder y moderador de la Unión. Spurling aceptó la responsabilidad, orando por el futuro de la nueva organización. Su primera acción fue dedicar al pequeño grupo a la voluntad de Cristo, para ser usado en su servicio y para su gloria. Buscó "la dirección y bendición de Dios para la congregación, con el fin de que ésta creciera, progresara y lograra grandes cosas".

5. Una segunda invitación

La siguiente acción del grupo fue una inexplicable segunda invitación para nuevos miembros. Tal vez sabían de algunos indecisos entre los presentes y pensaran que para entonces ya habrían decidido adherirse a los primeros ocho; o pudo haber sido algo casual para atraer a otros antes de que terminara la reunión. Cualquiera que haya sido la razón, probó ser propicia, porque un hombre pasó al frente: Richard G. Spurling, hijo, quien también era un ministro licenciado de la iglesia bautista. Esta oportunidad providencial de último minuto para hacerse miembro, trajo al nuevo redil a alguien que se convertiría en el alma y corazón del movimiento por más de tres décadas. Él había estado con su padre durante los dos años de oración y búsqueda de un avivamiento pero, por razones desconocidas, claudicó cuando se hizo la invitación inicial. Después de unirse al grupo, recibió la mano de compañerismo.

La reunión fue fructífera. A pesar de no contar con una agenda formal, mucho fue lo que se logró: (1) se formó una nueva confraternidad cristiana, (2) se designó un nombre, (3) se eligió a un ministro (4) se estableció la base para recibir más miembros, (5) se dedicó al Señor el naciente movimiento y (6) se ganó a un segundo ministro. Luego se levantó la sesión y se retiraron de la casa de reunión de Barney Creek. Aquél había sido un día muy especial, era el 19 de agosto de 1886.

6. Expansión de un espíritu de reforma

Lo más probable es que los primeros miembros de la Unión Cristiana ni siquiera imaginaran que su acción iba a repercutir más allá de su círculo local o regional. Quizás vieran lo que sucedió en la humilde casa de reuniones de Barney Creek sólo como un paso para revitalizar el cristianismo en su región. Empezar con sólo nueve miembros era muy poco prometedor para soñar con una vasta denominación. Ellos no tenían un líder de la talla de Juan Wesley, a quien apodaron "la lanzadera que teje el destino de Inglaterra". No había multitudes como las que se reunían para escuchar a Wesley, de quien se escribió:

> Al principio muy pocos venían a oírlo; después venían centenares; luego, millares y decenas de millares. Las multitudes se esparcían por los campos y laderas como grandes rebaños de ovejas hambrientas.[10]

Pasarían años para que se congregaran multitudes para oír a los predicadores de la Unión Cristiana o para que el grupo llegara a ser ampliamente conocido. El comienzo de la Iglesia de Dios, como se llamaría veintiún años más tarde, no daba indicaciones de ser un gran movimiento. Parecía demasiado insignificante para llegar a ser tan notable. Pero lo fue; vino a formar parte de un gran movimiento universal del Espíritu de Dios para restaurar la fe en la tierra. El grupo de Coker Creek sólo desempeñó un papel representativo dentro de un plan de proporciones mundiales: una operación del Espíritu Santo que culminaría en las lluvias tardías de la bendición pentecostal. El avivamiento estaba brotando por todas partes, y el mundo cristiano se empezaba a llenar de grupos que buscaban más de Dios.

---

[10]Frank S. Mead, *The March of Eleven Men* [La marcha de once hombres] (New York: Bobbs-Merrill Co., 1932), pág. 199.

En todas las iglesias grandes de los Estados Unidos había mucha gente de escasos recursos, que comenzaron a sentirse mal entre miembros ricos y prósperos. Más aún, con el surgimiento incontenible del modernismo en las iglesias urbanas y el tipo de adoración ceremonial, muchos creyentes sentían que estaba desapareciendo la religión del corazón. Alrededor del año 1880 se empezó a cuestionar "la santidad", especialmente en las iglesias metodistas. En sus tiempos, Wesley había enseñado la posibilidad de la perfección cristiana. Pero para la mayoría de miembros de las iglesias metodistas, la perfección cristiana ya no era una meta por la cual luchar con ahínco. En su lugar, se había infiltrado mucha mundanalidad.

En muchas iglesias se levantaron grupos pro santidad. Éstos se declaraban fieles a Wesley, el fundador de la Iglesia Metodista, y deseaban que la iglesia volviera a su doctrina e ideal. Sin embargo, los líderes de las iglesias metodistas miraban con desprecio al movimiento pro santidad. La mayoría de los ministros prominentes de la Iglesia Metodista, y de otras iglesias grandes, tendían hacia puntos de vista modernistas. Esto alarmó más a los miembros ortodoxos. Se sintieron cada vez más incómodos en las iglesias por la apatía de éstas hacia la búsqueda de la "santidad". En poco tiempo comenzaron a separarse y a formar organizaciones religiosas independientes.[11]

Entre los años de 1880 a 1926 se establecieron un total de veinticinco iglesias pro santidad y pentecostales. En cada situación la causa de su existencia era la búsqueda de la santidad. Un prominente historiador contemporáneo señala:

> Surgió cierto número de pequeñas denominaciones. Algunas eran de origen metodista, aunque consideraban a la Iglesia Metodista Episcopal como muy liberal. Algunas enseñaban que se puede obtener la exención del pecado. Otras creían en la sanidad por fe. Había otros grupos similares que incluían la palabra "santidad" en su nombre y hablaban de una "segunda bendición", después de la conversión y, como resultado, la perfección de vida. Había varias iglesias pentecostales que creían en el derramamiento del Espíritu Santo, como en el día de Pentecostés, con la evidencia de hablar en otras lenguas.[12]

---

[11] B. K. Kuiper, *The Church in History* [La iglesia en la historia] (Grand Rapids, Mich.: Wm. B. Eerdmans Co., 1951), págs. 470, 471.

[12] Kenneth Scott Latourette, *A History of Christianity* [Una historia del cristianismo] (New York: Harper and Bros., 1953), pág. 1260.

En retrospectiva, es obvio que lo que ocurrió en las montañas del este de Tennessee fue el inicio regional de un movimiento ecuménico. Las nacientes organizaciones de Tennessee y otros lugares se habían rebelado, en primer lugar, contra el aumento del modernismo en las iglesias grandes, aunque también estaban ganando fuerza para la inmensa tarea que les esperaba. Habría sido inspirador para las nueve personas en el Condado Monroe, Tennessee, si el 19 de agosto de 1886 hubieran sabido que estaban desarrollando un papel importante en un movimiento tan vasto. Lo que ellos habían hecho pasó inadvertido o no se tomó mucho en cuenta en sus montañas nativas.

Capítulo 2
LLEGA EL AVIVAMIENTO

1. El predicador solitario

Poco después de que se formara la Unión Cristiana murió Richard G. Spurling, a la edad de setenta y cuatro años.

> A pesar de haber tenido el honor de ser el primer ministro ordenado, no vivió para ver los resultados de sus oraciones, lágrimas y obras de amor, al ayudar en el inicio de esta última gran reforma.[1]

Una de las últimas acciones de Spurling fue ordenar a su hijo, Richard G. Spurling, como pastor de la joven iglesia; el hijo era el heredero ideal de la visión y carga que habían llenado el corazón de su padre por tanto tiempo. Juntos habían pasado mucho tiempo en oración: a veces se pasaban la noche entera orando, debido a su pasión por el avivamiento; juntos habían escudriñado las Escrituras para encontrar mayor luz sobre el tema de la santidad. Ambos habían servido de todo corazón como pastores en la Iglesia Bautista, por lo que eran sensibles al Espíritu de Dios. Fue la voluntad de la iglesia que el hijo fuera ordenado como pastor, acción que se tomó el 26 de septiembre de 1886. Habiendo entregado las riendas de la iglesia, que sólo tenía un mes de haberse formado, en manos más jóvenes y fuertes que las suyas, el "noble y santo anciano" dejó su carga al morir poco tiempo después.

En la Unión Cristiana no hubo progreso notable durante diez años. El joven Spurling aumentó sus esfuerzos para restaurar en las iglesias la adoración a Cristo como en los tiempos primitivos, predicando no sólo en la localidad, sino también viajando mucho, exhortando a la gente a que se arrepintiera y manifestara más de

[1]Juillerat, *op. cit.*, pág. 9.

la naturaleza de Cristo. Sin embargo, sus exhortaciones fueron de poco éxito inmediato porque cayeron en oídos sordos y corazones indiferentes. Pero decir que su predicación fue enteramente infructuosa sería negar la importancia de la preparación, ya que lo que él hizo fue preparar el camino para lo que vendría.

Aunque no hubo mucho progreso, el vigoroso ministerio de Spurling mantuvo latente el anhelo de un camino mejor. Sus constantes denuncias contra el pecado y su búsqueda incesante de una reforma espiritual, no dejaban descansar a la gente de las montañas.

> De esta manera se agitaba sin cesar el corazón de la gente y se les iba preparando gradualmente para la obra del Espíritu. Por diez años este siervo de Dios oró, lloró y persistió en su ministerio con mucha oposición, bajo dificultades peculiares, antes de ver los frutos de su trabajo.[2]

Viajar por las montañas no era fácil para aquel viajero solitario que iba de lugar en lugar, predicando donde pudiera encontrar quienes le escucharan: Cokercreek, Camp Creek, Shoals Creek, Patric, Farner, Turtletown o en casas de amigos. Cruzaba las cordilleras una y otra vez, siempre a pie, tanto en Tennessee como en Carolina del Norte, predicando a los que encontrara por el camino, debatiéndose con predicadores antagonistas, orando y llorando constantemente, ganándose a los pocos que pudiera convertir. Muchas de las cosas que sufrió, aun cuando fueron de cierta consideración, nunca fueron violentas o de consecuencias físicas, ya que lo consideraban muy poca cosa como para atacarlo. En tono burlón, la gente se refería a la Unión Cristiana como "la Iglesia de Spurling" o la "Unión de ovejas monteses". Él se encontró con éstos y otros reproches, pero no lo podían amedrentar, porque a un hombre de visión no se le puede disuadir. Por el contrario, otros tienden a seguir sus pasos. Lo único que pudo haber mantenido en pie de lucha a este solitario heraldo de la santidad fue la inspiración del Espíritu y una obsesión personal con su misión.

---

[2]*Loc. cit.*

No existe ningún registro de los sermones de Spurling durante los diez años de su ministerio solitario. Sermones posteriores nos muestran que él había sido un hombre diestro y elocuente, cuya educación podía considerarse bastante completa en cuanto a la historia del cristianismo. En armonía con su pasión por la reforma en la iglesia, se especializó en el período del siglo 16 de la Reforma Protestante. Años después, todavía predicaba mucho sobre los temas que constantemente ocupaban su corazón y mente durante este período: una constante protesta contra el pecado y los credos eclesiásticos, la necesidad de avivamiento continuo y la posibilidad de vivir en santidad.[3]

Como se señaló en el capítulo anterior, muchas de las iglesias que surgieron en la parte final del siglo 19 fueron de trasfondo metodista, con énfasis en la perfección cristiana.Estos grupos defendían una posición que enfatizaba la santidad, la cual no era común entre los bautistas de mentalidad más calvinista. Aunque el bautista Spurling tenía una idea de la santidad práctica, su posición no era tan clara como para predicarla con persuasión.

Lo que él predicaba era la doctrina del nuevo nacimiento, enfatizando que "si alguno está en Cristo, nueva criatura es; las cosas viejas pasaron; he aquí todas son hechas nuevas" (2 Corintios 5:17). La doctrina wesleyana de la santidad o santificación no eran parte de su enseñanza, porque parece que en ese momento no la entendía. Él comprendía la necesidad de la separación del pecado, lo cual predicaba rigurosamente,[4] inclinándose hacia la teología arminiana de la justificación. Tal parece que su predicación era principalmente negativa y denunciatoria, como la de los profetas de Israel, en la que definía y repudiaba los impedimentos existentes en las iglesias. A pesar de todo, predicó una forma de santidad y sembró buena semilla que un día produciría abundante fruto.

---

[3]En la asamblea de enero de 1913 (octava), en Cleveland, Tennessee, Spurling pronunció un prolongado discurso de cómo la ley del amor había sido tan cubierta con tonterías "a través de quince siglos, que he pasado muchas noches sin dormir, tratando de eliminar la basura y revelar la ley del amor".

[4]La información concerniente al ministerio de Spurling, antes de 1896, se obtuvo entrevistando, en las mismas montañas donde él predicó, a las pocas personas que aún vivían y que oyeron a Spurling en aquel tiempo.

Él era emotivo y dinámico en su predicación, con una rara habilidad para cautivar a sus oyentes, a menudo exaltándolos a alturas sublimes.[5] Tal vez los resultados de la predicación de Spurling habrían sido más inmediatos si él hubiera poseído una visión clara y positiva de la santidad que tan devotamente creía y defendía. Diez años parecían una larga espera, especialmente cuando los escasos resultados sólo proveían estímulo ocasional. Sin embargo, por la pasión de su alma y la abundancia de su labor, desde 1886 hasta 1896, este valeroso cristiano mantuvo ardiendo la llama que el Espíritu Santo había encendido.

2. Tres hombres con una experiencia similar

Después de diez años de labor, casi sin frutos, el anhelado avivamiento llegó tan abrupta e inesperadamente que conmovió la endurecida indiferencia de los habitantes de esa área montañosa. El avivamiento no llegó a la Unión Cristiana de Tennessee, ni directamente a través del ministerio de Richard G. Spurling. Tres hombres de la vecindad de Cokercreek, estimulados por el énfasis de la Unión Cristiana hacia la santidad, se interesaron y fueron movidos poderosamente por el Espíritu de Dios.[6] Uno de ellos era metodista y los otros bautistas; ninguno era predicador. Su conocimiento de la santidad era wesleyano y declaraban haber recibido una experiencia similar a la que Juan Wesley recibió en la calle Aldersgate de Londres, el día 24 de mayo de 1738.[7] Ellos

---

[5]Las Minutas de la asamblea de 1913, celebrada en noviembre (novena), describen el tremendo efecto que produjo en la audiencia uno de los sermones de Spurling: "Este discurso fue recibido con mucha gratitud y todos los oyentes daban alabanzas a Dios y gritos de alegría resonaron a través de la sala de la asamblea". *Minutas*, pág. 145.

[6]Juillerat, *op. cit.*, pág. 10.

[7]Debido a que la experiencia de Juan Wesley es mencionada comúnmente entre sus seguidores espirituales, la mencionamos aquí como aparece en su diario bajo la fecha del miércoles 24 de mayo de 1738: "Yo creo que eran alrededor de las cinco de la mañana cuando abrí mi Nuevo Testamento en estas palabras: 'por medio de las cuales nos ha dado preciosas y grandísimas promesas para que por ellas llegaseis a ser participantes de la naturaleza divina' (2 Pedro 1:4). Inmediatamente al salir, lo abrí de nuevo en este pasaje: 'No estás lejos del reino de Dios' (Marcos 12:34). En la tarde se me pidió que fuera a la Iglesia San Pablo. El himno era: 'De lo profundo he clamado a ti, Señor: Oh Señor, oye mi voz, oh deja que tus oídos consideren bien la voz de mi queja. Jehová, si mirares a los pecados, ¿quién, oh Señor, podrá mantenerse? Pero en ti hay misericordia, por lo tanto, seas reverenciado. Oh Israel, clama a Jehová y confía en el Señor; porque en Él hay misericordia y gran redención. Él redimirá a Israel de todos sus pecados.'"

"En la noche fui en contra de mi voluntad a una sociedad en la calle Aldersgate: alguien estaba leyendo el prefacio de Lutero en la Epístola a los Romanos. Cuando faltaba un cuarto para las nueve, mientras él

también se deleitaban en el pasaje que dice: "Por medio de las cuales nos ha dado preciosas y grandísimas promesas para que por ellas llegaseis a ser participantes de la naturaleza divina" (2 Pedro 1:4), y sintieron el calor de la presencia de Dios en su corazón.

Con una experiencia como ésa, ¿qué podían hacer? Aunque eran laicos, William Martin, el metodista, y sus compañeros bautistas, Joe M. Tipton y Milton McNabb, se convirtieron en predicadores de la santificación. Estos hombres viajaron juntos a través de las montañas predicando la misma vida limpia y de santidad que Spurling había predicado por diez años, pero con una diferencia: en vez de enfocar el tema en una forma negativa, ellos alentaban a la gente a buscar una clara experiencia espiritual de la santificación, que pudiera hacer de la santidad algo no sólo posible sino natural.

Ninguna iglesia permitía su ministerio, así que predicaban en los hogares, al aire libre y debajo de los árboles. Aunque no siempre caminaban juntos, iban por los caminos de herradura y veredas, cruzando bosques, campos y riachuelos, en busca de quienes estuvieran dispuestos a escucharlos. Igual que Spurling, saludaban a los que encontraban con la Biblia en la mano, y les hablaban de la necesidad de la perfección cristiana, la cual era posible a través de una experiencia de santificación, semejante a la que ellos habían recibido.

---

describía el cambio que Dios obra en el corazón a través de la fe en Cristo, sentí que mi corazón ardía extrañamente. Sentí que confiaba en Cristo, solamente en Él, para salvación; y me fue dada seguridad de que Él había quitado mis pecados y me había salvado de la ley del pecado y de la muerte".

"Comencé a orar con todas mis fuerzas por aquellos que me habían perseguido. Entonces testifiqué abiertamente a todos los que estaban allí, lo que ahora sentía por primera vez en mi corazón. Pero no pasó mucho tiempo sin que el enemigo sugiriera: 'Esto no puede ser fe porque ¿dónde está tu gozo?' Entonces se me enseñó que la paz y la victoria sobre el pecado son esenciales para la fe en el Capitán de nuestra salvación. Pero con relación al éxtasis de gozo que usualmente la acompaña al principio, especialmente en aquellos que han llorado profundamente, Dios lo da en algunas ocasiones y en otras no, de acuerdo al consejo de su propia voluntad."

"Después de mi regreso a casa, fui abofeteado mucho con tentaciones, pero clamé y éstas huyeron. Estas regresaron una y otra vez. Muchas veces levanté mis ojos y Él me envió ayuda de su lugar santo. Y fue aquí donde entendí en qué consistía principalmente la diferencia entre mi presente estado y el anterior. Yo estaba luchando, sí, peleando con todas mis fuerzas bajo la ley, así como bajo la gracia. Pero entonces, algunas veces, si no siempre, era vencido; ahora siempre era yo el conquistador".

3. El avivamiento en Camp Creek

Al mismo tiempo que estos tres hombres empezaron a predicar, un grupo de bautistas como a 22 kilómetros de Cokercreek, en el Condado Cherokee, Carolina del Norte, comenzaron a reunirse en sus casas a orar. Sin el apoyo de sus iglesias, ellos no contaban con predicadores regulares para que los guiaran; así que sin predicar, cantaban, testificaban y oraban. Lo más importante es que oraban. "Billy" Martin, Joe Tipton y "Milt" McNabb inevitablemente encontraron la ruta a Camp Creek, en el Condado Cherokee —una región de las montañas tan agreste y poco habitada como para llamarla "comunidad". Allí empezó un avivamiento.

Anticipándose a la llegada de más gente que la que pudiera alojarse en los hogares, los hermanos que habían estado dirigiendo los servicios de oración hicieron arreglos con los oficiales del condado para usar el local donde estaba ubicada la Escuela Shearer, como a medio kilómetro del hogar más cercano.

Los tres evangelistas, aunque no eran ministros hábiles en toda la extensión de la palabra, eran "buenos para hablar", según la opinión de los que asistieron a los cultos.[8] No predicaban mucho sobre la teología de la santificación; más bien exhortaban con las Escrituras y describían la maravillosa experiencia que ellos habían recibido. Lo que les faltaba en habilidad para predicar, preparación teológica y entendimiento, lo tenían en dinamismo; los tres oraban y ayunaban mucho. Como Spurling, sus exhortaciones eran emotivas y personales, con resultados sin precedentes.

Las reuniones se empezaban con cantos y sin acompañamiento musical, a menos que alguien que tuviera guitarra la trajera al culto. Los himnos que siempre se cantaban eran, por ejemplo, "Sublime gracia", "En Jesucristo", "En la cruz" y "Oh, qué amigo nos es Cristo"; lo que hoy se conoce como *gospel singing* (música evangélica popular) no se conocía. Después venían los testimonios, en los que los cristianos se levantaban y compartían sus experiencias espirituales, edificándose mutuamente. Cuando

---

[8]La información con relación a los tres evangelistas, la esencia de su predicación y algunos detalles del avivamiento, se obtuvo por medio de entrevistas con el finado W. F. Bryant y su esposa, la señora Ella Robinson Thompson, la señora Agnes Benton y con T. N. Elrod, quienes participaron en aquellas reuniones.

llegaba el momento de la oración, toda la congregación oraba en voz alta al unísono; esto parece haber sido el comienzo de lo que hoy se conoce como "oración en concierto." Según Schaff, igual que los cristianos primitivos:

> Oraban con libertad, de todo corazón, a medida que eran movidos por el Espíritu Santo, según las circunstancias y necesidades especiales.[9]

Después venía el mensaje por uno de los tres evangelistas, seguido de un llamamiento para que los creyentes vinieran al altar de oración. Casi desde el comienzo del servicio, el altar estaba lleno de pecadores arrepentidos y de los que buscaban la experiencia de la santificación. Muchos de los escépticos hacia la santidad fueron convencidos y muchos pecadores se convirtieron; finalmente, el avivamiento era una realidad.

Almas hambrientas espiritualmente llenaban el edificio cada noche, llegando en grupos increíbles desde granjas muy lejanas ubicadas en los valles o en las montañas. Las distancias desde donde la gente venía quizá no parezcan muy largas ahora, pero 20, 30 o 40 kilómetros son distancias considerables cuando se tiene que caminar a pie, por veredas montañosas o en carretones y carretas tiradas por bueyes. Pero aun así, la gente acudía. Casi desde el principio, la escuela fue muy pequeña, pues en poco tiempo el grupo se convirtió en multitudes que venían desde las cordilleras para oír y ver. Venían de todas partes para aprender más de esta doctrina de la santidad, aunque en verdad no era nada nuevo, sino que se trataba de un nuevo énfasis en una antigua creencia, que ahora se volvía a proclamar, después que los seguidores de Wesley la habían dejado a un lado. Tenían hambre del cristianismo puro y sencillo que presentaban estos hombres de poca instrucción y carentes de conocimientos teológicos, y cuya lógica empezaba y terminaba con, "Así dice el Señor".

A medida que más y más gente llenaba los altares, orando hasta que eran liberados de sus cargas y dudas, la expectación de cada

---

[9]Philip Schaff, *History of The Christian Church* (Historia de la iglesia cristiana) (New York, Charles Scribner's Sons, 1910), vol. 1, pág. 462.

servicio era cada vez mayor. En el salón, alumbrado con lámparas, la gente sentía una extraña exaltación que a menudo los hacía prorrumpir en llantos y gritos de gozo. Sus expresiones emocionales se volvieron más demostrativas, ya que muchos danzaban en éxtasis espirituales o trances, a medida que eran profundamente conmovidos por un sentido de felicidad y salvación. Todo era tan maravilloso que muchos pecadores, aparentemente incorregibles, fueron guiados a Cristo y muchos cristianos nominales adquirieron una vida de consagración total.

4. Por qué vino el avivamiento

No todos los que acudían a la Escuela Shearer mostraban simpatía o deseos de creer. Muchos eran curiosos. Otros cínicos. Aun otros eran hostiles. Estimulados por varios líderes de iglesias prominentes de las comunidades cercanas, unos canallas trataron de interrumpir los servicios y crear confusión. Sus esfuerzos fueron inútiles, en tanto que la bendición continuaba. El avivamiento había nacido del Espíritu de Dios y nada parecía capaz de detenerlo.

Richard G. Spurling y los miembros de la Unión Cristiana unieron sus servicios con los del grupo de Carolina del Norte y formaron un solo grupo; ambos habían buscado el avivamiento de santidad que ya había empezado y estaba creciendo. Con la movilización del grupo de Tennessee hacia Carolina del Norte, se formó una sola congregación, compuesta de familiares de varias comunidades y vecindarios adyacentes y distantes. Por un lado, Richard G. Spurling había predicado la santidad, denunciando los credos, las tradiciones, instituciones y los dogmas; por otro lado, Martin, McNabb y Tipton predicaban una experiencia espiritual provista divina y abundantemente para todos. Spurling defendía la santidad a través de la represión del mal, lo cual es bueno; los tres evangelistas la proclamaban a través de la expresión del bien, que es mucho mejor. Ambos tipos de predicación tuvieron su lugar en el avivamiento del Condado Cherokee, pero el último trajo los resultados inmediatos. Los pecadores estaban hambrientos de Dios; los cristianos tenían necesidad de ser alimentados; por lo tanto, cuando alguien pudo señalarles una posición en Cristo que satisfaciera esos anhelos, lo escucharon atentamente. La gente buscaba aquello que supliera sus necesidades individuales.

La doctrina de la santificación es arminiana; y el arminianismo, no el calvinismo, ha producido los avivamientos más grandes en la nación, particularmente en el sur. El Dr. William Warren Sweet ha expresado que la doctrina calvinista, con su posición extrema sobre la predestinación y la elección, ofrece esperanza a muy pocos, mientras que el arminianismo, con su insistencia en el libre albedrío, ofrece salvación a todos; el calvinismo es autocrático, mientras que el arminianismo es democrático.[10] Como dato curioso, la gente del este de Tennessee y el noreste de Carolina del Norte que abrazaba la santidad, era sólidamente arminiana en fe, aunque su gran mayoría era de origen bautista, en donde predomina el calvinismo.

La doctrina de la santidad saturó toda la región montañosa. Esta ofrecía paz al hombre desesperado: era una gracia de la que nadie quedaba excluido. El avivamiento llegó a las montañas porque un puñado de gente humilde se apropió de lo que las iglesias grandes habían desechado. Debido a que las iglesias establecidas resistieron el avivamiento, los pocos que ardientemente lo deseaban, se unieron en oración y Dios oyó sus súplicas.

> La desaparición del avivamiento en muchos de los grandes cuerpos evangélicos ha sido uno de los factores principales en la creación de nuevas sectas de avivamiento. Éstas se han levantado en gran número desde 1880. Muchas de ellas fueron establecidas sobre bases de avivamiento continuo y, por lo general, son relativamente pequeñas.[11]

El avivamiento no vino de adentro, sino de afuera de las iglesias, promovido por miembros leales que al principio intentaron traer renacimiento a sus propias congregaciones pero, siendo rechazados y obstaculizados, se volvieron a la gente hambrienta que estaba fuera de su dominio. Así lo hicieron Jesús y Pablo cuando el judaísmo inflexible no aceptó el mensaje del Hijo de Dios; Martín

---

[10]William Warren Sweet, *Revivalism in America* (Avivamiento en América), (New York: Charles Scribner's Sons, 1944), pág. 128.

[11]*Ibíd.*, pág. 174.

Lutero, cuando el catolicismo complaciente no se reformó a sí mismo; de igual manera, los wesleyanos se vieron forzados a predicar afuera, después de tratar de revivir la desfallecida Iglesia Anglicana; lo mismo pasó con los defensores de la santidad en 1896. Después de haber resistido el avivamiento desde adentro, las iglesias no podrían pararlo una vez empezado desde afuera.

5. El avivamiento se difunde

Cuando concluyeron los servicios y los tres evangelistas salieron a llevar las buenas nuevas a otras partes de las montañas, el creciente grupo de creyentes de la santidad continuó el avivamiento en servicios de oración y sesiones regulares de escuela dominical. Richard G. Spurling dedicaba su tiempo a viajar extensamente para bien de la nueva obra, visitando frecuentemente la Iglesia de Camp Creek. En ausencia de un ministro ordenado, William F. Bryant, un hombre influyente en el área, fue escogido por Spurling para fungir como líder de los servicios cuando él no estaba. Estos se convertirían en compañeros y amigos por el resto de su vida.

El espíritu de avivamiento continuó bajo el liderazgo de Bryant. La oposición hacia la nueva iglesia no disminuyó, sino que parecía aumentar en proporción al éxito de la doctrina de la santidad. Sin embargo, la gente de las montañas venía, oía y se convencía; se convertían pecadores y muchos testificaban de la experiencia de la santificación. La religión vino a ser el tema común en todo lugar y se encontraba la influencia del avivamiento en los campos, en casi toda choza de las laderas y en todo lugar en donde la gente se reunía. La santidad se argumentaba, cuestionaba, atacaba, defendía y sostenía, según la actitud y el temperamento de la persona que hablaba; sin embargo, muchos la practicaban.

Algunos cuyas vidas era desordenadas, enderezaron sus pasos; hombres violentos manifestaban mansedumbre; los borrachos dejaron el alcohol y los que practicaban juegos de azar, los abandonaron. Estos creyentes enfatizaban tanto la perfección cristiana que se esforzaban por demostrarlo en su vida. Para ellos, la santidad no era un ideal místico sino un estilo práctico de vida. Esto se lograba a través de la obra divina de la santificación.

El entusiasmo se mantuvo elevado. Los servicios eran, generalmente, de una naturaleza emotiva; aun así, la estabilizadora influencia de la enseñanza, aunque no muy adecuada, no estaba ausente del todo. La emoción que hacía llorar, reír y gritar a los adoradores fieles, no era ningún delirio sicológico indefinible; ésta surgía de la exaltación que recibían, pues sentían la presencia de Dios. A medida que la gente se retiraba del lugar de reunión, en sus carretas o a pie, iban alabando a Dios.

El grupo de santidad se hubiera sentido culpable de contristar al Espíritu si hubiera reprimido los impulsos del gozo espiritual (1 Tesalonicenses 5:19). En 1801, en Cane Ridge, Kentucky, los presbiterianos habían indulgido ante tal fervor religioso, que incluso en un servicio de convención cerca de tres mil personas cayeron en estado de éxtasis y cientos más "rodaron, danzaron, fueron sacudidos y emitieron alaridos".[12] La historia de todo avivamiento grande ha dado fe de fenómenos como éstos, la mayoría de los cuales hacen palidecer las manifestaciones del grupo de Camp Creek.

6. El Pentecostés se repite

Por diez años, el Espíritu de Dios había estado preparando los corazones de la gente para algo extraordinario. Y al fin sucedió. En ocasiones de ferviente oración, algunos de los miembros se sentían tan extasiados en Aquel a quien oraban, que el Espíritu Santo se manifestaba en ellos de una forma especial. Igual que Montano en el siglo segundo, ellos parecían ser tocados por el Espíritu como si fuesen un instrumento musical[13] —cuando estaban en éxtasis hablaban en lenguas desconocidas para quienes los escuchaban. Los cristianos sencillos y rústicos no podían entender lo que había sucedido, porque los miembros más antiguos de la Unión Cristiana desconocían tales manifestaciones. Una ignorancia total de la historia de la iglesia los privó de enterarse de que en otros períodos de despertamiento y avivamiento, había

---

[12]Sweet, *op. cit.*, págs. 123, 124.

[13]"Montano comparó a un hombre en éxtasis con un instrumento musical en donde el Espíritu Santo toca sus melodías". Schaff, *op. cit.*, vol. 2, pág. 423.

habido manifestaciones como éstas.[14] Pronto otros comenzaron a tener experiencias similares de éxtasis y, sin consideración de lugar, tiempo o circunstancias casuales de la experiencia, una manifestación era uniforme: todos hablaban en lenguas o idiomas desconocidos para los que escuchaban con asombro y esperanza.

No sabemos cuánto tiempo transcurrió antes de que entendieran lo que le había acontecido al grupo; pero no pudo haber sido mucho. Un estudio minucioso de las Escrituras le reveló al entusiasmado grupo que los discípulos en el día de Pentecostés habían hablado en lenguas (Hechos 2:4), los que estaban en casa de Cornelio habían hablado en lenguas (Hechos 10:46) y los creyentes en Éfeso habían hablado en lenguas (Hechos 19:6). En cada ocasión se decía que quienes experimentaban tal fenómeno habían recibido el Espíritu Santo. Tan paralelos eran los relatos bíblicos con la experiencia de esta gente, que entendieron claramente lo que había pasado. Un nuevo derramamiento del Espíritu Santo había ocurrido en la tierra.

El júbilo del pueblo se describe en el relato más antiguo del incidente:

> La gente buscó a Dios con toda sinceridad y el interés aumentó hasta que, inesperadamente, como una nube en un cielo claro, el Espíritu Santo empezó a descender sobre los adoradores honestos, humildes y sinceros. Mientras se realizaban los servicios, uno tras otro caía bajo el poder de Dios y pronto un gran número estaba hablando en lenguas como el Espíritu les daba que hablasen.[15]

El bautismo con el Espíritu Santo no estaba limitado a ningún grupo o género, pues tanto hombres y mujeres como niños recibieron la experiencia con la evidencia de hablar en lenguas. Debe notarse que esto pasó en 1896,[16] diez años antes del derramamiento del Espíritu Santo en California, en 1906, a lo que

[14]Por ejemplo, a varios seguidores de Montano en los siglos segundo y tercero; a Pacomio en el cuarto; Francisco Javier en el siglo dieciséis; los hugonotes en el 1685; los jansenistas en 1731; entre los cuáqueros; durante el avivamiento metodista; a Edward Irving y sus seguidores en 1830; y otros.

[15]Juillerat, *op. cit.*, pág. 11.

[16]Clark, *op. cit.*, pág. 100, da la fecha errónea de 1892, al igual que la persona y el lugar, R. G. Spurling en la Iglesia Bautista "Libertad". La primera manifestación en esta región, según testigos y registros de iglesias e historiadores pentecostales, fue cerca de Camp Creek en 1896 bajo el ministerio del laico W. F. Bryant.

popularmente se le recuerda como el comienzo del movimiento pentecostal moderno.[17] Hubo evidencias esporádicas del bautismo con el Espíritu Santo antes de 1896, pero éste fue el primer derramamiento general que continuaría sin disminuir hasta abarcar al mundo cristiano.[18] La maravillosa experiencia parecía un "amén" divino a la separación de la Unión Cristiana de las iglesias decadentes y moribundas. Aquello para lo cual el Espíritu había estado preparando a los cristianos sinceros, vino como una brisa de inspiración divina y vigorizante para la joven iglesia.

Más tarde, la iglesia entendería la doctrina, persona y naturaleza del Espíritu Santo. En aquel momento vieron la experiencia sólo como gozo celestial y manifestación física; tal como los observadores del derramamiento en el día de Pentecostés consideraron que los creyentes estaban ebrios y éstos, a su vez, tampoco entendieron la experiencia totalmente. La neumatología era una palabra y un tema demasiado recóndito para estos creyentes pentecostales primitivos, pero la experiencia les enseñaría, aun antes que las Escrituras, que habían recibido mucho más que gozo. Habían sido partícipes del *Parakletos*, el Consolador, la tercera Persona del Trino Dios.

Las noticias del gran derramamiento espiritual corrieron de tal manera en todas direcciones, que los curiosos y creyentes se allegaron para atestiguar esta cosa extraña. En campos distantes, el arado se detuvo al mediodía; la mezcla para hacer mantequilla se dejó agriar en las jarras; las vacas fueron ordeñadas al calor del sol; los bueyes fueron alimentados de prisa y los carretones se dirigieron por las lomas hacia Camp Creek. Richard G. Spurling escuchó lo que había pasado y corrió de regreso al lado de su

---

[17]En la Misión de la Calle Azusa, en Los Angeles, una misión originalmente metodista y usada por una congregación de afroamericanos, bajo el liderazgo de W. J. Seymour, numerosos líderes pentecostales, incluyendo algunos que se convirtieron en ministros y misioneros de la Iglesia de Dios, recibieron el bautismo en el avivamiento de esta misión.

[18]El libro *With Signs Following* [Señales que siguen], por Stanley H. Frodsham (Springfield, Mo.: Gospel Publishing House, 1941), da mucha información sobre los primeros años del movimiento pentecostal. Frodsham informa que el fenómeno de hablar en lenguas le ocurrió a R. B. Swan, en Providence, R. I., en 1875; Jetro Walthall, Arkansas, en 1879; María Gerber, Suiza, en 1879; Daniel Awrey, Delaware, Ohio, en 1890; Henry H. Ness, y otros, Seattle, Wash., en 1892, C. M. Hanson, Dalton, Minn., en 1895. Podemos estar seguros de que hubo muchos otros bautismos con el Espíritu Santo a nivel individual o local.

pequeño rebaño, para ser uno de los primeros en recibir la llenura del Espíritu Santo.

A medida que las multitudes se arremolinaban alrededor de la casa de reunión, estos proclamadores de la santidad "oraron y exhortaron hasta que cientos de pecadores endurecidos se convirtieron."[19] Además de los cientos que se convirtieron y fueron llenos del Espíritu Santo, mucha gente enferma recibió sanidad. No se registraron las enfermedades que fueron sanadas, pero se dice que las sanidades fueron milagrosas.

Los espectadores venían de regiones distantes del este de Tennessee y el occidente de Carolina del Norte para asistir al nuevo brote de avivamiento: algo nuevo, hasta donde podían entender, había aparecido debajo del sol. El despertamiento espiritual vino a ser una bendita realidad. Sin embargo, una oposición violenta hacia los creyentes pro santidad se había despertado en algunos, mientras que en otros surgía el deseo de vivir una vida santa.

---

[19]Juillerat, *op. cit.*, pág. 11.

Capítulo 3
LA PRUEBA DE LA PERSECUCIÓN

1. Aumenta la oposición

Mientras el grupo de santidad sólo predicó y proclamó la santificación, no encontró oposición seria fuera de amenazas e insultos. Generalmente, los metodistas les recordaban a todos que esa doctrina no era otra sino la que ellos habían enseñado desde los días de John Wesley. De igual manera, los bautistas miraban el avivamiento sólo como una versión extrema del fervor metodista; muchos, en ambos grupos, se burlaban y hacían de la "santidad" el objeto de su rivalidad y gestos ofensivos. La gente del movimiento de santidad recibía burlas y era ridiculizada con nombres peyorativos, aunque realmente no se registró ninguna oposición seria de inmediato.

Sin embargo, el antagonismo tomó un curso más violento cuando los miembros del grupo recibieron el bautismo del Espíritu Santo. Hablar de experiencias tan extrañas como hablar en otras lenguas que no se podían entender, tener experiencias de éxtasis bajo el poder de Dios y orar por los enfermos y afligidos, era demasiado chocante para ser tolerado. Brotes de violencia comenzaron a poner en peligro la vida de muchos. La bendición pentecostal era algo inefable en la vida de los fieles de la santidad, pero al mismo tiempo servía como un blanco que atraía constante amenaza y peligro físico.

La ironía de la persecución que se levantó consistía en que a la vanguardia del ataque había ministros nominales de denominaciones, cuyos fundadores habían sufrido mucho debido a gente conformista e incrédula. En la prosperidad de sus iglesias habían olvidado que ellos fueron abofeteados y acorralados, en la misma manera que ahora ellos acosaban y atormentaban al pequeño grupo de santidad.

2. Expulsiones de las iglesias

Las iglesias de mayor antigüedad actuaron rápidamente para refutar y desmoralizar a aquellos que decían haber recibido el bautismo con el Espíritu Santo. Se convocaron conferencias, en las que se repudió a la doctrina por hereje y los participantes en el nuevo movimiento fueron acusados también de herejes, lunáticos e idiotas. La Iglesia Bautista Libertad, en la comunidad de Patrick, expulsó a treinta y tres personas en una conferencia porque "confesaron vivir una vida de santidad".[1] Esto refleja los pasos severos tomados en muchos lugares para exterminar la difusión del movimiento de la santidad. Había un empeño definido para eliminar la influencia del avivamiento, aunque estos adversarios de la fe no contaban con la convicción de los que habían creído. De igual modo, la Unión Cristiana subestimó los extremos a los que podían llegar "hombres religiosos", debido a la desesperación y a la carencia del Espíritu de Cristo.

3. Expulsión de la escuela

Desde el derramamiento del Espíritu Santo, los miembros del grupo de la santidad se volvieron cada vez más controversiales en sus poblados. Se escucharon quejas acerca de sus servicios y gradualmente se desarrolló un fuerte núcleo de hostilidad; se buscó medios para que no se celebraran servicios y se ahogara la doctrina. En cierta noche, la congregación se reunió en la escuela sólo para encontrar las puertas y ventanas cerradas con candado. Los oficiales del Condado Cherokee ya no los dejaron adorar en el edificio, siendo persuadidos por los líderes eclesiásticos del condado. No se había construido ningún lugar de adoración debido a la disponibilidad de la escuela, que era frecuentemente usada por las iglesias vecinas para servicios religiosos. La acción subversiva sorprendió a la joven iglesia, del todo desapercibida, dejándola sin ningún lugar en donde reunirse. Por un momento parecía que el espíritu de avivamiento se extinguiría, ya que los miembros eran

---

[1]Juillerat, *op. cit.*, pág. 11.

agricultores pobres, sin tierra suficiente para construir un edificio y los dueños de las tierras no estaban dispuestos a vender propiedades para construir un edificio para una iglesia pro santidad.

Dios tenía un plan para su pueblo. Durante este tiempo, como en todo gran avivamiento, había muchas personas que simpatizaban con la gente de la santidad, aunque no aceptaban la fe para sí mismos. Una de esas personas fue Richard Kilpatrick, hombre de tal estima en los alrededores que se le conocía afectuosamente como el "Tío Dick". Este hombre vino a la ayuda de los desechados con una donación de tierra en la cual se construiría un edificio para la adoración.

El terreno donado estaba muy bien ubicado: al otro lado de la polvorienta carretera de la escuela, muy cercano al lugar de donde habían sido expulsados. El lugar descansaba sobre el tope de un pequeño monte desde donde se veían las montañas circunvecinas a la distancia. Se cortó y preparó madera, y se limpió con una actitud de acción de gracias. El donador de la propiedad ayudó en el corte de la madera y en la construcción de la rústica iglesia. Impávidos por la oposición, el grupo de la santidad mantuvo encendido el avivamiento, mientras trabajaban durante el día y adoraban en el hogar de W. F. Bryant durante las noches.

Con júbilo, la Unión Cristiana comenzó la adoración en su nuevo edificio, orgullosamente anidado entre los sombríos pinos que cubrían las lomas de los alrededores. El rompimiento con las grandes denominaciones fue completo e irreparable: excomulgados de las iglesias, expulsados del lugar de adoración, despreciados y abominados por muchos, admirados y respetados por otros, con mansedumbre y determinación, los creyentes de la santidad habían llegado a un punto del cual no podrían volverse.

4. Dinamita y fuego

Richard G. Spurling continuó siendo el predicador viajero de antaño, dejando a W. F. Bryant a cargo de los servicios en Camp Creek. Bryant no fue designado pastor porque aún no era ministro ordenado, pero como predicador laico realizó un trabajo extraordinario, enseñando y guiando al rebaño al crecimiento.

La ira de sus enemigos fue más o menos aplacada por casi un año, después de que se mudaron a su propia iglesia; luego se desató la hostilidad hacia la obra de Dios. En una noche lluviosa, un grupo de bandoleros prendió fuego al edificio, huyendo precipitadamente, aunque las fuertes lluvias apagaron las llamas antes de que causaran daños considerables. Las huellas en el lodo guiaron a los hombres de la iglesia a ciertos hogares, revelando la identidad de los maliciosos. Confrontados con sus hechos, los hombres confesaron e insolentemente desafiaron a los miembros de la iglesia a que los acusaran ante las autoridades legales. Los cristianos no deseaban hacer esto, aunque sí hicieron algunas gestiones para obtener promesas de que esta banda de maleantes ya no los molestaría.

No obstante, las persecuciones continuaron. Cuatro o cinco hogares donde la gente pro santidad se reunía para orar fueron quemados. Aun así, el avivamiento continuó porque, cuanto más trataban sus enemigos de destruirlos, más se aferraban ellos a Aquel por quien sufrían. Cierta noche, después de que los miembros de la congregación partieron hacia sus hogares, se oyó un sonido seco a través de las montañas, el cual provenía del templo. Una explosión de dinamita había destruido gran parte de la estructura de madera. Los enemigos de la congregación eran numerosos, como las montañas mismas, así que no valía la pena tratar de determinar quién lo había hecho. En lugar de esto, el edificio fue reparado con paciencia.

5. Un domingo al mediodía

Los servicios del domingo se celebraban generalmente en la tarde, pues era más conveniente para aquellos que vivían a gran distancia de Camp Creek. Uno de los ataques más terribles en contra de la Unión Cristiana, ocurrió mientras la congregación se dirigía a su lugar de adoración. Enfurecidos por los intentos frustrados de impedir el esparcimiento del grupo de santidad, los furtivos maleantes corrieron el riesgo de atacar durante el día, animados por su espíritu de turbulencia.

Uno de los hombres de santidad, un comerciante llamado Tom Elrod, ensilló su caballo para su acostumbrado paseo dominical matutino, antes de asistir al servicio de la tarde. Mientras galopaba por el polvoriento camino, se encontró con un grupo de cuatro o cinco hombres que caminaban con malas intenciones hacia el templo. Ellos lo saludaron con burlas: "¡Ven con nosotros si quieres ver cómo arderá tu iglesia!"

Los hombres caminaban airados y con paso firme. Otros grupos empezaron a llegar al templo y la furia aumentaba a medida que el número crecía. Aparentemente, la malvada reunión fue fijada para el mediodía, tiempo en que 106 hombres se reunieron para destruir el edificio. Esto no fue solamente un plan de maleantes irresponsables; entre el populacho salvaje había varios ministros, administradores, diáconos, un magistrado de paz y un alguacil.[2]

Unos cuantos hombres del grupo de santidad, que ya estaban también reunidos a lo largo de la carretera, aunque sin ninguna esperanza, trataron de razonar con los líderes, quienes profesaban ser cristianos. No había forma de detenerlos. El gentío atacó el edificio con herramientas de demolición y empezaron a destrozar la casa de Dios, en donde los inconversos eran guiados a Cristo en cada servicio. A medida que los troncos y las vigas cedían y caían al suelo, los amontonaban en hileras a lo largo de la orilla de la carretera; luego, mientras las mujeres y los niños de santidad retorcían imposibilitados sus manos, con lágrimas rodando por sus mejillas, se le prendió fuego a lo que una vez había sido un templo.[3] Por tercera ocasión, el grupo de santidad se había quedado sin lugar de adoración. Era casi media tarde cuando la turba se dispersó y se alejó de las humeantes cenizas.

6. Palos, piedras y balas

El templo no fue reconstruido. En su lugar, los servicios se reanudaron en la residencia de W. F. Bryant. Su hogar era una

[2]La confirmación de estos hechos se ha obtenido por entrevistas con Tom Elrod, cuando tenía 84 años; con la esposa de W.F. Bryant, a la edad de 91 años, y otros que presenciaron este hecho y que conocían íntimamente a muchos hombres en el motín. Muchos de los perseguidores eran parientes cercanos de los perseguidos. Vea también Juillerat, *op. cit.*, págs. 11, 12.

[3]¿Por qué derribaron el templo para quemarlo? Se cree que ya que algunos de los hombres eran líderes de las iglesias, no deseaban quemar un lugar de adoración, aunque se justificaron estableciendo que lo que quemaron eran troncos y no una iglesia. Al menos, esa fue la explicación de algunos cuando fueron juzgados en el Condado Cherokee, un año después.

casa de madera rústica, situada en un valle entre dos montañas bastante altas. Durante los servicios, a menudo sonaban disparos de armas de fuego a través del valle y la casa era rociada con perdigones de las armas de maleantes ocultos. Milagrosamente, nunca mataron a nadie, aun cuando las balas de los rifles penetraban las casas de las familias del grupo de santidad.

En cierta ocasión, Bryant estuvo arando hasta muy tarde y no llegó a su casa sino hasta que ya estaba oscuro. Después de alimentar a sus bueyes, estaba cerrando las puertas del establo que estaba arriba de su casa, cuando una bala pasó muy cerca de él. Cayó al suelo golpeado por cuatro balas de perdigones. Luego siguió una descarga de armas de fuego, pero Bryant escapó de la herida fatal, arrastrándose debajo del granero para protegerse.

En otra ocasión, un grupo de siete hombres vino al hogar de Bryant con la intención de matarlo. Cuando oyeron sus pisadas, la esposa de Bryant y sus niños lo escondieron en una esquina detrás de un baúl. La señora Bryant enfrentó a los intrusos en la puerta y les pidió que se fueran. Cuando se dieron cuenta que ella estaba embarazada, no forzaron la entrada, pero demandaron que no celebraran cultos y les prohibieron que la familia orara junta.

7. Los "jinetes nocturnos"

Otra de las persecuciones a la joven iglesia fue la intimidación de parte de turbas de "jinetes nocturnos" encapuchados (al estilo del *Ku Klux Klan*), que regularmente patrullaban las carreteras, en un esfuerzo por interrumpir los servicios. Ya que por lo general los habitantes de la región se conocían entre sí y se sabía abiertamente quién estaba a favor o en contra del grupo de santidad, se puede establecer que estos hombres eran los mismos que en otras ocasiones habían perseguido al grupo. Por lo menos, así pensaban los miembros de la Unión Cristiana.

Un día, un grupo estaba reunido para adorar en el hogar de un miembro llamado Ross Allen. La reunión fue interrumpida cuando 25 o 30 hombres invadieron la casa con cuchillos, garrotes y revólveres en mano, demandando que se terminara el servicio y que no celebraran ni uno más en ese lugar. Las consecuencias de la desobediencia serían más latigazos, los hogares de los líderes serían quemados y se expulsaría de la región a los que continuaran participando de los servicios.

La valiente esposa de Allen, Emiline, con una dulce y desarmante autoridad, se enfrentó a los hombres en el patio y los invitó a entrar, cosa que ellos rechazaron con agresiva murmuración y peligrosas amenazas. Entonces, esta dama cristiana respondió firmemente al grupo, señalándoles que los servicios no cesarían hasta que Dios terminara con ellos, porque obedecerían a Él antes que al hombre. Ella continuó diciendo: "¿Por qué no se quitan esos disfraces y me dejan prepararles algo de comer? No hay razón para esconderse detrás de máscaras, cuando yo los conozco a todos. Así que, quítense ese disfraz y yo les prepararé comida. Nosotros no dejaremos de servir al Señor".

Los hombres trataron en vano de reanudar su ferocidad anterior, pero la caridad cristiana de una mujer valiente los había desarmado. La turba se desintegró lentamente, tratando de cubrir su confusión con amenazas pero no volvieron a molestarlos más.

8. Mengua la violencia

Cerca de un año después de la destrucción y el incendio del templo, el Condado Cherokee enjuició a los 106 hombres que habían integrado la turba. Los líderes de la Unión Cristiana fueron llamados a testificar en el juicio celebrado en Murphy, sede del tribunal del condado. Cuando parecía que los maleantes, incluyendo prominentes líderes de las iglesias, serían enviados a la prisión, los miembros del grupo de santidad pidieron a la corte clemencia por estos hombres que eran sus vecinos y parientes, quienes necesitaban conversión en vez de prisión. Los hombres fueron puestos en libertad. Desde ese momento hubo una mengua en la persecución, la cual, aunque no desapareció del todo, vino a ser asunto de palabras en vez de armas, látigos y garrotes, piedras y torturas. Sin embargo, por un período de casi seis años existió una persecución más o menos intensa hasta cerca de 1902.

La persecución no hizo daño perdurable; por el contrario, sirvió para unir al grupo de santidad y fortalecerlo en su fe en Aquel que los había llenado con su Espíritu.

Capítulo 4
PRUEBA DE LOS EXCESOS RELIGIOSOS

1. Carencia de una organización protectora

Desde el comienzo de la Unión Cristiana en 1886, no hubo ninguna organización o gobierno distintivo. Inclusive, la manera de seleccionar a un ministro y de aceptar nuevos miembros era demasiado informal. No se mantenían registros permanentes y no había reglas para gobernar a los miembros, excepto la promesa de los ocho miembros originales. Cuando cristianos sinceros expresaban su deseo de ser admitidos en la Unión, simplemente se les recibía y se les daba la diestra de confraternidad, pero no hay registro conocido de sus nombres. Tampoco hay manera de saber cuál era la cantidad de miembros en este período.

Más de cien recibieron el bautismo en el Espíritu Santo durante el avivamiento de 1896,[1] aunque no se sabe cuántos se hicieron miembros de la Unión. Se sabe que el número de miembros era lo suficientemente grande como para que Spurling y Bryant previeran el peligro de la falta de una organización apropiada. Mientras el grupo fue pequeño no hubo mayor problema, ya que todos estaban íntimamente entrelazados. Sin embargo, cuando el cuerpo creció, se volvió susceptible a la falsa doctrina y al fanatismo: confusiones gemelas que, desde tiempos bíblicos, han rondado como lobos a los pies de todo avivamiento.

[1]Juillerat, *op. cit.*, págs. 12, 13.

2. El modelo del fanatismo

En el círculo de los discípulos de Cristo se evidenció el peligro del fanatismo, quienes hubieran pedido que descendiera fuego del cielo para devorar a los que no creían (Lucas 9:54); denunciaron a aquellos que no formaban parte de su círculo (Marcos 9:38); de manera inmadura se exaltaron por el éxito (Lucas 10:17); y riñeron celosamente entre sí (Marcos 10:37). También fue evidente entre los primeros cristianos, que optaron por vivir en comunidad y no en privado (Hechos 6:1) y quienes hubieran preferido dividir a la iglesia primitiva antes que convivir con los gentiles incircuncisos ya convertidos (Hechos 15:1). El fanatismo condujo a tan agudas confusiones entre los cristianos de Corinto, que los hizo vergonzosamente notorios (1 Corintios 14). En el siglo dieciséis, Martín Lutero tuvo que reprender a Spalatin y Carlstadt porque bajo el mando de ellos, la Reforma Protestante se había vuelto violenta, ya que las iglesias católicas eran destruidas, se atacaba a los sacerdotes y se cometían otras atrocidades debido al celo excesivo.[2] En cada período de avivamiento se ha tenido que combatir olas de fanatismo y persecución, peculiares del avivamiento mismo, así como del tiempo y las circunstancias en que se da.

En los Estados Unidos, donde los avivamientos son básicamente evangelísticos en su naturaleza, las formas de fanatismo que han abundado en su despuntar son tan comunes que han sido enumeradas por William Sweet de la siguiente manera: (1) controversia y división, (2) errores doctrinales, (3) negligencia, (4) confusión y desorden, (5) debilitamiento en la santidad de la adoración, especialmente en los cánticos y (6) énfasis desmedido en lo emocional y poco énfasis en el elemento racional de la experiencia religiosa.[3]

---

[2]Roland Bainton, *Here I Stand* [Aquí estoy de pie] (Nashville, Tenn.: Abingdon-Cokesbury, 1950), pág. 207.

[3]Sweet, *op. cit.*, págs. 140-145. La evaluación del avivamiento por el doctor Sweet, su valor y sus peligros, es notablemente simpática y útil. "Aún hoy, los ministros de iglesias con énfasis en el avivamiento frecuentemente omiten o, por lo menos, son muy negligentes en su función de enseñar. No están bien fundados en las grandes verdades cristianas. Se han adherido a la iglesia sobre las bases de una experiencia emocional y, cuando la experiencia emocional se enfría, queda muy poco o nada. Por otro lado, la religión es algo más que razón e intelecto; fundamentalmente, es una gran emoción y un plan de vida. La mayoría de nuestras

Esto no necesariamente significa que los avivamientos y las reformas sean perjudiciales. De hecho, son tan importantes para mantener viva la fe evangélica y preservar su vitalidad, que Satanás lucha por extirpar los avivamientos, explotando la sinceridad y el entusiasmo que los originan. Lo que el diablo no puede detener por medio de la persecución, lo estimula hacia el fanatismo, el cual provoca daños que la persecución no puede causar. El movimiento que no se puede detener por la oposición, muchas veces se puede desequilibrar con un fuerte empujón.

3. Manifestaciones de devoción errónea

El grupo que había sido tan genuino en su victoria sobre la persecución, pronto se encontró dividido y manchado por el fanatismo. Esta calamidad fue intensificada por aquellos que no tuvieron paciencia con los fanáticos. Una dolorosa inquietud se apoderó de los miembros más caritativos, quienes palpaban lo que estaba sucediendo, pero no tenían poder para detener el tremendo mal.

> Durante estos años de avivamientos y persecuciones, el señor Spurling a menudo les hablaba y en vano trataba de mostrarles la necesidad que tenían de la ley y el gobierno de Dios.
>
> Las cosas anduvieron sin sobresalto... por varios meses, aun años, y ellos pudieron soportar todas las persecuciones que les sobrevinieron, con gracia y amor. Debido a la ausencia de gobierno y autoridad, se levantaron falsos maestros y guiaron a mucha gente humilde y sincera por caminos de error. Comenzaron a surgir facciones y el fanatismo tomó posesión de algunos que eran fácilmente engañados por Satanás.[4]

Sin duda que las personas que cayeron en error eran sinceras y honestas, pero su intenso deseo de ser espirituales, junto a su falta de estabilidad emocional, crearon un ascetismo que no tiene

---

grandes decisiones se toman emocionalmente. En ciertas áreas de la vida, la emoción es mejor guía que la razón. Eso se da con más frecuencia en las áreas consideradas como superiores. Nosotros no podemos vivir una vida cristiana balanceada sin la razón y emoción; van mano a mano y son necesarias en el desarrollo de la vida superior".

[4]Juillerat, *op. cit.*, pág. 12.

respaldo bíblico. Se volvieron más estrictos que la Palabra de Dios; prohibieron cosas no prohibidas en las Escrituras. No se podía comer carne ni dulces; los alimentos medicinales eran tabú; no se usaban corbatas; las damas dejaron de hacerse trenzas y moños y se dejaban caer el pelo libremente hasta la cintura; otras prácticas y privaciones semejantes se volvieron rampantes. La razón les hubiera enseñado que lo dulce provee la dextrosa necesaria para el cuerpo; la carne le fue dada al hombre desde el Edén como proteína necesaria para dar fortaleza y vitalidad; los alimentos con propiedades medicinales son un medio natural de prevenir enfermedades y regular el sistema físico. De manera similar, las otras facetas del fanatismo reflejaban ignorancia y devoción mal dirigida. No razonaban porque buscaban desesperadamente ser espirituales y creían que mientras más drásticos fueran con ellos mismos, más tendrían la naturaleza de Cristo.

4. Muchos bautismos en fuego

Pequeños grupos de personas se imponían ayunos casi interminables. Se recluían en sus hogares y ayunaban esperando una señal del Señor, hasta que llegaban al punto del colapso por la demacración y debilidad. Por lo general, la gente de la iglesia ayunaba mucho, pero estos ayunos excesivos se practicaban para sobresalir en los dones espirituales y por conveniencia personal. Su humillación vino a ser ensombrecida por el orgullo.

Una persona que se priva de la comodidad, salud y el placer, especialmente cuando ella misma se lo impone, generalmente ve con desprecio a quienes no comparten su sacrificio. Luego los ataca y trata de inducirlos para que practiquen su estilo de ascetismo privado. De este modo surgieron facciones entre el pueblo de santidad. Los ascetas miraban con desdén a los miembros "no espirituales", quienes seguían llevando una vida cristiana normal, los cuales a su vez argüían que tales rigores y excesos no forman parte de la vida cristiana expuesta en la Palabra.

Maestros fanáticos se infiltraron en el grupo y guiaron a muchos en la búsqueda de falacias religiosas. De acuerdo a su doctrina, había muchos otros "bautismos de fuego" para quienes habían recibido el bautismo del Espíritu Santo. Se guiaba erróneamente a los cristianos para que buscaran la "santa dinamita", luego el "santo lidito" y finalmente el "santo oxidito". Estos términos químico-religiosos se usaban para distinguir los pasos progresivos del poder espiritual.[5] Ya que Satanás no podía negar la realidad del bautismo del Espíritu Santo, trató de invalidarla por medio del fanatismo; las subsecuentes orgías de búsqueda de alguna experiencia fantástica bastaron para que los cristianos se desalentaran y dejaran de orar por la bendición genuina enseñada en la Biblia. Todo lo que no se puede refutar se falsifica, al grado de que es difícil discernir lo genuino de lo falso, y quienes tienen incertidumbre desconfían y rechazan lo bueno junto con lo malo.

Otra enseñanza prominente fue una rama pentecostal de "la preservación de los santos" o "seguridad eterna". Si el Espíritu Santo había sellado hasta el día de la redención a quienes había bautizado (Efesios 4:30), los que habían recibido la bendición eran incapaces de pecar y preservados irrevocablemente en gracia. La consecuencia de tal enseñanza es que nada de lo que haga el creyente es pecado porque aquellos que son sellados son incapaces de pecar.

5. Pasos para refrenar el mal

Estas descabelladas proscripciones y falsas enseñanzas empezaron a aparecer para finales de siglo. El pastor laico Bryant se opuso al fanatismo, pero ningún poder existente en la iglesia parecía capaz de erradicar a éste, así que prosiguió su curso maligno. Para 1902, mediante la enseñanza, consejos, oración y espera, el asunto murió, aunque con él también murieron muchos miembros de la iglesia. Algunos de los que fueron descarriados pudieron reanudar una vida cristiana equilibrada y se convirtieron

---

[5]Se desconocen los nombres de los líderes de esta falsa enseñanza. Sin embargo, parece que fue muy conocida por algún tiempo; la referencia a esto se encuentra en las historias primitivas de otras iglesias pentecostales. Joseph E. Campbell, en *La Iglesia Pentecostal de la Santidad:* 1898-1948 (Franklin Springs, Ga.: The Publishing House of *The Pentecostal Holiness Church,* 1951), págs. 203-205, tenía una excelente sección de los errores pentecostales primitivos, en donde se dice: "Además, había otras extravagancias religiosas que debían corregirse, las cuales incluían las siguientes ideas: se debía hacer una confesión pública de todo tipo de pecado para evidenciar un arrepentimiento genuino; se debía hacer restitución hasta de las cosas más pequeñas o insignificantes; los que estaban llenos del Espíritu Santo no necesitaban que nadie los instruyera; se debía denunciar a los doctores como impostores y a sus remedios como veneno..."

en miembros leales de la iglesia, aunque la mayoría de ellos fueron espiritualmente destruidos por la desilusión, confusión y angustia.

¿Por qué continuó esto hasta que las almas fueron destruidas? W. F. Bryant se hizo esta pregunta una y otra vez. La iglesia había sido demasiado vulnerable a los falsos maestros que surgieron dentro de ella. El registro dice que la causa se atribuyó a la falta de gobierno.[6] Con esto en mente, se tomaron pasos para corregir la deficiencia en la estructura de la iglesia, con el fin de proteger al grupo en el futuro.

6. La iglesia de santidad en Camp Creek

Aquellos que no habían sido eliminados por las ráfagas del fanatismo se reunieron en el hogar de W. F. Bryant, citados por R. G. Spurling, el 15 de mayo de 1902. Es difícil imaginar cuánto se había reducido el número de creyentes debido a las ráfagas del fanatismo. La saturación emocional había enfermado espiritualmente a muchos, el disgusto había echado afuera a otros y la vergüenza había alejado a muchos más. Sin embargo, alrededor de veinte que habían adquirido equilibrio cristiano y rectitud espiritual, se reunieron para restaurar el orden en medio del caos. El fanatismo y las falsas enseñanzas le habían infligido un terrible golpe a la Unión Cristiana pero la iglesia había sobrevivido. La fe y el entusiasmo eran tan vibrantes en los corazones de los que estaban reunidos allí, que en años posteriores casi se olvidarían de que la ola de confusión había sido de tan graves consecuencias.

La iglesia fue reorganizada el día 15 de mayo de 1902 con un simple plan de gobierno, diseñado para proteger al grupo de futuras aberraciones. A pesar de que era la misma iglesia que había sido organizada dieciséis años antes en el Condado Monroe de Tennessee, su nombre se cambió de Unión Cristiana a "Iglesia de Santidad de Camp Creek". Esta nueva designación implicaba que la iglesia comenzaba a considerarse a sí misma más como una asociación, con una misión diferente a la de sólo reunir a todas las denominaciones. La "Iglesia de Santidad" describía su posición

---

[6] Juillerat, *op. cit.*, pág. 12.

doctrinal y el sufijo “Camp Creek” apuntaba hacia la localización de la iglesia en vez de formar sólo parte de su nombre.

Durante la reunión, el fiel líder laico W. F. Bryant fue ordenado como ministro y seleccionado como un oficial de la iglesia. R. G. Spurling, quien había sido la fuerza motriz de la iglesia desde sus comienzos, fue seleccionado como pastor, lo cual indicaba que nuevamente comenzaría a hacer la obra que tan determinadamente había iniciado hacía dos décadas. El siguiente párrafo de *Breve Historia de la Iglesia de Dios* da una idea de cuán humilde fue este nuevo comienzo:

> ...ellos continuaron sus reuniones; sin embargo, la obra fue algo lenta en su desarrollo, ya que muchos habían sido encaminados al error por la falta de enseñanza... pero un número suficiente se mantuvo fiel para mantener viva la obra.[7]

Las esperanzas habían sido muy halagadoras en la casa de reunión de Barney Creek, dieciséis años antes. Ahora, después de años de lucha y trabajo, avivamiento y persecución, triunfo y tragedia, había suficientes razones para que esa esperanza muriera. Sin embargo, de la evidencia de años posteriores sabemos que la esperanza no había muerto: seguía tenaz, dinámica y maravillosamente viva.

---

[7]*Ibíd.*, pág. 13.

Capítulo 5
FINALMENTE HACIA ADELANTE

1. Un año de reajuste

La Iglesia de Santidad no había tenido el éxito inicial en volver a capturar el interés de la gente de las montañas, como lo tuvo durante el tiempo de su gran avivamiento. La confianza y simpatía que se han poseído una vez y luego se pierden, no se vuelven a obtener fácilmente. Se había perdido el ímpetu de la iglesia y se tendría que trabajar duro para volver a obtenerlo.
Muchos de los que inicialmente estuvieron a favor del movimiento de santidad, encontraron tan desagradables los últimos excesos emocionales que no se sentían a gusto en asistir a los cultos o no mostraban ningún interés en las actividades de la Iglesia de Santidad. Aquellos que habían sido inducidos en las formas mórbidas del fanatismo se habían desilusionado y, como se sintieron engañados en cuanto a la bendición que buscaban, dudaron para separar la verdad de la mentira. Peor aún, comenzaron a cuestionar la autenticidad de las manifestaciones de la presencia divina. El miedo a otro brote de fanatismo hizo que aquellos que permanecieron con la iglesia fueran extremadamente reservados y críticos. La situación era tal que:

> Por un año fue una verdadera lucha mantener la organización en contra de la incredulidad y las críticas y no hubo adiciones a la iglesia.[1]

El que no hubiera adiciones al pequeño grupo por más de un año, después de uno de los avivamiento más significativos en la historia de la fe cristiana, tuvo que haber sido una experiencia desesperante para la Iglesia de Santidad; de hecho, hubiera derrotado a gente

[1] Juillerat, *op. cit.*, pág. 13.

con menos inspiración. No obstante, ellos entendieron que las heridas internas del fanatismo sanan lentamente, así que con mucha oración y exhortación lucharon por mostrar que las turbulencias que se habían manifestado en la congregación, no habían sido sancionadas ni toleradas en la iglesia. Ahora se había establecido un gobierno que daba autoridad para tratar con tales manifestaciones de irresponsabilidad.

2. Frutos de un año estéril

A pesar de que no hubo aumento numérico durante los primeros trece meses de la reorganización de la iglesia, se obtuvieron algunos logros. Hasta la reorganización del 15 de mayo de 1902, la iglesia había funcionado bajo la premisa de aceptar a todos los cristianos en su comunión, en base a su testimonio de fe, sin recurso para excomulgarlos o llamarlos a cuentas si predicaban doctrinas espurias o iniciaban olas de fanatismo. Lo ideal sería la libertad individual; pero mientras personas de inestabilidad emocional, doctrina herética e inmadurez mental se unan a la iglesia, tienen que existir algunas regulaciones para tratar con los errores e influencias corruptas que inevitablemente la penetran. La carencia de estas regulaciones hizo de la fe pentecostal una empresa a la deriva, antes de que se difundiera sobre la nación y el mundo. Así que la introducción de un gobierno que proveía ampliamente para contener estos brotes enfermizos, fue un tremendo paso hacia adelante.

Durante el primer año de la reorganización de la iglesia hubo un notable cambio dentro de la adoración en los servicios, aun cuando se duda que esto fuera consciente o deliberado. Parece que el cambio fue la respuesta natural a la emergencia presente. La enseñanza se convirtió en parte prominente de las reuniones y había muchas reuniones donde las Escrituras eran discutidas por el grupo en su totalidad. Esto dio amplia oportunidad para instrucción en asuntos vitales relacionados con las necesidades individuales. Estas sesiones eran ejemplo de su determinación de que ningún alboroto futuro de fanatismo los tomaría desapercibidos. En el pasado, cuando las grandes multitudes estaban presentes, los servicios habían sido tan evangelísticos que se descuidó la enseñanza pastoral profunda. Tal parecía que dar instrucciones básicas sobre la fe pentecostal sería suficiente, pero ahora, con sólo unos pocos cristianos que asistían a los servicios, se evidenció un estudio más serio de las Escrituras.

Sin embargo, los servicios todavía mantenían su inherente elemento de manifestación espiritual. "El gozo en el Señor" era más que una expresión; era una realidad en sus vidas, cuya negación hubiera sido una demostración de frialdad de corazón y falta de espiritualidad. Es probable que este año de escasez material fuera de bendición para lograr un mejor equilibrio entre las enseñanzas doctrinales y el entusiasmo evangelístico.

El pastor Spurling permaneció en la iglesia de Camp Creek, casi durante todo el año, a pesar de que era su deseo viajar de lugar en lugar en la obra evangelística, dejando la iglesia a otros líderes. Él y Bryant trabajaron mano a mano con el grupo local; esto no implica que no tuviera actividades de predicación en otros lugares, pues en ocasiones se hacían breves viajes con la intención de ganar convertidos en otras localidades. Estos líderes de la Iglesia de Santidad fueron grandes amigos a través de los años, fortaleciéndose mutuamente. Una de las cosas más hermosas de su amistad era el tiempo de oración en conjunto. Frecuentemente iban a la montaña, detrás del hogar de Bryant, a veces con otros hombres de la congregación, en ocasiones solos, y oraban por horas en el retiro del bosque. El lugar fue llamado "Montaña de oración". Esto fue sentimentalmente recordado en los últimos años de los que oraban allí y todavía lo recuerdan los que aún permanecen vivos hasta el día de hoy.

3. Se gana un nuevo predicador

A pesar de que la obra de la iglesia era menos espectacular que lo que había sido previamente, lo que se hizo después de la reorganización, el 15 de mayo de 1902, fue básicamente sólido. Cinco nuevos miembros ingresaron a la iglesia el 13 de junio de 1903, luego de convencerse de que el pequeño grupo estaba de acuerdo al Nuevo Testamento. Dos de los cinco miembros fueron ordenados como diáconos y uno como ministro ordenado.

El nuevo ministro era un colportor de la Sociedad Bíblica Americana y de la Sociedad Americana de Tratados. Este se había convertido a la fe cuáquera en Indiana y en ese entonces vivía en Culbertson, Carolina del Norte, como a veintidós kilómetros de la iglesia en Camp Creek, en la frontera con el estado de Georgia. Él había venido durante el gran avivamiento de 1896. Era un hombre profundamente religioso quien había admirado a la gente de santidad en Camp Creek, a lo largo de los siete años en que se había familiarizado con ellos.

Su nombre era A. J. Tomlinson. En una carreta tirada por dos caballos viajaba por las regiones montañosas, vendiendo Biblias, Nuevos Testamentos y literatura religiosa. La Iglesia de Santidad atrajo su atención el día que observó a dos muchachos cerca de un arroyuelo, mientras sus caballos abrevaban. Alegremente entabló conversación con los dos muchachos y les vendió un Nuevo Testamento de cinco centavos a cada uno. Estos muchachos, los hijos de W. F. Bryant, impulsivamente invitaron al extraño a visitar a su padre, ya que vendía Biblias y el padre de éstos era "profundamente religioso". Tomlinson, el colportor, caminó hacia el hogar de Bryant y allí se familiarizó con el avivamiento pentecostal que estaba entonces en progreso.

4. Una escena de siete años de cambios

Durante los próximos siete años, Tomlinson fue un observador muy cortés de la nueva iglesia, pero se mantuvo separado, a pesar de que tenía un gran interés. Mientras hacía sus viajes periódicos a la región montañosa, se detenía en los hogares de Spurling, Bryant y otros miembros del movimiento de santidad, inquiriéndoles acerca del progreso de la obra. En muchas ocasiones se quedaba durante la noche con alguna de esta gente humilde. El derramamiento del Espíritu Santo, una experiencia sin precedente que le fascinaba, se encontraba en su punto más elevado cuando él llegó a la región por primera vez. Sin embargo, no participaba en los servicios y no mostraba ningún deseo personal por la experiencia. Más tarde fue testigo de la ignominiosa persecución del grupo, del esparcimiento destructivo del fanatismo y, finalmente, de la reorganización y los aparentes esfuerzos infructuosos de la Iglesia de Santidad.

Durante sus siete años de familiarización con la gente de santidad, Tomlinson, a quien se tenía como un hombre educado y muy capaz en las Escrituras, a pesar de que no era ministro, predicó varias veces a la gente. En muchas ocasiones subió a la cumbre de la "Montaña de oración" con los hombres y oró con ellos allí. Junto con el grupo, Tomlinson escudriñó las Escrituras hasta que nació en su corazón la convicción de que el camino de éstos era correcto.

En su breve panfleto de memorias, *Answering the Call of God* (En respuesta al llamado de Dios), él relata su asociación con la congregación de santidad:

> Un pequeño grupo de amigos se reunieron en el hogar de W. F. Bryant... para orar y estudiar la Palabra de Dios. Era mi deseo aprender, si podía, el plan de la Biblia para la obra que yo sabía que debía hacerse en los últimos días. Ya había estudiado e investigado muchos movimientos pero mi fe en ellos se había extinguido completamente. Parecía ser como un barco sin timón en el mar, el cual no podía ser controlado. Yo había escuchado del pequeño grupo en el área occidental de Carolina del Norte y estaba relacionado con la mayoría de ellos, habiéndoles predicado en varias ocasiones y asistiendo ocasionalmente a sus reuniones, por cuatro o cinco años, antes de que estuvieran organizados formalmente. Disfrutaba su espíritu libre y apreciaba la calurosa bienvenida que siempre me daban cuando los visitaba.[2]

A pesar de que Tomlinson sentía gran admiración por la gente de santidad, como se manifiesta en las palabras anteriores, no se persuadió inmediatamente de que debía unirse al grupo. Tomlinson no creía en la organización eclesiástica y repetidamente le aconsejaba al grupo que cometería un gran error si se organizaba.[3]

---

[2]A. J. Tomlinson, *Answering the Call of God* [En respuesta al llamado de Dios] (Cleveland, Tennessee: White Wing Publishing House), pág. 16.

[3]En 1949, W. F. Bryant, en una entrevista que grabó H. L. Chesser, relató que Tomlinson le escribió una carta amonestándole de la siguiente manera: "Ten cuidado con este asunto de la iglesia. Es peligroso." Sin embargo, Bryant continuó diciendo: "nosotros continuamos de todos modos e impusimos el orden en la iglesia.. En pocos meses el hermano Tomlinson regresó y pasó una noche en casa, pero todavía me dijo: 'Tengo miedo de esto'. Le contesté: 'Yo no'. Se dio cuenta que estaba totalmente convencido. El hermano Spurling y yo estábamos hombro a hombro en ese menester".

Sin embargo, se estableció el gobierno eclesiástico en la asamblea de la montaña. Tomlinson esperó alrededor de trece meses antes de expresar su deseo de convertirse en miembro. El 13 de junio de 1903 decidió unir su suerte con esta pequeña congregación. Tomlinson escribió lo siguiente en relación a esta tardía decisión de unirse al grupo:

> Estos amigos tenían como trece meses de haberse organizado definitivamente cuando los visité, en el tiempo previamente mencionado, con el fin de reunirnos para orar y estudiar la Palabra de Dios. Aprendí más acerca de la organización y entonces entendí plenamente lo que ellos querían decir con sostener toda la Biblia correctamente interpretada y el Nuevo Testamento como su única regla de fe y práctica; esto captó mi atención e inmediatamente me interesé muchísimo. Yo hacía toda clase de preguntas y se me daban respuestas bíblicas que satisfacían perfectamente mis inquietudes. Luego dije: "Esto significa que ésta es la Iglesia de Dios." Ellos respondieron afirmativamente. Luego me aventuré a preguntar si estarían dispuestos a recibirme en la iglesia con el entendimiento de que esta era la Iglesia de Dios de la Biblia. El grupo estuvo de acuerdo. Tomé la obligación con profunda sinceridad y con una consagración extrema que nunca olvidaría.[4]

A. J. Tomlinson fue ordenado y nombrado pastor de la congregación por Spurling y Bryant, quienes se sintieron libres, de este modo, para evangelizar la región montañosa y ganar nuevos convertidos para la causa. Tomlinson probó ser un buen pastor, bajo cuyo liderazgo catorce nuevos miembros se unieron a la iglesia durante el primer año; uno de éstos fue M. S. Lemons, otro nuevo ministro para la Iglesia de Santidad.

A través de labor paciente y consistencia espiritual, se combatió el error en que había caído la iglesia y se tomó un nuevo ímpetu. Lentamente, la iglesia comenzó a moverse hacia adelante nuevamente. El registro dice que "la obra continuó sin problemas y prosperó, a pesar de algunas persecuciones".[5]

---

[4]Tomlinson, *Answering the Call of God* [En respuesta al llamado de Dios], págs. 16, 17.
[5]Juillerat, *op. cit.*, pág. 13.

5. El comienzo de la expansión

Con dos nuevos ministros, la Iglesia de Santidad estaba en una posición de establecer nuevas congregaciones en otras comunidades y localidades. Tomlinson y Lemons estaban muy bien educados para su tiempo y ambiente, así que se convirtieron en excelentes maestros de la nueva obra. Lemons se unió a Spurling y Bryant en la evangelización de Carolina del Norte, Tennessee y Georgia. Ninguno de los tres hombres mantuvo un diario de sus campañas de avivamiento, así que no sabemos dónde predicaron ni cuáles fueron los resultados.

> Los obreros habían aumentado, se dio apoyo a la evangelización, así que la obra creció y prosperó bajo la bendición y aprobación de Dios.[6]

En diciembre de 1904 Tomlinson se cambió de Culbertson, Carolina del Norte, a Cleveland, Tennessee, el pequeño poblado del Condado Bradley. A pesar de que su nueva residencia estaba a más de 77 kilómetros de Camp Creek y separada por altas y profusas montañas, Tomlinson no dejó de pastorear allí. Regularmente hacía las largas travesías a caballo, a través de lo que ahora se conoce como el Bosque Nacional Cherokee.[7] Muy pronto, después de establecer su residencia en el Condado Bradley, Tomlinson comenzó a predicar en una unión o iglesia de la comunidad llamada Union Grove, como a catorce kilómetros de Cleveland. Su dedicación y habilidad en el púlpito, muy pronto lo hicieron un predicador favorito y eventualmente la congregación se unió a la Iglesia de Santidad.

Los registros muestran que en el 1905 la organización estableció una iglesia en Georgia y dos en Tennessee.[8] Aun cuando

---

[6] *Ibíd.*, pág. 14.

[7] Tomlinson viajó mucho a pie, especialmente cuando vivía en Culbertson, pero las entrevistas revelan que también viajó mucho a caballo. Es probable que algunos de sus viajes a Camp Creek fueran hechos por tren, viajando alrededor de Knoxville o Atlanta, ya que su diario revela algunos viajes en tren durante este período, a pesar de que los viajes relacionados con su pastorado no se mencionan específicamente.

[8] (Juillerat, *op. cit*, págs. 13, 14). Debido a que la iglesia no mantuvo registros permanentes de estos días primitivos, estas iglesias no pueden ser totalmente identificadas. Se ha investigado cada fuente conocida para localizarlas y estamos casi seguros de que las congregaciones de Tennessee estaban en Union Grove, como a quince kilómetros al este de Cleveland, y en el poblado de Drygo, diecinueve kilómetros al norte de Cleveland.

las nuevas iglesias eran muy pequeñas, todas localizadas en áreas rurales de los confines de Tennessee, Carolina del Norte y la esquina de Georgia, representaban el paso vital inicial, sin el cual no hubiera habido ningún avance o progreso. Estas se encontraban en las poblaciones del interior de los bosques y aunque no eran lo suficientemente grandes como para aparecer en un mapa, había almas que necesitaban a Dios. La Iglesia de Santidad estaba gozosa y animada porque, en vez de una sola congregación, ahora había cuatro, lo que indicaba que la fuerza de trabajo se había cuadruplicado. Comenzaba a notarse que la reorganización de la iglesia y el nuevo énfasis en la enseñanza habían sido divinamente ordenados para el crecimiento en este tiempo. A pesar de que no era un crecimiento fenomenal como lo había sido en Camp Creek anteriormente, era substancial y duradero.

Estos pasos hacia adelante se debieron a varios factores. En primer lugar, hubo un cambio en la organización y estructura de la iglesia que, a pesar de que retrasó el crecimiento rápido, estableció un fundamento sólido para la expansión duradera. También había un nuevo énfasis en la enseñanza, el cual apelaba más al intelecto que a las emociones. El doble énfasis ministerial jugó un papel importante debido a la mayor diseminación del esfuerzo total. Tampoco se puede minimizar la senda forjada por las previas predicaciones de R. G. Spurling. Este modesto crecimiento fue un fruto oportuno de su labor y sus lágrimas.

El año 1905 parecía ser el año de Dios: el creciente descontento en las denominaciones tradicionales hizo la predicación de la santidad y la bendición pentecostal mucho más atractiva para aquellos que estaban mal nutridos espiritualmente. Este evangelio positivo era como agua en tierra desértica para aquellos que su misma naturaleza les revelaba la posibilidad de una mayor intimidad con el Padre de la humanidad. Dios, a través de la perfección de su voluntad y del ecumenismo de su gracia, despertó en sus corazones esta hambre y sed de justicia.

De la iglesia en Georgia no hay más que pura especulación en cuanto a su localización. Ya que se reunían en un hogar privado, no hay registro municipal alguno de ésta o de la memoria de su localización entre las personas que han sido interrogadas. Es difícil establecer la historia de las congregaciones antiguas, debido a sus extremadas localizaciones rurales y porque no se mantenía registro al tiempo de su organización, y debido a que subsecuentes registros eran descartados periódicamente, sin pensar en su valor histórico.

6. AL FINAL DE VEINTE AÑOS

Mirando en retrospectiva, se puede distinguir siete pasos en ese período naciente: (1) los años de la búsqueda, 1884-1886; (2) el año del comienzo, 1886; (3) los años de la siembra, 1886-1896; (4) los años de avivamiento y persecución, 1896-1900; (5) los años de confusión, 1900-1902; (6) el año de la reorganización, 1902; (7) los años de expansión, 1902-1905.

Aunque parecía que la iglesia había logrado muy poco progreso durante sus primeros veinte años, esa perspectiva superficial no presenta una dimensión exacta de los logros obtenidos. En realidad, mucho más que el nacimiento de una nueva iglesia, un movimiento había recibido vida: un movimiento que introdujo un nuevo período en la historia del cristianismo. Los veinte años habían insertado en el vocabulario cristiano moderno, términos como "pentecostal, lenguas desconocidas y sanidad divina". Otros términos, como "santidad, perfección cristiana y santificación", los cuales se habían perdido en una jungla teológica, fueron reconquistados y se convirtieron en algo más que reliquias religiosas.

No sólo la Iglesia de Dios crecía, sino que su fe, su doctrina de santidad y el bautismo del Espíritu Santo, se esparcían hasta cubrir la tierra. En esas montañas de Tennessee y Carolina del Norte, el Espíritu Santo se había derramado en un flujo continuo, el cual continuaría ensanchándose para influir en todo el mundo. La Iglesia de Dios había nacido y se había nutrido, luego había reunido fuerzas, por la gracia de Dios, para ayudar en la tarea de llevar la fe de Cristo a todos los hombres.

Parte Dos

La Frontera Pentecostal 1905-1920

Capítulo 6
EL COMIENZO DE UNA TRADICIÓN

1. La iglesia primitiva

Leer

El apóstol Pablo señaló que entre los cristianos primitivos no había "muchos sabios según la carne, ni muchos poderosos, ni muchos nobles", porque "Dios escogió lo necio del mundo para avergonzar a los sabios... y lo débil del mundo escogió Dios, para avergonzar a lo fuerte" (1 Corintios 1:26, 27).

Las cosas que Dios ha escogido son "las cosas humildes y despreciadas" por el mundo. Con relación a los cristianos de Roma en el primer siglo, un historiador del siglo veinte ha observado:

> Los primeros cristianos eran predominantemente proletarios, con un puñado de la clase media baja... Sin embargo, distaban mucho de ser "la escoria de la gente"... vivían mayormente de manera industriosa y ordenada, financiaban a las misiones y recaudaban fondos para las comunidades cristianas en necesidad.[1]

El paralelo es tan marcado que se pudo haber declarado lo mismo acerca de la Iglesia de Dios en sus años de formación. Los poderosos y los nobles no oyeron ni acataron el llamado, aunque halló eco en otros oídos. La gente sencilla oyó y vino con regocijo. Llegaron de los campos de algodón y hogares rústicos, de sus fábricas, molinos, escuelas y tiendas y, sobre todo, llegaron con sus almas hambrientas y corazones solitarios. Sin ser obstaculizados por los escarnios y el desánimo de los "sabios, poderosos y nobles", que condenaban sus reuniones, estos humildes hijos de Dios fortalecieron sus corazones en el conocimiento de que la gente sencilla "oía de buena gana" (Marcos 12:37).

---

[1]Will Durant, *Caesar and Christ* [El César y Cristo] (New York: Simon and Schuster, 1944), pág. 596.

2. SEPARACIÓN Y RECHAZO

La Iglesia de Santidad no era popular entre los demás grupos eclesiásticos porque era muy pequeña y por sus tenaces preceptos de santidad. Esta falta de popularidad se agravó grandemente por la doctrina del bautismo con el Espíritu Santo. El doctor Sweet ha observado que:

> Una práctica muy común entre las "iglesias respetables" es denunciar a estos grupos como gente no privilegiada; apodándolos "santos rodadores"; señalándolos como problemáticos. Yo he oído a ministros decir que se alegraban de que existieran tales grupos porque podían enviarles a la gente problemática de sus iglesias. Es bueno tener en mente que los bautistas, metodistas y cuáqueros en un tiempo fueron considerados problemáticos por las iglesias respetables: congregacionalistas, presbiterianas y episcopales. Y no hace mucho que los episcopales, congregacionalistas y presbiterianos también eran considerados problemáticos. Como alguien ha sugerido, éstos son los motores de arranque que movilizan al mundo.[2]

La joven Iglesia de Santidad no se desanimó por la postura de las iglesias grandes, sino que buscó más consuelo en la confraternidad de su propio grupo. Si a los creyentes se les rechazaba y menospreciaba en las comunidades donde vivían, criaban a sus hijos, eran buenos vecinos, pagaban sus deudas y trabajaban arduamente, y sufrían sólo por servir a Dios con alegría y buena conciencia, entonces rehusarían agobiarse y poner atención a prejuicios que los aislaran. Si la Iglesia de Santidad se volvió exclusiva y un tanto separada en su relación con otras iglesias, una acusación que se oiría en años posteriores, fue debido a la intolerancia y rechazo por parte de dichas iglesias en ese período inicial de su historia.

3. LA NECESIDAD DE UNA ASAMBLEA GENERAL

Antes de que comenzaran a organizarse nuevas congregaciones, la Iglesia de Santidad había sido un grupo íntimamente unido en

---

[2]Sweet, *op. cit.*, pág. 177.

los alrededores de Camp Creek, aunque los hogares de sus miembros estaban dispersos a través de toda la montaña, tanto en Carolina del Norte como en Tennessee. Esta compacidad se perdió cuando hubo cuatro iglesias en vez de una. Cada congregación crecía lentamente y en los ministros empezó a latir un deseo de estar más unidos.

No sólo se deseaba tener una comunión más íntima entre las cuatro iglesias, sino que se sentía la necesidad una reunión debido a la creciente demanda de conocer más de Dios. La decisión de hacer esta reunión la tomaron los ministros, que todavía eran cuatro, a pesar de que había algunos predicadores laicos que estaban bastante activos.

> Para finales de 1905, la obra había prosperado tanto que se hacía necesario celebrar una reunión general de los miembros de todas las iglesias, con el fin de contestar preguntas de importancia y estudiar la Biblia para adquirir más conocimiento.[3]

Siete años más tarde, uno de los ministros relataba cómo se llegó a la decisión para esta convocación:

> En 1905 se concibió la idea de una asamblea anual. En ese año se había cosechado algunas almas y habían surgido algunas preguntas. Nosotros nos habíamos unido como Iglesias de Dios para caminar en la luz y, al mismo tiempo, para escudriñar las Escrituras y adquirir más conocimiento.
>
> La demanda había crecido a tal grado, para fines de ese año, que los ministros casi fueron forzados a buscar en las Escrituras algo que garantizara la convicción de tal convención. Nosotros caminamos suave y cautelosamente en oración, delante de Dios, como lo hemos hecho hasta el día de hoy, determinados a seguir la luz que se nos daba.[4]

Se señaló que los israelitas practicaron reuniones similares hasta el tiempo de Cristo. La conferencia de Jerusalén que Pablo y Bernabé celebraron con los apóstoles y ancianos de la iglesia del

---

[3]Juillerat, *op. cit.*, pág. 14.

[4]*Minutas de la Séptima Asamblea General* (1912), pág. 54. En un discurso de A. J. Tomlinson.

primer siglo (Hechos 15), convenció a los líderes de la Iglesia de Santidad que tal reunión "estaría en armonía con las Escrituras".

No se registró los problemas específicos que confrontaba la iglesia, pero se discutió ampliamente que debía haber unidad de opiniones en cuanto a enseñanzas bíblicas y concordancia en las prácticas de adoración. No se permitiría ninguna desintegración sutil que separara a las congregaciones en grupos independientes, como había ocurrido en muchas otras denominaciones. Se mantendría un acuerdo en doctrina y práctica entre las congregaciones, aunque esta afinidad se alcanzaría a través de la discusión y deliberación, y no a través de coerción o intimidación. Esto no significa que no hubo conflictos en este tiempo, porque no hay tal evidencia. Pero debía haber una búsqueda mutua de la verdad; debía haber comunión entre los miembros porque la persecución había comenzado a resurgir.

Los cuatro ministros estaban de acuerdo en celebrar esta reunión general lo más cerca posible a Camp Creek, ya que era el lugar original de la iglesia. Se designaron los días 26 y 27 de enero de 1906 para el evento. Cuando buscaron un sitio de reunión, pronto se dieron cuenta de que no había ningún edificio con capacidad suficiente para la reunión. No se podía arrendar ningún edificio escolar, salones de reunión o templos. Definitivamente, a la gente de santidad no se le quería en ninguna parte. El único recurso fue tener la reunión en el hogar de algún miembro hospitalario.

4. El día de la asamblea

Cualquier familia de la congregación de Camp Creek hubiera abierto gustosamente sus puertas para esta convención, pero se optó por el pequeño hogar de J. C. Murphy, debido a que su localización era conveniente. Carretas y carruajes tirados por caballos se dirigieron hacia esta humilde cabaña en las montañas, provenientes de las dos iglesias en Tennessee, de la de Georgia y de la iglesia anfitriona en Carolina del Norte. Sólo unos cuantos miembros hicieron el viaje, ya que el hogar no acomodaría a una congregación numerosa. De haberse conseguido un lugar más cómodo para la reunión, tal vez la cantidad de delegados hubiese sido más numerosa.[5] Como era de esperarse, nadie notó los pequeños grupos que iban por la carretera y las vías casi intransitables en ese tiempo de crudo invierno.

El hogar de Murphy estaba a medio camino de donde estaba la cabaña original de la iglesia y el hogar de W. F. Bryant, el lugar regular de reunión. Azotada por las inclemencias del tiempo, la casa se encontraba en un camino lodoso y lleno de curvas que se adentraba hacia las montañas, al filo de un denso bosque, y una hilera de pinos teñidos de azul la rodeaba. A medida que el pequeño grupo de creyentes de santidad llegaba para su histórica reunión de comunión y estudio, gélidos vientos azotaban las montañas, castigando a los deshojados robles y meciendo ligeramente las ramas de los sombríos pinabetes. Debido a esto, J. C. Murphy apiló más leña cerca de la chimenea para mantener el fuego ardiendo.

Se había arreglado un pequeño cuarto al frente de la casa para las veintiuna personas que asistieron. Cuando llegó la hora de la reunión, los delegados se sentaron frente a la chimenea. Debido a que era el pastor de la iglesia anfitriona, se le pidió a Tomlinson que dirigiera el devocional y moderara la reunión.

Los fervorosos buscadores de la verdad estaban tan absortos en la actividad que apenas notaron la cantidad de nieve que estaba cayendo afuera.[6] El anfitrión, Murphy, le echaba leña al fuego y cuidó de que hubiera suficientes trozos de madera para que el grupo estuviera cómodo en su cabaña. Las actas de esta reunión, y las subsecuentes referencias a las mismas, revelan tal pasión por Cristo que las molestias físicas y la falta de comodidades no fueron un obstáculo para su trabajo.

---

[5]En la asamblea de 1916, A. J. Tomlinson mencionó en su discurso que "en aquel tiempo había muchas estructuras bonitas y cómodas, bien preparadas y equipadas para reuniones públicas, pero no había lugar para nosotros en ninguna de ellas. Por la bondadosa mano de la providencia, se seleccionó esta modesta cabaña, en donde un grupo de humildes seguidores del Nazareno pudieron reunirse para contestar preguntas relacionadas con la doctrina de Cristo y las Escrituras". *Minutas de la Décima Asamblea General* (1916), pág. 209.

[6]Por lo menos dos veces en años posteriores, Tomlinson se refirió a la tormenta de nieve durante la reunión "en la casa de campo de J. C. Murphy y su fiel esposa". *Ibíd.*, (Octava, enero 1913), pág. 78. "En aquel tiempo estábamos tan interesados en la causa que nos había reunido que apenas le dimos atención a la nieve deslumbrante que estaba cayendo afuera. El hermano Murphy mantuvo su chimenea llena de leña y el cuarto estaba confortable a pesar de que el tiempo era desagradable". *Ibíd.*, (Duodécima, 1961), pág. 209.

5. Decisiones de la asamblea

El primer asunto a discutirse fue la naturaleza de la nueva iglesia. ¿Sería legislativa la asamblea general, y formularía reglamentos para gobernarse a sí misma, o sería encabezada por poderes ejecutivos para conducir e iniciar sus actividades, o se gobernaría judicialmente por medio de la interpretación común de las Escrituras? La decisión fue que: "Nosotros no nos consideramos un grupo legislativo o ejecutivo, sino judicial solamente".[7] Este fue el ideal y ha permanecido hasta nuestros días, aunque no siempre ha sido un principio práctico de las asambleas generales.

Tan sincero fue el deseo del grupo que el moderador y secretario de la conferencia iniciaron las actas con las siguientes declaraciones:

> Confiamos y esperamos que ninguna persona, o grupo, use jamás estas actas o alguna parte de ellas, como artículo de fe para establecer una secta o denominación. Los temas fueron discutidos meramente para obtener luz y entendimiento. Nuestros artículos de fe son inspirados y nos han sido dados por los santos apóstoles, y escritos en el Nuevo Testamento, que es nuestra única regla de fe y práctica.[8]

Se discutieron muchos otros problemas durante los dos días de sesiones y cada sección era moderada por un ministro diferente o diácono. R. G. Spurling habló sobre la comunión y el lavatorio de pies, y fue decidido que debían ser practicados por cada congregación local, por lo menos una vez al año. La práctica del lavatorio de pies[9] había sido común entre las iglesias de avivamiento de la nación, pero había perdido fuerza entre éstas. Desde su inserción, esta muestra de armonía, servicio y hermandad ha sido parte de la adoración pentecostal.

Con el aumento del modernismo en la iglesia denominacional, habían decaído los servicios de oración entre semana. Por lo tanto,

---

[7]Esto fue reiterado por la tercera asamblea anual, del 8 al 12 de enero de 1908, en la cual se adoptó la siguiente resolución: "Esta asamblea no es legislativa ni ejecutiva, sino exclusivamente judicial". *Ibíd.*, (Tercera, 1908), pág. 26.

[8]*Minutas de la Primera Asamblea General* (1906), pág. 1.

[9]El lavatorio de pies es practicado según Juan 13:4-17.

la asamblea manifestó su deseo de que tales servicios formaran parte del programa semanal de cada iglesia. Estos no eran ocasiones para predicar sino para la adoración devocional e inspiracional. También se discutió ampliamente la adoración familiar y se enfatizó como algo vital para cada hogar cristiano. Se recomendó:

> que las familias de las iglesias practicaran este sagrado e importante servicio, por lo menos una vez al día en el tiempo más conveniente para la familia...[10]

Se fijó la meta para iniciar el culto familiar en cada hogar antes de finalizar el año. Los diáconos tendrían que presentar un informe en la próxima conferencia del número de familias que mantuviera regularmente el culto familiar en sus hogares.

6. El espectro del tabaco

De particular atención para los delegados era el persistente y molesto problema del tabaco. Este problema era local, debido a su uso intenso en la región. Las personas de esa región no sabían nada acerca de los efectos dañinos del tabaco y, a pesar de su impureza, lo miraban sólo como una forma de pasatiempo. El hábito era considerado amoral, aunque las llamadas iglesias "respetables" proveían a sus miembros recipientes para escupir. El uso del tabaco era una práctica aceptada en gran parte de la vida social y personal. Esto se debe entender para poder considerar la convicción e inspiración que la joven iglesia tuvo para denunciar su uso en aquellos días primitivos. Hoy día es común oír denuncias acerca del tabaco, prácticamente por todos los grupos de persuasión evangélica; pero no fue así cuando la Iglesia de Santidad levantó la voz por primera vez en contra de su uso. Hoy día muchos otros han señalado los peligros (médicos, científicos y clérigos), pero la Iglesia de Santidad tomó la iniciativa de objetar al uso del tabaco en aquellos días.[11]

---

[10] *Minutas de la Primera Asamblea General*, (1906), pág. 17.

[11] La *Disciplina de la Iglesia Metodista* siempre ha desaprobado el uso de tabaco por sus predicadores, pero no hace mención de su uso para los miembros.

La asamblea fue positiva aunque no áspera en su trato del problema. Muchas personas de la congregación de las iglesias de santidad habían usado el tabaco desde su niñez, así que necesitaban ser educados e instruidos pacientemente en los peligros del mismo y en la violación de la santidad.

> Después de amplia consideración, la asamblea aprobó oponerse al uso del tabaco en cualquier forma. Este es ofensivo a los que no lo usan; debilita y deteriora el sistema nervioso; es un pariente cercano de la borrachera, un mal ejemplo para los jóvenes; un gasto inútil, ya que el dinero debiera usarse para vestir a los pobres, expandir el evangelio y hacer los hogares más cómodos; finalmente, creemos que el uso del tabaco es contrario a las Escrituras y, como Cristo es nuestro ejemplo, nosotros no creemos que Él lo hubiera usado bajo ninguna circunstancia.[12]

No era sabio ser totalmente inflexible con los que estaban en la congregación de santidad y usaban el tabaco, pero los pastores y diáconos tendrían que usar su influencia en contra de su uso y "tratar con ternura y amor a aquellos que lo usaban, aunque debían insistir con espíritu afectuoso que se descontinuara su uso".

7. Consideración de la escuela dominical

Desde sus inicios, la Iglesia de Santidad enfatizó el lugar de la evangelización y la escuela dominical en su programa. En ningún momento de la historia del avivamiento se pasó por alto el valor de la escuela dominical; las primeras iglesias organizaron sus escuelas dominicales junto con la organización de la iglesia misma. Sin embargo, de acuerdo al espíritu de su tiempo, el grupo consideraba la escuela dominical esencialmente como un departamento de niños.

> Se discutió sobre la escuela dominical y fue altamente favorecida como un medio para enseñar a los niños a reverenciar la Palabra de Dios, el lugar señalado para la adoración y para elevar la moral de la comunidad. Por lo tanto, la asamblea recomienda, aconseja y urge que cada congregación local celebre una escuela dominical cada

[12] *Minutas de la Primera Asamblea General* (1906), pág. 16.

> domingo, durante todo el año si es posible...Creemos que algunas veces se puede organizar una escuela dominical con éxito, en lugares donde no se ha podido establecer una iglesia, abriendo el camino para una obra más permanente.[13]

Se estimuló a que los obreros localizaran lugares donde no se celebraba escuela dominical para comenzar a expandir el ministerio de la iglesia. La hora más recomendable para esta clase dominical parecía ser en la mañana, aunque en muchos lugares era más beneficioso reunirse por la tarde.

8. Cuando los fuertes lloraron

La carga del evangelio era mucha en los corazones de los presentes. Había un sentido de urgencia por llegar más allá de los límites de las montañas con el evangelio de redención, santidad y el bautismo con el Espíritu Santo. Los informes de los avivamientos celebrados el año anterior fueron seguidos por un período de consagración a la evangelización el año siguiente. En esta sesión hubo muchas lágrimas debido a que la carga por las almas era muy pesada en los corazones de estos hombres.

> Después de considerar los campos listos para la siega y las puertas abiertas para la evangelización ese año, estos hombres fuertes lloraron y señalaron que no sólo estaban dispuestos sino ansiosos por ir.[14]

Entre los que decidieron esforzarse en el año venidero se encontraban cuatro ministros y varios diáconos. Ellos se comprometieron mutuamente:

> ...a tocar en cada puerta abierta... y trabajar con más celo y energía para el esparcimiento del glorioso evangelio del Hijo de Dios.[15]

---

[13] *Ibíd.*, págs. 17, 18.
[14] *Ibíd.*, pág. 16.
[15] *Loc. cit.*, pág. 16.

9. Clausura de la asamblea

La conferencia de dos días probó ser uno de los pasos más ventajosos que la iglesia había tomado. El tiempo era extraordinariamente frío, pero en términos generales, todo funcionó bien. Las comidas habían sido preparadas por Nettie Bryant y las otras hermanas del grupo; los niños cargaron agua de manantiales casi congelados y los delegados visitantes durmieron en los hogares de los miembros de Camp Creek. Fue un tiempo precioso de confraternidad para las cuatro congregaciones. La reunión fue tan edificante que se aprobó la siguiente recomendación:

> Recomendamos más unión y confraternidad entre las iglesias. Por lo tanto, concluimos que una asamblea una vez al año, compuesta de ancianos, hombres y mujeres de cada congregación, sería de gran importancia para la promoción del evangelio de Cristo y su iglesia.[16]

Se decidió que la asamblea debía reunirse cada año en enero, de ser posible, para no interferir con los avivamientos del verano.[17] Una tradición había nacido y continuaría a través de los años como el cenit de cada año. Sería en estas reuniones que se tomarían todas las decisiones finales de la creciente iglesia, de tal manera que el programa de todo el cuerpo comenzó a girar gradualmente en torno a este núcleo. Con esta centralización de gobierno y política democrática llegaría la concentración de la fuerza, energía y magnetismo.

La conferencia concluyó a las 7:30 de la noche del sábado 27 de enero de 1906. El significado total de la asamblea no se comprendería aquella noche, ya que este entendimiento vendría sólo a través de las pruebas de los años venideros.

---

[16] *Ibíd.*, pág. 18.

[17] Seis años más tarde se informó: "Antes del cierre de la convención se consideró que era mejor hacer arreglos para una asamblea anual, en una fecha regular, ya que asuntos de importancia surgirían cada año, los cuales necesitarían atención y ajustes. De este modo se decidió que se haría el mes de enero, ya que durante este tiempo del año era muy difícil desarrollar obra evangelística..." *Ibíd.*, (Séptima, 1912), pág. 55.

Capítulo 7
UN NUEVO CENTRO DE ACTIVIDADES

1. El traslado a Cleveland

Leer

Algunos de los miembros prominentes de Camp Creek se trasladaron a Cleveland en 1906, a donde su pastor, A. J. Tomlinson, se había mudado hacía poco más de un año.[1] R. G. Spurling se quedó en su finca de Turtletown y desde allí salía a predicar. La iglesia de Camp Creek permaneció como la iglesia central por un tiempo, pero gradualmente el foco cambió a los lugares de más población, Cleveland y el Condado Bradley.[2]

En 1905, Tomlinson había celebrado una campaña bajo carpa a la salida del pueblo, pero los resultados fueron muy insignificantes como para organizar una iglesia local. Los servicios continuaron en un edificio alquilado y la congregación aumentó hasta que hubo miembros para garantizar la organización. El 10 de octubre de 1906, se organizó la Iglesia de Santidad, sin pompas ni anuncios.[3] Esta fue una importante adición al crecimiento numérico de congregaciones establecidas por el joven movimiento.

Para el tiempo de la segunda asamblea general, había suficientes miembros en y cerca del Condado Bradley como para reunirse en la iglesia de "Union Grove", que tenía el único edificio en el

---

[1]Véase E. L. Simmons, *History of the Church of God* [Historia de la Iglesia de Dios], (Cleveland, Tenn.: Church of God Publishing House. 1938), pág. 16.

[2]En aquel entonces, Cleveland tenía una población de 5,000 y el Condado Bradley 15,000. La única distinción de Cleveland era que el ferrocarril de Norfolk y Western paraba ahí, y era el asiento del Condado Bradley, el cual tenía más de 15,000 fincas de tres acres o más. A pesar de que Cleveland era un pueblo de típicos edificios pequeños de madera, calles estrechas de tierra y pocas aceras, era muy ambiciosa buscando nuevos residentes. En 1902, su periódico *Journal* hizo las siguientes declaraciones: "Si usted cree que Cleveland no está creciendo, lo invitamos a que alquile una casa aquí. Cleveland es como un centro vacacional tanto en verano como en invierno. De hecho, tenemos cuatro estaciones con tiempo agradable. Cleveland es una ciudad que nunca ha tenido epidemias de ninguna clase. Si quiere vivir saludablemente, establézcase aquí".

[3]Diario de A. J. Tomlinson.

movimiento. Durante ese año, la iglesia experimentó un crecimiento sustancial y ciertas corrientes comenzaron a tomar forma. La iglesia recientemente organizada en Cleveland era la más prometedora de todas las congregaciones, aunque muchos de sus miembros habían venido de las iglesias de Camp Creek y Drygo, Tennessee, lo que debilitó grandemente dichas congregaciones. El que hubiera tres iglesias cerca de Cleveland: Union Grove, Drygo y Cleveland, y que el área ofreciera un campo fértil para el mensaje pentecostal de santidad, hacía obvio que este pueblo se convertiría en el punto de expansión de la Iglesia de Santidad: la Iglesia de Dios.

2. La segunda asamblea

A las siete de la noche del miércoles 9 de enero de 1907, se celebró el servicio de apertura de la segunda asamblea en la pequeña iglesia de Union Grove. El querido R. G. Spurling predicó el sermón de apertura, en el que enfatizó la responsabilidad de la iglesia de llevar el evangelio a todo el mundo. Muy de mañana el siguiente día, W. F. Bryant condujo un servicio de oración y testimonios. A las diez de la mañana, la asamblea fue oficialmente abierta. Después de un período de recepciones generales y presentaciones, el grupo oró al unísono, llorando de regocijo.

Igual que en la primera asamblea, y debido a que era pastor de la iglesia en la que se celebraba la convención, se le pidió al reverendo A. J. Tomlinson que sirviera como moderador y secretario tesorero de las sesiones.[4] Él era un moderador capaz y sus compañeros pastores reconocían su liderazgo inconfundible. Después, cada pastor leyó un informe de su iglesia a la asamblea, en los que se revelaba que la iglesia había ganado un número considerable de hombres y mujeres. Esta realidad hizo que la asamblea discutiera las "posiciones importantes que ocupaba la mujer en el tiempo de Cristo y sus apóstoles".[5]

---

[4]Tomlinson era pastor de varias iglesias en ese entonces: Union Grove, Cleveland y, tal vez, Camp Creek, a las que atendía como solían hacerlo los predicadores metodistas.

[5]*Minutas de la Segunda Asamblea General* (1907), pág. 20.

Tomlinson presentó a la convención los temas que se discutirían, que era lo mismo que una agenda oral de los negocios pendientes.

> Después de leer una parte de 1 de Timoteo 4, dijo: "Hay tantas sectas, doctrinas, opiniones y divisiones que es de vital importancia que nosotros conozcamos las verdades que hay en las Escrituras". Luego de hablar por algún tiempo sobre las diferentes "doctrinas del diablo" que están en boga hoy, el orador siguió con el tema del programa y brevemente bosquejó los temas importantes uno por uno, aconsejando que los oradores defendieran con denuedo sus convicciones, revistiéndose de amor para que nadie fuese herido y estuvieran siempre listos para ceder a la enseñanza bíblica sencilla, aun cuando entrase en conflicto con algunos enfoques anteriores; la enseñanza de la Biblia, debidamente interpretada, para establecer todos los puntos.[6]

El punto más sobresaliente, entre los asuntos considerados, fue la insistencia en la unidad de fe y doctrina. La joven iglesia estaba preocupada con la creencia de que una completa unión de fe no era solamente posible, sino una obligación, y estaban determinados a lograr y preservar la unidad de doctrina y práctica.

3. La Iglesia de Dios

Una de las decisiones más significativas de la iglesia se logró de manera rápida y unánime a las 8:30 de la mañana del viernes: el nombre de la organización se cambió de Iglesia de Santidad a Iglesia de Dios. Todos los presentes estuvieron de acuerdo en que este era el nombre bíblico para la Iglesia de Cristo. La "Unión Cristiana" había designado un ideal, la "Iglesia de Santidad" una doctrina, pero ninguno de los dos parecía ser una designación escritural para la iglesia de la Biblia. Esta gente tenía interés en buscar una base escritural para sus acciones. Especialmente, deseaban ser conocidos por un nombre usado en la Biblia.[7] Su

---

[6]*Ibíd.*, pág. 22.

[7]El nombre de la Iglesia de Dios se encuentra en 1 Corintios 1:2: "A la Iglesia de Dios que está en Corinto, a los santificados en Cristo Jesús, llamados a ser santos..."; Hechos 20:28: "Por tanto, mirad por vosotros y todo el rebaño en que el Espíritu Santo os ha puesto por obispos para apacentar la Iglesia de Dios, la cual él ganó por su propia sangre".

postura era que el cuerpo de Cristo debía mantener el ideal de la unión cristiana y proclamar la doctrina de la santidad, y su nombre debía ser Iglesia de Dios. Parece que no hubo ninguna pregunta acerca de la selección del nombre y la decisión fue "aprobada armoniosamente".

4. Expectativas evangelísticas

En la segunda asamblea había dos nuevos predicadores: Alex Hamby, quien había asistido a la convención previa en Camp Creek, y H.L. Trim, un nuevo miembro quien había estado formalmente asistiendo a la iglesia de la comunidad de Union Grove, en donde se estaba celebrando la asamblea. Antes de terminarse la asamblea, Hamby fue ordenado obispo y a Trim se le extendió credencial de ministro licenciado.[8]

Un día antes de que estos nuevos ministros fueran ordenado y licenciado hubo un servicio en el cual todos los predicadores se consagraron a sí mismos para la labor del nuevo año. Uno por uno, estos humildes hombres de Dios, se pararon con lágrimas en los ojos para comprometerse a la labor de ganar almas:

> A. J. Tomlinson: "Yo espero pasar todo el tiempo este año en el ministerio de la Palabra y la oración".
> R. G. Spurling: "Yo espero dar todo mi tiempo a la obra del Señor este año".
> Alex Hamby: "Yo espero caminar en la luz. Cuando sienta que Él me necesita en el campo, espero ir. Cuando sienta que debo estar en el hogar, espero estar allí, pero me mantengo presto a ir".
> M. S. Lemons: "Yo espero dar todo mi tiempo al ministerio de la Palabra y la oración, aunque también espero trabajar algo en la hortaliza de mi casa si el tiempo es propicio, pero si se requiere ir a la obra, así será".
> W. F. Bryant: "Yo espero estar en la obra todo el año, en alguna manera; yo estoy a su servicio. Estaré en la obra con todas mis fuerzas. Siento fuego en los huesos por servir a Dios".

[8]En esta asamblea (1907), se creó el oficio ministerial de "evangelista", que podían obtener los ministros que no calificaban para la ordenación. El título de "evangelista" fue cambiado a "ministro licenciado" en el 1948. Durante un tiempo, a los ministros ordenados se les conocía comúnmente como "ancianos", pero oficialmente eran "obispos", lo cual fue cambiado a "ministro ordenado" en el 1948.

H. L. Trims: "Yo he estado trabajando parte del tiempo, pero he sentido que debo dar todo. Si el Señor abre el campo de labor para mí, espero ir al mismo. Siento deseos de ir y espero hacerlo con la ayuda de Dios".
L. W. Smith: "Yo espero hacer más de lo que he hecho en el pasado. Dios me ha bendecido de muchas maneras".
Oscar Withrow dijo que estaba listo para servir todo el año si Dios le dirigía con su Espíritu y providencia.
Henry McNabb dijo que él y su esposa estaban listos para la batalla como el Señor dirigiera.[9]

5. Énfasis pentecostal

En esta convención, el cuerpo de la doctrina pentecostal continuó creciendo, haciéndose énfasis en los dones espirituales, sanidad divina y bautismo con el Espíritu Santo. H.C. McNabb predicó sobre los "Dones del Espíritu", después de lo cual "muchos otros hablaron con libertad, bajo el poder y la manifestación del Espíritu". En conexión con los dones espirituales, se discutió el tema de sanidad divina por todos los allí reunidos.[10]

¿Deberían usarse drogas en caso de enfermedad o solamente confiar en Jesús? Esto fue discutido con poder y demostración del Espíritu, y se llegó a la decisión de que deberíamos confiar en Jesús como nuestro médico.[11]

Después de esta decisión, se condujo un servicio de sanidad divina, del cual se informa que algunos fueron sanados instantáneamente. La posición de la iglesia con relación a la sanidad divina se convierte en uno de sus puntos más distintivos, ya que sería algo poderoso dentro de la Iglesia de Dios, aunque traería más críticas y persecución de los de afuera. Muchas sanidades tuvieron

[9] *Minutas de la Segunda Asamblea General* (1907), pág. 23, 24.

[10] La doctrina de los dones espirituales (*pneumatikon*) está ampliamente basada en 1 Corintios 12 y 14, donde Pablo discute en detalle la operación de los dones (*charismata*) en la vida de los creyentes. Generalmente se considera que los dones son nueve, y cualquiera puede manifestarse divinamente a través de aquellos a quienes Dios da favor: 1 Corintios 12:8-10: (1) palabra de sabiduría (2) palabra de conocimiento, (3) fe, (4) dones de sanidad, (5) milagros, (6) profecía, (7) discernimiento de espíritus, (8) diversos géneros de lenguas, (9) interpretación de lenguas. Debido a su doctrina de los *charismata*, Clark y otros se refieren a la Iglesia de Dios, y demás grupos pentecostales, como "sectas carismáticas".

[11] *Minutas de la Segunda Asamblea General* (1907), pág. 25.

lugar durante el avivamiento en el Condado Cherokee y muchas más se han registrado en todos los derramamientos pentecostales. El bautismo en el Espíritu Santo y la sanidad divina han sido sostenidos por la Iglesia de Dios como obras complementarias del Espíritu Santo, casi al punto de ser inseparables.

La noche del sábado, un día antes de que terminara la asamblea, Tomlinson predicó sobre el "bautismo del Espíritu Santo y fuego". Extrañamente, aunque él era el pastor principal y había moderado dos asambleas, no había recibido esta experiencia. Predicó con convicción y fervor poco usuales, entonces invitó al altar a todos los que deseaban ser bautizados con el Espíritu Santo. Aunque la iglesia había enfatizado el bautismo del Espíritu Santo desde 1896 y Spurling, Bryant, Lemons y la mayoría de los otros delegados habían recibido la experiencia, Tomlinson no había buscado intensamente el bautismo hasta cuando predicó este gran sermón.

> En enero de 1907, yo comencé a disertar más profundamente sobre el tema de recibir el Espíritu Santo, tal como se derramó el día de Pentecostés. Yo no tenía la experiencia y siempre estaba entre los que la buscaban en el altar.[12]

6. Un año más

La iglesia recibió un ímpetu tan sobresaliente en la asamblea de 1907 que prevaleció un gran esfuerzo y hubo un crecimiento extraordinario a través de todo el año. Se organizaron varias iglesias nuevas en Tennessee, Georgia y Carolina del Norte. Aunque había habido muchos avivamientos de cierto éxito, en 1907 fueron comunes los grandes avivamientos. En Cleveland, el pastor Tomlinson celebró una campaña de avivamiento que produjo resultados sobresalientes y añadió un grupo numeroso de nuevos hombres a la iglesia.

Cierta persona donó un solar en la esquina de las calles College y People a la iglesia de Cleveland y se construyó un pequeño

---

[12]Tomlinson, *Answering to the Call of God* [En respuesta al llamado de Dios], pág. 9.

edificio antes de que terminara el verano. Este fue dedicado el 29 de septiembre de 1907.

7. La expansión de Pentecostés

Mientras que el ministerio de Tomlinson se centralizó alrededor de Cleveland, M.S. Lemons comenzó a predicar más en Georgia y en el área de Chattanooga; Spurling dedicó la mayoría de su tiempo a la región de Camp Creek, donde había nacido la iglesia; él estableció y pastoreó una iglesia en Jones, Georgia. W.F. Bryant fue a las montañas de Tellico poco después de la asamblea de 1907. Él encontró tal pobreza en aquellas montañas, que la gente era más pobre que los más desvalidos de su propia región, en las montañas de Unicoi. Tres años más tarde, seguía trabajando en las montañas de Tellico y lo hacía con denuedo. Él escribió sobre las condiciones existentes en aquel lugar:

> Algunos miembros de la iglesia no pueden venir a los servicios por falta de ropa. Se me ha dicho que algunas personas sufrirán necesidades este verano debido a que el invierno fue tan severo que no pudieron trabajar. Algunos de ellos me pidieron que les trajera alguna ropa, como lo había hecho antes. Yo vi descalzos a niños pequeños de 5 a 8 años, caminando con dificultad por la tierra congelada y las montañas totalmente cubiertas por la nieve.[13]

Bryant continuó su labor en las montañas por varios años, sufriendo mucho pero logrando también mucho y estableciendo la iglesia de Hillview y otras. A pesar de las dificultades que encontró, Bryant amaba las montañas. Todos los predicadores de la Iglesia de Dios pastoreaban varias iglesias. La cantidad de predicadores no era tan numerosa como para que cada iglesia tuviera su propio pastor, ya que se organizaban nuevas iglesias en donde se celebraban campañas de avivamiento. Aun cuando el crecimiento de las iglesias no era espectacular, era substancial a través de los tres estados. Un movimiento real había comenzado y el presagio era de un consistente progreso en el futuro.

---

[13]W. F. Bryant, *Work in The Mountains of Tennessee* [Obra en las montañas de Tennessee], The Evening Light and Church of God Evangel, 1 de marzo de 1910, pág. 8.

Capítulo 8
UN AÑO DETERMINANTE

1. La tercera asamblea

La iglesia de Cleveland tenía un total de sesenta miembros a finales de 1907, más que ninguna otra iglesia local de la Iglesia de Dios. Esto revela la pequeña membresía de la organización, pero es totalmente engañoso con relación a su fortaleza. Decir que había sesenta miembros en una congregación es implicar que había sesenta miembros activos en la obra de la iglesia y totalmente dedicados a Cristo. La Iglesia de Dios era tan celosa en mantener a todos sus miembros activos en el Señor como lo era en ganarlos para Él.

Debido al espíritu de avivamiento en Cleveland, la atención de la iglesia se centró en este pequeño pueblo, de tal manera que se decidió tener la tercera asamblea en la nueva iglesia de allí. La conferencia del 8 al 12 de enero de 1908 siguió el patrón de las primeras dos, con un sermón de apertura por R. G. Spurling, después del cual hubo cuatro días completos de oración, estudio y discursos de las Escrituras. Por tres años consecutivos, A. J. Tomlinson fue seleccionado moderador de la conferencia en virtud de ser el pastor de la iglesia anfitriona. Muchos nuevos ministros estaban presentes, luego de haberse unido a la Iglesia de Dios desde la asamblea de 1907.[1]

En esta reunión se enfatizaron dos asuntos discutidos en la primera asamblea: que la asamblea debía ser judicial en vez de legislativa o ejecutiva, y que todos los miembros debían ser amonestados en contra del uso del tabaco.[2] En este último asunto,

---

[1]Dos de ellos, A. J. Lawson y J. H. Simpson, participaron vigorosamente en las discusiones, pero parece que los otros tuvieron muy poca participación, ya que no hay ninguna referencia a sus discusiones en las actas de la asamblea.

[2]Véase el punto seis del capítulo 6.

la medida aprobada era considerablemente más estricta que la de la primera asamblea.

> Se decidió que se debía tratar con bondad y cariño a los que usaban tabaco en la iglesia y darles un poco de tiempo para la consideración, y quienes rehusaran descontinuar su uso en un tiempo razonable, deberían ser excomunicados.[3]

También surgió la pregunta: "¿Descalifica el uso del tabaco a un hombre para el cargo de diácono?", a la cual un "sí" enfático fue la respuesta.[4]

2. La iglesia y el estado

Desde sus inicios, la Iglesia de Dios ha estado opuesta, siguiendo la tradición protestante, a la unión de la iglesia con el estado. Esta posición se hizo oficial muy pronto en esta asamblea. No sólo la joven iglesia levantó su voz en este asunto, sino también en otros asuntos sociales y de estado, que tenían ramificaciones espirituales persistentes.

> Primero: Los miembros de la iglesia deben votar siempre y cuando puedan hacerlo con una conciencia clara.[5]
> Segundo: Ningún miembro que pertenezca a una logia es elegible para ser miembro de la Iglesia del Señor.[6]
> Tercero: Se debe obedecer las leyes mientras las mismas no estén en conflicto con la ley de Cristo.
> Cuarto: Es una burla adorar a Dios en contra de la conciencia del hombre, aunque ésta debe ser limpia y enseñada según la ley de Jesús.
> Quinto: Debe haber separación del estado y la iglesia bajo cualquier circunstancia.

---

[3]*Minutas de la Tercera Asamblea General* (1908), pág. 30.

[4]*Ibíd.*, pág. 28.

[5]Algunos cristianos sinceros, pero sin mucha dirección, insisten en que los hijos de Dios deben ser completamente pasivos con relación a los asuntos políticos. La Iglesia de Dios alienta la participación en las elecciones de los oficiales de gobierno para la preservación de la libertad y democracia.

[6]Las Escrituras citadas son: 2 Corintios 6:14-17; Efesios 5:4-7, 11, 12; 2 Timoteo 3:4, 5; Mateo 5:34-37; Santiago 5:2. Por muchos años, la iglesia era tan firme en sus objeciones a las logias o fraternidades, que no les permitía a los miembros tener seguros con ninguna orden secreta. En el año de 1940 esta posición se volvió más flexible: "Si alguien se une con la Iglesia de Dios y tiene seguros con una fraternidad u orden secreta, puede continuar su seguro con la mencionada orden, siempre y cuando no asista a sus reuniones secretas".

> Sexto: La iglesia debe apreciar las leyes que protegen la adoración pública y reconocer a los oficiales de la ley como ministros de Dios. Romanos 13:1-6.[7]

3. Divorcio y nuevas nupcias

Cuando sus iglesias estaban localizadas en las áreas rurales, el problema de hogares deshechos raramente llegaba a la Iglesia de Dios, pero tan pronto las ciudades y los pueblos fueron alcanzados, los problemas más antiguos de la humanidad hicieron impacto en las congregaciones. Del siguiente escrito breve, aunque revelador, captamos la idea de la gravedad de la primera discusión de este asunto en la asamblea de la Iglesia de Dios.

> ¿Es elegible para ser miembro de la iglesia del Señor, esté o no divorciado, alguien que tenga dos o más cónyuges vivos?
>
> Después de horas de discusión y búsqueda en las Escrituras, y una sesión extra que se extendió hasta la media noche, nunca se llegó a una decisión definitiva, pero se acordó discutir el tema al año siguiente. Sin embargo, se decidió que sólo había una causa para el divorcio que dejaría a cualquiera de las dos partes absuelta y libre para contraer matrimonio nuevamente: adulterio. Se aconsejó que lo más seguro para cualquiera que se hubiera divorciado, por cualquier causa, sería no volver a casarse. Luego se decidió que ninguno que se haya divorciado y casado nuevamente es elegible para ser miembro de la iglesia del Señor, a menos que sea la parte inocente del divorcio.[8]

Con el registro de las opiniones conflictivas de los delegados y el ardor de su discusión, la Iglesia de Dios adoptó lo que se convertiría en uno de los temas más debatidos en sus asambleas. Además de los asuntos ya mencionados, la asamblea estuvo muy ocupada, e hizo buen trabajo, en numerosas áreas de doctrina y gobierno de la iglesia, pero el tiempo consumido en la discusión del divorcio

---

[7] *Minutas de la Tercera Asamblea General* (1908), págs. 26, 27.

[8] *Ibíd.*, págs. 27, 28.

redujo el tiempo para discutir otros asuntos y causó que éstos fueran pospuestos.[9]

4. Postludio de la asamblea

Cerca de la clausura de la asamblea, G. B. Cashwell, de Carolina del Norte, visitó la conferencia, habiendo llegado recientemente del gran avivamiento pentecostal de la misión de la calle Azusa en Los Angeles, en donde había recibido el bautismo del Espíritu Santo. Él vino por invitación especial de Tomlinson, el pastor de Cleveland, quien había decidido orar para recibir la experiencia desde que había predicado sobre el tema en la asamblea previa. Él había visitado anteriormente un servicio en Birmingham, Alabama, con M. S. Lemons, para conocer más del tema y experimentar el bautismo.

> Para finales del año yo estaba tan hambriento del Espíritu Santo que apenas me preocupaba por comer, por amistades o cualquier otra cosa; yo quería una sola cosa: el bautismo con el Espíritu Santo. Le escribí a G. B. Cashwell, quien había estado en Los Angeles, California, y había recibido el bautismo allí, y le pedí que fuera a nuestro hogar por algunos días. Él llegó el 10 de enero de 1908.[10]

Cashwell no predicó en la asamblea general pero predicó después de la clausura, en la iglesia local, el sábado por la noche y domingo en la mañana. Mientras él predicaba el domingo por la mañana, Tomlinson recibió el bautismo del Espíritu Santo que tanto había estado buscando. Lo ocurrido al pastor ha sido grabado en sus propias palabras:

---

[9] Desde el tiempo de Moisés hasta el presente, el desastre de hogares deshechos ha acaparado la iglesia. Ha sido un cáncer para la civilización y una plaga para la conciencia del hombre espiritual. Todos los grupos eclesiásticos han sentido la amargura de ese persistente problema. En la asamblea de enero de 1913, el supervisor general de la Iglesia de Dios señalaría que "el asunto del divorcio y nuevas nupcias ha sido considerado y pasado de una asamblea a otra sin llegar a una conclusión final. Hemos estado esperando un entendimiento perfecto y esperamos que pueda ser revelado por el Espíritu y las Escrituras en este tiempo". En la siguiente asamblea todavía se discutía intensamente el asunto "con un gran tiempo de oración acerca del divorcio y nuevas nupcias". A través de los años, este grave problema ha invadido la discusión de la asamblea, ya que siempre ha agobiado a los clérigos, quienes aman a las almas pero odian la tragedia del divorcio.

[10] Cashwell nunca fue miembro de la Iglesia de Dios, pero se convirtió en una figura prominente por un tiempo en la Iglesia de Santidad con Bautismo en el Fuego Pentecostal, de Falcon, Carolina del Norte. Vea las páginas 239-247, del libro de Joseph E. Campbell, *The Pentecostal Holiness Church* 1898-1948.

> ...El domingo en la mañana, 12 de enero, mientras él predicaba, una sensación peculiar se apoderó de mí y casi inconscientemente me resbalé de mi silla, hasta poner el rostro en los pies del hermano Cashwell. Yo no sabía lo que significaba aquello. Yo estaba consciente pero un poder peculiar sacudió todo mi ser y decidí rendirme y esperar los resultados. En poco tiempo perdí noción de lo que me rodeaba, absorto sólo en Dios y las cosas eternas...
>
> Mientras estaba en el piso un gran gozo invadió mi alma. Fueron los momentos más felices que he conocido hasta hoy. Nunca supe lo que era el gozo real hasta ese entonces. Mis manos se apretaron sin ningún esfuerzo de mi parte. ¡Oh, tales diluvios y oleadas de gloria corrieron a través de todo mi ser por algunos minutos...![11]

Más tarde, Tomlinson escribió que al momento de su bautismo habló cerca de diez idiomas desconocidos para él. Para cuando recibió el bautismo, todos los ministros de la Iglesia de Dios eran hombres bautizados con el Espíritu Santo.

5. El avivamiento crece

Muchos pueblos nuevos fueron alcanzados en 1908. Lemons, Trim y Tomlinson predicaron mucho en Georgia y en el sur de Tennessee; Bryant estaba en las montañas de Tellico y Spurling al oeste de Carolina del Norte. En Chattanooga se estableció una iglesia, con Lemons como pastor, después de haberse celebrado una campaña bajo carpa con varios de los ministros. Esta iglesia fue organizada en la parte este de Chattanooga, en una sección difícil de la ciudad. Allí había una persecución considerable, principalmente por rufianes que cortaban y tumbaban la carpa; no obstante, alrededor de setenta y cinco personas recibieron el Espíritu Santo, sesenta de las cuales se unieron a la iglesia.[12] No fue fácil ganar esta iglesia, pero se estableció firmemente después de muchas semanas de enseñanza e instrucción en este centro metropolitano. Se condujo servicios en Chattanooga todo el año, y algunos de los predicadores pasaban mucho tiempo en la obra, ya que ésta era la primera ciudad que alcanzaba la Iglesia de Dios

---

[11]Tomlinson, *Answering the Call of God* [En respuesta al llamado de Dios], págs. 9, 10.

[12]*Minutas de la Cuarta Asamblea General* (1909), pág. 31.

y su fe debía establecerse firmemente para que la decadencia y las corrientes de la vida de la ciudad no la eliminaran.

Otras iglesias fueron establecidas por Bryant en la región de Tellico, en un lugar conocido localmente como *Red Knobs*. Se comenzaron servicios regulares y se celebró una campaña de avivamiento en la que se convirtieron treinta personas. Se organizó una iglesia en Chickamauga, Georgia, 24 kilómetros al sur de Chattanooga, convirtiéndose en la tercera iglesia de Georgia: Rising Fawn, Jones y Chickamauga. A pesar de que la obra en general tuvo un progreso alentador a través del año, las iglesias de Drygo y Camp Creek tuvieron poco o ningún avance.

La campaña de avivamiento más sobresaliente del año se condujo en Cleveland. Se erigió una carpa en la Avenida Central, a ocho cuadras del centro del pueblo y se comenzaron los servicios la noche del 11 de agosto. La reunión fue un éxito desde el principio; quinientas personas asistieron al servicio de apertura y un gran número se convirtió y fue bautizado con el Espíritu Santo. Se celebraban tres servicios diarios: uno de oración cada mañana y dos evangelísticos bajo carpa, uno en la tarde y otro en la noche. Varios evangelistas predicaron durante las reuniones, pero el pastor local predicó la mayoría de las veces, con más energía y elocuencia desde su bautismo pentecostal.

Grandes multitudes vinieron del Condado Bradley a la reunión, que hacía recordar el avivamiento del Condado Cherokee doce años antes. La gente venía en grandes multitudes (pronto llegaron a los miles); muchos protestaron y profirieron amenazas, mientras que otros creyeron y encontraron perdón para sus pecados. Muchos llenaban el altar en respuesta a las magnéticas invitaciones de los predicadores. Los inconversos y creyentes, hambrientos por el Espíritu Santo, eran movidos en forma tal que se olvidaban de los pasillos y saltaban sobre las bancas hacia el altar. Las reuniones continuaron semana tras semana y el pueblo fue inundado por la influencia del avivamiento. En cada desayuno y comida se discutía sobre Pentecostés, en las tiendas, en las calles, en las iglesias más antiguas, en las fábricas y los campos.

Cinco semanas después de haber comenzado el avivamiento, el siguiente reportaje apareció en el periódico semanal:

> GRANDES REUNIONES DE SANTIDAD
>
> No ha disminuido el interés, entusiasmo o la asistencia en las reuniones de esta ciudad.
>
> A pesar de que los servicios celebrados por la Iglesia de Santidad se han extendido por más de un mes, las multitudes son tan grandes como al principio, el interés por la causa todavía es enorme, y el fervor religioso de los miembros y convertidos es evidente.
>
> La gente de santidad ha capturado prácticamente todo el oeste y noreste de Cleveland y su fuerza sigue aumentando.[13]

Los efectos de las doctrinas pentecostal y de santidad entre los miembros de las iglesias más antiguas, desencadenaron la ira de muchos de los pastores locales. Sus miembros, en números alarmantes, estaban cambiando de doctrina y tenían hambre de una vida espiritual más profunda, como la que predicaba la Iglesia de Dios. Muchos de sus mejores miembros se estaban uniendo a la nueva organización. Uno de sus predicadores estaba tan perturbado que escribió la siguiente declaración publicada en la portada de *The Journal and Banner*:

> ...esta es la oportunidad para que la gente buena de Cleveland use todas sus energías para promover la causa del Maestro. Nunca ha habido un tiempo como el presente, en la historia del pueblo, en que la verdadera doctrina de Cristo debiera establecerse claramente.
>
> Nuestro pueblo y país han sido inundados con falsas doctrinas; el poder satánico y su influencia está causando estragos. ¡Que el Señor ayude a los cristianos verdaderos de Cleveland a despertar a un sentido completo de responsabilidad! "Tomad toda la armadura de Dios en contra de las asechanzas del diablo". Amados, levantemos la bandera de nuestro Rey y Señor. Jesús dijo que muchos falsos cristos y maestros vendrían al mundo a engañar a muchos. Ahora, permítanme decirles a todos los que son fieles a la Biblia, que se informen de sus enseñanzas generales, de tal manera que puedan conocer cuáles son las doctrinas falsas cuando se encuentra con ellas. Que el Señor les dé gracia y valor suficientes para expandir y defender las verdaderas doctrinas de las Escrituras.[14]

Sin lugar a dudas, fue sincero, pero estaba mal informado porque la Iglesia de Dios consistentemente enseñaba la doctrina fundamen-

---

[13] *The (Cleveland) Journal and Banner*, 17 de septiembre de 1908, pág. 3.

[14] *Ibíd.*, 29 de octubre de 1908, pág. 1.

tada en el evangelio de la fe histórica, enfatizando una vida espiritual profunda.

6. Un hombre joven

Durante el avivamiento, el espíritu del cual duró todo el año, hubo trescientos convertidos; doscientos cincuenta creyentes fueron bautizados con el Espíritu Santo; el número de miembros de la iglesia creció de sesenta a doscientos treinta. Uno de los que recibió el bautismo con el Espíritu Santo fue un joven de treinta y tres años. Este espléndido cristiano era el director del coro de la Primera Iglesia Bautista de Cleveland, un hombre ampliamente reconocido por su piedad, en quien las virtudes cristianas obraban en conjunto con un refinamiento y una dignidad caballeresca. En la primera visita al avivamiento, él se mantuvo fuera de la carpa pero en sus visitas periódicas se aventuraba a sentarse en las bancas de atrás. Él y su cuñado, un metodista, observaban y oían mientras una devota hermana cantaba en lenguas bajo la unción del Espíritu Santo.[15] En su determinación por conocer la verdad acerca de la santidad y el pentecostés, después del servicio, se puso a estudiar más ampliamente la Palabra en relación a este asunto. Se despidió de su esposa y se quedó orando y meditando. Cuando la luz de la verdad resplandeció en su corazón, cayó al suelo frente a la estufa de la cocina de su casa, derramando su corazón delante de Dios, hasta que fue poderosamente sobrecogido por el Espíritu, aunque no recibió el bautismo.

La noche siguiente, otra vez con su cuñado, fue a la carpa. El servicio de aquella noche 28 de agosto estaba impregnado de la presencia divina y cuando se hizo la invitación, el altar se llenó de personas buscando el Espíritu. Este joven cristiano, completamente sobrecogido, comenzó a dirigirse al altar pero cayó al piso antes de llegar. Las manos fuertes y bondadosas de M.S. Lemons levantaron y llevaron a Flavius J. Lee al altar.

Poco tiempo después, el humilde adorador fue bautizado con el Espíritu Santo y comenzó a hablar en otras lenguas.

---

[15] La señorita Clyde Cotton, quien ayudaba en los servicios y más tarde se convirtió en la señora de Efford Haynes.

> El tipo quieto, solitario, de una personalidad discreta, estaba ahora exuberante y lleno de gozo. Bajo el poder del Espíritu, se levantó del altar donde había estado postrado. Luego, en forma maravillosa, el Espíritu lo llevó a través de la plataforma y los pasillos, predicando poderosa y elocuentemente en otras lenguas...[16]

F. J. Lee permaneció en este éxtasis por varias horas, y los adoradores permanecieron en la carpa casi hasta las tres de la mañana. Algunos de sus familiares no podían entender su conducta extraña y llamaron a un doctor para que lo examinara. Cuando el médico lo examinó, tranquilamente diagnosticó la situación como "el mejor caso de religión que jamás he visto".[17] Mexicanos presentes testificaron que él habló en español durante su discurso, aunque no se han descubierto registros de lo que Lee dijo mientras hablaba en el Espíritu.

Lee parecía estar completamente bajo la influencia del Espíritu de Dios y toda la ciudad se maravilló debido a su experiencia.[18] Se le conocía popularmente como el "mejor hombre del pueblo," un cristiano cuyo carácter era impecable, diestro artesano y fabricante de moldes para una fundición local, cantante y músico excelente, con una mente brillante y lógica, y modelo de carácter cristiano, íntegro y humilde. A pesar de que su disposición para el liderato se haría evidente inmediatamente, pasarían más de quince años para que la iglesia se diera cuenta de la gracia que Dios le había dado a este hombre.

---

[16]Frank W. Lemons, *A Hero of the Faith, The Lighted Pathway* [Un héroe de la fe, La Senda Iluminada], noviembre de 1953, pág. 7. Este incidente fue tan sobresaliente en el avivamiento, que Tomlinson hizo una anotación de él en su diario.

[17]Señora de F. J. Lee, *Life Sketch and Sermons of F. J. Lee* [Perfil biográfico y sermones de F. J. Lee], (Cleveland, Tenn.: Church of God Publishing House), pág. 3.

[18]En una carta escrita 16 años más tarde (22 de agosto de 1924), en respuesta a la pregunta de un pastor sobre demostraciones extrañas del Espíritu en una iglesia, F. J. Lee recordaría su actitud de esa noche: "...Yo tengo miedo de decir que esas demostraciones peculiares no son del Espíritu. Recuerdo haber tenido ciertas demostraciones singulares cuando recibí el bautismo del Espíritu Santo. He tenido miedo de criticar las acciones de los nuevos convertidos. Es probable que muchos de más experiencia hagan cosas en la carne, pero no creo que esto incluya a los que son recientemente bautizados con el Espíritu Santo. Si tienen un bautismo completo y total, actúan de manera peculiar... mantente alerta... y fíjate si viven el bautismo; su experiencia debe producir el fruto del Espíritu".

7. DÍAS DE ARREBATO ESPIRITUAL

Un día después de su experiencia maravillosa, Lee y su esposa viajaron en carreta a la finca de su padre, diez kilómetros fuera de la ciudad de Cleveland. Sterling Rose Lee, su padre, había educado a su familia de cinco mujeres y cinco hombres en un ambiente estrictamente cristiano. Cada domingo la familia iba a la escuela dominical dos veces: a la cercana Iglesia Metodista en la mañana, y tres kilómetros a pie hasta la Iglesia Bautista en la tarde.[19]

Debido a que Flavius, como era conocido por su familia, era salvo desde que tenía quince años y era un joven consagrado, su familia estaba ansiosa de saber qué le había pasado la noche anterior. Flavius les contó de la paz y tranquilidad que sentía en su corazón. Para él, la experiencia del Espíritu Santo era una sublime realidad que vitalizaba todo su ser.

Mientras hablaba, la experiencia de la noche anterior se repitió casi literalmente. Entró en un éxtasis y cayó hacia atrás en la escalera donde se encontraba, profiriendo las alabanzas de Dios en una lengua desconocida e interpretando el mensaje bajo la unción del Espíritu. Las hermanas de Lee le pidieron a Dios que les diera la experiencia que había transformado a su querido hermano.[20] Una multitud llenó el patio de la casa de Lee y viendo la realidad del bautismo del Espíritu Santo en Flavius, se convirtieron en creyentes pentecostales.[21] Así de grande fue la influencia de este hombre a través de su vida y también en su legado histórico hasta hoy.

---

[19]Según un manuscrito sin publicar de la señora T. L. McLain, hermana de F. J. Lee.

[20]Estas hermanas fueron Alora (señora de T. L. McLain) y Lillie (señora de Fate Million). No todos los familiares que estaban reunidos se convencieron inmediatamente. Una dama concluyó que él se había desquiciado y de lástima lo besó en la frente. Su padre, desesperado e impotente, corrió a cortar una sandía y le ofreció un pedazo a Flavius esperando que eso lo ayudara. El joven le respondió jubilosamente: "No, gracias, lo que yo tengo es mucho mejor".

[21]Eventualmente, Lee ganaría a su familia a la fe pentecostal y la Iglesia de Dios. El cuñado que asistió a los servicios con él fue T. L. McLain, quien recibió el bautismo del Espíritu Santo un poco más tarde y se convirtió en ministro de la iglesia. T. L. Mclain relató en su diario: "Así que el 18 de febrero, a la una de la mañana, el bendito Espíritu Santo vino sobre mi cuerpo, su templo, y tomó mi lengua como lo hizo con aquella gente el día de Pentecostés".

8. Termina el año

Hasta la clausura de los servicios en Cleveland, el 14 de octubre, el interés se mantuvo avivado y la respuesta fue grande; la última noche había como setenta y cinco personas en el altar buscando de Dios.[22] A medida que la doctrina del Espíritu Santo inundaba la ciudad, el condado y los campos, algunos ministros molestos denunciaron públicamente los servicios en la plaza del edificio de la corte de justicia. Muchas personas se burlaron y mofaron de la gente de santidad y se reían del Espíritu Santo. Dos fuentes refieren la muerte repentina de uno que se burlaba y perseguía a la gente de santidad. La muerte de éste se tomó como juicio del Señor, así que promovió grandemente el interés en el avivamiento.

Miles continuaron llenando la carpa de la gente de santidad a pesar de las amenazas de los pastores locales. Un circo puso su carpa frente a la carpa del avivamiento, pero la quitó después de una noche, ya que lo ignoraron totalmente; las multitudes llenaban y rodeaban la carpa del evangelio para oír la Palabra del Señor. La ciudad de Cleveland fue totalmente sacudida por el Espíritu Santo, como sucedió en la ciudad de Samaria en el Libro de los Hechos. Muchos enfermos fueron sanados y personas poseídas por los demonios eran liberadas y se convertían. Muchos que no se identificaban con la Iglesia de Dios fueron restaurados en el servicio del Señor.[23]

Al terminar el año, la iglesia programó una escuela bíblica de diez días para educar a los nuevos convertidos en la fe pentecostal. Con una congregación fuerte en la cabecera de la organización, había suficientes fuerzas para expandir las fronteras. Esta obra de expansión comenzó pronto.

---

[22]Diario de Tomlinson.

[23]Hechos 8:6-8: "Y las gentes escuchaban atentamente unánimes las cosas que decía Felipe, oyendo y viendo las señales que hacía. Porque de muchos que tenían espíritus inmundos, salían éstos dando voces; y muchos paralíticos y cojos eran sanados. Así que había gran gozo en aquella ciudad".

Capítulo 9
CAMPOS BLANCOS

1. Asamblea de 1909

Después de un año tan próspero, los miembros de las doce congregaciones estaban deseosos de que llegara la cuarta asamblea anual que daría inicio el 6 de enero de 1909. La conferencia se celebró nuevamente en la iglesia de Cleveland, y por tercera vez, R. G. Spurling predicó el sermón de apertura. Una vez más, A. J. Tomlinson fue seleccionado como moderador de las sesiones, porque era el pastor de la iglesia en la cual se reunía la asamblea.

El primer día se dedicó para presentar informes y dar instrucciones acerca de la selección de pastores. Cada iglesia debía orar para que Dios le diera al hombre ideal como pastor; luego presentaría un informe a la asamblea con los nombres de dos ministros que fueran de su agrado. La asamblea nombraría a los pastores que estuvieran "lo más cerca posible a las peticiones y deseos de cada iglesia".[1]

También se discutió el ministerio de las mujeres y se decidió que se les permitiera predicar y recibir certificado ministerial, pero no ordenación.

2. Un moderador general

La acción principal de esta asamblea fue la decisión de tener un moderador general que sirviera de tiempo completo y no sólo durante la asamblea anual. Se adoptó la siguiente resolución:

> Por cuanto el siguiente cargo se considera en armonía con el Nuevo Testamento y en vista de las necesidades presentes para el bienestar general de la iglesia y la promoción de los intereses de la misma,

[1] *Minutas de la Cuarta Asamblea General* (1909), págs. 32, 33.

> instituimos la posición de moderador general, cuyo término de oficio comenzará al cierre de cada asamblea anual y expirará el año siguiente en la misma fecha, o hasta que sea nombrado su sucesor.
>
> Los deberes de dicho oficial serán los siguientes: Expedir credenciales a los ministros y mantener un registro de todos los predicadores y evangelistas dentro de los límites de la asamblea; velar por los intereses generales de la iglesia; hacer nombramientos para llenar vacantes, lo cual puede hacer en persona o enviar a alguien que a su juicio pueda edificar el cuerpo de Cristo, y servir como moderador y secretario de la asamblea general.[2]

Leer

Este fue el primer puesto ejecutivo creado por la Iglesia de Dios y era un cargo de tal magnitud que imponía sobre la asamblea general una gran responsabilidad el proceso de elegir para el mismo a la persona apropiada. El moderador de las cuatro asambleas había servido tan bien provisionalmente que se convirtió en el candidato lógico para tal posición; así que el 9 de enero de 1909, A. J. Tomlinson fue electo como el primer moderador general de la Iglesia de Dios o "Supervisor General", como se designaría la posición un año más tarde. La selección de Tomlinson pareció buena a los delegados, aunque Spurling y Bryant habían estado en la iglesia por mucho más tiempo que él y a pesar de que éste último no tenía más de un año de haber recibido el bautismo del Espíritu Santo. Tomlinson era un orador elocuente y poderoso, un hombre equilibrado y dinámico y con más educación que los otros dos predicadores.[3]

Esta selección no tuvo nada de extraordinario, como lo estableció el mismo Tomlinson en sus breves memorias:

> Los pasos para mi elección como Supervisor General se pueden presentar brevemente como sigue: Cuando se celebró la primera asamblea, yo era pastor de la iglesia local en aquella comunidad. Como pastor, presidí la reunión y se pidió a los hermanos que seleccionaran como presidente o moderador a quien creyeran conveniente. Yo fui electo unánimemente. No se hicieron arreglos durante la

---

[2] *Ibíd.*, pág. 35.

[3] Una visita a la biblioteca de Tomlinson muestra muy buenos libros con estudios subrayados, libros de referencia como la *Enciclopedia Británica,* libros históricos, teológicos y obras explicativas. Él era un estudioso de los *Padres Ante-Nicenos* y la *Historia Eclesiástica* de Eusebio. Sus discusiones usualmente estaban iluminadas con ideas de estos libros. Sus escritos demostraban un buen dominio de palabras y una expresión aguda.

> primera asamblea para que alguien continuara en la posición durante el año. El año siguiente yo era el pastor de la iglesia local donde se reunió nuevamente la asamblea y presidí la reunión, al igual que lo había hecho el año anterior, con resultados similares. Serví como moderador y secretario. Una vez más, yo era el pastor de la iglesia local donde se celebró la tercera asamblea anual. Se siguió el mismo patrón con los mismos resultados. Serví como moderador y secretario... en la cuarta asamblea... A. J. Tomlinson fue seleccionado moderador general por el resto del año.[4]

3. La urgencia de salir

A pesar de que el recién electo moderador general seguía pastoreando la iglesia de Cleveland, pudo viajar bastante debido a la abundancia de obreros eficientes que había en la iglesia local. F. J. Lee comenzó a ser usado poderosamente por el Señor después de su bautismo en el Espíritu Santo. También su cuñado, T. L. McLain, dio muestras de convertirse en ministro; y así muchos más. Con gran entusiasmo, el moderador general empezó a hacer planes de conducir campañas de avivamiento en Alabama, de donde recibía más invitaciones que las que podía atender. Las noticias del gran avivamiento de Cleveland se habían propagado y los creyentes de muchos estados, especialmente de Alabama, estaban ansiosos de que el Espíritu Santo se manifestara en su corazón.

A. J. Tomlinson inició una campaña de avivamiento en Florence, Alabama, el 15 de abril de 1909, donde predicó por

---

[4]Tomlinson, ***Answering the Call of God*** [En respuesta al llamado de Dios], págs. 19, 20. A pesar de que Tomlinson era un organizador y ejecutivo sobresaliente, el anciano R. G. Spurling parece haber sido el gran líder espiritual de la iglesia. Tomlinson amaba a Spurling como su padre espiritual. En la asamblea del año 1913, Tomlinson presentó a Spurling como aquel que lo había traído a la comunión de la iglesia: "Yo estaba buscando la verdad. Sabía que debía haber un plan, todavía sin descubrir, para el gobierno de la gente de Dios. Estuvo en la providencia de Dios que yo conociera al hermano Spurling, quien me explicó la visión de la Iglesia de Dios como él la veía en la Palabra. Él me enseñó que nosotros éramos recibidos en la comunión de la iglesia, haciendo un pacto mutuo para obedecer las leyes de Cristo y de esta manera yo lo considero como mi padre". ***Minutas de la Octava Asamblea General,*** (enero, 1913), pág. 97. En esta misma asamblea, Tomlinson fue tan sobrecogido por la emoción mientras aceptaba el cargo de supervisor general por cuarto año consecutivo, que cayó sobre sus rodillas delante de Spurling y le pidió: "Ponga sus manos sobre mi cabeza y ore por mí". Esto fue hecho como una bendición paternal. (*Ibíd.*, pág. 103). En la asamblea de 1914, Spurling señaló que él se sentía como si fuera el padre de Tomlinson. [*Ibíd.*, (Décima, 1914), pág. 173]. Debido a la primacía de Spurling en la iglesia, regularmente se dirigía a la asamblea en varias ocasiones, dando a los miembros su conocimiento y madurez espiritual. Él no tenía la personalidad carismática de Tomlinson, ni era un predicador tan destacado como éste. Sin embargo, su enseñanza era suprema.

once noches.[5] John B. Goins y la hermana Clyde Cotton estuvieron en esta campaña en la que se convirtió mucha gente y hubo sanidades y bautismos con el Espíritu Santo. Cuando Tomlinson salió de Florence el 26 de abril, ya se había organizado la primera Iglesia de Dios en Alabama.

4. Hacia la Florida

El 28 de abril, Tomlinson se dirigió a Tampa, Florida. T. L. McLain se le unió en Cleveland para acompañarlo en la gira evangelística a través de Florida y Georgia. El 29 de abril se comenzó una campaña en Tampa, la segunda área metropolitana a la que entró la Iglesia de Dios. Tomlinson y McLain hicieron buena pareja, pues ambos eran fervientes en la oración y persuasivos en las Escrituras, a pesar de que en ese tiempo McLain todavía era novato en la fe pentecostal. Por alguna razón la campaña de Tampa no produjo efectos inmediatos. Como veremos, el evangelio pentecostal no era nuevo en la región de Tampa, pero en este avivamiento adquirió un carácter de novedad. Pasaron casi dos semanas para que empezaran a notarse algunos resultados, pero los dos evangelistas oraron, se pusieron a ayunar, orar y llorar delante de Dios hasta que el avivamiento se concretó. El 17 de mayo, unas veinte personas se unieron para formar la primera Iglesia de Dios en la Florida.

Como a veinticinco kilómetros de Tampa, cerca de la oficina de correos de Durant, estaba el ahora famoso campamento de Pleasant Grove, que había sido construido por un grupo metodista de santidad y operaba bajo la administración de la Asociación de Santidad del Sur de la Florida. Esta asociación, en cuyos campamentos anuales predicaron personas como L. L. Pickett, A. B. Crumpler y “Bud” Robinson, carecía de organización y era hostil hacia el gobierno eclesiástico y la membresía. F. M. Britton, de Carolina del Norte, había traído el mensaje pentecostal a Pleasant

---

[5] Diario de Tomlinson.

Grove en 1907.[6] Un confiable historiador del movimiento pentecostal ha revelado que Britton recibió el bautismo del Espíritu Santo bajo el ministerio de J. B. Cashwell, quien predicó en Cleveland en el tiempo en que Tomlinson recibió esta bendición. Fue entonces cuando Britton fue a la Florida con el mensaje.

> Él condujo una campaña en el campamento de Pleasant Grove, en Durant, Florida, en junio y julio de 1907, en la que hubo muchos salvos, reconciliados y renovados, y cerca de setenta fueron llenos con el Espíritu Santo, hablando en otras lenguas según el Espíritu Santo les daba que hablasen. Entre los que fueron llenos con el Espíritu Santo había ministros y obreros cristianos que salieron por todos los lugares esparciendo el fuego.[7]

En aquel momento, Britton no creía en la organización eclesiástica, pero regresó al año siguiente, en 1908, con J. H. King[8] y estableció una Iglesia de Santidad Bautizada con Fuego, convirtiéndose él mismo en un miembro de la denominación. El resultado de este cambio de opinión en cuanto a la organización de la iglesia dividió al grupo en dos bandos, uno a favor del movimiento pentecostal y otro en contra. Muchas familias se dividieron: unas favorecían el someterse al gobierno de la iglesia y otras con toda seriedad aseguraban que ser miembros de una denominación era como recibir el sello de la bestia. El campamento quedó en manos de los que se oponían a la organización. Un ministro metodista jubilado, llamado R. M. Evans, había llegado a Pleasant Grove en 1908. Parece que él tuvo mucho que ver con la campaña de Tomlinson; por lo menos, estaba gozoso porque el Supervisor General de la Iglesia de Dios vendría a predicar al campamento de Pleasant Grove. Evans se convertiría en el primer misionero de la Iglesia de Dios, cuando fuera enviado a las Bahamas en 1910.

---

[6]Las dos primeras personas que recibieron el bautismo con el Espíritu Santo en esta reunión fueron Sylvia Tharp Meares, hermana de Zeno C. Tharp, y la esposa de E. E. Simmons, cuyo esposo se convirtió en un destacado ministro de la Iglesia de Dios.

[7]Stanley H. Frodsham, *With Signs Following* [Con señales que le siguen] edición revisada, (Springfield, Mo., Gospel Publishing House, 1941), pág. 42.

[8]J. H. King era un antiguo supervisor general de la Iglesia de Santidad Bautizada con Fuego, que más tarde se amalgamó y cambió a Iglesia Pentecostal de la Santidad, cuyo nombre aún permanece. (Véase Campbell, *op. cit.*, pág. 201 ss).

5. Un avivamiento maravilloso

El avivamiento de Pleasant Grove fue uno de los más grandes triunfos en el ministerio del Supervisor General. Lo que el avivamiento de Cleveland hizo para convencer a la gente de la realidad del bautismo con el Espíritu Santo, lo hizo éste para convencer a los de Pleasant Grove de la necesidad de una organización. En los tres servicios diarios había grandes manifestaciones del Espíritu Santo y Tomlinson predicaba poderosamente, a veces bajo el control del Espíritu Santo. La gente que asistía a los servicios lloraba, hablaba en lenguas, interpretaba lenguas, danzaba y el Espíritu se manifestaba de muchas maneras. Las manifestaciones eran semejantes a las que se dieron entre los creyentes primitivos cuando alguien dijo que éstos parecían estar borrachos (Hechos 2:13-15). Hubo algunos servicios que duraron toda la noche, y por lo general concluían como a la media noche.

Muchos se convirtieron, otros fueron sanados y muchos más recibieron el Espíritu Santo y por lo menos ciento setenta y cuatro se convencieron de que la organización eclesiástica era bíblica. El 28 de mayo, cuando Tomlinson extendió una invitación para hacerse miembros de la Iglesia de Dios, sesenta y cuatro personas respondieron con gran entusiasmo. El predicador dijo que hasta la fecha, ese había sido el momento más grandioso en cuanto a recibir grupos en el seno de la iglesia.[9]

Antes de terminada la campaña, ciento setenta y cuatro personas se habían unido a la Iglesia de Dios. Durante la cruzada, seis obispos y seis diáconos fueron ordenados y a siete evangelistas se les extendió licencias; luego, éstos fueron por todas partes predicando el evangelio. Entre los ordenados estaban Sam C. Perry, E. E. Simmons y H. B. Simmons; todos vinieron a ser figuras prominentes en la expansión de la Iglesia.[10]

Este sólo fue el inicio, pues a lo largo de todo el año 1909 muchas iglesias nuevas se unieron a la Iglesia de Dios.

---

[9]Un primitivo historiador de la Iglesia de Dios, que fue miembro de la Asociación de la Santidad del Sur de la Florida, le dio mucha información al autor.

[10]Simmons, *op. cit.*, pág. 21.

> ...en Arcadia, Largo, Midway y muchos otros lugares... se organizó y extendió la obra de la iglesia como había sucedido con la iglesia de Cleveland. Muchos grupos pentecostales que no aceptaban la organización eclesiástica vinieron a formar parte de la Iglesia de Dios, y muchos que se habían identificado con otra organización, sintieron gozo al oír de nuestra obra y solicitaron predicadores para que fueran a organizar sus asambleas. Así creció y prosperó la Iglesia de Dios en el estado de la Florida.[11]

6. Nuevos centros de fuerza

En vez de estar concentrado en un solo punto, el fuego pentecostal ahora se había esparcido por muchos puntos y más ministros eficientes se añadían en cada lugar. Muy pronto se establecieron iglesias en varios pueblos de Alabama y Florida. Antes de que el año terminara, había congregaciones prósperas en Birmingham, Georgiana y Woodlawn. La iglesia no sólo echó raíces en nuevos territorios, sino que los tres estados originales también crecieron en membresía y congregaciones locales, de manera que la Iglesia de Dios tomó el aspecto de un cuerpo sustancial de creyentes.

7. La asamblea de 1910

Cuando las iglesias se reunieron en Cleveland para la asamblea de 1910, el crecimiento denominacional se hacía patente. Había veintidós ministros ordenados y veinte licenciados, representando a treinta y una iglesias con mil cinco miembros.[12] Para los que asistieron a la asamblea, esto era algo increíble; Dios había dado un crecimiento tan efectivo que, por primera vez, se hacía necesario rendir un informe estadístico. Mientras tanto, en el tercer día de la conferencia, como si fuera un solemne recordatorio de que la fe pentecostal era odiada por la gente, llegaron informes

---

[11]Según entrevistas que se hicieron a los que permanecieron, eventualmente todos vinieron a la Iglesia de Dios, con la excepción de tres personas de la Asociación de la Santidad del Sur de la Florida. Llegaron de los que se habían opuesto a la organización y de los que se habían unido a la Iglesia de la Santidad del Bautismo con Fuego. Los predicadores regresaron a sus iglesias y adhirieron sus congregaciones a la Iglesia de Dios.

[12]*Minutas de la Quinta Asamblea General,* (1910), pág. 37.

de que las iglesias en Largo y Midway, Florida, habían sido quemadas.

> La asamblea acordó escribir una carta de apoyo para los santos de aquellos lugares.[13]

8. Algunos cambios importantes

En esta asamblea el título de moderador general se cambió a supervisor general, debido a que "supervisor" parecía estar más de acuerdo con las Escrituras que "moderador". A. J. Tomlinson fue electo para continuar en dicha posición. La manera de nombrar pastores se cambió: el Supervisor General haría los nombramientos. Se dedicó más tiempo a señalar la importancia del gobierno eclesiástico, supuestamente porque muchos en la iglesia habían estado en contra del mismo y ahora había que fundamentar ampliamente su validez como lo enseñan las Escrituras.

Desde 1908 se había discutido establecer un periódico de la iglesia. El asunto fue ampliamente estudiado en la asamblea de 1910 y se nombró un comité para comenzar la publicación.[14] El periódico quincenal debía contener informes de la obra de la iglesia, anuncios del Supervisor General, sermones de los predicadores y testimonios de los miembros.

Alentados y fortalecidos, los delegados regresaron a sus campos de labor con la esperanza de tener el mejor año que la Iglesia de Dios hubiera conocido. Mientras se preparaban para salir, sabían muy bien que estaban regresando a un mundo hostil e ingrato, a la incomodidad y vida de privaciones, a la persecución y las penurias; aunque también irían a las almas que deseaban oír y aceptar el evangelio. Sin embargo, como se demostraría al año siguiente, también regresaron a sus casas contentos y llenos de fe en el futuro.

---

[13] Tabulación de los números de la iglesia como se informó en la asamblea de 1910.

Miembros	1,005
Iglesias	31
Ministros Ordenados	22
Ministros Licenciados	20

[14] A. J. Tomlinson, M. S. Lemons, F. J. Lee, T. L. McLain, Sam C. Perry, A. J. Lawson y George T. Brouayer.

Muévese potente, la Iglesia de Dios;
de los ya gloriosos marchamos en pos.
Somos sólo un cuerpo, y uno es el Señor,
una la esperanza y uno nuestro amor.

Capítulo 10
HÉROES Y HERALDOS

1. HERALDOS DEL EVANGELIO COMPLETO

En 1910 se logró un crecimiento fenomenal.[1] Los miembros crecieron de 1,005 a 1,855, un aumento de casi el 85%; las iglesias locales casi se duplicaron de 31 a 58. Siete nuevos ministros fueron ordenados y nueve licenciados, lo que elevó el número de ministros a 107, incluyendo a los diáconos.

Durante ese año, los ministros predicaban en cualquier lugar en que pudieran reunir a la gente: en iglesias, bajo carpas, al aire libre, bajo los árboles, en escuelas, en las esquinas de las calles y a individuos con quienes se encontraran por casualidad. En ocasiones fueron apedreados, en otras fueron golpeados con huevos y tomates podridos, ridiculizados, escarnecidos, denigrados, difamados, golpeados, atemorizados y algunas veces eran amados; pero no eran ignorados.

La única recompensa inmediata que recibían por su labor era el conocimiento de que estaban haciendo la voluntad de Dios, el gozo inefable de ver pecadores salvados, gente enferma sanada, reincidentes reconciliados, creyentes bautizados con el Espíritu Santo y el reino de Dios esparciéndose por toda la tierra. Ellos recibieron muy poca o ninguna paga; porque cinco de cada seis

---

[1]Informe de crecimiento en 1910:

Iglesias nuevas	27
Total	58
Miembros de las iglesias nuevas	540
Adición en iglesias antiguas	310
Aumento total	850
Total de miembros	1,855
Ordenaciones en 1910	7
Total de ministros ordenados	29
Licenciados en 1910	9
Total de ministros licenciados	29
TOTAL de ministros	107

trabajaban por el día y predicaban por la noche. Pero todavía predicaban.[2]

Estos heraldos predicaban lo que hoy se conoce como el "evangelio completo": salvación para todos, santificación por la sangre, bautismo en el Espíritu Santo, sanidad divina, señales y milagros, lenguas, santidad en fe y práctica. En respuesta a su predicación, muchos oyeron y creyeron y la fe pentecostal se esparcía maravillosamente.

2. Varios tipos de predicadores

Los predicadores de esa época eran de varios tipos. Todos predicaban el mismo mensaje, cada cual a su manera. En sus montañas Tellico, Bryant era un hombre sencillo y franco, aunque en su manera llana y simple, hizo un gran trabajo para el Señor. En contraste con él, Lemons era mucho más erudito y metódico. Pero más dinámico que estos dos era Tomlinson, hombre ricamente dotado de aplomo y energía. F. J. Lee, de hablar pausado, gentil e irresistible, comenzó a llamar la atención con sus predicaciones sólidas y teológicas. McLain era deliberado en su predicación, lento y amplio, sin muchos relámpagos ni truenos. Los otros, cada uno en su forma, probaron ser poderosos mensajeros de la línea pentecostal, la cual avanzaba implacablemente hacia adelante. Un nuevo predicador, Sam C. Perry, se convirtió en una tremenda influencia en la iglesia, en parte porque fue uno de los primeros hombres con educación universitaria en la Iglesia de Dios, cuando muchos de nuestros predicadores eran autodidactas o carecían de educación.

3. Cómo se inició una iglesia

Antes de que Perry se agregara a la Iglesia de Dios, condujo un avivamiento pentecostal en Atlanta, al cual asistieron dos dedicadas damas de Dahlonega, Georgia: Emma L. Boyd y Ella Fry. La predicación de Perry ganó para la fe pentecostal a estas dos damas,

---

[2] *Minutas de la Sexta Asamblea General,* (1911), pág. 4.

quienes regresaron a Dahlonega a compartir las maravillosas noticias con sus amigos. Ambas damas eran de muy buen nivel social, bien educadas y consagradas al Señor. El esposo de Emma Boyd era un profesor de matemáticas en el Colegio de Agricultura del Norte de Georgia; el esposo de Ella Fry era ingeniero en minas de oro en Dakota del Sur, quien había venido a Dahlonega en momentos en que la noticia del oro había traído fama a este pequeño pueblo.

Las dos damas comenzaron a compartir con sus amigos acerca del bautismo del Espíritu Santo e iniciaron servicios de oración en la casa de Boyd donde varios recibieron dicha experiencia pentecostal. Las noticias de estos eventos hicieron que más y más personas asistieran. Muy pronto se hizo necesario alquilar una iglesia vacía que había sido construida por los presbiterianos. El entusiasmo de estas mujeres era contagioso entre los que asistían a los servicios y muy pronto el pueblo entero se percató de la nueva enseñanza. Inmediatamente surgió la oposición. Un día, al llegar a la iglesia, los creyentes descubrieron que el piano había sido destruido con una pequeña carga de dinamita; los restos del piano estaban regados por todo el auditorio. Muchas de las teclas habían sido incrustadas en el techo y en las paredes por la explosión.

Pronto construyeron su propia iglesia: una linda estructura blanca, cerca de la casa de Fry. Cuando se terminó la construcción, la persecución aumentó contra el pequeño grupo. Se supo de fuentes fidedignas que en varias ocasiones se colocó dinamita debajo de la plataforma de la iglesia durante los servicios, pero que en cada ocasión la mecha se apagó antes de que la dinamita pudiera detonar. En más de una ocasión, los niños entraron corriendo a la iglesia para prevenir a todos del peligro inminente. En vez de huir en pánico, los hermanos clamaban al Señor y después del servicio sacaban la dinamita. Los alborotos eran comunes, casi siempre perpetrados por muchachos irresponsables, instigados por hombres cobardes.

A la congregación se le ocurrió que la iglesia debía tener un nombre, así que buscaron la dirección divina y decidieron llamarla "Iglesia de Dios". Cuando Sam C. Perry oyó de esta iglesia, escribió a las damas acerca de la denominación que llevaba el mismo nombre que su congregación. Perry entonces fue a Dahlonega, a donde sólo se podía llegar a pie o en carreta. Allí, él condujo un gran avivamiento y la congregación se unió a la Iglesia de Dios. H. W. McArthur, de Gainesville, Georgia, ayudó a Perry a establecer la iglesia.

Esta fue sólo una de las veintisiete nuevas iglesias que ganó la creciente organización durante 1910. El número de nuevas iglesias no era una mera estadística y buenos informes, sino que cada una representaba arduo trabajo, lágrimas, pasión por las almas y santidad como la que se experimentó en Dahlonega.

4. Rústico y dinámico

Los dieciséis ministros establecidos durante el año no eran meras estadísticas frías y sin vida, sino que cada uno era una adquisición, una victoria, una brasa encendida del altar de Dios para ayudar a esparcir el fuego de Pentecostés. Completamente opuesto al educado y equilibrado Perry, hubo un ministro ampliamente conocido como la figura de mayor colorido en la historia de la Iglesia de Dios: J. W. Buckalew, a quien cariñosamente llamaban "rústico y dinámico" por su manera brusca y su temperamento tempestuoso.[3]

Buckalew había sido un borrachón y jugador antes de su conversión, un fugitivo de la ley, un esposo y padre irresponsable que había abandonado su hogar en Trion, Georgia y vagaba por Alabama, donde fue influido por el mensaje pentecostal de la santidad. Se convirtió después de saltar de su asiento una noche en un culto pentecostal bajo una carpa y salir huyendo hacia un bosque cercano, tratando de evadir su convicción sobrecogedora; luego se acercó lentamente, con tiempo suficiente para ir al altar y dar su corazón a Cristo.[4] Buckalew vivió tan vigorosa y atrevidamente para Cristo, como había vivido para el pecado. Algunos años después de su conversión, recibió el bautismo del

---

[3]Esto no era original. Obviamente era imitación del apodo del Presidente Zachary Taylor (1849 1850) "Rústico y dinámico".

[4]J. W. Buckalew, *Incidents in the Life of J. W. Buckalew* [Incidentes en la vida de J. W. Buckalew], (Cleveland, Tenn.: Church of God Publishing House), pág. 33.

Espíritu Santo en un avivamiento que condujo la hermana Clyde Cotton, en Boaz, Alabama. El 20 de febrero de 1910 se hizo miembro de la Iglesia de Dios y fue ordenado.

Para entonces, Buckalew tenía unos 40 años de edad; era un fortachón de hombros encorvados y brazos extremadamente largos. Pero cuando tomaba el púlpito, era todo un maestro; ciertamente, el evangelista más efectivo de la historia pentecostal. Condujo grandes avivamientos y estableció iglesias fuertes con su rústica predicación.[5] Durante el día recogía algodón o realizaba cualquier trabajo para sostener a su familia, y por las noches predicaba el evangelio.

5. Cosas extrañas en Alabama

Durante el verano de 1910, J. W. Buckalew levantó su carpa en el pequeño pueblo de Alabama City, donde más de 2,000 personas se reunieron cada noche debajo y alrededor de la carpa. El evangelista informó acerca de esta reunión en el nuevo periódico de la iglesia, *Evening Light and Church of God Evangel*:

> Estamos teniendo una de las mejores campañas jamás vistas. Más de cien personas han recibido el bautismo con el Espíritu Santo. Como dos mil personas rodean la carpa hasta la media noche, escuchando los gritos de los creyentes que buscan más de Dios. Algunos están recibiendo el poder de Dios aun en las escuelas públicas y... pasan horas hablando en lenguas. Algunos reciben poder en las escuelas dominicales de otras iglesias.[6]

---

[5]Algunos que lo conocieron han contado que él podía atraer más personas al altar que una docena de sus compañeros ministros. Sin embargo, era impredecible y hacía cosas pocos usuales. A veces ordenaba a los que estaban en el altar que se fueran y regresaran cuando realmente quisieran buscar a Dios. La siguiente noche, la gente llegaba corriendo y gritando al altar. Muy a menudo, hambriento y sin dinero en sus campañas, él iba a tiendas y miraba cosas de comer a través de las ventanas; luego se daba palmadas en la boca diciendo: "Compórtate, boca, hasta que llegues a la carpa y entonces podrás saborear algún queso y galletas". Le daba hasta el último centavo a una persona necesitada, aun cuando sus propios zapatos estuvieran rotos, su ropa gastada y su cuerpo desnutrido. No me parece sorprendente que este hombre se convirtiera en una leyenda, aun en sus propios días.

[6]*The Evening Light and Church of God Evangel,* 15 de octubre de 1910, pág. 7.

En otro informe, Buckalew destacó:

> La gente cae bajo el poder de Dios por toda la carpa. Recuerdo muy bien a un hombre que se subió a un árbol cerca del altar para poder ver a la gente en el altar. El poder lo alcanzó y él cayó al suelo clamando por misericordia... Las casas de juegos, los salones de billares y hasta los locales donde vendían helados y refrescos en la iglesia tuvieron que ser cerrados... A veces más de un centenar de personas hambrientas corren al altar y empiezan a clamar en oración.[7]

La oposición fue inevitable. A Buckalew se le ordenó que abandonara el pueblo o su carpa sería quemada. Él se quedó pero algunos jóvenes se quedaban a dormir en carpa por la noche, para ayudarlo a él y a su esposa en caso de que hubiera problemas. Un viernes 23 de septiembre, como a las once de la noche, mientras Buckalew, Hubert McCarty y J. G. Graham estaban cenando después del servicio, tres policías borrachos entraron a la carpa y arrestaron al grupo. A la esposa de Buckalew se le permitió quedarse con la esposa del carcelero, pero los tres hombres fueron a la cárcel, donde pasaron toda la noche orando, cantando y gritando. El injusto encarcelamiento no desanimó al intrépido evangelista.

La carpa fue incendiada. Por la ventanilla de su celda, Buckalew observaba cómo las llamas de la carpa ardiendo iluminaban el cielo. A pesar de esto, él escribió: "Mientras las llamas se elevaban, nosotros estábamos en las férreas celdas alabando a Dios porque éramos contados como dignos de sufrir por su causa". Lo que sucedió la mañana siguiente se describe mejor en las propias palabras de Buckalew:

> La mañana clareó y el sol salió con sus rayos dorados detrás del horizonte oriental y llegó hasta la cárcel de piedra. La gente comenzó a levantarse. "¡Escuchen!", exclamaban mientras oían los gritos y cánticos de Buckalew, Graham, McCarty y la hermana Buckalew en la cárcel. Una multitud comenzó a reunirse alrededor. Yo podía oír los sollozos y gemidos de los corazones quebrantados. Podía ver a mis hermanas llorando... La multitud siguió reuniéndose, y a las ocho de la mañana cantamos: "Jesús pasó este camino

[7]Buckalew, *op. cit.*, pág. 122-124.

> anteriormente". Luego los invitamos a orar. Nunca había visto yo un cuadro como éste. Hombres y mujeres estaban postrados sobre sus rostros y bajo el poder de Dios. Como a las nueve de la mañana, oímos que el carcelero abrió la celda y nos ordenó que saliéramos; después nos condujo por el largo pasillo. Allí se nos dijo que si acatábamos sus órdenes, podríamos quedar en libertad. Nosotros no prometimos nada excepto regresar y predicar. Luego nos dieron libertad incondicional.[8]

Buckalew y sus ayudantes no fueron intimidados por las autoridades policiacas, sino que fueron inmediatamente a las ruinas de su carpa e hicieron arreglos para tener un servicio esa noche. De acuerdo con el periódico *Gadsden*, para la hora del servicio había un acre lleno de hombres y mujeres que se reunieron alrededor de las ruinas de la carpa, con más deseos que nunca de oír al rústico y dinámico predicador del evangelio.[9] Allí sobre las cenizas de la carpa, se organizó otra congregación de la Iglesia de Dios.

Además de organizar numerosas iglesias en Alabama, Georgia y estados adyacentes, Buckalew también ganó varios predicadores para la iglesia. Él viajó desde Alabama City a Armuchee, Georgia, una pequeña comunidad cerca de Rome donde se organizó una iglesia el 16 de octubre de 1910. Entre los miembros de esta nueva congregación estaba T. S. Payne, quien se convertiría en un prominente predicador.[10]

---

[8] *Ibíd.*, pág. 125. Parece que no se hizo ninguna acusación contra estos hombres; probablemente fue sólo un modo de intimidarlos. Cómo obtuvo información, Buckalew no lo dice, pero en ambos informes al periódico de la iglesia, escrito en menos de una semana después del incidente (*The Evening Light and Church of God Evangel*, 15 de octubre de 1910, pág. 6) y en su autobiografía escrita varios años después, él menciona que el alcalde y el consejo de ancianos de Alabama City escribieron a Cleveland, Tenn., para saber cómo "se libraban allí de los pentecostales". La respuesta fue que ellos encarcelaban a la gente y quemaban sus carpas. De hecho, las carpas eran deshechas en Cleveland, pero nunca quemadas y la gente jamás fue encarcelada. Es dudoso que hubiera tal correspondencia oficial, a pesar de que pudo haber algún tipo de intercambio entre los oficiales de ambas ciudades.

[9] Estas noticias se mencionan en las memorias de Buckalew sin mencionar el nombre y edición del periódico.

[10] *Youth Interviews Experience, The lighted Pathway* [Experiencia de entrevistas a jóvenes], febrero de 1950, pág. 14. "En 1910, el hermano John W. Buckalew, uno de los más grandes predicadores pioneros de la iglesia, vino a nuestra comunidad. Por el día recogía algodón y por la noche predicaba el evangelio debajo de un árbol, en medio de persecuciones severas de las iglesias mundanas. Algunos recibieron el bautismo del Espíritu Santo y una pequeña iglesia fue establecida..."

6. El maestro Ellis

Durante las grandes reuniones de Buckalew en Alabama, un prominente maestro de escuela pública, que era también un predicador metodista, fue acogido por la influencia del mensaje pentecostal y se unió a la Iglesia de Dios. Este fue J. B. Ellis, hombre dotado y muy eficiente, cuya energía y perspicacia le ganaron respeto inmediato y lo hicieron destacar como líder en la iglesia. En su breve autobiografía, Ellis relata su llegada a la iglesia:

> El hermano Buckalew y una multitud de pentecostales vinieron a Alabama City, a una Iglesia Metodista del vecindario e iniciaron una campaña. En ese tiempo yo enseñaba en la escuela pública, como a diez kilómetros del lugar. El segundo día de la campaña, un diácono de la iglesia me llamó por teléfono y me informó que algo terrible estaba ocurriendo. Alrededor de doce miembros habían recibido el Espíritu Santo; y como yo había sido pastor de esa iglesia, él quería que yo fuera e hiciera algo al respecto...
>
> El sábado por la noche fui y me uní a ellos. Yo había asistido a un servicio hacía como dos años en Birmingham; había estado leyendo y estudiando sobre el tema pero allí me convencí de que el bautismo con el Espíritu Santo era otra experiencia que yo no había recibido.[11]

Ellis reconoció su necesidad espiritual personal y comenzó a buscar el bautismo con el Espíritu Santo, junto con otros en el altar; él fue uno de los primeros en recibir dicha experiencia. La persecución no se hizo esperar. El lunes en la mañana sólo una tercera parte de los alumnos de Ellis fue a la escuela; a los otros se los mantuvo en sus hogares en protesta contra la participación del maestro en el avivamiento pentecostal. Él no se dejó intimidar por éste ni otros esfuerzos para avergonzarlo; así que finalmente todos los alumnos regresaron. En su iglesia fue diferente; la junta oficial le entregó una resolución que decía que "nadie podía entrar a los edificios ni las propiedades de la iglesia con la herejía de recibir el bautismo del Espíritu Santo, subsecuente a la santifica-

---

[11]J. B. Ellis, *Blazing the Gospel Trails* [Encendiendo las veredas del evangelio], (Cleveland. Tenn.: Church of God Publishing House), pág. 23 ss.

ción, con la evidencia de hablar en otras lenguas". Una multitud inmensa se reunió para oír a Ellis ese día. Él pidió que le señalaran la línea de la propiedad de la iglesia, entonces invitó a la congregación a un lugar apropiado, junto a la propiedad y predicó allí. Estuvo sin iglesia hasta que se unió a la Iglesia de Dios en Alabama City. Ellis fue ordenado por M. S. Lemons el 12 de diciembre de 1910.

7. A TIERRAS LEJANAS

En 1909, Edmond S. Barr, un nativo de las Islas Bahamas, asistió a la convención de otoño en Pleasant Grove, Florida y con su esposa Rebeca recibió el bautismo del Espíritu Santo.[12] Barr después regresó a su tierra natal para dar a sus compatriotas las buenas nuevas del evangelio completo. R.W. Evans, el ministro metodista retirado que había ayudado a traer a Tomlinson a Pleasant Grove en 1909, y que había sacrificado su jubilación por unirse a la Iglesia de Dios, también sentía gran preocupación por llevar el mensaje pentecostal a las Bahamas. Él señaló que sentía el llamado definitivo de Dios para ir a dichas islas. Empezó por recaudar fondos, siendo él quien más dinero aportó para enviar a Barr y a su esposa de regreso a las Bahamas, con la promesa de seguirlos tan pronto como pudiera hacer los arreglos necesarios. Barr llegó a su tierra natal en noviembre de 1909 y comenzó a dar testimonio de las cosas que había recibido de Dios.[13]

Para poder ir a las islas personalmente, Evans vendió su casa en Durant, a tres kilómetros de Pleasant Grove; también vendió sus vacas, pollos y cerdos. Con ese dinero compró una carreta y un grupo de mulas, con las cuales se transportó por más de 300 millas hasta Miami junto con su esposa, en donde guardó la carreta y vendió las mulas. Esto le proveyó el pasaje para las islas. El 4 de enero de 1910, Evans y su esposa junto a Carlos M. Padgett, llegaron a Nassau, los primeros misioneros que representaban a la Iglesia de Dios en el extranjero.

El primero de febrero, Evans envió un informe a la iglesia:

---

[12]Ver Simmons, *op. cit.*, pág. 119, 120.

[13]R. M. Evans, *Missionary. The Evening Light and Church of God Evangel*, 1 de marzo de 1910, pág. 7.

> Nosotros... inmediatamente buscamos al hermano Barr y su esposa, quienes... estaban dando a conocer la plenitud de su ministerio. A pesar de que no tenían acceso a los templos y lugares comunes de adoración, habían alquilado un local y predicaban fielmente el evangelio completo, incluyendo el bautismo con el Espíritu Santo, según lo indicaba la Biblia, con las señales de hablar en lenguas... y el Espíritu Santo se estaba moviendo en los corazones.
>
> Nosotros obtuvimos una cabaña y comenzamos a cooperar con ellos inmediatamente; hasta el presente, entre quince y veinte se han convertido, cinco han sido santificados y cerca del mismo número han recibido el bautismo con el Espíritu Santo... Esto es más que sobresaliente debido a que muy pocos parecían saber de este mensaje.[14]

Evans y Barr pronto tuvieron siete lugares disponibles para celebrar servicios, y a medida que se esparcían las noticias de su mensaje empezaron a llegarles llamadas e invitaciones de muchas otras islas. Estos dos evangelistas erigieron carpas, alquilaron locales y visitaron hogares, y aunque eran de distintos trasfondos étnicos y nacionales, predicaban la misma cosa: el mensaje de salvación plena para toda la humanidad. Grandes avivamientos tuvieron lugar ese año, conducidos por estos hombres y otros obreros de las islas. El informe de Evans decía:

> ...la condición espiritual de la gente en muchos lugares en verdad es lamentable. Pero se nos están abriendo puertas en diferentes islas, donde se puede predicar el evangelio con toda efectividad a los sedientos corazones de esta gente de habla inglesa, tanto blanca como de color. La cosecha es en verdad muy grande y los obreros muy pocos. Pero no dejemos que venga nadie si no ha muerto y revivido en Cristo Jesús, y no ha sido limpio y lleno de su Espíritu Santo, de manera que quien venga no vacile en entrar de lleno a trabajar por las criaturas más degradadas y pobres del Señor...

Hubo persecución, tal como el incendio de las dos casas de Eribella Eneas el 17 de mayo, porque el mensaje pentecostal era desconocido por la gente allí, y muchos no toleraban lo que era para ellos nuevo y poco familiar.[15]

---

[14] Evans, *op. cit.*, pág. 7.
[15] *The Evening Light and Church of God Evangel*, 15 de agosto, 1910, pág. 7.

8. La Iglesia de Dios en otros estados

Después del gran avivamiento en Dahlonega, Georgia, Sam C. Perry visitó Cuba y preparó el terreno para la obra pentecostal allí, pero no estableció ninguna iglesia.[16] Luego regresó y condujo campañas en varios lugares de la Florida, Georgia, Carolina del Norte y Tennessee. Antes de que terminara el año, se trasladó a Kentucky y fijó su residencia en London. Muy pronto, la Iglesia de Dios se estableció en Kentucky, el sexto estado en ser alcanzado por la creciente organización.

Además de estos estados, donde ya se contaba con iglesias organizadas, se logró establecer muy buenos contactos en Mississippi, Arkansas, lowa, Indiana y Virginia. Muchos de estos estados fueron visitados por ministros de la Iglesia de Dios y en varios de ellos, a finales de 1910 ya había familias pentecostales establecidas. Como había sucedido con los cristianos primitivos, un gran factor en el esparcimiento de la Iglesia de Dios fue la migración de sus familias de un lugar a otro. Cualquier lugar en el cual se estableciera un pentecostal fogoso se convertía en un campo fértil para el evangelio. Así fue como se esparció el fuego por todo el país.

---

[16] *Ibíd.*, 1 de abril de 1910, pág. 4.

Capítulo 11
UNA ASAMBLEA INTERMEDIA

1. Consolidación de logros

Como consecuencia de un año de gran prosperidad, la asamblea de 1911 se convirtió en una oportunidad para confraternizar y hacer planes. Los delegados buscaban con gran determinación que sus esfuerzos para ese año fueran más efectivos que el año anterior. Tanto doctrinal como organizacionalmente, la iglesia se propuso consolidar sus logros y renovar sus fuerzas para emprender mejores proyectos. En su discurso anual, el Supervisor General señaló que "la obra ha crecido a tales proporciones que ya se requiere de un mejor sistema".[1] Seis estados y un país extranjero habían sido alcanzados por la Iglesia de Dios, pero debía haber una mejor y más sistemática organización para alcanzar todos los estados y todo el mundo.

2. La necesidad de un instituto bíblico

Una apremiante necesidad de la pujante iglesia era un centro preparatorio para el adiestramiento de obreros. Se nombró un comité "para que buscara un lugar y construyera una escuela".[2] Se nombró además un comité educacional de siete miembros.[3] A pesar de que pasaron siete años para que dicha escuela fuera una realidad, este interés inicial en ella indica lo importante que era para la esforzada y joven Iglesia de Dios un ministerio educado.

---

[1] *Minutas de la Sexta Asamblea General,* (1911), pág. 43.

[2] *Ibíd.*, pág. 48. El comité quedó compuesto por: F. J. Lee, Sam C. Perry, J. W. Buckalew, V. W. Kennedy, y George C. Barron.

[3] A. J. Tomlinson, F. J. Lee, Sam C. Perry, H. W. McArthur, George C. Barron, J. B. Ellis, M. S. Lemons.

3. Supervisores estatales

Uno de los pasos administrativos más importantes en la administración de la Iglesia de Dios fue establecer la posición de supervisor estatal. La necesidad era evidente:

> Para ese tiempo la obra era tan extensa que el supervisor no podía cumplir con todas las responsabilidades que su posición le había impuesto en relación con las iglesias locales. Con las iglesias tan dispersas hubiera sido imposible que él pudiera visitarlas todas y nombrarles pastores.[4]

Estas nuevas posiciones no disminuyeron la autoridad del Supervisor General, porque los supervisores de los diferentes estados servían bajo su dirección. En cada caso, el supervisor era un pastor sobresaliente en su estado y continuaría como tal; pasarían varios años para que los supervisores pudieran y necesitaran dedicarle el tiempo completo a su superintendencia. Aun el Supervisor General pastoreaba la iglesia local en Cleveland, TN. W. F. Bryant, de las montañas Tellico, quien residía en Cleveland, fue nombrado supervisor de Tennessee; Sam C. Perry, que se había mudado recientemente a London, Kentucky, fue nombrado para servir allá. La lista quedó así:

1. Tennessee, W. F. Bryant, Cleveland, Tn.
2. Kentucky, Sam C. Perry, London, Ky.
3. Carolina del Norte, C. R. Curtis, Hayesville, N. C.
4. Virginia, J. J. Lowman, Hiwassee, Va.
5. Georgia, H. W. McArthur, Gainesville, Ga.
6. Alabama, V. W. Kennedy, Adamsville, Al.
7. Florida, J. A. Giddens, Clearwater, Fla.[5]

Cada supervisor tenía que velar porque sus iglesias tuvieran pastor, mantener un registro de las iglesias y los ministros de su estado y enviar un informe anual de la obra en su estado al Supervisor General. Se esperaba que cada uno supiera los nombres y direccio-

---

[4]Simmons, *op. cit.*, pág. 24.
[5]*Minutas de la Sexta Asamblea General,* (1911), págs. 51, 52.

nes de los ministros de la Iglesia de Dios y el número de miembros de su estado respectivo. Sobre todo, se esperaba que "organizara o coordinara una campaña evangelística general en su estado durante el año". Todo el plan fue instituido para producir una mejor organización y acelerar el avance del avivamiento.[6]

4. *Evangel* de la Iglesia de Dios

El periódico de la iglesia fue elogiado por su contribución al avance de la Iglesia de Dios durante ese año, pues sirvió como un enlace moral entre los obreros en los diferentes estados donde estaba establecida la Iglesia de Dios. Tomlinson, quien editaba la nueva publicación, dijo:

> El periódico es un gran factor para el esparcimiento de las noticias de la iglesia en los campos.[7]

Con el número de marzo de 1911, cuando el periódico tenía exactamente un año, el nombre se abrevió a *Church of God Evangel* (El Evangelio de la Iglesia de Dios), como se conoce desde entonces.

5. Delineamiento de las enseñanzas

Hasta 1910 la iglesia no había publicado declaraciones o artículos de fe, ni siquiera un esbozo de sus enseñanzas. Durante el verano de 1910, la edición del 15 de agosto de el *Evangel* se dedicó a la doctrina de la iglesia, donde un comité hizo una lista de las enseñanzas prominentes.[8] Esta no pretendía ser una

---

[6]Desde las primeras divisiones de la Iglesia de Dios en distritos, se han seguido las líneas estatales con muy pocas excepciones. Estas excepciones son como siguen: (1) Estados adyacentes en algunas ocasiones han sido agrupados bajo un solo supervisor, debido a la escasez de miembros en esas áreas, como Nueva Inglaterra y las Dakotas, (2) También ha habido tiempos cuando, debido a conveniencias geográficas, se ha pensado que es mejor colocar parte de un estado bajo supervisores separados (e.g., la parte extrema oriental de Virginia, en la faja de la península Maryland-Delaware oriental, está bajo los supervisores de esos estados). (3) Varios estados han sido divididos bajo dos supervisores, (e.g., Texas 1937 y Alabama en 1950). Tres estados ahora han sido divididos bajo dos supervisores. Estos son: California (1968), Ohio (1969) y Georgia (1976).

[7]*Minutas de la Sexta Asamblea General,* (1911), pág. 43.

[8]Este comité estuvo compuesto por: M. S. Lemons, R. G. Spurling, T. L. McLain y A. J. Tomlinson, *Minutas de la Quinta Asamblea General,* (1910), pág. 37.

codificación formal del credo de la Iglesia de Dios, sino un bosquejo conciso para ayudar a los candidatos para la ordenación. La manera abreviada de expresar las enseñanzas sirvió principalmente para identificar las referencias bíblicas sobre las cuales estaban basadas las enseñanzas, lo que explica por qué no son detalladas ni claras.

> La Iglesia de Dios sostiene toda la Biblia debidamente interpretada. El Nuevo Testamento es su única regla de gobierno y disciplina...

ENSEÑANZAS

1. Arrepentimiento: Marcos 1:15; Lucas 13:3; Hechos 3:19.
2. Justificación: Romanos 5:1; Tito 3:7.
3. Regeneración: Tito 3:5.
4. El nuevo nacimiento: Juan 3:3; 1 Pedro 1:23; 1 Juan 3:9.
5. Santificación, subsecuente a la justificación: Romanos 5:2; 1 Corintios 1:30; 1 Tesalonicenses 4:3; Hebreos 13:12.
6. Santidad: Lucas 1:75; 1 Tesalonicenses 4:7; Hebreos 12:14.
7. Bautismo en agua por inmersión: Mateo 28:19; Marcos 1:9, 10; Juan 3:22, 23; Hechos 8:36, 38.
8. Bautismo en el Espíritu Santo, subsecuente a la limpieza, el cual da poder para el servicio: Mateo 3:11; Lucas 24:49, 53; Hechos 1:4-8.
9. Hablar nuevas lenguas, como evidencia inicial del bautismo en el Espíritu Santo: Hechos 2:4; 10:44-46; 19:1-7; Juan 5:26.
10. Dones espirituales: 1 Corintios 12:1, 7, 10, 28, 31; 14:1, 11.
11. Señales siguiendo a los creyentes: Marcos 16:17-20; Romanos 15:18, 19; Hebreos 2:4.
12. Los frutos del Espíritu: Romanos 5:22; Gálatas 5:22, 23; Efesios 5:9; Filipenses 1:11.

13. Sanidad divina provista para todos en la expiación: Salmo 103; Isaías 53:4, 5; Mateo 8:17; Santiago 5:14-16; 1 Pedro 2:24.
14. La cena del Señor: Lucas 22:17-20; 1 Corintios 11:23-26.
15. Lavatorio de los pies de los santos: Juan 13:4-17; 1 Timoteo 5:9, 10.
16. Diezmos y ofrendas: Génesis 14:18-20, 28:22; Malaquías 3:10; Lucas 11:42; 1 Corintios 9:6-9; 16:2; Hebreos 7:1-21.
17. Restitución hasta donde sea posible: Mateo 3:8; Lucas 19:8, 9.
18. La premilenial segunda venida de Jesús:
    Primero, para resucitar a los santos que han muerto y levantar a los creyentes vivos hacia Él en el aire: 1 Corintios 15:52; 1 Tesalonicenses 4:15-17; 2 Tesalonicenses 2:1.
    Segundo, para reinar sobre la tierra por mil años: Zacarías 14:4; 1 Tesalonicenses 4:14; 2 Tesalonicenses 1:7-10; Judas 14, 15; Apocalipsis 5:10; 19:11-21; 20:4-6.
19. Resurrección: Juan 5:28, 29; Hechos 24:15; Apocalipsis 20:5, 6.
20. Vida eterna para los justos: Mateo 25:46; Lucas 18:30; Juan 10:28; Romanos 6:22; 1 Juan 5:11-13.
21. Castigo eterno para los inicuos sin liberación y sin aniquilación: Mateo 25:41-46; Marcos 3:29; 2 Tesalonicenses 1:18,19; Apocalipsis 20:10,15; 21:8.
22. Abstinencia absoluta de bebidas embriagantes: Proverbios 20:1; 23:29-32; 1 Corintios 5:11; 6:10; Gálatas 5:21; Isaías 28:7.
23. Contra el uso del tabaco en cualquier forma; contra el opio, morfina, etcétera: Isaías 55:2; 1 Corintios 10:31, 32; 2 Corintios 7:1; Efesios 5:3-8; Santiago 1:21.
24. Carnes y bebidas: Romanos 14:2, 3, 17; 1 Corintios 8:8; 1 Timoteo 4:1-5.
25. El sábado: Oseas 2:11; Romanos 14:5, 6; Colosenses 2:16, 17; Romanos 13:1, 2.

Estas enseñanzas fueron aceptadas en esta forma por la asamblea de 1911,[9] y en 1912 fueron publicadas en las minutas, donde, con ligeras enmiendas, han sido publicadas desde entonces.[10] En 1915 se añadieron las tres enseñanzas siguientes:[11]

26. Contra el uso de joyas para ornamento o para decoración tales como: anillos, brazaletes, aretes, portarretratos, etcétera: 1 Pedro 3:3; 1 Timoteo 2:9.
27. Estamos en contra de que nuestros miembros pertenezcan a logias: Juan 18:20; 2 Corintios 6:14-17.
28. Estamos en contra de que nuestros miembros juren: Mateo 5:34-37; Santiago 5:12.

Las enseñanzas de la iglesia permanecieron virtualmente sin cambios por 61 años. En la asamblea de 1974, el cuerpo de las enseñanzas fue dividido en dos secciones: declaraciones doctrinales y prácticas. Las declaraciones doctrinales nunca han sido alteradas, aunque ocasionalmente se han hecho modificaciones y adiciones a las declaraciones prácticas.

6. Las finanzas de la iglesia

Como se señaló anteriormente, la falta de un sistema adecuado de sostenimiento ministerial hacía que cinco de cada seis pastores se ganaran su sustento trabajando fuera del ministerio. Naturalmente, esta situación impedía el progreso de la obra y constituía tan serio problema que hizo que en esta sexta asamblea se dedicara más tiempo para buscar un plan bíblico para las finanzas de la iglesia.

---

[9] *Ibíd.*, (sexta asamblea, 1911), págs. 45-47. En la asamblea de 1930 (vigesimoquinta) estas enseñanzas se discutieron otra vez y se "reafirmó que sostenemos la Biblia completa, correctamente interpretada, y el Nuevo Testamento como nuestra única regla de fe y práctica. Ahora declaramos las leyes y enseñanzas como la Biblia las establece... bajo el título 'Enseñanzas de la Iglesia de Dios' como los acuerdos oficiales y las interpretaciones de la asamblea de 1930 de la Iglesia de Dios..." *Minutas de la Vigésimoquinta Asamblea Anual,* 1930, pág. 23.

[10] Compárense estas enseñanzas como fueron bosquejadas originalmente con la presente forma.

[11] *Minutas de la Undécima Asamblea Anual,* 1915, pág. 33.

> Se discutió el asunto de los diezmos. Algunos sugerían que se dieran diezmos y ofrendas; otros preferían sólo un sistema de ofrendas, sin diezmar; todos estuvieron de acuerdo en que no había que imponerlo como obligación, sino que cada uno caminara en la luz así como Él está en la luz. Se llegó a una conclusión cuando el Supervisor General leyó y explicó Hebreos 7, citando otros pasajes que aportaban mucho sobre el tema. La siguiente acta fue leída y aprobada:
>
> Se aconseja que se dé libertad para enseñar sobre el diezmo y la ofrenda con el entendimiento de que la iglesia no debe presionar a los miembros a diezmar, sino enseñarles la bendición de dicha práctica, exhortándolos a abundar en la gracia la cual los capacitará e impulsará a practicarlo voluntariamente. Nadie objetó el diezmar o enseñar a la gente a que diezmara, siempre y cuando no se tomara como una imposición.[12]

Esta asamblea fue un éxito en todos los aspectos. Motivacionalmente, los delegados fueron rejuvenecidos e inspirados con valor, fe y esperanza. Doctrinal y éticamente, a pesar de no haberse hecho nada nuevo, la iglesia hizo clara su posición sobre temas como el bautismo en agua por inmersión,[13] los dones y frutos del Espíritu, objeción al uso del tabaco y la doctrina de seguridad eterna. Organizacionalmente, la asamblea de 1911 fue una de las más exitosas que se hayan tenido hasta ese tiempo.

7. Aceleración del avivamiento

El avivamiento pentecostal no sólo continuó, sino que creció poderosamente bajo la organización de los supervisores de estado y mejoró bajo el nuevo sistema financiero. Esta distribución de

---

[12]*Minutas de la Asamblea General* (1911), pág. 46. Desde esta asamblea de 1911, la Iglesia de Dios ha aconsejado que se diezme como el plan ministerial de Dios para sostener la iglesia. Su posición no ha cambiado sustancialmente porque todavía el diezmar no es obligatorio, sino que se enfatiza y se pide a todos los miembros que se conformen a la práctica de diezmar. La iglesia sostiene que el diezmar no es una ley levítica dirigida al sacerdocio precristiano, sino que es un sistema financiero perpetuo y divino para la iglesia. Para respaldar esta posición se señala que el diezmo formó parte de la práctica de Abraham y Jacob (Génesis 14:31), mucho antes de que la ley levítica fuera dada (Levítico 27:30), y que en Mateo 23:23, Cristo sancionó esta práctica sin argumentar. Se entiende además, que el apóstol Pablo se refiere al diezmo en 1 Corintios 9:1-7; 16:1-2, a pesar de que él no usó la palabra diezmo.

[13]*Minutas de la Asamblea General* (1911), pág. 45. Las palabras "por inmersión" se extrajeron sobre la base de que la palabra "inmersión" no es un término bíblico, pero con el pleno entendimiento de que el bautismo significa sumergimiento, hundir, o sumergir debajo de la superficie de las aguas y que no es un mero rociamiento o derrame de agua.

autoridad y responsabilidades aceleró el envío de predicadores a nuevos campos y el énfasis en los diezmos liberó a algunos ministros de su trabajo secular para que pudieran dedicar más tiempo al ministerio. Pero a pesar de esto, pocos ministros eran totalmente sostenidos por su congregación y muchos de los supervisores estatales tenían que suplementar sus finanzas con salario ganado por sí mismos o por alguien de su familia. Las privaciones y los sacrificios de los predicadores de este período de avivamiento fueron severos, pero la llama que ardía en sus corazones los indujo a rescatar la parte que alcanzaron de la humanidad perdida. Cuantas más personas se unían a la Iglesia de Dios y comenzaban a diezmar sus ingresos, más predicadores dedicaban su tiempo completo al ministerio. El resultado fue un período de diez años de avivamiento sin precedentes.

Capítulo 12
PREDICADORES Y PIONEROS

Leer

1. Años de optimismo

De 1911 a 1920, la Iglesia de Dios disfrutó un período de avivamiento prodigioso y prosperidad relativa. Esto no quiere decir que la iglesia experimentara gran popularidad, porque en este tiempo se dieron las persecuciones más vigorosas jamás vistas en la iglesia. La expansión no llegó fácilmente, pues las tareas y luchas fueron las más arduas jamás sentidas por sus miembros. Sin embargo, fue un tiempo de avance porque los heraldos de pentecostés eran oídos, aunque no fueran amados, y el evangelio se esparcía maravillosamente sobre toda la nación y gran parte del mundo.

El 15 de febrero de 1911, un grupo de trece ministros se embarcó desde Miami para las islas Bahamas para fortalecer la obra allí. En este viaje estaban A. J. Tomlinson, J. W. Buckalew, C. M. Padgett, Roy Miller, Efford Haynes, Clyde Cotton Haynes, Flora E. Bower, y Lulu Williams. Este grupo misionero viajó por las islas predicando, cantando y guiando almas a Dios en las plazas, mercados y muelles portuarios. Este esfuerzo fue victorioso y le dio un gran empuje al programa de misiones de la Iglesia de Dios. La banda misionera regresó a fines de abril.[1]

En otros lugares, la iglesia alcanzó nuevos campos y fueron ganados nuevos obreros. Hombres como J. W. Buckalew, J. B. Ellis, M. S. Lemons, Sam C. Perry, Efford Haynes y otros establecieron nuevas iglesias en varios lugares y el movimiento logró avances considerables. F. J. Lee ganó prominencia como predicador y teólogo. En la séptima asamblea general, reunida en 1912, Lee predicó un sermón sobre "demonología" con tal

---

[1]Diario de Tomlinson.

comprensión y convicción que sus servicios como conferencista y evangelista fueron solicitados en muchos lugares. Después de este famoso discurso, él predicó en cada asamblea general hasta su muerte.[2]

2. Hacia el suroeste

Cuando R. M. Singleton de Ratón, Nuevo México, un líder pentecostal de dos iglesias misioneras en ese estado, oyó de la Iglesia de Dios, buscó unir su pequeño grupo a la creciente organización pentecostal. Estas dos obras con un total de cincuenta y tres miembros fueron aceptadas en la iglesia y se reportaron en la asamblea de 1912. Durante los siguientes meses, A. J. Tomlinson hizo un viaje a estas nuevas iglesias en el suroeste y luego continuó su viaje extenso a varios estados del oeste.[3]

El viaje de Tomlinson por el oeste le llevó hasta Colorado, Nebraska, Kansas, lowa, y Missouri, donde predicó la fe pentecostal con cierto éxito. La tierra fue así arada para el evangelio completo y la Iglesia de Dios.

3. Se encienden nuevos fuegos

En 1912, un predicador metodista en Evansville, Indiana, que había estado escudriñando las Escrituras por cerca de un año, se convenció de que el bautismo con el Espíritu Santo era una bendición que debía recibirse en los días modernos por hombres de fe y consagración. En sus notas inéditas, D.P. Barnett ha relatado:

> Totalmente persuadido de esta verdad gloriosa, procedí a predicar la doctrina a mi congregación. Luego, orábamos en el altar esperando el bautismo del Espíritu. Fue un domingo por la mañana cuando Dios derramó su Espíritu sobre nosotros, como lo hizo sobre los ciento veinte el día de Pentecostés. Muchos en mi congregación

---

[2] *Minutas de la Séptima Asamblea General* (1912), pág. 68 ss.
[3] Diario de Tomlinson.

> fueron bautizados y hablaron lenguas como el Espíritu les daba que hablasen. Yo también recibí esta preciosa experiencia.[4]

Esto resultó en la expulsión de Barnett y algunos de sus miembros de la Iglesia Metodista. Pero consiguieron alquilar un salón y lo convirtieron en una misión pentecostal, que rápidamente llegó a ser, bajo el ministerio de Barnett, una obra poderosa del evangelio completo. Un gran avivamiento sacudió a Evansville bajo la poderosa predicación que más tarde haría de este evangelista uno de los ganadores de almas más efectivos en la Iglesia de Dios. El periódico local publicó observaciones como la siguiente:

> Los pentecostales alzaron tal clamor anoche que aun los espectadores lloraron con gran emoción.[5]

4. La urgencia de ir

Como Jeremías, quien sentía en sus huesos un fuego que lo impulsaba a ir con el mensaje de Dios,[6] Barnett sintió que debía esparcir el mensaje pentecostal en otras aldeas, pueblos y ciudades; así que su carpa se fue trasladando a esos lugares. En Rumsey, Kentucky, ganó a dos hermanos que un día serían predicadores de la Iglesia de Dios, Prony y Tony Ford.

En Carmi, Illinois se alquiló una escuela rural para un avivamiento, pero antes de una semana el patronato ordenó que se clausurara la campaña. Sin desanimarse, el evangelista levantó su carpa y siguió predicando acerca de la regeneración, la santificación y el bautismo con el Espíritu Santo. El avivamiento fue tan grande que millares de personas asistieron desde distancias de treinta y cuarenta kilómetros. La gente del pueblo que recuerda esto ha calculado que algunas noches llegaron a reunirse hasta 12,000 o 15,000 personas para oír la voz de trompeta del heraldo pentecostal. Barnett relata:

---

[4] De las memorias sin publicar de D. P. Barnett, de donde se tomó el material de esta sección. Gran parte de la información se recibió personalmente de Barnett antes de su muerte en agosto de 1952, y subsecuentemente de entrevistas con sus obreros, Houston R. Morehead y otros que estaban bien relacionados con su obra.

[5] Citado en las memorias de Barnett de *The Evansville Courier-Journal* [El Diario-Expreso de Evansville].

[6] Jeremías 20:9: "Había en mi corazón como un fuego ardiendo metido en mis huesos; traté de soportarlo y no pude".

> Yo nunca esperaba tener una multitud para empezar a predicar. Nunca cerraba los servicios, ni de día ni de noche. Para entonces yo tenía una voz fuerte; no me cansaba tan fácilmente... Predicaba una vez tras otra, día y noche. El altar se llenaba. Orábamos por la gente. Muchos se quedaban hasta recibir el bautismo. Otros caían bajo el poder del Espíritu Santo... Cuando se vaciaba el altar predicaba otro mensaje y el altar se volvía a llenar.

Algo nuevo estaba sucediendo en Illinois. Los oficiales de la ciudad enviaban médicos a la carpa para examinar a los que habían sido tocados por el Espíritu, pero no encontraban ningún mal, sino sólo un "poder más grande que el hombre". Una carpa de carnaval se levantó frente a la de la campaña, pero la gente de la otra carpa corría fascinada a oír el evangelio. Aun los payasos se arriesgaron a cruzar la calle para ir a la campaña y algunos se convirtieron. Los demás del carnaval pronto se fueron del pueblo.

La campaña de Barnett en Eldorado, en la primavera de 1914, fue aun más exitosa que la de Carmi. Cientos de personas recibieron el bautismo del Espíritu Santo; la gente acampaba cerca de la carpa para no perderse un servicio o sermón. Los servicios eran tan emotivos y la voz del evangelista tan poderosa y sincera, que la gente caía sobre el aserrín, en el pasillo de la carpa, cuando él los llamaba al altar. Él iba por los pasillos señalando con el dedo a los pecadores y ordenándoles que buscaran a Dios; muchos de ellos caían gritando ya fuera de miedo o en éxtasis, mientras se dirigían al altar.[7]

5. Ganados para la Iglesia de Dios

Una iglesia pentecostal se construyó en Eldorado y Barnett permaneció como pastor. Uno de los miembros era una dama de la Iglesia de Dios de Alabama quien le rogó a su pastor que mandara a buscar a T. S. Payne, para aquel entonces un predicador notable en la Iglesia de Dios. Payne visitó Eldorado en 1916 y mostró a la gente la necesidad de una organización. Tanto

---

[7]Esta información ha sido recibida y verificada por Houston R. Morehead, T. L. Forester. John O. Yates, ministros de la Iglesia de Dios.

Barnett como la congregación se unieron a la Iglesia de Dios.[8] Entre los futuros ministros que se unieron a la Iglesia de Dios estaba John O. Yates, quien muy pronto ayudaría a regar la llama pionera en Illinois y Missouri. La iglesia de Eldorado no fue la única traída a la Iglesia de Dios, sino que también la iglesia de Carmi y otras que se habían organizado de estos grandes avivamientos. De este comienzo, la Iglesia de Dios se extendió a través del medio oeste.

6. El noroeste

Fue en el 1912 que Jarper P. Matthews, de la Fe Apostólica en Portland, Oregon, llevó el mensaje pentecostal a las Dakotas. En el pueblo de Golden Valley, Dakota del Norte, entre Bismarck y las montañas Kildeer, hacia donde él había sentido un llamado definido del Señor, Matthews condujo un avivamiento en un pequeño y estrecho taller. Cuando las rústicas facilidades llegaron a ser muy pequeñas para el grupo, un pastor congregacional alemán le ofreció su iglesia a Matthews para los servicios de avivamiento. Los servicios fueron altamente exitosos y dos misiones pentecostales se establecieron en Dakota del Norte —una en Golden Valley y otra en la Escuela Barker, catorce millas al norte, donde mucho antes Matthews había desarrollado una campaña. Después que Matthews salió, la congregación en Golden Valley adoraba en un viejo edificio para teatro que fue comprado por E. M. Walker[9], uno de los nuevos miembros pentecostales.

Muchos años pasaron y doctrinas espurias fueron predicadas clandestinamente a la gente por predicadores "pentecostales libres" que solían pasar por aquel lugar. La gente oró para que Dios le enviara a alguien que les enseñara y les ayudara a encontrar el plan bíblico de gobierno eclesiástico. Un predicador de la Iglesia de Dios, llamado William Hance, fue guiado a este lugar y allí le explicó la necesidad de concordia, unidad y organización a la gente

---

[8]Por muchos años, Eldorado, Illinois, fue la congregación más grande de la Iglesia de Dios.

[9]Mucha de la información de esta sección ha sido reunida de entrevistas con Paul H. Walker, quien era un mozo de once años cuando Matthews fue a Dakota del Norte. Walker ha preservado mucho material sobre la Iglesia de Dios en el noroeste en su autobiografía, *Path of a Pioneer* [Senda de un Pionero], (Pathway Press, 1970).

que estaba confundida por la desunión y las doctrinas precarias. Hance le envió una petición a G. T. Stargel, de Gastonia, Carolina del Norte, para que viniera y le ayudara en los servicios. Stargel se apresuró hacia Golden Valley y ayudó a su amigo en servicios que duraron por varios meses. La gente que había sido alarmada en contra de la organización fueron persuadidos de que la organización eclesiástica es escritural y necesaria, de manera que en el 1916, la primera Iglesia de Dios se estableció en el noroeste. La iglesia fue organizada en un rancho en la finca de E. M. Walker, dos millas del pueblo de Golden Valley. J. W. Barker fue nombrado pastor. Después de la reunión en Golden Valley, Hance y Stargel se movieron al norte, a la Escuela Barker, donde había una disensión similar y condujeron un avivamiento, después del cual se organizó la segunda Iglesia de Dios con Robert Merrifield como pastor. Ambas iglesias eran pequeñas, pero la gente era buena y fiel y el mensaje pentecostal se esparcía a través del noroeste.

7. El sur recibe sus fuerzas

Mientras la Iglesia de Dios se extendía por el suroeste y el mediano oeste, también estaba creciendo rápidamente en el sur. Para el 1913, varias iglesias rurales pequeñas se establecieron en Mississippi, Virginia Occidental y una iglesia en Colorado y otra en California. Louisiana ya estaba representada en el registro de la iglesia del 1915, con cinco congregaciones, tres de las cuales se organizaron aquel año, y Carolina del Sur tenía tres congregaciones.[10] No sólo se estaban alcanzando nuevos estados, sino que también todos los estados sureños eran fortalecidos a través del esfuerzo incansable de ministros celosos. J. W. Buckalew continuó su ministerio fructífero en nuevos campos. En un pueblo de Tennessee, Copperhill, notorio por la persecución de la santidad, Buckalew oró en un servicio al aire libre con tal unción que una gran multitud se reunió por la curiosidad. Cuando el pintoresco

---

[10]Friendship (Charleston), Pilgrim Rest, y Holcomb, Mississippi; Matoal, West Virginia; Colorado Springs, Colorado; Whittier, California; Dunn, Kenwood, Roseland, Scanlon, y Spring Creek, Louisiana; Langley, Rock Hill y Morgan Place, Carolina del Sur.

predicador concluyó su oración y vio la multitud, les predicó el evangelio y comenzó un avivamiento que resultó en una nueva Iglesia de Dios.[11]

J. B. Ellis estableció iglesias en numerosos pueblos y comunidades en Alabama. Su labor y privaciones se han convertido en una leyenda; pero éstas son sólo ejemplos de lo que un incendiario pentecostal experimentaba en aquellos días. Acosados como eran por las turbas, atacados por oponentes insanos de la fe, durmiendo en las carpas de avivamiento, en árboles toscos o bajo el cielo, comiendo donde había comida, ayunando donde no había, los evangelistas ganaron muchas almas para el Señor.

8. "Santos rodadores"

Los niños de las primeras familias de la Iglesia de Dios muchas veces sufrían más abusos que sus padres. Debido a que éstos no participaban en la mayor parte de las actividades sociales de sus escuelas y por su ropa sencilla, a menudo se mofaban de ellos y los ridiculizaban hasta hacerlos llorar. Algunos de los padres sacaban a sus hijos de la escuela antes de que se desmoralizaran y desmayaran en su vida cristiana.

Uno de los epítetos proferidos a los pentecostales primitivos fue "santos rodadores". En qué tiempo este sobrenombre sacrílego fue usado por primera vez para referirse a los pentecostales, no se puede definir, pero parece que se usó desde el mismo comienzo del movimiento.[12] Obviamente, el término era usado debido a la naturaleza emocional de los servicios, pero era realmente una designación inaplicable, ya que rodar era bastante raro en los servicios de pentecostales, mientras que brincar, gritar y otras manifestaciones eran mucho más evidentes. El término "metodista" había comenzado como algo afectivo, a pesar de que era un seudónimo para Wesley y sus amigos en Oxford. Aun el término "cristiano" se cree que comenzó como un apelativo de mal gusto

[11] *Minutas de la Séptima Asamblea General,* (1912), págs. 8, 9.

[12] De hecho el término "santos rodadores" se usó mucho antes del comienzo de las lluvias tardías del Espíritu Santo. Quizás usado por más de un siglo en referencia a cualquier grupo religioso cuyos servicios fueran fuertemente emocionales. Su largo y común uso ha dado reconocimiento lexicográfico aun cuando se usa raramente hoy.

en Antioquía (Hechos 11:26), pero le dio honor a Cristo como líder de aquellos que alababan su nombre. A otros grupos de cristianos se les había dado nombres peyorativos por observadores no simpatizantes (metodistas, cuáqueros, shakers, etc.), pero la expresión "santos rodadores" era una de mal gusto y demasiado burlona para ser aceptada y tolerada. La indignidad del epíteto era hostigamiento para la Iglesia de Dios y ésta rehusaba aceptar su uso.

En la asamblea de 1915 (decimoprimera), una declaración fue presentada por M. S. Lemons "rechazando el término burlón santos rodadores". La siguiente resolución fue aceptada el viernes 5 de noviembre de 1915:

> Por cuanto la Iglesia de Dios está sufriendo un reproche indebido por medio del título burlón "santos rodadores", que se usa comúnmente en público, al hacer referencia a sus miembros y obras,
>
> Sea conocido de todos los hombres de cualquier lugar y todas las naciones que nosotros, la Iglesia de Dios... por medio de ésta y de aquí en adelante, rechazamos y repudiamos el título "santos rodadores" en referencia a la Iglesia de Dios.
>
> Como consecuencia de esta decisión, y por medio de ésta hacemos constar al público que todas las referencias a la Iglesia de Dios por el uso... "santos rodadores" por la prensa pública y de otra manera, sea considerada y tratada como una burla y una ofensa mal intencionada.[13]

Rechazar este título de oprobio no desalentó su uso en la referencia pública a la iglesia, pero con el tiempo, el entendimiento y la apreciación pentecostal, trajo su declinación y virtual desaparición.

9. Años de fatiga

Ninguna de las persecuciones a la cual la gente fue sujeta pudo detener su ardor por el Señor, ya que muchos de aquellos que eran severamente perseguidos estaban tan obsesionados en sus misiones, que nunca registraron en sus mentes que estaban siendo abusados. Simplemente esperaban que los predicadores pentecostales podrían

---

[13]*Minutas de la Duodécima Asamblea General* (1915), pág. 20.

ser encarcelados, apedreados, tiroteados, acosados por asesinos o que sus lugares de adoración fueran destruidos. Era casi una rutina para un predicador de la Iglesia de Dios ser maliciosamente maltratado en los púlpitos y por la prensa antagonista como una persona pervertida y disoluta. Estas acusaciones y ataques fallaron grandemente en desarrollar un complejo de persecución entre la gente, ya que ellos no parecían haber sido impresionados con lo que sus enemigos les decían o hacían. Ningún diario, documento o registro al alcance nuestro hoy, sugiere de alguna manera que hubiera depresión debido a las injurias que recibían estos hermanos; por el contrario, hubo una connotación dominante de gozo y contentamiento, como en los primeros discípulos, que se regocijaron "gozosamente de haber sido tenidos por dignos de padecer afrenta por causa de su nombre" (Hechos 5:41).

10. Nuevos estados oyen el mensaje

Los registros muestran que para la asamblea de 1917 (decimotercera), Arkansas, Maryland, Michigan, Ohio, Oklahoma, Pennsylvania y Texas, habían sido alcanzados por la Iglesia de Dios, haciendo un total de 23 estados con congregaciones organizadas. Con un énfasis considerable en evangelismo, la Iglesia de Dios firmemente avanzó sobre la nación con las buenas nuevas de santidad y el bautismo del Espíritu Santo. Entre el 1912 y 1918, los miembros de la iglesia aumentaron de 2,294 a mucho más de 10,000; el número de iglesias aumentó de 68 en siete estados a 309 en veintitrés estados. Ningún aumento vino fácilmente, sino que cada paso adelante representaba una labor en contra de montañas enormes y una victoria sobre las adversidades espirituales, ceguera y pobreza. Estos fueron años grandes, pero años mucho más grandes estaban en el futuro.

11. Obra pionera entre los afroamericanos

Desde 1909 en adelante, la Iglesia de Dios tuvo en su comunión miembros y ministros de raza de color. Por algunos años, y aproximadamente hasta el 1920, no había ninguna mención pública u oficial de raza o color —lo que hace más difícil, aún ahora, determinar nombres y fechas precisas. El primer esfuerzo misionero en el 1909-1910 fue una aventura interracial. Edmond S. Barr, de la raza de color y R. M. Evans, blanco, eran amigos que asistieron a la convención de Pleasant Grove y después fueron juntos a las Bahamas. Barr, el más antiguo ministro de color, fue licenciado en el 1909 y ordenado el 3 de junio de 1912. Casi inmediatamente hubo otros; el primer registro oficial de las minutas de enero de 1913 incluye once ministros de la raza de color sin ninguna mención de raza.[14] Tres de éstos, Barr, Samuel Rice, y D. O. Wall, eran obispos y ministros ordenados, el rango más alto del ministerio. Algunos de los predicadores eran de las Bahamas, a pesar de que algunos vivían y trabajaban en Florida. Otros cinco fueron añadidos a los rangos ministeriales a fines de 1913,[15] uno de ellos obispo.[16] En el 1912 había tres congregaciones de hermanos de color en Florida —Jacksonville, Miami y Cocoanut Grove, en un suburbio de Miami— que estaban anotados en las *Minutas de la Asamblea* en enero de 1913.[17] C. F. Bright era el secretario de Jacksonville, David LaFleur en Miami y J. P. Brookins en Cocoanut Grove. Más tarde en el 1913, una congregación de hermanos de color se estableció en la comunidad de Tennessee llamada Betsytown, con Margaret Collier como secretaria. Las congregaciones Cocoanut Grove y Betsytown se dispersaron a los pocos años. Estas no se mencionan como iglesias en el 1915, a pesar de que para ese tiempo ya habían nueve congregaciones de hermanos de color, todas en la Florida.

La obra de color estaba bajo la supervisión de un supervisor de estado blanco, pero Edmond S. Barr fue nombrado supervisor de la iglesia de color en la asamblea de 1915. Esto fue revisado después de dos años, y las iglesias de color fueron nuevamente colocadas bajo la supervisión de un supervisor blanco. Parece que

[14]Estos fueron: Edmond S. Barr (Florida), Rebeca Barr (Florida), C. F. Bright (Florida), W. V. Eneas (Bahamas), William Eaves (Bahamas), Lizzie Green (Florida), James E. Lowe (Bahamas), Samuel Rice (North Carolina), Thomas B. Smith (Florida), Edward Truman (Florida), D. O. Wall (Florida).

[15]Estos fueron: Z. Furleson, (Florida): Alford Holland, (North Carolina): David LeFleur, (Florida): A. L. Odom, (North Carolina): y P. C. Talle, (Tennessee).

[16]*Minutas de la Novena Asamblea General* (noviembre de 1913), pág. 21-26.

[17]*Minutas de la Octava Asamblea General* (enero de 1913), pág. 91-94: también vea Simmons, *History of the Church of God* [Una historia de la Iglesia de Dios], pág. 85.

hasta 1922 no se hizo ningún otro esfuerzo para unir las iglesias bajo supervisiones separadas.

Las congregaciones de color, todas en Florida por varios años, prosperaron y se multiplicaron por un tiempo; pero luego disminuyeron y se convirtieron algo estáticas. A la obra entre los americanos de color le faltaba el esfuerzo y vigor que le dio a la obra blanca en los estados, y a la obra de color en el campo de misiones, su constancia en crecimiento y expansión. A pesar del ideal primitivo interracial, los asuntos inexplicables del sur, con sus severas líneas de demarcación, tuvieron su efecto negativo en la expansión de la obra de color.

12. La semilla hispana

La primera congregación de habla hispana de la Iglesia de Dios fue una de las dos iglesias organizadas en Raton, Nuevo México, por R. M. Singleton en 1911. T. F. Chávez, un hombre de 73 años, fue ordenado como pastor y ministro de la congregación el 26 de febrero de 1912. Al igual que los ministros y las iglesias de color, no se hizo mención pública del idioma de Chávez o su trasfondo étnico, pero los hechos se revelan en la correspondencia de ese período. Chávez, ayudado por Juan Padilla, quien no estaba a tiempo completo en el ministerio, trabajaron diligentemente para el Señor en Ratón hasta su muerte el 23 de diciembre de 1922.[18]

La obra de habla hispana creció lentamente desde sus comienzos en Raton hasta que hubo numerosas congregaciones por todo el suroeste. La semilla hispánica había sido plantada en buena tierra y un día brindaría una buena cosecha. La Iglesia de Dios se movió adelante con una comunión para todas las razas y un mensaje para todas las lenguas.

[18]Correspondencia de O. R. House a E. J. Boehmer, 12 de febrero de 1923.

Capítulo 13
DESFILE DE ASAMBLEAS

Leer

1. La naturaleza de estas convocaciones

Fueron muchas y muy significativas las medidas y decisiones que se tomaron en las asambleas generales de 1912 a 1920. Estas reuniones anuales, que crecieron de veintiún delegados en la primera asamblea en 1906 a cerca de 400 en 1912, se fueron convirtiendo en el foco central de las actividades de la Iglesia de Dios. En estas reuniones era donde se tomaban acuerdos sobre disciplina, gobierno y doctrina, no por un solo ministro sino por todos los miembros de la iglesia, concediendo a cada uno facultades democráticas para tratar los asuntos del cuerpo de Cristo. Aunque predominaba una atmósfera de informalidad, los procedimientos eran ordenados y progresivos. En varias asambleas, el Supervisor General amonestó a los delegados en cuanto a la solemnidad de las reuniones.

> No estamos aquí para pasar el tiempo cantando, gritando, danzando, hablando en lenguas o divirtiéndonos. Nos hemos reunido para ocuparnos en los negocios del Maestro. Estamos aquí para adquirir conocimiento y prepararnos mejor para los grandes conflictos que enfrentamos. Estamos aquí para ayudarnos unos a otros compartiendo lo que sabemos y estudiando juntos los temas de importancia que todavía no han sido desarrollados plenamente en nuestro entendimiento.[1]

Tomlinson casi siempre presentaba en su mensaje los temas a ser considerados por la asamblea, y en algunas ocasiones permitía que fueran desarrollados más extensamente por F. J. Lee u otro

[1] *Minutas* (Décima, 1914), pág. 168.

ministro capacitado.[2] Muchos de los asuntos que tenían que ver con moralidad eran aclarados por el Supervisor General en períodos de preguntas y respuestas, cuando, desde el púlpito contestaba preguntas hechas por los delegados. Fue en estas reuniones donde se articularon por primera vez algunas de las reglas extrañas que aparecieron en ese período y se convirtieron en leyes. Ninguna doctrina fue aprobada en esta forma; sólo se establecieron así algunas costumbres y prácticas éticas.[3] Cuando se formulaba preguntas conflictivas, por lo regular Tomlinson nombraba un comité para estudiar el problema e informar sus acuerdos a la asamblea.[4]

2. MANIFESTACIONES ESPIRITUALES

En cada asamblea había manifestaciones espirituales maravillosas. Muchos enfermos eran sanados, ya fuera en servicios regulares o en servicios de oración por los enfermos. Había mensajes en lenguas e interpretaciones; generalmente eran exhortaciones y amonestaciones para una vida cristiana de más devoción. Durante un sermón de J. W. Buckalew, el sermón fue interrumpido cuatro veces por el ejercicio del don de lenguas e interpretación. Este hablar en éxtasis no era poco usual; de hecho, se esperaba en los servicios, ya que la glosolalia prevalecía no sólo

---

[2]En la asamblea de enero de 1913, F. J. Lee habló sobre el tema "Confirmación de las acciones de las asambleas pasadas", en el cual repasó el programa de la Iglesia de Dios a la luz de las Escrituras.

[3]En varias asambleas, durante el período de 1912 al 1920, se formularon y contestaron muchas preguntas, como las siguientes: P. ¿Puede un hombre que no ha sido bautizado con el Espíritu Santo tener un cargo en la Iglesia de Dios? R. Refiriéndose a los obispos, diáconos o evangelistas, no. Alguien que no es bautizado puede servir como secretario, sólo para mantener los registros. P. ¿Podemos ser obligados por la ley a levantar nuestras manos y jurar en corte? R. No. La ley provee para que nosotros afirmemos sin levantar nuestras manos. P. ¿Y qué con relación a la *Coca-Cola* y otras bebidas frías? R. Nosotros esperamos que ninguno de nuestros miembros sea culpable de beber tales cosas, pero si lo son, confiamos en que ya no lo hagan. ¿Qué será lo próximo? Parece que el diablo nos tiene muchas trampas preparadas, pero no nos atraerá a todos. P. ¿Qué sobre las gomas de mascar? R. Éstas no son algo que atente contra la membresía, pero nuestra gente no debe usarlas. No daremos credenciales a ninguna persona que usa estas cosas.

De más está decir que no todas las respuestas dadas en estas sesiones se convirtieron en reglas permanentes de la Iglesia de Dios. Por ejemplo: la prohibición de las bebidas suaves y las gomas de mascar. La asamblea de 1929 (vigesimocuarta) aprobó la siguiente resolución: "que nosotros, la Iglesia de Dios, no consideremos las preguntas y respuestas, cuyas respuestas sean dadas por un individuo sin tener la aprobación de la asamblea general en sesión, como parte de las enseñanzas o el gobierno de la Iglesia de Dios". *Minutas de la Decimocuarta Asamblea Anual,* 1929, pág. 35.

[4]Por ejemplo, la pregunta del divorcio y nuevas nupcias se refirió a un comité en la asamblea de enero de 1913 (octava).

en las asambleas, sino en los servicios de adoración en las iglesias locales.[5]

En las minutas de las asambleas de este período hay una expresión que se repite periódicamente: "lenguas como de fuego", la cual parecía hacer referencia a la apariencia de una luz brillante sobre o alrededor de los que eran movidos por el Espíritu.[6]

> Esto de "lenguas como de fuego" fue atestiguado por algunos... hubo grandes manifestaciones de la presencia y el poder de Dios. Muchos vieron el destello de las "lenguas como de fuego".[7]

Otro fenómeno fue el que alguien que no supiera tocar un instrumento musical, regularmente el piano o el órgano, lo hiciera en el Espíritu.

> Una persona tocaba el órgano bajo el poder del Espíritu.[8]

Tales manifestaciones eran frecuentes tanto en las asambleas como en los servicios de adoración local. En muchas fuentes se da informes sobre tales incidentes.[9] El Espíritu Santo estaba presente en la adoración privada y pública.

3. Supervisión vitalicia

A. J. Tomlinson fue seleccionado como Supervisor General vitalicio en la asamblea de 1914 (décima). Cuando llegó el tiempo para elegir al supervisor, Tomlinson se arrodilló en oración y "la

---

[5]Will Durant, en *César y Cristo*, ha descrito un servicio de la iglesia del primer siglo en Roma, el cual es muy similar a los servicios pentecostales modernos: "En ese *dies Domini*, o día del Señor, los cristianos se reunían para su ritual semanal. El ministro leía de las Escrituras, los dirigía en oración y predicaba un sermón de instrucciones doctrinales, exhortación moral y controversias sectarias. En los primeros días, a los miembros de la congregación, especialmente a las mujeres, les era permitido 'profetizar' (por ejemplo: 'hablar en trance o éxtasis') palabras cuyo significado sólo se podía dar por interpretación pía".

[6]Aparentemente, tomado de Hechos 2:3: "y se les aparecieron lenguas repartidas, como de fuego, asentándose sobre cada uno de ellos".

[7]*Minutas* (Décima, 1914), págs. 154, 180.

[8]*Ibíd.*, (Octava, enero, 1913), pág. 101.

[9]Al escritor de este libro se le ha relatado sinceramente que la esposa de un pastor, quien no tenía habilidad musical, tocó bellamente el piano mientras era movida por el Espíritu. La primera vez que ella se dirigió en éxtasis hacia el piano, su esposo cerró el instrumento para evitarle una vergüenza, pues sabía que ella no tenía habilidad para tocarlo. A pesar de que sus ojos estaban completamente cerrados, ésta abrió el instrumento como si hubiera visto a su esposo cerrarlo y tocó música sencilla, pero de manera tal, que edificó a la congregación.

congregación quedó completamente en silencio y todos se mantuvieron inmóviles, como muertos". Su elección fue unánime. Después de la elección, cinco líderes de la iglesia pidieron que dicha elección fuera perpetua.[10] Esto fue aprobado por toda la asamblea y por varios años no hubo más elecciones.

4. Nuevo local para la asamblea

Para 1916, la asamblea general ya había sobrepasado la capacidad del edificio de la iglesia de Cleveland, donde se habían celebrado las asambleas desde 1908. En 1913 se cambió la fecha de las reuniones, de enero al otoño, por ser más conveniente para los delegados, lo cual resultó en dos asambleas durante ese año. Las reuniones de otoño tuvieron una mayor asistencia que las de invierno. La asistencia a la asamblea de 1914 fue tan grande que motivó a que se buscara un auditorio más grande para futuras asambleas. Se nombró un comité para que planeara la construcción de un auditorio que sirviera como escuela cuando no fuera usado por la asamblea anual.[11] Para la asamblea de 1915, (onceava), el comité apenas había reunido $235.35 para dicho proyecto. La necesidad de un nuevo local para las asambleas era tan urgente, que se añadieron dos nuevos miembros al comité y el trabajo continuó.[12] Durante la asamblea se tomó ofrendas y promesas que elevaron la cantidad a $1,821.40.[13]

El 15 de enero de 1916, el comité compró el templo de la Unión Femenil Cristiana, de Harriman, Tennessee, por $3,000, el cual fue renovado y preparado para la asamblea siguiente. El entusiasmo con el cual se ocupó el edificio nuevo se refleja en el discurso del Supervisor General:

> Cuando los delegados de la primera asamblea se reunieron en aquel humilde local, el 26 y 27 de enero de 1906, ni siquiera se imaginaban que la asistencia aumentaría anualmente a las proporciones de

---

[10] J. A. Davis, W. R. Anderson, J. L. Scott, F. J. Lee, y M. S. Lemons.

[11] J. S. Llewellyn, A. J. Tomlison y S. M. Latimer.

[12] D. W. Haworth y A. Horn. El supervisor general y el pastor de la iglesia local, entonces F. J. Lee, fueron nombrados miembros honorarios del comité.

[13] *Minutas* (Onceava, 1915), pág. 198.

> hoy. Si un profeta se hubiera parado en nuestro medio en aquel momento y nos hubiera dicho que la asamblea anual (doceava) se celebraría en... un edificio tan cómodo como éste, tal vez ni le hubiéramos creído.[14]

Las asambleas de 1916 y 1917 (doceava y treceava) se celebraron en este edificio, pero debido a una terrible epidemia de influenza en 1918, no hubo asamblea en aquel año y la asamblea regresó a Cleveland en 1919.

5. Concilio de los Doce

Una medida de último momento fue aprobada en la asamblea de 1916 (duodécima), la primera de las dos celebradas en Harriman. En su mensaje del año anterior, el Supervisor General había mencionado la idea de un "Concilio de Ancianos" y se le había dado mucho tiempo y reflexión al tema, aunque no se había tomado acción.[15] Sin embargo, en 1916, el Comité de Planes de Orden Bíblico ofreció la siguiente recomendación:[16]

> ...que se seleccione un cuerpo de ancianos cuyo deber sea tener jurisdicción sobre asuntos de toda naturaleza que le sean presentados; sus acciones y decisiones serán ratificadas por la asamblea en sesión. Este cuerpo de ancianos debe tener no menos de doce miembros y nunca más de setenta...[17]

Este concilio sería restringido a doce hombres y más tarde sería llamado oficialmente "Concilio de los Doce", como existió hasta 1984, cuando dicho concilio se aumentó a dieciocho. Este se reuniría entre asambleas para discutir con el Supervisor General todos los negocios de la iglesia y antes de cada asamblea para preparar una agenda de asuntos para ponerla a consideración de todo el cuerpo. El Concilio de los Doce estaba destinado a

---

[14] *Ibíd.*, (Doceava, 1916), págs. 209, 210.
[15] *Ibíd.*, (Onceava, 1915), págs. 190-195.
[16] F. J. Lee, M. S. Lemons, George T. Brouayer, J. S. Llewellyn, W. S. Caruthers, S. W. Latimer, y Z. D. Simpson.
[17] *Minutas* (Doceava, 1916), pág. 242. El número 12 correspondía al número de apóstoles. El número 70 a los 70 ancianos en Números 11:16 y los 70 discípulos llamados por el Señor en Lucas 10:1.

convertirse en un comité de suma importancia y a jugar un gran papel en la historia de la Iglesia de Dios.[18]

No fue sino hasta el 13 de febrero de 1917 cuando este cuerpo comenzó a funcionar, después de haberse seleccionado a sus miembros. Según el consenso de la asamblea general, A. J. Tomlinson nombró a los dos primeros ancianos: F. J. Lee y T. L. McLain. El 15 de febrero, Tomlinson, Lee y McLain nombraron a otros cuatro: T. S. Payne, M. S. Lemons, J. B. Ellis y Sam C. Perry. El 1 de marzo, Tomlinson, Lee y McLain nombraron a los seis restantes: M. S. Haynes, George T. Brouayer, S. W. Latimer, E. J. Boehmer, S. O. Gillaspie y J. S. Llewellyn.

El concilio tuvo su primera reunión del 4 al 17 de octubre y preparó una agenda de catorce recomendaciones para la asamblea, que empezó el 1 de noviembre. Su trabajo fue bien recibido y los delegados parecían estar muy satisfechos de confiar los asuntos de la Iglesia de Dios en las manos de estos doce hombres. Esta actitud de confianza ha sido continua a través de los años, ya que su trabajo ha sido sincero y sus miembros dignos de la confianza de su gente.[19]

6. Un sistema financiero más adecuado

Desde el inicio de la Iglesia de Dios, sus miembros han pagado los diezmos a la tesorería de la iglesia local para el sostenimiento del ministerio. Debido a que esta cantidad era insuficiente por muchos años, la mayoría de los pastores trabajaba secularmente para complementar su sostenimiento. Los supervisores de estado pastoreaban iglesias y a veces hacían algún trabajo secular para su sostenimiento. Inclusive el Supervisor General pastoreó una iglesia local por muchos años, ya que no se proveía ningún salario para dicha posición. Es de entenderse que la obra del ministerio sufrió debido a esta situación desafortunada.

---

[18]Hoy día, el Concilio de los Doce y el Comité Ejecutivo componen el Concilio Ejecutivo, el comité de mayor envergadura en la Iglesia de Dios.

[19]El Concilio de los Doce ha sido seleccionado por el Concilio de Ministros Ordenados desde el 1930, en lugar de ser nombrado de la manera como se hizo con este primer concilio.

Un creciente número de pastores entraba al ministerio de tiempo completo, a medida que las iglesias locales se fortalecían; sin embargo, el sistema era muy inestable como para proveer para la mayoría de los ministros y supervisores. Para la novena asamblea anual (noviembre 1913), C. M. Padgett presentó un plan que decía:

> ... Cada miembro debe pagar una décima parte de sus entradas semanales a la tesorería cada domingo. Se enviará una décima parte [de los diezmos de la iglesia local] al supervisor del estado al que pertenezca la iglesia. Luego, el supervisor del estado enviará una décima parte de los diezmos que él reciba de las iglesias al Supervisor General para gastos generales.[20]

No existe ningún dato de que se haya tomado acción oficial sobre esta proposición, así que no se convirtió en una ordenanza de la asamblea. Sin embargo, a dicha proposición se adjuntó esta nota:

> Este plan fue explicado con tal claridad ante la asamblea que si había dudas, todas se disiparon.[21]

Esto indica que el plan fue aceptado por algunos desde los albores de 1913. Sin embargo, la respuesta no fue satisfactoria, como se aprecia en los recibos anuales de diezmos en las oficinas generales: $149.12 en 1914[22]; $206.82 en 1915[23]; $484.06 en 1916[24]; y $491.19 en 1917.[25]

En la decimotercera asamblea (1917), Tomlinson, el Supervisor General, aceleró la adopción del plan por medio del cual los diezmos locales serían compartidos por el pastor local, el supervisor de estado y las oficinas generales:

---

[20] *Minutas* (Novena, 1 de noviembre de 1913), pág. 146.
[21] *Ibíd.*, pág. 147.
[22] *Ibíd.*, (Décima, 1914), pág. 172.
[23] *Ibíd.*, (Onceava, 1915), pág. 199.
[24] *Ibíd.*, (Doceava, 1916), pág. 233.
[25] *Ibíd.*, (Treceava, 1917), pág. 271.

> ...Se enviará el diezmo de los diezmos locales a las oficinas generales. El 90% restante se destinará para suplir las necesidades locales, incluyendo a los supervisores.[26]

Este plan fue adoptado por la asamblea después de mucha deliberación. Esto significaba que de los diezmos pagados en cada iglesia local, una décima parte iría al supervisor estatal, otra a las oficinas generales y el resto al pastor local. Esta nueva forma de disponer de los diezmos proveyó fondos para la expansión general de la obra, ya que todo el dinero enviado a las oficinas generales, después de cubrir el salario del Supervisor General, se destinaba para el ministerio general, los pastores necesitados, los evangelistas y para abrir nuevas obras. Esta redistribución de los diezmos fue anunciada el 4 de mayo de 1918 en el *Evangel* y puesta en práctica inmediatamente.[27] El plan fue muy exitoso desde el principio y proveyó el ímpetu para un trabajo más amplio en el futuro.[28]

Los predicadores todavía pasarían hambre y necesidad en su trabajo, pero no tanto como antes. Aun cuando los buenos efectos del plan no fueron dramáticos o definitivos, las finanzas ayudaron para mantener a los obreros en el ministerio, ganando almas para Dios y haciendo que la obra del Señor creciera y prosperara.

---

[26] *Ibíd.*, pág. 286.

[27] Hasta la asamblea de 1936 (trigesimoprimera), a los pastores se les pagaba de la tesorería de la iglesia local, ya fuera todo el 80%, o una cantidad establecida por el comité financiero local. Desde el 1936, la asamblea ha establecido un salario máximo para todos los pastores y supervisores. Cualquier sobrante en los fondos de la iglesia o el estado, se destina para la promoción de la obra en ese lugar o estado.

[28] La importancia del plan se ve en el marcado aumento de diezmos (diezmos de diezmos) recibidos en las oficinas generales de $491.19, en 1917, a $10,210.09, en 1919.

Capítulo 14
EN OTROS FRENTES

1. El énfasis en las misiones

La evangelización mundial ha sido la misión de la Iglesia de Dios desde sus comienzos. A medida que se establecían obras en otras tierras, éstas venían a ser parte de la obra general de la iglesia, tal como si se hubieran establecido en los Estados Unidos. De hecho, para las Bahamas se nombraba a un supervisor en cada asamblea, como se hacía con los demás estados. El término "foráneo" en realidad no se había oficializado, a pesar de que la evangelización mundial fue aceptada como parte integral en los planes de la iglesia. La Iglesia de Dios nunca ha sido de corazón provincial.

Debido a que cada congregación era primeramente un esfuerzo misionero en sí misma, pasaron muchos años para que se recaudaran fondos para ayudar o sostener a misioneros. En 1918, R. M. Evans fue a las islas Bahamas, pagando sus propios gastos, aunque se pidió a las iglesias que le enviaran ofrendas personales. En la asamblea de 1911 (sexta) se levantó una ofrenda para este misionero y, aunque fue de sólo $21.05, representó la primera ofrenda general para misiones en la Iglesia de Dios.

En la asamblea de 1914 (décima) se nombró un comité para "considerar planes para la obra misionera foránea".[1] Las recomendaciones del comité fueron las siguientes:

> Primero: Que haya un tesorero general el cual reciba todos los fondos para las misiones foráneas.
> Segundo: Que tales fondos sean distribuidos para suplir las necesidades de obreros en las islas Bahamas, la señorita Lillian Thrasher,

---

[1] J. C. Underwood, W. M. Rumbler, John Burk, S. W. Latimer, Sam C. Perry.

> misionera en Egipto y obreros que saldrán a otros campos foráneos.[2] El Supervisor General y el tesorero general estarán a cargo de la distribución de los fondos.
> Tercero: Que el tesorero de cada iglesia local recoja una ofrenda para las misiones foráneas por lo menos una vez al mes...
> Cuarto: Que estimulemos a nuestros pastores y evangelistas a presentar la causa de misiones y... levantar ofrendas cuando sea oportuno.
> Quinto: A discreción de los diáconos, se puede añadir cualquier diezmo en la tesorería de la iglesia que no se necesite para el sostenimiento del pastor.[3]

F. J. Lee fue electo tesorero del fondo de misiones.

2. Nuevos campos misioneros

Antes de la asamblea de 1917 (decimotercera), la Iglesia de Dios recibió cuatro iglesias y ochenta miembros en Jamaica, Antillas Británicas, junto con su fundador y pastor, J. A. Joseph, de Bridgetown, Barbados. F. L. Ryder viajó a Barbados, donde conoció a Joseph, quien había oído de la Iglesia de Dios y deseaba conocer más de cerca su organización, doctrina y programa. Muy complacido con lo que oyó, Joseph se unió a la creciente organización con su ambiciosa obra.[4] Ryder mismo fue a la Argentina donde organizó dos misiones y ganó algunas almas. Él envió un informe a la asamblea de 1919, en el que señalaba que tenía dos misiones en Argentina con 24 miembros, de los cuales 14 ya habían recibido el bautismo del Espíritu Santo, y una escuela dominical con una asistencia de 47 personas.[5]

Las minutas de la asamblea de 1919 (decimocuarta) muestran que se estaba enviando ayuda a los misioneros en las Bahamas, Egipto, India, Sudamérica y las Antillas. Esto no quiere decir que

---

[2]Lillian Thrasher fue a Egipto costeando sus propios gastos. Tanto ella como su trabajo fueron producto de la Iglesia de Dios. Ella estuvo íntimamente ligada a la obra de Dahlonega, Georgia, y allí fue en donde recibió el bautismo del Espíritu Santo. Ella contribuyó frecuentemente para el *Evangel* de la Iglesia de Dios y desde el inicio de la obra misionera en Egipto se le enviaron ofrendas, aunque la iglesia no pudo sufragar todos los gastos de su trabajo. La maravillosa labor que ella realizó en ese país musulmán, especialmente entre los niños de su orfanatorio, es uno de los capítulos más brillantes de la historia pentecostal.

[3]*Minutas* (Décima, 1914), pág. 176.

[4]*Ibíd.*, (Treceava, 1917), págs. 256, 257.

[5]*Minutas de la Decimocuarta Asamblea Anual* (1919), pág. 32.

en ese tiempo la iglesia tuviera misioneros en Egipto e India, sino que ya poseía la visión saludable de las misiones. Las islas Bahamas tenían un total de 19 iglesias y 312 miembros en 1920, Jamaica tenía 7 iglesias y 232 miembros. Ambos campos eran parte de la obra general de la iglesia, al grado de que se les nombró un supervisor junto con los de todos los estados.[6]

3. FONDO PARA MISIONES NACIONALES

La Iglesia de Dios no tuvo fondos específicos para las misiones nacionales sino hasta 1916. En realidad, todos sus esfuerzos consistían en abrir misiones, ya fuera en el país o fuera de él, pero se usaba el término "evangelización" de manera general. Sin embargo, el 8 de noviembre de 1916, el Supervisor General Tomlinson recibió $26.00 de un amigo de la iglesia para que "se enviara a los ministros a donde tuvieran que ir". Casi inmediatamente, otra persona contribuyó con $13.75. Ambas ofrendas fueron combinadas bajo el título "Fondo misionero nacional". Tomlinson informó:

> Aunque parezca extraño, los informes muestran que en un mes yo había recibido e incorporado a este fondo la suma de $62.97... El libro muestra recibos de dinero en cada uno de los meses durante todo el año... No hubo peticiones de dinero y... la cantidad total recibida durante el año fue de $295.47. Esta se ha usado para ayudar a 22 ministros en 11 estados y algunas islas.[7]

El interés en los fondos para misiones nacionales aumentó al grado que se tuvo que nombrar a un secretario tesorero para administrarlo. Este secretario, T. S. Payne, informó en la asamblea de 1919 (decimocuarta) que se había recibido $2,454.19 en dos años, desde la asamblea de 1917.[8] Los ministros que habían recibido parte de

---

[6]Debido a su delicada salud, R M. Evans regresó a Miami en el 1913 y fue sucedido como supervisor de las Bahamas por C. M. Padgett, quien a su vez fue sucedido por Milton Padgett en 1914. Milton Padgett continuó como supervisor hasta el 1926, exceptuando como 6 meses, durante el 1916-1917, cuando W. H. Cross sirvió como supervisor. Las condiciones en Jamaica no fueron muy seguras hasta 1922, cuando E. E. Simmons fue nombrado supervisor, y no mostró un crecimiento real hasta que Z. R. Thomas fue allá en 1928.

[7]*Minutas* (Onceava, 1915), pág. 195.

[8]*Minutas de la Catorceava Asamblea Anual* (1919), pág. 27.

este fondo relataron cómo habían sido sostenidos mientras abrían nuevas obras. La obra misionera nacional siempre había sido parte de la obra de la iglesia, pero el uso de este fondo ayudó en gran manera.

4. La página impresa

El *Evangel* continuó como intermediario para los obreros en el campo. Sus páginas estaban repletas de informes positivos y testimonios alentadores que inspiraban a los líderes a aumentar sus propios esfuerzos por el Señor. Desde su primera edición el 1 de marzo de 1910, se esperaba que el *Evangel* fuera autofinanciable, ya que no había fondos disponibles para garantizar los gastos de su publicación. Esto no era posible con una cuota de subscripción de 50¢ al año, así que se recogió una ofrenda en la asamblea para cuadrar el déficit anual.[9] En 1912, un impresor llamado C. H. Schriner se comprometió a imprimir la revista por el precio de la subscripción, pero siempre hubo déficit hasta la asamblea de noviembre de 1914 (décima), cuando finalmente se informó que la revista estaba solvente.[10] Durante el año de 1914, el *Evangel* cambió de edición quincenal a semanal, lo cual permaneció hasta años recientes.[11]

No fue sino hasta 1915 cuando el editor recibió pago por sus servicios; siempre se había opuesto a que se levantara una ofrenda para él.[12] Tomlinson, quien sirvió como editor además de ser Supervisor General, recibió $275.83 en 1915. Su familia lo ayudaba en esta obra. Tomlinson fue un buen escritor e hizo una labor encomiable con la revista; sin embargo, la magnitud de sus quehaceres le obligaron ocasionalmente a buscar relevo de sus responsabilidades editoriales.[13]

---

[9] En la asamblea de 1912 (séptima) se informó de un déficit de $123.18; $331.61 en enero de 1913 (octava); y $225.00 en noviembre de 1913 (novena).

[10] Simmons, *op. cit.*, pág. 34.

[11] El *Evangel* volvió a su edición quincenal en 1970. Es la revista quincenal más antigua en el movimiento pentecostal.

[12] *Minutas* (Onceava, 1915), pág. 199.

[13] *Ibíd.*, (Octava, enero, 1913), pág. 97; (doceava, 1916), pág. 234.

Al principio, la iglesia alquiló un pequeño edificio de 7 x 10 metros para sus humildes propósitos de impresión. No obstante, era tanta su ambición en el campo de las publicaciones que en cada asamblea se discutía el tema de construir un edificio propio. El equipo de impresión ya era propiedad de la iglesia. También había un clamor constante por literatura pentecostal de escuela dominical, ya que la literatura comercial (no de la denominación de la Iglesia de Dios) no satisfacía sus necesidades.

La iglesia canceló su contrato con el impresor y organizó su propia planta en 1917, acatando la decisión de la asamblea de 1916 (doceava). Por $3,000.00 de pago inicial, se compró el edificio que ya ocupaba y comenzó a publicar sus lecciones de escuela dominical (literatura trimestral, hojas sueltas y cuadros en cartulina), folletos y panfletos.[14] Se dio así inicio a un programa progresivo de publicaciones. Sin embargo, el nuevo proyecto causó déficit por tercera vez y no dejó remuneración para el editor.[15] La iglesia empleó a sus propios miembros (siete de tiempo completo y cinco de medio tiempo), así que, a pesar del aprieto financiero, había finalmente la satisfacción de que la parte mecánica, así como la editorial, de la literatura se haría por "manos consagradas".

Dentro de un período de dos años posterior al establecimiento de su propia casa de publicaciones, el *Evangel* aumentó su circulación semanal de 5,000 a 15,000. El interés publicitario aumentó de tal manera que fue necesario hacer tres adiciones al edificio. Primero, un anexo de dos pisos que fue construido detrás del edificio original de una planta; luego, una segunda planta fue construida sobre la original y finalmente se añadió un tercer piso.

5. El establecimiento de un instituto bíblico

En la asamblea de 1917 (decimotercera) se tomaron medidas para establecer una escuela bíblica con el fin de "entrenar

---

[14]Había alrededor de 5,000 suscriptores al *Evangel* en el 1917. El trimestre previo a la asamblea, la iglesia publicó 4,200 cartulinas de cuadros, 5,500 números de literatura trimestral y 3,000 lecciones en hojas sueltas.

[15]*Minutas* (Treceava, 1917), págs. 272, 273. La asamblea también decidió "que el *Evangel* debía ser publicado sin importar los gastos y si no cubría los gastos de la publicación, la asamblea debía cubrirlos, ya que la revista es propiedad de la asamblea".

eficientemente a jóvenes y señoritas para el servicio en el campo". Las clases se impartirían en un salón de la nueva casa de publicaciones, donde el Concilio de doce había tenido sus reuniones. En esta escuela, la Biblia sería "el libro principal de texto", aunque los cursos también incluirían "tantas obras literarias y musicales como fueran necesarias". Esta sería una escuela de capacitación bíblica. La asamblea esperaba que las clases comenzaran alrededor del 1 de diciembre, pero las cosas no estuvieron listas sino hasta el 1 de enero de 1918. Debido a su obvia habilidad para el liderazgo, A. J. Tomlinson fue solicitado para servir como director del instituto, además de sus responsabilidades como Supervisor General, editor y publicador.

En la casa de publicaciones trabajaba como revisora, una mujer inteligente, talentosa y aunque era raro para ese entonces, con estudios académicos: Nora I. Chambers. Ella y su esposo habían permanecido en la Iglesia de Dios desde 1910 y habían evangelizado en las montañas de Carolina del Norte y Georgia. Mientras estudiaban en la escuela bíblica de Holmes, en Carolina del Sur, ella figuró entre los pocos que llevaron el mensaje pentecostal a aquellas regiones montañosas. Años más tarde, la hermana Chambers recordaba que un periódico del sector instó para que fueran "desterrados y expulsados del estado".

> Allí estábamos, un grupito sin dinero, sin amigos, sin ley que nos protegiera, a la merced de nuestros enemigos... quienes estaban determinados a echarnos del área, ya fuera por la fuerza o matándonos. Fuimos apedreados, envenenados y tiroteados muchas veces. Uno del grupo fue golpeado hasta que quedó inconsciente; turbas enfurecidas amenazaban nuestras vidas continuamente pero Dios se nos revelaba en muchas maneras... Cuando teníamos que caminar más de 30 kilómetros para asistir a un servicio, hacíamos el viaje en medio de alaridos, danza, lenguas y alabanzas a Dios. ¡Cuán alegres nos sentíamos![16]

La hermana Chambers era una mujer altruista e incansable, que buscaba ayudar y alentar a todos en todo tiempo. Fue natural que fuera seleccionada como la primera maestra para la nueva escuela;

---

[16]Nora I. Chambers, *The Lighted Pathway*, octubre, 1951. pág. 14.

aunque de acuerdo a su modesta disposición, ella insistió al principio en que se nombrara a un hombre como instructor.[17] Aun cuando su actitud era sincera, nunca fue en ella una señal de timidez.

El martes 1 de enero de 1918, a las 9:30 de la mañana, después de un mensaje del supervisor Tomlinson, la señora Chambers reunió a la primera clase del instituto de entrenamiento bíblico. Doce estudiantes, provenientes de cuatro estados se inscribieron; y no todos permanecieron hasta el final del curso.[18] Sólo seis, de los doce inscritos el 1 de enero se quedaron hasta el final: Jessie Capshaw, Carolina del Norte; Jesse Danhower, Arkansas; A. D. Evans, Carolina del Norte; R. E. Hamilton, Tennessee; Bertha Hilbun, Louisiana; y Lillie Mae Wilcox, Georgia. El plan de tres meses concluyó el 5 de abril con un servicio en la iglesia local. La señora Chambers informó que el servicio fue "muy interesante" y que los "ancianos estaban presentes en el servicio"; una nota muy optimista para la conclusión de un período escolar no muy prometedor. Pero nuevamente, este fue un comienzo en la dirección correcta y los comienzos modestos nunca han desalentado a la Iglesia de Dios.

El segundo período de estudios comenzó el lunes 11 de noviembre de 1918 con cinco estudiantes y dos más que llegaron un poco más tarde.[19] Un estudiante murió de pulmonía y dos más abandonaron la escuela, quedando cuatro estudiantes que completaron el término de siete semanas, el 27 de diciembre de 1918. El tercer período comenzó el 6 de enero de 1919 con siete estudiantes, de los cuales cinco permanecieron hasta el cierre del mismo el 4 de abril. Dos estudiantes recibieron diplomas: A. D. Evans y

---

[17] *Youth Interviews Experience, The Lighted Pathway,* [Experiencia de entrevistas juveniles, La Senda Iluminada], junio, 1949, pág. 14.

[18] Un punto de real interés es el registro de asistencia de este primer término, que se descubrió después de permanecer encubierto por muchos años. En este registro de clase, la señora Chambers había escrito detalles amplios e interesantes acerca del comienzo del término. Los nombres y edades de aquellos que se registraron fueron Jessie Capshaw (14), Jesse Danehower (20), A. D. Evans (19) Nannie Hagewood (23), R. E. Hamilton (19), Berta Hilbun (21), H. L. Payne (25), Lillie Max Wilcot (18), Willie Mae Barnett (17), Stella Champion (20), Maud Ellis (22), y Arthur White (?). White permaneció sólo cuatro días y Barnett, Champion y Ellis sólo seis días. Payne dejó la escuela el 1 de febrero y Hagewood la dejó el 1 de marzo.

[19] La palabra "término" se usa aquí tal como se hizo en los registros de esa época. Aparentemente no había uniformidad en la duración de los "términos", aunque cada uno era aproximadamente un semestre, ya que había dos "términos" por año, uno en otoño y el otro en invierno.

R. Earl Hamilton. Ellos completaron satisfactoriamente los tres períodos de estudios y se convirtieron en los primeros graduados del Instituto de Adiestramiento Bíblico (IEB).

La iglesia inició un curso por correspondencia el 29 de septiembre de 1919,[20] una función de la escuela que se había planificado desde el comienzo de las clases residenciales. El curso de 20 lecciones fue tan popular, y la cuota de $40 tan módica, que en el primer año 788 personas se inscribieron como estudiantes por correspondencia.

El cuarto período de estudios comenzó el 29 de septiembre de 1919 con un seminario de diez días para pastores y evangelistas, bajo el liderazgo de M. S. Lemons. El programa regular comenzó el 13 de octubre de 1919 con once estudiantes de siete estados: California, Illinois, Florida, Mississippi, Carolina del Sur, Tennessee y Arkansas. Este cuarto término fue interrumpido por la asamblea general y se suspendieron las clases desde el 24 de octubre hasta el 10 de noviembre. Cuando se reanudaron las clases, dos hermanos de Dakota del Norte se inscribieron, uno de los cuales fue Paul H. Walker, un joven de 18 años quien se convirtió en un destacado ministro de la iglesia. Debido a que no se había celebrado ninguna asamblea general desde 1917, había un espíritu de expectación en los salones de clase. Este fervor era una concentración del entusiasmo que prevalecía en toda la Iglesia de Dios. La Primera Guerra Mundial había concluido y la epidemia de influenza había terminado.

6. De regreso a Cleveland

La Iglesia de Dios continuó su obra durante los años de la Primera Guerra Mundial en una forma más o menos normal, aunque su trabajo se vio afectado inevitablemente por las crisis de la nación. Con la excepción de una breve medida en contra de que los miembros participaran en la guerra, no hay ninguna mención

[20]*Minutas de la Quinceava Asamblea Anual* (1920), pág. 66.

del conflicto en los registros de la iglesia.[21] La plaga de la influenza que azotó al país ya cerca del final de la guerra, en 1918, evitó que la iglesia tuviese asamblea general ese año. Esa fue la única asamblea general que se canceló, además de otras que fueron limitadas durante la segunda guerra mundial.

Debido a tanta inconformidad con el templo recientemente adquirido, la asamblea de 1919 (decimocuarta) no se reunió en Harriman, sino que regresó a la iglesia local en Cleveland. E. Simmons describió gráficamente las condiciones de aquella reunión:

> El edificio de la iglesia era demasiado pequeño para la multitud que asistió a la asamblea antes de que se cambiaran a Harriman, así que se montó una carpa enorme en un lote baldío detrás de la iglesia, para controlar la situación, y se celebró servicios en las misiones *Sunny Side* y *South Cleveland*. Hubo que proveer transporte a los delegados para que pudieran asistir a los cultos en dichas iglesias locales.
>
> Todo el espacio disponible se llenó al máximo. Más de 800 delegados de fuera de la ciudad asistieron a esta asamblea.[22]

Las inconveniencias no fueron suficientes para apagar el fervor de la asamblea, pues los delegados se consideraban un pueblo bendecido; el apoyo de la multitud era sólo una demostración de su éxito. Si ya no cabían en las instalaciones que tenían, lo indicado era proveer más espacio. El Supervisor General explicó que después de pagar todas las deudas, la Iglesia de Dios tenía un saldo positivo de $1,507.12, de la venta del templo en Harriman. M. S. Lemons y T. S. Payne sugirieron que se usara este dinero para construir un tabernáculo adecuado para la asamblea anual; un edificio que acomodara a millares, no centenares de personas. La construcción de tal auditorio fue autorizada por la asamblea y la

---

[21]De 1917-1921, las minutas incluyen una regla en "contra de que los miembros vayan a la guerra". De 1928-1945 había una enseñanza "en contra de que los miembros vayan a la guerra como combatientes". Desde ese tiempo, la posición de la Iglesia de Dios es la siguiente: "La Iglesia de Dios cree que las naciones pueden o deben resolver sus diferencias sin ir a la guerra; sin embargo, en la eventualidad de guerra, si un miembro se alistara en servicio activo, esto no afectará su posición con la iglesia. En caso de que un miembro sea llamado al servicio militar y tenga objeción por motivos de conciencia, la iglesia lo respaldará en sus derechos constitucionales." *Minutas de la Cuadragésima Asamblea Anual* (1945, pág. 31).

[22]Simmons, *op. cit.*, pág. 31.

gente comenzó a dar dinero espontáneamente, en espera de que el edificio pudiera estar listo para la asamblea de 1920. Esto se logró felizmente.[23]

7. Ayuda para los desamparados

En la asamblea de 1919 (decimocuarta) se tomó la determinación de establecer un orfanatorio y hogar para niños. Esta carga había estado en el corazón de la Iglesia de Dios por muchos años y ya se habían hecho esfuerzos para comenzar esta obra. En 1911 se había iniciado el proyecto de orfanatorio bajo la supervisión de W. F. Bryant. Se alquiló un edificio y se iniciaron las labores con quince niños, que oscilaban entre las edades de seis meses a quince años. Dos matronas ayudaban a Bryant con la obra, pero la misma fue suspendida después de varios meses por no funcionar adecuadamente.[24]

La señora Mattie Perry, de Elhanon, Carolina del Norte, hermana de Sam C. Perry, envió una invitación a la asamblea de 1912 (séptima) para que algunos representantes visitaran el Instituto Elhanon, orfanatorio y escuela que ella había fundado.[25] Se envió a un comité para conversar con ella sobre la posibilidad de unir su obra a la Iglesia de Dios, pero esta unión nunca se efectuó.[26]

Antes de 1919 se había discutido el tema en las asambleas, pero en esa reunión el Espíritu de Dios se movió sobre el pueblo en una forma maravillosa con relación al orfanatorio. Mientras el Supervisor General dirigía su discurso anual sobre este asunto, un espíritu de llanto impactó a toda la congregación,[27] en medio del cual un delegado se levantó y contribuyó con $100 para ayudar a

---

[23]El auditorio fue construido en la esquina suroeste de la que es hoy la Calle 11 y la Avenida Montgomery. La labor de construcción comenzó el 15 de marzo, después de la dedicación del terreno al Señor el 14 de marzo.

[24]*Youth Interviews Experiences, The Lighted Pathway* [Entrevistas de experiencias juveniles, The Lighted Pathway], julio 1949, pág. 1.

[25]*Minutas,* (Séptima, 1912), pág. 63.

[26]En esta asamblea también se discutió la unión con la *Mountain Assembly Church of God,* con un comité de la misma. Esta no se logró pues la *Mountain Assembly Church of God* declinó la proposición de la Iglesia de Dios.

[27]*Minutas de la Catorceava Asamblea Anual,* (1919), pág. 21.

establecer el orfanatorio. La respuesta fue electrizante. Luego se levantaron otros para contribuir y prometer varias sumas para el cuidado inmediato de los niños desamparados.

Al principio se pensó dedicar una parte del nuevo auditorio para el hogar de niños, pero durante el año se descartó la idea y se adquirió una casa de seis cuartos para tal efecto. El centro, localizado frente al auditorio de ladrillo, fue llamado "Orfanatorio Número 1". La señora Lillian Kinsey fue empleada como matrona y al darle apertura, cuatro niños fueron colocados bajo su cuidado, el 17 de diciembre de 1920. Una vez más, este fue un pequeño inicio, pero el cuidado de huérfanos vendría a ser un aspecto permanente de la misión de la Iglesia de Dios.

8. Canadá

La Iglesia de Dios entró a Canadá por la planicie del noroeste. En 1920 se organizó una pequeña congregación en un área rural de Manitoba, llamada *Scotland Farm.*[28] Se conoce muy poco de la obra, excepto que la congregación consistía de catorce miembros y el nombre de su líder era James M. Inlah. Canadá fue incluida en los informes de las misiones foráneas de la iglesia por un corto período y se destinó una pequeña ofrenda para la obra allí. Casi inmediatamente, mientras se organizaban congregaciones en la provincia occidental de Saskatchewan y la provincia del oeste medio de Ontario, las iglesias canadienses estuvieron bajo el cuidado de los supervisores de estados adyacentes y la obra de Estados Unidos y Canadá era considerada como una sola.

9. Motivos de aliento

Para 1920 la Iglesia de Dios tenía muchas razones para estar alegre y optimista. Estaba alcanzando a las almas hambrientas con el mensaje de la Palabra; se había dado inicio a prometedores programas de misiones foráneas y nacionales, publicaciones, educación y cuidado de los huérfanos; y lo mejor de todo, Dios

[28]*Minutas de la Decimosexta Asamblea Anual,* (1921), págs. 57, 76.

estaba bendiciendo todo esfuerzo. A través de los años, y a medida que se edificaba el nuevo auditorio, junto con él aumentaban el ánimo, las esperanzas, los esfuerzos y la satisfacción de la gente. Fue un año muy bueno. Parecía que nada podía desalentar a la Iglesia de Dios. Este cuerpo creciente y feliz, que había aumentado a 14,606 miembros y 470 iglesias locales, con una propiedad valorada en $202,929.69; esta iglesia visionaria había ampliado sus fronteras a 26 estados, Canadá y varias islas.

Caminando en el temor del Señor y la consolación del Espíritu Santo, la iglesia aumentaba diariamente. El futuro parecía brillante y prometedor a finales de 1920.

Parte Tres

Prueba por medio de la desilusión 1920-1923

Capítulo 15
FRENTE AL DESASTRE

1. El derecho a existir

La historia nos ha demostrado que las grandes instituciones deben probar su derecho a existir sobreviviendo un período de pruebas. Cuando los principios no han sido sólidos, muchas instituciones que no se han rendido al enemigo han sido destruidas, ya sea por desintegración o luchas internas. El cristianismo ha sobrevivido exhibiendo una habilidad para juzgarse a sí mismo con candor, corregirse con sinceridad, fortalecerse con humildad y hacer que su causa avance frente al caos. De la misma manera, la Iglesia de Dios se ha tambaleado, ha sufrido, buscado a Dios y salido triunfante. Por tres años la iglesia avanzó a pesar de recias tormentas, desilusión paralizante y la amenaza de desastre.

Los problemas no surgieron de repente; éstos fueron provocados por una serie de eventos y circunstancias que, aunque aparentemente insignificantes, en retrospectiva se pueden considerar como factores contribuyentes al colapso de la confianza en el liderazgo de la Iglesia de Dios.

2. En el auditorio nuevo

El auditorio nuevo estaba listo para la asamblea de 1920 (decimoquinta), aunque aún quedaban algunos detalles por terminar. El miércoles 3 de noviembre se celebró un gran servicio de apertura. El Supervisor General leyó el Salmo 57, dedicando a Dios el edificio en oración. Su mensaje, basado en 2 Reyes 6:1-4, fue apropiado y toda la ceremonia fue espectacular.[1] Había gran regocijo en esta nueva casa que tenía capacidad para cuatro mil

[1] *Minutas de la Decimoquinta Asamblea Anual,* (1920), págs. 3-8.

personas. Los delegados desfilaron de la iglesia local al nuevo auditorio y dos bandas musicales acompañaron la marcha: una de Atlanta, con instrumentos de viento y otra local, con instrumentos de cuerdas.[2] Muchos de los delegados que llegaron con anticipación para ver el cómodo auditorio de ladrillo, se gloriaban de que jamás necesitarían un auditorio más grande. Hubo 1,268 delegados inscritos, además de cientos de participantes de la localidad.

3. Revisión del sistema financiero

Una medida aprobada por la asamblea de 1920 (decimoquinta), tarde o temprano apagaría el fervor manifestado durante esta reunión. Aquél era el primer paso hacia la confusión. Lo irónico del caso es que la propia naturaleza de la moción hubiera evitado que la misma fuera aprobada a no ser por la extrema confianza, sinceridad y amor cristiano que había entre los delegados.

El Supervisor General y el Concilio de los Doce recomendaron la creación de

> ... una tesorería en las oficinas generales en la que se recibieran todos los diezmos, con siete hombres para que regularan, hicieran u ordenaran la distribución de estos fondos entre los ministros, de acuerdo con sus necesidades, la eficiencia de su trabajo y la responsabilidad de la posición que ocuparan.[3]

La proposición fue aprobada el tercer día de la asamblea, aunque con cierta renuencia. Tomlinson invitó a la discusión del plan que había presentado, y fue endosado con discursos de varios ministros.[4] Luego dijo: "Si hay alguien que no esté de acuerdo, que hable."

Nadie habló, así que se informó que por su silencio:

> La asamblea aprobó unánimemente... el sistema financiero, según lo presentó el Supervisor General en su discurso anual.[5]

---

[2]Simmons, *op. cit.*, pág. 32.
[3]*Minutas de la Quinceava Asamblea Anual,* (1920), pág. 19.
[4]*Ibíd.*, pág. 43.
[5]J. W. Culpepper, R. G. Spurling, W. G. Rembert, T. L. Pinkley.

Debido al apuro con que se trató el asunto, se dejó que Tomlinson y el Concilio de doce pulieran los detalles del nuevo sistema financiero. El nuevo reglamento establecía que ningún pastor recibiría el pago directo de los diezmos de su iglesia local, sino que este dinero sería enviado a las oficinas generales, de donde recibiría su salario según sus necesidades y méritos. Este era un plan comunal en el que no habría predicadores con salarios bajos o altos, sino que todos recibirían equitativamente de este fondo general.

Fue aprobado con tal precipitación y tan sigilosamente, que muchos ni siquiera se dieron cuenta del revolucionario y arriesgado plan que se había adoptado. Un año después, incluso el Supervisor General relataría en su discurso anual:

> [La precipitación con que se cambió el sistema financiero] fue de tal sorpresa para mí, que casi me aturdió. El sentimiento por el cambio del sistema fue más fuerte que lo que yo esperaba, y cuando llegó el momento de la decisión, fue como la toma de una fotografía. Parecía como si un poder invisible presionara el detonador y todo terminó en pocos minutos. Yo no me siento responsable de esto, ya que no esperaba que sucediera como sucedió.[6]

Tomlinson había presentado y apoyado la adopción del plan, pero la pronta aceptación de la asamblea demostró la confianza que toda la Iglesia de Dios tenía en su Supervisor General. Un año más tarde, Tomlinson no quiso asumir responsabilidad por la presentación del plan y dijo que él sólo había referido los sentimientos de otros.

4. Funcionamiento del plan

El plan entró en función en enero de 1921. Tomlinson y los doce miembros del concilio seleccionarían a los siete hombres que distribuirían los diezmos, pero inexplicablemente, tal comité nunca fue nombrado. En cambio, Tomlinson manejó la situación personalmente. En su diario, el 2 de septiembre de 1921, Tomlinson admitió que desde el principio del sistema ("en enero"), él había distribuido el dinero personalmente. En el *Evangel* salían

[6] *Minutas de la Decimosexta Asamblea Anual,* 1921, pág. 28.

noticias casi todas las semanas instando a que tuvieran paciencia hasta que se perfeccionara el plan. Tanto el Supervisor General como otros protagonistas del nuevo sistema trataron varias veces de explicar la mala administración. F. J. Lee, supervisor del estado de Florida para ese tiempo, escribió varios artículos de aclaración y siempre apoyó el plan. Pero este sueño extrañamente no se realizó.

Desde el primer mes de operación, muchos predicadores recibieron poca o ninguna paga por sus servicios. El caso de M. P. Cross, en Crane Eater, Georgia, fue típico. Aunque su iglesia enviaba más de cien dólares al mes a la oficina general, él sólo recibió $10 dólares en enero, $70 dólares en febrero, $53 en marzo, $50 en abril, nada en mayo, $20 en junio, nada en julio y $30 en agosto.[7] Los archivos muestran que otros recibían mucho menos y otros nada. Durante este tiempo, Cross y su familia vivían de pan de maíz y miel. Cuando las congregaciones locales descubrieron que sus pastores estaban pasando hambre, empezaron a hacer colectas de dinero y comida, y continuaron mandando fielmente los diezmos a las oficinas generales.

En estas declaraciones de Tomlinson se sugiere el impacto del sufrimiento:

> Quiero expresar mi comprensión y afecto a todos los pastores y obreros. Yo sé lo que es estar sin un centavo y tener que responder a mis compromisos de la mejor manera posible.[8]
>
> ***
>
> Siento profundamente que los fondos de las oficinas generales no sean suficientes para sufragar las necesidades de los ministros. Cada iglesia debe hacer lo mejor que pueda por ayudar con ofrendas voluntarias. Tenemos tanta gente sin empleo, que ni siquiera pueden pagar diezmos. Tratemos de ayudarnos mutuamente todo lo que podamos.[9]
>
> ***

---

[7] M. P. Cross suplió esta información en una entrevista y por correspondencia con el escritor.
[8] *Church of God Evangel*, 12 de febrero de 1921, pág. 2.
[9] *Ibíd.*, mayo 21, pág. 2.

> ...Si usted y su familia no han tenido la comida apropiada, y si los niños han llorado por pan y se han acostado con hambre, el Supervisor General y su familia saben lo que esto significa...[10]

El *Evangel* explicaba constantemente que el desempleo del año 1921 era la razón por la que los diezmos no eran suficientes. En ese entonces, el país sufría una depresión económica que duró desde mayo de 1920 a noviembre de 1921.[11] Naturalmente, esto contribuyó parcialmente al cese total de la contribución de diezmos en las iglesias locales. Según los informes estadísticos anuales, el total de diezmos pagados a las tesorerías locales en 1920 fue de $163,302.30; mientras que en 1921, el total fue de sólo $79,557.63, una baja mayor del 51%. Esto estaba fuera de toda proporción a las circunstancias económicas, así que muchos predicadores comenzaron a preocuparse y a cuestionar. A medida que aumentaba el hambre, las preguntas se convirtieron en dudas.[12]

Parecía extraño que unos cuantos ministros recibieran mensualmente su pago total y otros no recibieran nada. Algunos cuyas iglesias mandaban cientos de dólares a las oficinas centrales estaban entre los olvidados. Por primera vez, desde que nació la Iglesia de Dios, surgió un sentido general de inseguridad e inquietud. Esta triste situación trató de ser contestada con noticias alentadoras en el *Evangel,* pero la situación no fue remediada.

5. El peso de la deuda

La iglesia tenía una gran deuda para este tiempo: el auditorio nuevo no estaba pagado y la casa publicadora mostraba un déficit de $23,000. El *Evangel* era publicado como la voz de la Iglesia de Dios, no como un periódico con fines de lucro, pero las demás

---

[10] *Minutas de la Decimosexta Asamblea Anual,* 1921, pág. 29.

[11] Richard B. Morris, *Encyclopedia of American History* [Enciclopedia de la Historia Americana] (New York: Harper, 1953), págs. 508, 511. En 1921, 1922 hubo un serio desempleo provocado por la deflación económica y asociaciones conflictivas de empresas con uniones laborales. El ingreso per cápita en los talleres textiles y las minas de carbón fue lento en su mejoramiento: ambas eran las ocupaciones principales de los miembros de la Iglesia de Dios.

[12] Aun cuando el desempleo severo empezó en mayo de 1920, y el ingreso per cápita permaneció bajo por algunos años, la Iglesia de Dios mantuvo un nivel consistente, excepto en los años en que los diezmos fueron administrados en las oficinas generales.

publicaciones no estaban pagando por la operación de la planta. Cuando se informó de un déficit de $22,899.96 en la asamblea de 1920 (decimoquinta), algunos líderes opinaron que la asamblea general subvencionara la publicación del *Evangel,* e incluso un hombre ofreció vender su abrigo para ayudar a reducir el déficit.[13] No obstante, el entusiasmo y las buenas intenciones no eran suficientes y el déficit aumentó durante el año.

Las oficinas generales tomaron dinero prestado de miembros de la iglesia en un esfuerzo por pagar el nuevo auditorio, pero la deuda no disminuyó. La presión por la falta de solvencia aumentó al grado de que Tomlinson declaró un ayuno de tres días para julio 15, 16 y 17. En el último día de ayuno, domingo, cada iglesia local levantaría una ofrenda para sufragar la deuda.[14] El auditorio había costado más de $36,000 y sólo se habían pagado $13,000.[15] La casa publicadora llegó a un déficit de $33,018.05, a pesar de que se recibieron como dos mil dólares en ofrendas de las iglesias locales. De cualquier ángulo que se viera, el panorama financiero de la Iglesia de Dios era totalmente desalentador.

6. Avance a pesar de los problemas

No se echaba de ver la crisis económica de la iglesia en el trabajo que su gente seguía realizando. El número de estudiantes del instituto bíblico aumentó. J. B. Ellis fue a servir como director y maestro para el sexto período de estudios, en 1920. Ellis era un brillante educador y trabajó en la escuela hasta el otoño del 1922, cuando su salud lo obligó a renunciar. Dos jóvenes que en años futuros servirían a la Iglesia como supervisores generales, John C. Jernigan, de Tennessee y Zeno C. Tharp, de Florida, entraron al instituto en el otoño de 1921.

---

[13]*Minutas de la Quinceava Asamblea Anual,* 1920, pág. 41.
[14]*Church of God Evangel,* 9 de julio de 1921, pág. 1.
[15]Números exactos sobre el auditorio.

Costo	$ 36,096.10
Recibos	12,901.22
Déficit	$ 23,194.88

En 1921 hubo un aumento de casi cuatro mil miembros y 105 iglesias. El trabajo en el norte era muy alentador, especialmente en Ohio, donde Efford Haynes era supervisor del estado, y Maryland, bajo el joven supervisor Paul H. Walker.[16] Haynes y M. S. Lemons extendieron la obra a Michigan con una iglesia prometedora en Detroit. La mayor parte de los estados del sureste, junto con Missouri, Illinois, Virginia del Oeste y Texas, obtuvieron notables aumentos. El hambre no era nada nuevo para estos fogosos pentecostales, así que se ajustaron sus cinturones, remendaron su ropa, levantaron sus carpas y siguieron ganando almas para Cristo.

[16]Walker sólo tenía 19 años, el supervisor estatal más joven jamás nombrado. Su trabajo consistía principalmente en la evangelización de los campos.

Capítulo 16
FRENTE AL DOLOR

1. VIRTUD CURATIVA DE LA ASAMBLEA

A pesar de las luchas y los malos entendidos de cualquier año, la celebración de la asamblea general siempre traía nuevo fervor e inspiración a los santos. Muchos de los problemas que no se podían resolver en el campo eran solucionados en el ambiente de hermandad y rejuvenecimiento de aquellas fiestas anuales. El descontento desaparecía frente a la brillantez de la unidad; el desasosiego daba paso a la inspiración; los conflictos quedaban en el olvido dentro de aquel espíritu de amor fraternal; cuales fueran las dificultades de todo el año, de alguna manera la asamblea general impartía un bálsamo curativo a los delegados. Así que, cada vez más, la Iglesia de Dios consideraba estas convenciones como el centro de su vida misma. No hubo excepciones durante las primeras diecisiete reuniones; definitivamente, el tiempo de asamblea era de alegría y sanidad.

Como de costumbre, los delegados de la decimosexta asamblea anual se reunieron en 1921, en Cleveland, con una actitud de esperanza y expectación. Aun cuando se había generado una actitud de incertidumbre sobre el estado financiero de la iglesia, la asamblea se celebró sin obstáculos. Antes de la conferencia, el nuevo sistema financiero había sido el tema de discusión en dondequiera que se reunían los ministros; sin embargo, en la asamblea se hicieron a un lado las conversaciones de insatisfacción. Por lo general, los ministros creían que el plan era bueno, pero que el manejo había sido terrible.[1] El Supervisor General defendió hábilmente el nuevo sistema en su mensaje anual,[2] así que el plan continuó sin cuestionamiento alguno por otro año. No

[1] Simmons, *op. cit.*, pág. 38.
[2] *Minutas de la Decimosexta Asamblea Anual*, 1921, págs. 28, 29.

se hizo nada específico con relación a la deuda de la iglesia y el asunto pasó por alto, dándose sólo informes sobre la situación.

2. "Los otros setenta"

Cuando se creó el Concilio de los Doce en 1916, se habló de la posibilidad de que fuera aumentado a setenta miembros. En la asamblea de 1921, Tomlinson trajo el tema nuevamente a consideración y F. J. Lee lo discutió como una recomendación del Concilio Supremo. Tomlinson y Lee hablaron persuasivamente, con base bíblica, a favor de los setenta ancianos, además de los doce que ya estaban. Los doce y los setenta corresponderían a los doce apóstoles y a los setenta discípulos que ayudaron a Jesús en su ministerio (Lucas 10:1). Estos dos concilios, junto con el Supervisor General, formarían la "asamblea oficial", aunque no se excluiría de las discusiones a los demás miembros y ministros.

El Concilio de los Setenta (o "los otros setenta", como se les llamaba), fue instituido, y por muchos años fue un cuerpo poderoso e influyente. Los hombres eran electos en cinco grupos de catorce y con una duración dispuesta de tal manera que sólo un grupo se reemplazaría cada año. Este plan de términos rotativos continuó mientras existió el concilio.

3. Una corte suprema de justicia

Otro comité establecido en la asamblea de 1921 fue la Corte Suprema de Justicia, una junta de siete jueces supremos. Este era el cuerpo más alto al cual una persona podía apelar, si en su apreciación sentía que había sido excluida de la Iglesia de Dios impropia o ilegalmente. Cada estado tendría una corte similar compuesta de dos hombres, los cuales trabajarían con el supervisor estatal. Ésta primero oiría los casos de apelaciones de las sesiones locales. Si la persona todavía pensaba que había sido tratada injustamente, entonces podía apelar a la Corte suprema, cuya decisión sería final. Estos jueces supremos serían seleccionados por el Concilio supremo por el término de un año, con derecho indefinido a ser renombrados. Los primeros jueces electos fueron:

M. S. Lemons, F. J. Lee, J. S. Llewellyn, T. L. McLain, S. W. Latimer, J. B. Ellis y E. J. Boehmer.

4. Se adopta una constitución

Antes de la asamblea, el Concilio de los Doce había diseñado una constitución, la cual fue presentada el martes 8 de noviembre.[3] Tomlinson hizo la presentación de esta constitución en su mensaje anual, según su costumbre, aclarando que ésta serviría de ancla y protección bíblica para la iglesia. De manera elocuente, él sostuvo que

> Con esta constitución (o este sistema de principios fundamentales) debidamente establecida, la iglesia considerará el ataque más feroz del enemigo como un simple juego y hará que se mofe de las artimañas más feroces, candentes y belicosas que provengan de las profundidades del infierno...[4]

Cuando se discutió la adopción de la constitución, el Supervisor General explicó que no se estaba estableciendo credos o normas, sino que: "Estamos articulando lo que hemos estado practicando por años". Con un preámbulo y ocho artículos, la constitución sentó bases para dos pasos futuros que crearían cierta confusión, pero que ayudaron a salvar a la Iglesia de Dios. La constitución establecía que cualquier oficial culpable de malversación o mala representación podía ser llamado a cuentas y que se podría establecer nuevas posiciones para llenar las crecientes demandas de la iglesia.

Después de mucha consideración, la constitución fue adoptada sin enmiendas ni alteraciones y el Supervisor General jubilosamente gritó: "He aquí lo que Dios ha hecho". Sin embargo, este gozo duró poco.

---

[3]El documento original de la constitución fue diseñado por un comité (M. S. Lemons, F. J Lee y L. S. Llewellyn) y luego le fue enviado al supervisor general y al Concilio de Ancianos para su presentación final. *Minutas de la Vigesimoprimera Asamblea Anual*, 1926, pág. 29.

[4]*Minutas de la Decimosexta Asamblea Anual*, 1921, pág. 27.

5. Aumenta la insatisfacción

Durante los doce meses siguientes hubo considerable mejoría en la situación financiera de la Iglesia de Dios. El informe de los diezmos mostraba un aumento de $79,557.60 a $106,126.60, un cambio apreciable. Sin embargo, esto se debió en parte a que en julio de 1922, se había abandonado el nuevo sistema. Se abolió la tesorería general para diezmos y el sistema de diezmo regresó a su orden original: cada pastor recibiría los diezmos de su pastorado. Inclusive, los demás fondos generales fueron tan mal administrados que había muchas sospechas contra el Supervisor General. E. L. Simmons, un ministro de creciente prestigio durante este período, ha informado que

> La administración de las finanzas de la iglesia era de continua insatisfacción para los ministros y la mayoría de las iglesias. Algunas de las iglesias en y cerca de Cleveland comenzaron a desconfiar de la manera como se manejaba el dinero, incluyendo a la casa de publicaciones, misiones y el orfanatorio. Sin embargo, el Supervisor General seguía con la cabeza en alto y aseguraba que no había nada malo. Tal parece que él pensaba que todos debían sentirse complacidos por la manera en que marchaban las cosas.[5]

Al estudiar los archivos se aprecia la causa de la preocupación. En los recibos del orfanatorio, las misiones y entradas de diezmos se registraron bajas drásticas. Los informes de los recibos de misiones bajaron a menos de la mitad entre 1920 y 1922. Los recibos del orfanatorio mostraban un descenso similar en los informes. En sí, esto no probaba nada malo, ya que la Iglesia de Dios había tenido períodos de recesión financiera, pero mucha gente comenzó a preocuparse. Durante este mismo período en el que se había informado de un recorte de las finanzas a menos de la mitad, la cantidad de miembros de la Iglesia había aumentado de 15,051 a 21,673. Los registros de las iglesias locales no mostraban esa baja en las finanzas; así que la preocupación creció hasta llegar a la desconfianza y la desconfianza creció hasta desembocar en sospechas.

---

[5] Simmons, *op. cit.*, pág. 38.

6. El trago amargo

Algo le sucedió a Tomlinson. Él siempre había sido un hombre de optimismo, franqueza, rectitud y ebullición; sin embargo, de repente se convirtió en un hombre de creciente inseguridad y rencor. Dondequiera hay evidencias de un sentido de inseguridad personal. El diario que mantuvo meticulosamente por muchos años, había sido la expresión más privada y sencilla de su corazón; sin embargo, las últimas anotaciones en el mismo parecían haberse escrito para el dominio público. Aparentaba estar demasiado consciente de la importancia de su persona y muy obsesionado con su posición.

El 17 de noviembre de 1919, él escribió en su diario que cada asamblea daba más evidencia a la gente de que Dios lo había establecido como Supervisor General. Hizo alusiones vagas a que en ciertas ocasiones habían aparecido rayos de luz a su derredor y sobre él. Declaró que Jesús y algunos ángeles se les aparecían a muchas personas para decirles que Tomlinson era el Supervisor General por la expresa voluntad de Dios.[6]

Si Tomlinson se volvió egocéntrico y autócrata, no se le debe culpar sólo a él. La iglesia propició esto, por dejarlo tomar tantas responsabilidades. No hay razón para dudar de su sinceridad cuando en ocasiones hizo intentos de renunciar a ciertas partes de su trabajo. Llegó el momento en que se cansó. En su diario se aprecia claramente la fatiga, al mencionar constantemente la enormidad de su labor, cuyo trajín lo agotó. La iglesia lo indujo a pensar que él era un hombre muy importante.

El 2 de septiembre de 1921 escribió en su diario que estaba ocupando las posiciones de Supervisor General, editor y publicador, administrador de la casa de publicaciones, superintendente del instituto de entrenamiento bíblico y superintendente del orfanatorio y del hogar de niños. Tomlinson añade que estaba distribuyendo personalmente el dinero a los ministros. También señala que

---

[6]Tomlinson, Diario.

trabajaba un promedio de 18 horas diarias y que apenas tenía tiempo para ir al centro de la ciudad.[7]

La Iglesia de Dios cometió un error al delegar tanta responsabilidad en un solo hombre. Tomlinson fue un líder capaz y dedicado, pero sujeto a las flaquezas comunes del ser humano. La iglesia reconoció sus habilidades innatas y las usó demasiado, en forma muy exclusiva. Esto fue injusto para Tomlinson y peligroso para la obra del Señor. Tomlinson llegó a ser amado hasta el punto de la adulación y él creyó ser merecedor de tanta admiración. Cuando llegó la asamblea de 1922, él no toleró ninguna oposición.

7. Una asamblea decisiva

La influencia unificadora de las asambleas previas estuvo trágicamente ausente de la de 1922 (decimoséptima). Las cosas estaban tan mal en el manejo de las finanzas, que los delegados estaban determinados a tomar los pasos necesarios para corregir la situación. Tomlinson parecía estar al tanto de esta predisposición y tocó el asunto en su mensaje anual. Él esperó hasta haber avanzado en su discurso para presentar su apelación. Después de discutir los asuntos que le ganaron el consentimiento de todos y de haber establecido cierta relación con su audiencia, dijo:

> La atmósfera que nos rodea en este momento es lo suficientemente sagrada para considerar y reconsiderar algunos asuntos necesarios: asuntos dignos de ser tratados con una actitud de oración y sumo cuidado.[8]

Algunas de las cosas que él había explicado y defendido ardientemente en asambleas anteriores fueron denunciadas y repudiadas. Se hizo un escrutinio de su manera cuestionable de manejar las finanzas y él asumió la actitud de mártir. Una de las cosas que atacó en particular fue la constitución que él había ayudado a escribir el año anterior.

---

[7] *Ibíd.* Además de estas citas, en esta inscripción en particular —la del 1921 —Tomlinson enumeraba muchas otras responsabilidades y refería al lector al *Evangel*, las *Minutas de la Asamblea*, y otros libros y papeles para detalles de la magnitud de su labor.

[8] *Minutas de la Decimoséptima Asamblea Anual*, 1922, pág. 17.

> ¿Qué se puede hacer? Sólo una cosa nos queda por hacer, y es probable que yo pierda mi posición por decirla: abrogar todo el documento y hacer un registro al efecto; inclusive, borrarlo de nuestra memoria...[9]

Sus objeciones a la constitución fueron referidas al "Comité de Mejoramiento del Gobierno", el cual debía hacer una recomendación para ser considerada por todo el cuerpo ministerial.

Tomlinson también atacó el método de selección del Concilio de los Doce. Trató de conseguir la autoridad para nombrar él mismo este concilio:

> Que yo recuerde, jamás se ha hecho ninguna excepción especial con relación a los nombramientos, aunque quiero señalar que esto no es bíblico. En ningún lugar del libro de nuestra ley sagrada se encuentra un método como el utilizado. Y la iglesia es una teocracia.[10]

Luego Tomlinson comparó a la Iglesia de Dios con el gobierno de los Estados Unidos. Esta fue una analogía paradójica, especialmente cuando él había enfatizado una supuesta teocracia en contra de un gobierno democrático.

> El presidente de los Estados Unidos ha sido honrado por la república con más poderes que el Supervisor General. Él tiene el poder de seleccionar a cada miembro de su gabinete... Yo no puedo pensar que sea bíblico que el Supervisor General de la gran Iglesia de Dios tenga menos autoridad para seleccionar a sus consejeros que el presidente de los Estados Unidos. Ya que estamos haciendo correcciones, corrijamos también este error.[11]

Era extraño que un hombre que se quejaba de estar sobrecargado de trabajo ahora solicitara autoridad absoluta. Parecía estar consciente de que su nueva actitud autocrática podría llevarlo a conseguir más autoridad o a perder la que ya se le había dado. Vez tras vez trató de mantener la posición de un campeón de la teocracia y de las Escrituras, aun señalando que se arriesgaba a

---

[9]*Ibíd.*, pág. 27.
[10]*Ibíd.*, pág. 32.
[11]*Loc. cit.*

perder el puesto tan sólo por defender la fe. De hecho, Tomlinson acusó a algunos ministros de "inclinarse a perturbar, formular intrigas y otras truhanerías con el fin de sacar partido de la situación".[12]

Leer

8. Confesión de malversación

Tomlinson también explicó en su discurso que las circunstancias lo habían obligado a usar parte de los diezmos para pagar deudas de la casa de publicaciones y era por eso que muchos ministros habían recibido poco o ningún salario durante el año.

> ... Yo sólo usé una parte de los diezmos en varias ocasiones, con la esperanza de que en pocos días conseguiría suficiente dinero para reponerlo y ayudar a los ministros, igual que a la casa de publicaciones y la iglesia. Pero era algo tan difícil de lograr que en ocasiones la preocupación casi me hacía sentir enfermo.[13]

Tomlinson explicó el asunto tan cuidadosamente que convenció a muchos de que no era culpable de haber obrado mal. Se ganó la simpatía de algunos con palabras como éstas:

> ... Yo soy el Supervisor General, una posición que ninguno de ustedes ha ocupado jamás ni saben mucho de lo que esto implica, tal como no sabrían lo que contiene un reloj si nunca lo han abierto. ¡No, ustedes no saben! Nadie lo sabe. Ya se han molestado conmigo al punto de preguntarse si soy la misma persona de años anteriores y quiero asegurarles que lo sigo siendo. Sin embargo, las experiencias del pasado año me han hecho humillarme al grado de tener que revestirme de una nueva gracia. Estoy listo para ser humillado o exaltado con el mismo efecto sobre mi corazón y mi mente.[14]

Muchos simpatizaron con él, pero otros se convencieron que ahora más que nunca, era necesario efectuar un cambio. El discurso fue tan largo que fue necesario emplear la sesión de la mañana y la de la tarde. Cuando Tomlinson concluyó, muchos de los delegados

[12] *Ibíd.*, pág. 32.
[13] *Ibíd.*, pág. 29.
[14] *Ibíd.*, pág. 28.

corrieron a la plataforma aplaudiendo para asegurarle que tenía su confianza.

9. Un Comité Ejecutivo

A pesar de la situación tan difícil, la asamblea procedió con equilibrio en su tarea. Muchos de los delegados no se dejaron impresionar con la elocuencia y el histrionismo de Tomlinson. Había que hacer cambios para la preservación de la Iglesia, aunque todo debía hacerse con amor y consideración.

Cuando el comité para mejorar el gobierno dio su informe y recomendación, la mayoría de las peticiones de Tomlinson fueron negadas.[15] No se cambió el método para seleccionar el Concilio de los Doce y se mantuvo la constitución. Después de una larga enmienda de J. S. Llewellyn, se crearon dos posiciones: un editor y publicador y un superintendente de educación. Los dos hombres que ocuparon estas posiciones trabajarían con el Supervisor General como un Comité Ejecutivo, que de ahí en adelante manejaría los fondos generales, nombraría a todos los supervisores de estado y haría los arreglos para las asambleas generales. Anteriormente, Tomlinson había hecho todo esto.

El Comité Ejecutivo también se sentaría con el Concilio de los Doce, por lo menos una vez al año, y ambos grupos formarían el Concilio Supremo de la Iglesia de Dios. Esta nueva distribución de la responsabilidad relevaría al Supervisor General de gran parte de su labor y le daría más tiempo para supervisar a la Iglesia. No hubo ningún esfuerzo para quitarlo de su posición, aunque la medida establecía la elección de todos los oficiales en cada asamblea. Desde la asamblea de 1914 no se había hecho provisión alguna para votar por el Supervisor General. En este tiempo de tribulación, la supervisión perpetua era terriblemente frustrante.

Estas reformas radicales fueron aprobadas por la asamblea. F. J. Lee fue electo superintendente de educación y J. S. Llewellyn editor y publicador. Lee había trabajado como director de la escuela desde septiembre de 1922, reemplazando a J. B. Ellis,

---

[15] Alonzo Gann, J. A. Self, M. W. Letsinger, J. W. Culpepper, John Attey, Z. R. Thomas, J. A. Davis.

quien había enfermado. Tomlinson, Lee y Llewellyn se convirtieron en el primer Comité Ejecutivo de la Iglesia de Dios. Los tres compartirían la responsabilidad de la administración, autorización de los gastos generales y nombramiento de los supervisores de estado. Lee era un hombre que respaldaba decididamente a Tomlinson y Llewellyn era su crítico más prominente. Así que la asamblea sintió que con este equilibrio las cosas andarían mejor en las oficinas generales.

Tomlinson no recibió estos cambios con una actitud positiva. Había llegado a amar la autoridad y consideraba que era una invasión de sus derechos. Al día siguiente renunció como Supervisor General, "efectivo tan pronto como instalara a su sucesor".[16] La iglesia no deseaba su renuncia sino que se corrigieran las irregularidades administrativas. Su renuncia fue rechazada. En la nueva sesión de la asamblea, él consintió en continuar en su posición como Supervisor General:

> Ya que ustedes parecen quererme y no me quieren dejar ir, retiro mi renuncia y les serviré durante un año más en la capacidad de Supervisor General.[17]

Leer

10. LA CRISIS SE RETRASA

Parecía haberse solucionado todo; como si la crisis ya hubiera pasado y las cosas hubieran mejorado después de las reformas. En una sesión del Concilio de los Doce, celebrada el 5 de septiembre de 1922, se había nombrado un comité de tres ministros para investigar si todos los departamentos de la Iglesia de Dios estaban en orden.[18] Cuando este comité: F. J. Lee, J. B. Ellis y J. S. Llewellyn, completara su investigación y se disiparan todos los temores sobre los asuntos financieros, la Iglesia de Dios estaría en completa paz nuevamente. En esto tenían fe los delegados, al ser despedidos de la asamblea por el Supervisor General, a las 9:30 de la noche del martes 7 de noviembre de 1922. Eso era lo que ellos creían porque querían creerlo, pero les aguardaba frustración en el futuro.

---

[16] *Minutas de la Decimoséptima Asamblea Anual*, pág. 52.
[17] *Ibíd.*, pág. 58.
[18] Simmons, *op. cit.*, pág. 40.

Capítulo 17
POR EL VALLE DE SOMBRA

Leer

1. La investigación

Inmediatamente después de la asamblea de 1922 (decimoséptima) se hizo evidente que la iglesia aún no había salido de su momento difícil. El comité investigador trabajó cuidadosa y conscientemente buscando hechos. Los tres miembros residían en Cleveland y aunque estaban conscientes de las condiciones deplorables que habían existido en los últimos dos años, se negaban a creer lo peor.[1]

Tomlinson no cooperó con la investigación y de muchas maneras violó los acuerdos de la asamblea general. Él siguió depositando las finanzas de la iglesia en su cuenta bancaria personal,[2] tal como lo había hecho en años anteriores.[3] Rehusó someter los fondos de la iglesia al cuidado del Comité Ejecutivo, del cual él era miembro, como se había indicado en la asamblea reciente pasada. Inclusive rehusó consultar a los otros miembros del comité.

No deseando creer lo que habían encontrado, el comité investigador contrató los servicios de un prestigioso contador público, quien hizo una investigación de la situación financiera. El informe del auditor reveló un déficit de $14,141.83, del cual no se encontraba ningún registro en los distintos fondos. Se había usado impropiamente alrededor de $31,000.00, de los cuales $3,973.23 provenían del orfanatorio y del resto del fondo de diezmos.[4]

---

[1]F. J. Lee era superintendente de educación, J. S. Llewellyn era editor y publicador, J. B. Ellis era pastor de la iglesia local.

[2]Esto era una violación del Artículo 6, sección 4, de la Constitución: "Será responsabilidad de todas las personas encargadas de finanzas, como tesoreras de una iglesia, depositar la nómina en una cuenta bancaria confiable a nombre de la Iglesia de Dios".

[3]*Church of God Evangel*, julio de 1923.

[4]La mayor parte del informe relacionado con la investigación y el informe del auditor provienen del *Evangel*, el cual detalló informes documentados de los procedimientos en julio 14 de 1923 y en ediciones subsecuentes.

El 8 de mayo de 1923 le fue dada a Tomlinson una copia del informe del auditor para que la estudiara y diera las correspondientes explicaciones. Junto con su tenedor de libros, él se reunió con el comité y el auditor para tratar de explicar el asunto. F. J. Lee informó que

> él trató de explicar dos veces el asunto de los $14,141.83... pero en ambas careció de evidencias delante del auditor.[5]

En correspondencia al comité investigador, el auditor informó:

> Los registros muestran que se recaudó una gran cantidad de dinero y que pasó por las manos de Tomlinson, aunque no muestran cómo fue distribuida. Es la responsabilidad del Sr. Tomlinson someter a las autoridades pertinentes un estado de cuenta, mostrando qué se hizo con todo el dinero que él manejó. Simples declaraciones negativas... no bastan para balancear la frialdad de los hechos existentes.[6]

Tomlinson amenazó con emplear a otro auditor para preparar el informe. El comité le escribió el 24 de mayo animándolo a que lo hiciera "antes de la reunión del Concilio de Ancianos el 12 junio, para que nosotros podamos rendir un informe concienzudo a dicho concilio". El comité también le indicó a Tomlinson que era urgente que ayudara a preparar la reunión del Concilio de Ancianos en junio, que había sido convocada por el Comité Ejecutivo para considerar estos asuntos.

2. "El Concilio de Junio"

Lo que llegó a conocerse como el "Concilio de Junio", se reunió en el auditorio de Cleveland del 12-21 de dicho mes en 1923.[7]

---

[5] *Church of God Evangel*, 21 de julio de 1923, pág. 23.

[6] Esta correspondencia no está fechada pero aparece cronológicamente en el registro, del 10 al 21 de julio de 1923.

[7] En el *Evangel* se dieron amplios detalles de esta audiencia, a medida que se fueron desarrollando los eventos. Después de la audiencia, se publicó un *Informe de Investigación,* bajo el subtítulo "Procedimientos del Concilio de Ancianos; Correspondencia y Declaración. Cleveland, Tennessee, junio 12 al 21, 1923". La información de estas dos fuentes fueron documentadas, siendo las principales para esta sección.

Debido a la naturaleza de esta reunión, también se citó al Concilio de los Setenta; y a todos los ministros ordenados que estuvieran interesados en asistir. Alrededor de doscientas personas estaban presentes.

Tomlinson trató de presidir su propio juicio, lo cual produjo bastante confusión. Luego se le exigió que cediera el lugar a un presidente interino, Efford Haynes. La audiencia procedió en orden durante una semana y Tomlinson habló libremente en su defensa. Cuando no pudo justificar sus acciones, se presentó acusación formal en su contra para que fuera enjuiciado en la Corte Suprema de Justicia.

Diez de los doce ancianos que oyeron el caso[8] presentaron un total de quince acusaciones contra el Supervisor General. Estas fluctuaban entre deslealtad y conspiración en contra de la Iglesia de Dios hasta usurpación de autoridad y malversación de fondos. Según las informaciones del concilio, el déficit se debió a su negligencia y mal proceder.

Brouayer y Gillaspie también fueron acusados por "ayudar y encubrir a Tomlinson en la parte principal de sus actos ilegales" y por tratar de evitar que se celebrara la audiencia. Diez de los miembros del concilio encontraron a Tomlinson culpable de los cargos. Los otros dos se comportaron de una manera tan indebida que también fueron llevados a juicio. El concilio concluyó el 21 de junio, después de haberse reunido por diez días. La audiencia con la suprema corte era para el 26 de junio.

3. La ruptura final

El 26 de julio, los jueces de la Corte Suprema de Justicia sostuvieron las acusaciones del concilio en contra de Tomlinson, Brouayer y Gillaspie.[9] Ninguno de los tres se presentó a la audiencia. En su lugar, el trío estaba ocupado en separar de la organización a la mayor cantidad posible de iglesias, ministros y miembros. La confusión creció como reguero de pólvora a través

---

[8]F. J. Lee, M. S. Lemons, T. L. McLain, S. W. Latimer, J. B. Ellis, J. S. Llewellyn, E. J. Boehmer, Efford Haynes, Alonzo Gann, T. S. Payne.

[9]*Minutas de la Decimoctava Asamblea Anual*, 1923, pág. 28.

de la Iglesia de Dios; no obstante, la mayoría de la gente permaneció firme. Algunos apoyaron firmemente a Tomlinson, quien reconoció "que sólo unos cuantos ministros se quedaron conmigo".[10]

Gillaspie era Supervisor de Illinois, pero D. P. Barnett fue al estado después del "Concilio de Junio" y explicó el asunto a los ministros, evitando así una pérdida considerable. Brouayer era Supervisor de Carolina del Norte, pero falló en su intento de llevarse muchas de las iglesias al redil de Tomlinson. En general, la iglesia sufrió pocas pérdidas pero la desilusión fue considerable. Otros ministros habían sido expulsados en tiempos pasados pero ésta fue la prueba más severa a la que se había sometido la organización.[11] La Iglesia de Dios demostró una enorme capacidad de mantener su equilibrio. A pesar de las pérdidas por causa de Tomlinson, hubo mejoras en cada departamento de la iglesia.[12]

4. Un nuevo Supervisor General

El Concilio Supremo se reunió el 26 de julio de 1923, día en que la corte suprema sostuvo las acusaciones contra Tomlinson, y eligió a F. J. Lee para cumplir con el término de Supervisor General.[13] J. B. Ellis reemplazó a Lee como superintendente de educación y de este modo, Lee, Ellis y Llewellyn se convirtieron en el nuevo Comité Ejecutivo. Aun cuando la tormenta no acabó inmediatamente, la iglesia había sobrevivido y comenzó a enderezar su curso nuevamente. Todavía había inconversos por ganar y los campos todavía estaban blancos para la siega. Así que el énfasis de la iglesia se volvió a poner de inmediato en donde debía estar: en la misión de Jesucristo.

---

[10]Tomlinson, *Answering The Call of God* [En respuesta al llamado de Dios], pág. 22.

[11]Por ejemplo, J. H. Simpson y J. B. Goins se fueron de la iglesia en 1909 por la enseñanza de ésta en relación con las lenguas, y en 1919, J. J. Scott salió de la iglesia, por cuestión de los diezmos, para iniciar lo que él llamó la "Iglesia de Dios Original".

[12]Las siguientes comparaciones demuestran algún crecimiento:

	Miembros	Iglesias	Ministros
1922	21,076	666	923
1923	22,394	740	1,020

Se registraron aumentos en finanzas, asistencia, escuelas dominicales, propiedad, misiones y otros departamentos.

[13]*Church of God Evangel*, 4 de agosto de 1923.

5. ASAMBLEA DE RESTAURACIÓN

Leer

Como era de esperarse, la asamblea de 1923 (decimoctava) comenzó con una mezcla de dudas y expectación. Las asambleas no habían tenido un cambio de moderador por diecisiete años; ahora presidiría un nuevo líder. Lee era amado y respetado pero todavía no había sido probado como moderador de la asamblea. Debido a su amor por Tomlinson, igual que muchos otros, estaba desilusionado y herido. Algunos de los que vinieron a la convención no sólo se sentían heridos, sino que habían sido debilitados en su fe. No obstante, pesar del recelo, en la primera sesión se hizo evidente que ésta sería una de las asambleas más bendecidas. Un poco después de que las puertas fueran abiertas, el 31 de octubre a las 6:30 p.m., el auditorio estaba completamente lleno.[14] Con aproximadamente 1,600 delegados, esa era la mayor asistencia a cualquier asamblea.[15] J. B. Ellis dio una nota de optimismo en su discurso de bienvenida, lo cual inmediatamente se convirtió en la actitud de todos. Una ministra de California habló por muchos cuando dijo:

> Después de la experiencia del año pasado, yo vine con cierto temor, pero mis dudas se han disipado al ver el amor y la unidad que prevalecen, y las manifestaciones de la presencia del Señor... Ustedes nunca sabrán lo que esta asamblea ha significado para mí.[16]

Lee probó ser un moderador capaz y los negocios de la asamblea se llevaron a cabo de manera acertada y positiva. Cuando se hizo el "Llamado de los estados"[17] el jueves 1 de noviembre, muchos de los supervisores respondieron con palabras de aprecio hacia la Iglesia de Dios e informaron de la estabilidad en sus congregaciones. Entre los hermanos afroamericanos habían ocurrido algunas deserciones, aunque su supervisor, J. H. Curry, informó: "Noso-

---

[14] *Minutas de la Decimoctava Asamblea Anual,* 1923, pág. 3.

[15] *Ibíd.*, pág. 59.

[16] *Ibíd.*, pág. 7.

[17] Por muchos años, una de las características de cada asamblea fue el pase de lista de los estados, en donde los delegados marchaban hacia la plataforma y cantaban un himno apropiado, seguido de un corto discurso por el supervisor del estado.

tros hemos tenido nuestros conflictos con los demás hermanos pero hemos sido más que vencedores y nos mantenemos adheridos a la iglesia."[18] Toda la delegación de los hermanos afroamericanos cantó "Nada, no, nada me ha de mover".

F. J. Lee fue electo Supervisor General, J. B. Ellis, superintendente de educación y J. S. Llewellyn, editor y publicador. Según las prácticas de ese tiempo, estos hombres fueron nominados por el Concilio de los Doce y electos por la asamblea general.[19] Después de la selección

> ...el poder de Dios cayó sobre la congregación y la gente se regocijó, gritó y habló en lenguas. Seguramente, les pareció bien al Espíritu Santo y a los delegados que estos hombres ocuparan estas posiciones.[20]

La confianza en el liderazgo de la iglesia fue restaurada porque la humildad y calidad espiritual de Lee, unida a su firmeza y verticalidad, ofrecieron seguridad a los delegados. Él pronto se convertiría en el hombre más respetado de la denominación, estima que nunca manchó. La Iglesia de Dios superó sus pruebas más severas debido a su fe en Lee.

Con la fe renovada en el liderazgo, vino una restauración de visión y propósito. Se había librado una gran barrera y la iglesia había probado ser capaz de enmendar sus propios asuntos. Inevitablemente, la lucha de los meses pasados había desviado grandemente la energías y el fervor de todos por salvar a los perdidos, para salvarse a sí misma. Ahora, en su propósito de existencia, tenía que volver a poseer sus pensamientos, recursos y energías.

En sus palabras finales, F. J. Lee resumió la paz que el Espíritu Santo le había otorgado a la Iglesia:

> Todos están de acuerdo en que esta asamblea ha sido maravillosa. Cada cual ha estado disfrutándola... Este es un tiempo que nunca olvidaremos; tendremos valor y daremos gracias a Dios. No hay

---

[18] *Minutas de la Decimoctava Asamblea Anual,* 1923, pág. 3.

[19] Actualmente, el Concilio de Ministros Ordenados nomina a los oficiales de la iglesia por boletas, sometiendo los nombres de los seleccionados a la asamblea para su ratificación y elección final.

[20] *Ibíd.*, pág. 16.

> nada que nos pueda desanimar; todo se ve favorable... Ustedes se van con una sonrisa y con ánimos renovados. Nosotros no podemos estimar lo valiosa que nos ha sido esta asamblea.
>
> Millares han estado acongojados por meses. Ustedes oraron y oraron hasta que sus oraciones llegaron al cielo y esta asamblea ha sido de una gran inspiración para todos. Mi fe ha sido exaltada para entender que Dios escuchará y contestará las oraciones. Todos entendemos que hay un día más brillante para la Iglesia de Dios. Me siento satisfecho y anticipo un año de paz y tranquilidad. Hay un gran futuro para nosotros, debemos aprovechar el momento para dirigirnos hacia las cosas profundas de Dios.[21]

Aunque la prueba no había terminado, la Iglesia de Dios había obtenido la victoria. Se había mantenido en unidad y amor, llena de la visión por la causa de Cristo, libre de rencor o malicia. Se había conservado en la verdad y en honor a su nombre: Iglesia de Dios.

[21]*Ibíd.*, pág. 59.

Parte Cuatro

Profundidad
1923-1935

Capítulo 18
DESPUÉS DE LA TORMENTA

1. Un timonel seguro

Por cualquier lado que se vea, F. J. Lee era una persona de magnanimidad espiritual, rectitud moral y habilidad mental. La Iglesia de Dios depositó en sus manos la dirección de la organización por cinco años, sin que se notara incertidumbre ni ansiedad, aunque dicho período estuvo plagado de obstáculos capaces de afectar el liderazgo de cualquier hombre. A Lee le faltaba la intuición y agudeza de Tomlinson, pero su temperamento sereno y su gran confianza en Dios fueron influencias estabilizadoras que permearon a toda la iglesia. Era un excelente hombre de Dios, apto para su trabajo en su día. Actuó como un timonel seguro en un mar turbulento.

Lee no tuvo la oportunidad de adquirir una educación avanzada ni entrenamiento teológico, pero por su avidez se convirtió en un erudito en teología e historia. La Biblia siempre fue central en sus estudios. Prácticamente devoraba las obras que iluminaban sus sermones, su lenguaje y su capacidad de comunicarse con su gente.[1]

Fue un consagrado lector de la Palabra de Dios desde su niñez hasta su muerte. Su sapiencia fue sazonada con su inigualable práctica de la oración. Los que lo conocieron de cerca, decían que "oraba en todo tiempo". Pasaba muchas noches sin dormir, debido a la oración. Llevó la carga de la iglesia en intercesión y súplica a Dios por cinco años. También fue su práctica ayunar por lo menos un día a la semana. Muchos recuerdan que Lee llevaba como una aureola de santidad a su derredor, de tal manera que

[1] La esposa de F. J. Lee gentilmente permitió al escritor catalogar la biblioteca de su esposo. La inmensa colección de libros enciclopédicos ya gastados por el uso, mostraba sin lugar a dudas ser objeto de profundo cuidado y preservación. En las libretas de Lee había numerosas palabras en griego que indicaban su curiosidad con relación al idioma, aunque no un dominio del mismo.

cuando entraba a un templo se producía una respuesta de solemnidad, donde antes quizás había una atmósfera de mera alegría.

Antes de ser electo Supervisor General, Lee sirvió a la iglesia en varias capacidades: como pastor de la iglesia en Cleveland, como Supervisor de Tennessee (1916-1918) y de la Florida (1918-1922) y como Superintendente de Educación. Fue editor de una parte de la literatura de escuela dominical por algunos años y un contribuyente regular al *Evangel*. Tal vez la desilusión más grande de su vida fuera la pérdida de confianza en Tomlinson. Según su correspondencia y su diario, él mantuvo su confianza en su líder mucho después de que otros empezaron a dudar.[2] Esta tenaz lealtad hizo que Lee, durante su período como Supervisor General, se viera obstaculizado por los litigios con Tomlinson.

2. Confusión y contienda

Desde el momento en que Tomlinson fue sometido a juicio, las cosas empeoraron en Cleveland. Tomlinson y un grupo de sus seguidores se mudaron a otra parte de la ciudad y erigieron un tabernáculo bajo el nombre de "Iglesia de Dios". La iglesia no admitió ninguna división, ya que no se había perdido un número considerable de miembros. Se sostuvo la posición de que los que comenzaron la nueva obra en Cleveland eran hombres que por varias razones estaban en desacuerdo con la iglesia.[3]

Los habitantes de Cleveland estaban confundidos, ya que no recibieron informes de los detalles del triste asunto. Hombres a quienes el pueblo había llegado a respetar y admirar seguían al frente la Iglesia de Dios; mientras que, por el otro lado, una persona tan conocida como Tomlinson pretendía que él y su pequeño grupo eran la verdadera Iglesia de Dios. Abundaban los

---

[2]En una carta fechada el 1 de mayo de 1926, Lee relató a un amigo en Manor, Georgia, que "en un tiempo no les creyó (los cargos en contra de Tomlinson) hasta que estuve en contacto directo con los asuntos y miré por mí mismo en diferentes archivos... sin lugar a dudas, estas cosas eran ciertas".

[3]El 13 de mayo de 1925, Lee explicó a un amigo en Winden, Virginia del Oeste: "Nosotros no consideramos que haya habido una división en la iglesia. Sólo tratamos con Tomlinson por haber obrado mal, y con algunos otros que lo respaldaron, pero la Iglesia de Dios continúa de la misma manera que antes, con sus millares de miembros y centenares de ministros. Después de expulsarlos, muchos de ellos, por haberse descarriado, se mudaron a otra parte de la ciudad y construyeron un tabernáculo, llamándose a sí mismos la 'Iglesia de Dios'..."

rumores, prevalecía la confusión y la iglesia fue puesta en vergüenza. Se dijo que alguna correspondencia dirigida a la Iglesia de Dios le fue entregada a Tomlinson.[4] Se decía que mucha de esta correspondencia perdida incluía dinero dirigido al orfanatorio y al hogar de niños, al departamento de misiones y al fondo de diezmos. Cuando Tomlinson no desistió de alegar que él y sus seguidores eran la Iglesia de Dios, los nuevos líderes de la Iglesia se vieron obligados a tomar acción civil en la corte, aunque dicha acción fue lamentable y de muy mal gusto.

3. El litigio

La situación llegó a ser tan severa que el 26 de febrero de 1924 se recurrió a las autoridades y se emitió una orden judicial en contra de Tomlinson y sus seguidores para que

> ...desistan y se abstengan de reclamar y representarse a sí mismos como que están conectados con la Iglesia de Dios... de mantener y retener cualquier correspondencia y contribución dirigida a la Iglesia de Dios; de recibir miembros... con la pretensión de ser la misma Iglesia de Dios original...[5]

La Corte Chancery falló y decretó, el 15 de abril de 1925, que la Iglesia de Dios "representada por F. J. Lee, como Supervisor General [y otros], es la Iglesia de Dios original y verdadera y como tal, tiene propiedad exclusiva del nombre y de las propiedades de la mencionada organización..."[6] La orden judicial contra Tomlinson fue decretada como perpetua. Fue una victoria clara y positiva para la iglesia, que parecía concluir con el hostigamiento y la vergüenza. No obstante, el laberinto legal continuó. Tomlinson apeló la decisión del canciller ante la corte de apelaciones, la cual emitió una decisión a su favor el 3 de julio de 1925 y revocó

---

[4]Esto fue alegación de varias fuentes (correspondencia de F. J. Lee a una persona en Step Rock, Arkansas, el 17 de diciembre de 1926); testimonio dado en la Corte Chancery, Cleveland, Condado de Bradley, Tennessee; y varios números del *Evangel*.

[5]*Iglesia de Dios vs. A. J. Tomlinson, y otros*, archivo número 1891, Corte Chancery del Condado de Bradley, Tennessee.

[6]Condado de Bradley (Tennessee), Corte Chancery, *Libro de Actas No. 17*, págs. 132, 143.

el mandato de la corte menor.[7] Esto produjo días de desolación para la iglesia, ya que se emitió un interdicto para restringirla de su función normal.[8] Inmediatamente, la Iglesia de Dios apeló a la suprema corte de Tennessee. Esta revocó la acción de la corte de apelaciones, el 15 de julio de 1927, y sostuvo en su totalidad el decreto original de la corte de Chancery, que favorecía a la Iglesia de Dios.[9] La extensa opinión de la suprema corte fue final y la iglesia emergió triunfante del litigio.[10]

Habiendo sido vindicados, la gente miraba al futuro con la esperanza de que el triunfo no trajera malas consecuencias. En lugar de ufanarse, la Iglesia resolvió continuar vigorosamente proclamando el mensaje pentecostal y dejar atrás las heridas y desilusiones. El curso de la Iglesia aún seguía adelante.

4. Años difíciles

Todo el tiempo que fue Supervisor General, Lee se ocupó en las maniobras legales, de tal manera que nunca se pudo conocer todo el potencial de su liderazgo. Él se convirtió en guía y consejero espiritual para la Iglesia en tiempos de dificultades. Los archivos de su correspondencia revelan la magnitud de sus esfuerzos, en tanto que hombres y mujeres de todos los continentes buscaban su consejo y ayuda en muchos asuntos, tanto espirituales como privados. Lee siempre tuvo el cuidado de responder, dando consejería y apoyo. Supo guiar a la iglesia cuando hubo amenazas de fanatismo y la dirigió, con palabras y hechos, a la fe en la sanidad divina y los dones espirituales.[11]

---

[7]Secretario de la Corte Suprema de Tennessee, Knoxville, *Registros del Condado de Bradley,* 1925.

[8]Durante un breve período antes de que la corte otorgara un documento de anulación a la iglesia, los diezmos y otros fondos tuvieron que enviarse a un tesorero en Atlanta, Georgia, Louis Purcell, so pena de que fueran interceptados en Cleveland. (Según las instrucciones que aparecen en las cartas de los archivos del Supervisor General).

[9]*Volumen de Opiniones de la Corte Suprema,* 1927, pág. 70.

[10]Tomlinson y su grupo adoptaron el nombre de "Iglesia de Dios de Tomlinson", el 8 de abril de 1929 (Condado de Bradley, Corte Chancery, *Libro de Actas No. 18,* pág. 185). Su nombre fue cambiado a "Iglesia de Dios de la Profecía", el 6 de marzo de 1953 (*Registro de las Cámaras No. 3*).

[11]Por un período breve se usó fuego y serpientes en los servicios de la Iglesia de Dios, en algunas regiones aisladas del sur, obedeciendo a lo que aparece en Marcos 16:17, 18. Cuando hubo disensión, Lee trató el asunto con tal tacto que pronto desapareció sin ninguna acción oficial (tomado de correspondencia fechada el 1 de julio y 30 de octubre de 1926). A pesar de la desaprobación de Lee, mucha gente en la Iglesia de Dios se disgustó porque en un área apartada había congregaciones independientes (particularmente en Kentucky, Alabama y

Las finanzas fueron tan escasas durante los cinco años de la supervisión de Lee que se tuvo que negar ayuda a muchos ministros. Hubo regiones que sufrieron gran desilusión, ya que pedían ministros, pero no había fondos para enviarlos.[12] En esos momentos de crisis económica, se pidió a los miembros del Concilio de doce que ayudaran, ya fuera con donaciones o préstamos de fondos. Estos años severos y difíciles no ofrecieron respiro ni alivio a la iglesia, pero fueron benéficos, pues moldearon los tendones del cuerpo y endurecieron la fibra del pueblo.

Durante estos años de aprieto siempre hubo progreso en la obra. El crecimiento numérico no fue fenomenal, pero fue alentador en vista de las circunstancias. Cuando Lee entró a la supervisión general en 1923, había 23,008 miembros y cuando murió, el número había ascendido a 24,902.

Las finanzas de la iglesia fueron un tanto irregulares durante los años 1923-1928; hubo cierto aumento en los diezmos, después de la baja del primer año. Tanto los ingresos de misiones como los del orfanatorio fueron muy fluctuantes durante este período.

No se pudo iniciar ni dar seguimiento a ningún programa vigoroso de misiones foráneas. Hubo momentos en que parecía que los logros de la iglesia en otros países iban a desaparecer. Se perdió un poco más que la décima parte de la membresía foránea (de 660 en 1924 a 360 en 1925), aunque después aumentó lentamente a 570 en 1928. Se perdieron muchas iglesias en las islas Bahamas cuando se tuvo el problema con Tomlinson; sin embargo, el pastor W. V. Eneas restauró algunas de estas obras a la plena comunión con la iglesia.[13] No obstante, Tomlinson, a

---

Tennessee) que no sólo usaban serpientes sino que acusaban a la Iglesia de Dios por no tener tal práctica. Finalmente, el *Evangel* escribió en contra de ese fanatismo (S. J. Heath, *Signs Following Believers* [Señales que siguen a los creyentes], 28 de julio de 1928) y la asamblea de 1928 finalmente denunció tal práctica. (*Minutas de la Vigesimotercera Asamblea Anual,* 1928, pág. 42).

[12]De carta fechada el 17 de noviembre de 1924, a un hombre que solicitaba un predicador en Guy, Nuevo México, y a la señora Ida V. Evans, St. Petersburg, Florida, esposa de R. M. Evans, el primer misionero de la Iglesia de Dios. La señora Evans escribió solicitando ayuda para su esposo, quien estaba muy enfermo. No se le pudo enviar ayuda porque el fondo de los diezmos y de misiones no tenía nada disponible. Ningún plan de jubilación había sido puesto en efecto.

[13]Según una carta de Lee a Eneas, con fecha del 18 de junio de 1925.

expensas de la Iglesia de Dios, se quedó con un número considerable de seguidores en las islas.[14]

Una misionera en China, Jennie B. Rushim, anexó su obra misionera (dos iglesias con un total 107 miembros) a la comunión de la Iglesia de Dios en 1923, pero se perdió casi inmediatamente.[15] Lee escribió con relación a esto:

> Esta obra en China se perdió porque no se estableció con mucha firmeza y no fue tratada en forma sistemática... Nosotros no tenemos una gran obra en el campo foráneo, ya que la Iglesia nunca ha podido establecerse ampliamente en el extranjero.[16]

E. E. Simmons, de Florida, fue nombrado primer supervisor oficial de Jamaica, en la asamblea de 1924 (decimonovena), aunque ya la Iglesia había sido establecida allí en 1918. Simmons llegó a Jamaica lleno de optimismo, pero no pudo encontrar ni siquiera una de las iglesias de las que se tenían noticias.[17] Simmons venció su desaliento y comenzó a predicar el evangelio, y pronto organizó una iglesia en Borobridge, con la cual la Iglesia de Dios tuvo un nuevo inicio en las Antillas. En 1925, cuatro nuevas iglesia fueron organizadas, con tal solidez que Jamaica llegó a ser uno de los campos misioneros más prósperos de la Iglesia de Dios.

5. Primer llamado a la juventud

Fue durante este período un tanto infructífero que surgieron los primeros deseos de organizar la obra de la juventud. No se hizo nada espectacular o dramático; sólo lo suficiente para sostener la obra de años posteriores. Lee escribió a la esposa de M. P. Cross, quien estaba en Detroit, el 1 de septiembre de 1924:

> Mientras preparaba el programa de la asamblea general pensé que sería bueno tener algo relacionado con la juventud... El tema se me

---

[14]Simmons, *op. cit.*, pág. 121; la edición revisada sin publicar dice que... "nuestra obra misionera en las Bahamas sufrió inmensamente".

[15]Horace McCraken, *History of Church of God Missions* [Historia de las Misiones de la Iglesia de Dios] (Cleveland, Tennessee: Comité de Misiones de la Iglesia de Dios, 1943), págs. 125, 126.

[16]Carta con fecha del 1 de julio de 1926 a un corresponsal en Hiawatha, Virginia Occidental.

[17]Simmons, *op. cit.*, pág. 121.

> ha ocurrido en forma de pregunta: "¿Se espera que un joven tenga dominio propio?" Mi idea es tratar de evitar que los jóvenes se enreden en cosas absurdas y frivolidades.[18]

La hermana Cross expresó este mensaje en la asamblea de 1924 (decimonovena), el cual fue precursor del actual programa de la juventud en la asamblea.

El problema por el que había atravesado la iglesia la obstaculizó, pero se restauró tanto el equilibrio como la confianza. Las cargas de este período eran asfixiantes pero no imposibles de soportar; las obstrucciones eran difíciles pero no impenetrables. La Iglesia de Dios seguía adelante.

---

[18]Del archivo de la correspondencia oficial del Supervisor General.

Capítulo 19
TRANSICIÓN

1. Una asamblea de consagración

Cuando la asamblea de 1924 (decimonovena) se inició la noche del 29 de octubre, el auditorio de Cleveland estaba lleno a capacidad. El alcalde, algunos oficiales del condado y de la ciudad, acompañados de por lo menos cuarenta hombres de negocios, dieron una calurosa bienvenida a los delegados, expresando lo siguiente:

> Los felicitamos sinceramente por la obra noble de la Iglesia de Dios tanto administrativa como moralmente, y por proveer un hogar para tantos niños desamparados y olvidados.
>
> Reconocemos que los líderes que administran las oficinas generales son hombres honestos, rectos, de carácter cristiano y de buena reputación en nuestra ciudad.[1]

Estas expresiones de confianza en los oficiales de la Iglesia de Dios fueron muy apreciadas en un momento de tanta confusión y hostigamiento.

El énfasis espiritual de esta asamblea fue notable. Cada servicio de la noche se "dedicó mayormente a orar por los enfermos, y se dice que centenares de personas recibieron sanidad. Esto se hacía de las 6 a las 7 p.m. cada noche, después de lo cual se celebraban los servicios evangelísticos regulares. Se puede muy bien decir que no hubo ni un solo servicio estéril en toda la asamblea".[2] Este énfasis en la sanidad divina reflejaba el interés del Supervisor General en este asunto. La sanidad divina era parte de la herencia

---

[1] *Minutas de la Decimonovena Asamblea Anual*, 1924, pág. 4.
[2] *Ibíd.*, pág. 7.

de la fe pentecostal, y Lee fue uno de los grandes campeones en sus días.[3]

Bajo la supervisión de Lee, los aspectos espirituales de cada asamblea fueron notables no sólo por las sanidades sino también por la oración, consagración, evangelización y las manifestaciones espirituales. Es probable que la asamblea de 1924 (decimonovena) tuviera menos sesiones de negocios que cualquier otra hasta ese entonces. Por lo tanto, se dio más tiempo a la predicación, el estudio de las Escrituras, la oración, el canto y la evangelización. Este fue un gran impulso espiritual para la iglesia que tanto necesitaba socorro de lo alto.

En 1924 se hizo un cambio en el Comité Ejecutivo. La precaria salud de J. B. Ellis forzó su retiro del cargo de superintendente de educación y fue reemplazado por T. S. Payne. J. S. Llewellyn continuó como editor y publicador, aunque su trabajo dejaba mucho que desear. El puesto de secretario general se convirtió en una posición oficial de la Iglesia de Dios. Desde la primera asamblea en 1906 hasta 1921, el Supervisor General también había servido como secretario de las sesiones. En 1921 se nombró a un santo pionero de pentecostés para que sirviera como secretario de la iglesia, de las asambleas y de los concilios de ancianos.[4] Se llamaba J. E. Boehmer, y había recibido el bautismo del Espíritu

---

[3]Los cuatro volúmenes del diario de Lee están llenos de ejemplos de sanidades milagrosas. La oración por los enfermos era parte común de todo ministerio pentecostal y Lee frecuentemente celebraba servicios especiales de sanidad divina cuando era pastor de la iglesia en Cleveland. Algunas referencias de su diario muestran la frecuencia de este ministerio.

4 de diciembre de 1914: "En la noche tuve servicio de sanidad divina".

11 de diciembre de 1914: "Esta noche tuvimos un excelente servicio de sanidad divina".

25 de diciembre de 1914: "Por la noche tuvimos un buen servicio de sanidad divina".

2 de abril de 1915: "Esta noche habrá un servicio de sanidad divina".

Aun más repetitivas que estas referencias, que continúan a través de todo su diario, se encuentran las innumerables visitas que él hizo para orar por los afligidos.

20 de diciembre de 1914: "Otra vez fuimos llamados para orar por ___________. Ella fue sana".

26 de diciembre de 1914: "...llegó corriendo para que fuéramos a orar por ______________. Todos pensaban que ella estaba muriendo, pero fue sana milagrosamente".

3 de enero de 1915: "...mientras predicaba, _______________ se enfermó gravemente, pero fue sano maravillosamente".

14 de enero de 1915: "...fuimos a orar por _____________, quien tenía pulmonía ... ella mejoró antes de que nos fuéramos".

Otros por quienes Lee oró, como lo señala su diario, estaban afligidos con tuberculosis, neuralgias, quemaduras, influenza y muchas otras enfermedades no mencionadas. Otras fuentes hacen mención de sanidades maravillosas cuando él oraba por los enfermos.

[4]Simmons, *op. cit.*, págs. 46-48.

Santo en 1907, en la famosa Misión de la Calle Azusa en Los Angeles. Él se unió a la iglesia en 1910 y trabajó mucho en la expansión de la fe.[5] Boehmer fue Supervisor de Arkansas por un período breve y formó parte del Concilio de los Doce, desde su inicio en 1917.[6] Su presencia en las oficinas de la iglesia fue una bendición de Dios, pues era una persona dotada de espiritualidad y sabiduría como Lee. En 1924 fue nominado por el Concilio de los Doce y electo por la asamblea general, al igual que el Supervisor General, el editor, el publicador y el superintendente de educación.

2. Convenciones

En esta asamblea de 1924 se estimuló la celebración de una convención en cada estado.[7] Desde los primeros años de la iglesia, las convenciones habían sido comunes en varios lugares. La gran convención semianual de Pleasant Grove, Florida, fue la precursora de todas las convenciones de la Iglesia de Dios. En el territorio noroeste, en Minot, Dakota del Norte, se estableció el segundo campamento para convenciones. Pronto cada estado empezó a celebrar su convención anual, a veces en carpas, en auditorios alquilados o en iglesias grandes. Estas reuniones pronto se convirtieron en el punto sobresaliente de las actividades anuales de la iglesia local. Las familias acampaban al aire libre, bajo carpas, o se quedaban en los hogares de los residentes del área. Los delegados a veces dormían en el piso de los hogares anfitriones. En ocasiones había hasta diez o veinte en una casa, pero los inconvenientes importaban muy poco para aquellos que eran hermanos y hermanas en el Señor.

---

[5]Charles W. Conn, "E. J. Boehmer", *Church of God Evangel*, 28 de marzo de 1953, pág. 3. Tal parece que Boehmer había sido una persona influyente entre los pentecostales primitivos de Los Angeles. Él es mencionado prominentemente en un libro sobre la obra en aquel lugar: *How "Pentecost" Came to Los Angeles* (Cómo llegó el "Pentecostés" a Los Angeles), publicado por Frank Bartleman en 1925. Boehmer se había relacionado íntimamente con Bartleman y con otros líderes del despertamiento pentecostal en California, aun antes del derramamiento del Espíritu Santo en 1906.

[6]Boehmer fue miembro del Concilio de los Doce por 29 años, el período más prolongado de cualquier miembro del concilio. Él también fue miembro del Comité Ejecutivo General por 19 años, el período más largo que cualquier otro miembro.

[7]*Minutas de la Decimonovena Asamblea Anual*, 1924, pág. 38.

Los convencionistas se levantaban al amanecer o antes, y se dirigían al lugar de reuniones para el culto matutino y la adoración a Dios. Después se servía el desayuno. Luego se daba un segundo servicio matutino, que regularmente era un período de estudio bíblico, seguido de un servicio de cánticos y predicación. Por la tarde se tenían cultos similares, y la noche se dedicaba al evangelismo. Algunos servicios duraban desde antes de la salida del sol hasta la media noche, y muchos convencionistas se pasaban la noche en oración. Estas convenciones generalmente duraban de tres días a dos semanas. El entusiasmo por las convenciones se extendió a tal grado, que éstas se convirtieron en las fiestas de verano para la Iglesia de Dios en cada estado.

Hasta el día de hoy, la convención anual es una parte esperada del programa de cada estado. La duración de la misma es más corta: como una semana, y muchas se llevan a cabo en edificios espaciosos, con habitaciones modernas y tabernáculos cómodos. El espíritu y fervor de las convenciones primitivas aún se manifiesta cada verano en los distintos estados. Esta práctica ha hecho mucho para fortalecer la Iglesia de Dios, porque tales eventos han ayudado a solidificar la comunión y la confraternidad a través de los años.

3. Bendición final de la asamblea

Al finalizar la asamblea de 1924, el Supervisor General Lee señaló lo siguiente en el prefacio de las *Minutas*:

> Realmente fue algo grandioso y glorioso; fue una convención inmensa... Más de 2,000 personas asistieron de otros estados (fuera del estado de Tennessee) y se registraron en los libros de asistencia.
>
> No hubo ni una sola pelea o fricción durante la asamblea. Centenares regresaron firmemente establecidos dentro de la Iglesia de Dios, para no ser movidos por ningún viento de doctrina o estratagema de hombres. Este es un punto determinante en la historia de la Iglesia de Dios.[8]

---

[8] *Ibíd.*, pág. 2.

La observación de Lee era correcta, porque los niveles espirituales alcanzados en la asamblea de 1924 permanecen como una cúspide en la historia de la Iglesia de Dios.

Un año más tarde, 3,000 delegados asistieron a la asamblea de 1925 (vigésima). En esta reunión se creó un nuevo rango ministerial, el grado de exhortador. A los exhortadores se les permitiría predicar, sin la abarcadora autoridad ministerial de un ministro licenciado u ordenado. Predicadores de tiempo parcial, novatos y predicadores laicos, que no calificaban para un rango ministerial más elevado, podrían tener la credencial de exhortador, firmada por el pastor y el supervisor estatal.

4. Una asamblea de cambios radicales

En la asamblea de 1926 (vigesimoprimera) se abolió la constitución adoptada en 1921. En el largo preámbulo se dan varias razones para la abolición, junto con algunas explicaciones de la intención original y de la sinceridad con la que fue adoptada. La medida derogatoria concluyó así:

> Sea resuelto que nosotros reafirmamos, como lo hemos hecho desde el principio, nuestra fe inconmovible y la aceptación incondicional de toda la Biblia debidamente interpretada, y el Nuevo Testamento como única regla de gobierno y disciplina... y que esta resolución no se toma como renuncia o abandono de cualquier derecho, privilegio o inmunidades que puedan ser decretadas en nuestro favor, en la conclusión y decreto final del litigio de la Iglesia de Dios.
>
> Sea además resuelto que nosotros, constituidos en asamblea general, nos declaramos en armonía con el gobierno, las enseñanzas, los principios y las prácticas originales de la Iglesia de Dios.[9]

La derogación fue unánime, tanto en el Concilio Supremo como en la asamblea general.

Varias medidas de gran significado fueron aprobadas en esta asamblea de 1926, tales como la formación o reactivación de varios comités y juntas. Se nombró un comité de publicaciones de cinco miembros, cuyo deber era elegir al editor y publicador, fijar

---

[9]*Minutas de la Vigesimoprimera Asamblea Anual*, 1926, págs. 29-31.

su salario y "reunirse cuantas veces fuera necesario para la promoción de los intereses de las publicaciones de la Iglesia de Dios".[10]

En realidad, esto no fue más que la reactivación del comité de publicaciones que había existido entre 1910 y 1922, elevado a la posición de junta permanente, investida con una autoridad más amplia.

En la asamblea de 1926 también se estableció una Junta de Educación, compuesta de cinco miembros, "cuyo deber será seleccionar al presidente de la Escuela de Entrenamiento Bíblico, fijar su salario y ayudar en la promoción de los intereses educacionales de la iglesia".[11] En esta asamblea también se estableció una tercera junta de cinco miembros: la Junta de Misiones.[12] Los deberes de la Junta de Misiones eran: (1) distribuir ampliamente la literatura de la obra misionera; (2) examinar y aprobar la elegibilidad de candidatos para el campo misionero; (3) aprobar los pasajes y el sostenimiento de todos los misioneros enviados por la junta; (4) mantener por separado los fondos para misiones nacionales de los designados para las misiones extranjeras y hacer uso de los mismos para su propósito específico.

Con la creación de estas juntas permanentes, la Iglesia de Dios empezó a encaminarse irreversiblemente hacia un gobierno de juntas especializadas de administración.

El Supervisor General serviría como presidente *ex oficio* de cada una de estas juntas. Así que con estas tres juntas y el Comité de Orfanatorio, que había sido organizado cuando se instituyó el Orfanatorio y Hogar de Niños, la iglesia empezó a depender de las juntas y los comités permanentes para la práctica y conveniente operación de sus quehaceres.

El Comité Ejecutivo fue modificado para que consistiera del Supervisor General y el Concilio de los Doce. Su nombre fue

---

[10] *Ibíd.*, págs. 32, 33. Los cinco miembros eran T. L. McLain, Louis Purcell, E. C. Clark, W. S. Wileman, J. W. Culpepper. (*Ibíd.*, págs. 37, 38).

[11] *Minutas de la Vigesimoprimera Asamblea Anual*, 1926, pág. 33. Los miembros de esta primera Junta de Educación fueron: J. B. Ellis, Frank W. Lemons, Alonzo Gann, J. A. Muncy, P. E. Fritz (*Ibíd.*, pág. 38).

[12] *Ibíd.*, págs. 33, 34. Los miembros de esta primera Junta de Misiones fueron: R. P. Johnson, E. L. Simmons, E. M. Ellis, M. W. Letsinger, M. P. Cross. (*Ibíd.*, pág. 38). La medida establecía que "el Supervisor General, por virtud de su oficio, sería el presidente *ex oficio* de cada uno de estos comités".

cambiado a "Junta de Nombramientos de Supervisores Estatales". Esta junta funcionó por seis años y luego fue reducida nuevamente a tres miembros.[13] En esta asamblea el Secretario General también se convirtió en el Tesorero General de la Iglesia de Dios, cambiando así su título a Secretario Tesorero General.[14]

La manera de elegir al Concilio de los Doce fue otro cambio importante efectuado en la asamblea de 1926. Ya no serían nombrados por el Supervisor General, con la ayuda de los dos primeros miembros seleccionados, sino que serían electos por el Concilio de Ministros Ordenados.[15] Por voto mayoritario, al Concilio de los Doce también se le otorgó el poder de formular cargos a cualquier oficial de la iglesia bajo sospecha de conducta impropia, dejando la acción final del proceso hasta la asamblea siguiente.[16] La duración del cargo de los consejeros fue dispuesta en cuatro grupos de tres, de manera que cada grupo concluya sus servicios en años sucesivos. Esta era la forma de expiración para el Concilio de los Setenta, pero se encontró que no era algo práctico para el Concilio de los Doce y fue cambiada nuevamente en 1929.

5. Una asamblea de afroamericanos

Un comité de ministros afroamericanos[17] se presentó ante la asamblea de 1926 con la siguiente petición:

> Nosotros nos sentimos... un tanto avergonzados y obstaculizados hasta el punto de no progresar de la manera que quisiéramos; por lo que les pedimos, hermanos, con el consentimiento de todos los her-

---

[13]Al Comité Ejecutivo se le han hecho más cambios estructurales que a cualquier otro comité de la iglesia, quizás por sus vastos poderes de nombramiento.

[14]*Minutas de la Vigesimoprimera Asamblea Anual*, 1926, pág. 32.

[15]*Ibíd.*, pág. 39.

[16]De 1926 en adelante, el Concilio de los Doce fue más prominente y aumentó sus responsabilidades en los asuntos de la Iglesia de Dios. Por sí solo, el concilio no tiene presidente ni reuniones; la membresía no es de tiempo completo como las posiciones del Comité Ejecutivo. Los Doce tienen una doble función: sirven como un cuerpo de consejeros para el Supervisor General y el Comité Ejecutivo; a su vez, tanto el Supervisor General como el Comité Ejecutivo forman parte del mismo. Cuando el Concilio de los Doce y el Comité Ejecutivo se reúnen, forman el Concilio Supremo, o Concilio Ejecutivo, como se le conoce actualmente. Este Concilio Ejecutivo tiene el poder y la autoridad de la asamblea general entre sesiones de ésta.

[17]C. F. Bright, presidente; David LaFleur y G. C. Sapp (según la correspondencia de F. J. Lee, del 23 de diciembre de 1926).

> manos presentes en esta asamblea, que vean si existe una manera por la cual nosotros mismos podamos conducir nuestros asuntos en la obra para los afroamericanos.[18]

Subsecuente a esta petición, la asamblea adoptó una medida autorizando a los hermanos afroamericanos para que tuvieran su propia asamblea anual. Esta no sería una separación de la obra anglo y afroamericana, pues ambos segmentos seguirían formando la asamblea general de la Iglesia de Dios. Se daría espacio en el *Evangel* para promover los intereses de la obra afroamericana, especialmente su programa de orfanatorio. Sus diezmos seguirían siendo manejados a través de la oficina del Secretario Tesorero General, pero serían exclusivamente para la obra de los afroamericanos. Más tarde fueron autorizados para elegir su propio supervisor nacional.[19] Las presiones sociales del sur, donde estaban la mayoría de las congregaciones afroamericanas, obviamente influyeron en esta petición. La medida era más conveniente que deseable.

En el norte hubo insatisfacción con relación a esta medida. Las congregaciones afroamericanas del norte prefirieron no formar parte en la asamblea de los hermanos afroamericanos, sino permanecer exclusivamente con la asamblea general. Numerosas protestas fueron enviadas al Supervisor General. Lee escribió a un dirigente afroamericano en Pennsylvania, el 9 de diciembre de 1926:

> Con relación a la medida aprobada en la asamblea general para que los afroamericanos tengan su propia asamblea, encuentro que no hubo satisfacción total. He recibido algunas cartas del norte... objetando a la misma. Yo creo que a los del sur sí les conviene...
>
> Le escribí al hermano LaFleur (David LaFleur, supervisor de la obra afroamericana)... y él respondió que todo estaría bien con los

[18] *Minutas de la Vigesimoprimera Asamblea Anual*, 1926, pág. 38.

[19] *Ibíd.*, pág. 39. Esto fue revocado en la asamblea siguiente, cuando se presentó esta recomendación: "Nosotros, los afroamericanos, recomendamos que el supervisor general, después de orar, nombre a un supervisor para la obra afroamericana en general". (*Minutas de la Vigesimoprimera Asamblea Anual*, 1928, pág. 32.) Ésta fue aceptada y así se nombró el supervisor para las iglesias de los hermanos de color. Éste era nombrado por el Comité Ejecutivo, generalmente después de que los ministros ordenados de color tuvieran la oportunidad de expresar su preferencia con relación al nombramiento.

> que escogieran permanecer... como están, y por supuesto, eso dejaría al supervisor anglo como su supervisor estatal.
>
> Se me ha informado que algunas de las iglesias del norte no aprueban el cambio, por lo que les hemos dado el privilegio de permanecer... como hasta ahora.[20]

Esta disensión resultó en el arreglo opcional de que cada congregación afroamericana podía participar en cualquiera de las dos asambleas, la de los anglos o la de los afroamericanos, o en ambas. Esto trajo una armoniosa confraternidad y cooperación por varios años. La mayoría de las congregaciones afroamericanas asistía a su asamblea y algunas congregaciones preferían permanecer bajo los supervisores anglos.[21]

6. Un nuevo editor

A la asamblea de 1927 (vigesimosegunda) asistieron 4,000 delegados de fuera del estado.[22] El Comité de Publicaciones seleccionó a S. W. Latimer para suceder a J. S. Llewellyn, cuyo trabajo ya no era bien visto.[23] Los ingresos brutos de la casa de publicaciones habían mermado más de $8,000, durante los cinco años de servicio de Llewellyn. Él daba la impresión de trabajar ardua y hábilmente, pero los intereses en las publicaciones de la Iglesia de Dios empeoraban continuamente.

Latimer, oriundo de Spring Place, Georgia, había sido supervisor del estado de Georgia de 1919 a 1924, y pastor de la Iglesia de Dios en Cleveland, hasta el momento de ser electo como editor y publicador. Él se convirtió en amigo íntimo y colega del Supervisor General, a quien ayudó mucho durante los doce meses que trabajaron juntos. La obra de Latimer como editor y publicador fue buena y se logró cierto progreso durante ese año.

---

[20]Este asunto se menciona en correspondencia fechada el 23 de diciembre de 1926 y el 16 de noviembre de 1926.

[21]Las dos obras fueron reunificadas en 1966, ya que se había hecho un gran esfuerzo por abolir las líneas de separación y llegar a una total integración racial.

[22]*Minutas de la Vigesimosegunda Asamblea Anual*, 1927, pág. 2., donde se afirma que la asistencia fue duplicada con relación al año anterior. Hubo 2,000 delegados de fuera del estado en la asamblea previa, de lo cual se deriva la cifra de 4,000 que se da aquí.

[23]Simmons, *op. cit.*, pág. 46.

7. Un héroe herido

F. J. Lee se gastó en la obra del Señor durante los cinco años que fungió como Supervisor General. Informes del *Evangel* muestran que durante el verano de 1928, visitó numerosos campamentos y convenciones en estados distantes, predicando con fervor y unción. Se le empezó a notar pálido y débil.[24] Regresó a su casa del viaje a Texas en agosto, críticamente afectado con cáncer en el hígado. Al sentirse tan enfermo durante agosto y septiembre, pidió que S. W. Latimer completara su itinerario de convenciones e hiciera los preparativos para la próxima asamblea.[25] Latimer lo hizo así. El 12 de octubre de 1928, Lee convocó al Concilio de los Doce para nombrar a Latimer como moderador de la asamblea.[26] Lee estaba demasiado débil para planificar la reunión.

A pesar de que muchos amigos visitaron al líder y oraron por su recuperación, no mejoró. Lee rehusó toda asistencia médica porque creía firmemente que la sanidad divina era el plan de Dios para su pueblo. Habiendo predicado esto cuando se encontraba en buena salud, se aferró a esta convicción hasta el momento de su muerte.[27] Poco antes de su muerte, el *Evangel* publicó un artículo de Lee bajo el título “Desafío a la enfermedad y la muerte”, el cual fue, hasta donde se puede determinar, el último producto de su prolífera pluma.[28] Él no menospreciaba ni censuraba a los médicos, sino que los reconocía como ministros de misericordia; pero muy firmemente mantuvo que la sanidad divina era la herencia del pueblo de Dios.

---

[24]Lemons, *op. cit.*

[25]*Minutas de la Vigesimotercera Asamblea Anual*, 1928, pág. 90.

[26]*Ibíd.*, pág. 8.

[27]Se halló una nota interesante en un libro de memorandos de Lee, en el cual se identificaba a sí mismo como:

> Nombre: F. J. Lee
> Nombre de la firma: Iglesia de Dios
> Mi médico: Jesús
> Su dirección: El cielo
> Su teléfono: La oración.

[28]El *Evangel,* 1 de septiembre de 1928.

Antes de la asamblea que comenzó el 22 de octubre, el Supervisor General, muy enfermo, mandó llamar a J. B. Ellis de Tampa, Florida, quien relata en sus memorias:

> Cuando estuve junto a su cama, lo noté muy enfermo. Él dijo: "Antes que nada, ora por mí". Después de la oración, dijo: "Creo que mi tiempo para irme con el Señor ha llegado... Puede ser que tarde un poco y llegue a un estado de inconsciencia, pero quiero confiar en Dios hasta lo último, y te pido que veles porque nadie me dé medicina de ninguna clase... Estoy listo para irme, si esa es la voluntad del Señor, y no tengo más deseos de quedarme, a no ser para servir a Dios y a mi familia".[29]

Además, Ellis relató que mientras algunos visitantes cantaban y oraban por el líder moribundo, Lee elevó su voz en alabanza a Dios. Latimer, el editor, escribió en el *Evangel*:

> Varios hermanos han venido a orar por él. Han orado día y noche. El hermano R. P. Johnson de Jacksonville, Florida, y J. S. Ellis de Wimauma, Florida. El hermano S. J. Heath y su esposa, de Boaz, Alabama, están aquí ahora. Los hermanos Ellis, Johnson, Bryant y McLain permanecen al lado de su cama la mayor parte del tiempo. Hemos tenido una gran victoria. El Espíritu Santo ha estado presente para ayudarnos...[30]

La asamblea ratificó el nombramiento de S. W. Latimer para fungir como moderador en ausencia del Supervisor General, y las sesiones procedieron como se había programado. El 25 de octubre fue creado el cargo de Asistente del Supervisor General, "cuyos deberes serían ayudar al Supervisor General en casos de emergencia, y tomar su lugar en caso de que su puesto quedare vacante".[31] Latimer fue electo para llenar este cargo. Aunque el amado hermano Lee estaba moribundo, fue reelecto Supervisor General: el tributo más grande que la iglesia podía ofrecerle y un testimonio elocuente de la confianza que tenían en él.[32]

---

[29]Ellis, *op. cit.*, pág. 78.
[30]*Evangel,* 29 de septiembre, 1928, pág. 2.
[31]*Minutas de la Vigesimotercera Asamblea Anual*, 1928, pág. 25.
[32]*Ibíd.*, pág. 31.

Poco después de la una de la tarde del 28 de octubre, antes que la asamblea terminara, un mensajero corrió a la plataforma para informar que F. J. Lee había muerto. Dolor y lamentaciones genuinas envolvieron a los allí reunidos, aunque el espectro de su muerte había ensombrecido cada una de las sesiones de la asamblea. Todos reconocieron que un gran hombre de Dios había estado entre ellos; un hombre cuya pérdida se sentiría por siempre; un hombre cuyas huellas serían impresas sobre cada generación de predicadores de ahí en adelante.

S. W. Latimer fue entonces elevado por la asamblea al cargo de Supervisor General. Lee lo había preparado muy bien para esta ardua tarea.

8. Una sucesión estable

El Comité de Publicaciones había seleccionado previamente a Latimer para continuar como editor y publicador, así como Asistente del Supervisor General. Dicho comité se reunió de nuevo el 2 de noviembre de 1928 y nombró a M. W. Letsinger para que se hiciera cargo de la editorial. Nadie reemplazó inmediatamente a Latimer como Asistente del Supervisor General, posición que ocupó sólo por dos días. El puesto fue ocupado nuevamente en la siguiente asamblea, luego de haberse convertido en una posición permanente dentro de la iglesia.

A la edad de 56 años, S. W. Latimer fue el hombre de más edad en asumir la posición de Supervisor General. Es de comprenderse que trajera a la posición un estilo conservador y muy reservado, típico de su edad y época. Un hombre de origen humilde, carecía del genio innovador de Tomlinson y el carisma contagioso de Lee. En comparación con estos grandes predecesores, Latimer era marcadamente cauteloso y deliberado. El tiempo que duró en esa posición reflejó esta actitud conservadora. Sin embargo, dirigió a la iglesia hacia una estabilidad exitosa y la hizo marchar en un momento difícil, con muy escasos recursos. Bajo su liderazgo, la Iglesia de Dios sobrevivió la gran depresión y creció maravillosamente.

9. Modelo de asamblea

A pesar de que la asamblea de 1928 (vigesimotercera) fue opacada por la enfermedad y muerte del Supervisor General, la adopción de algunas medidas de efectos duraderos la convirtió en una reunión exitosa. De gran importancia fue la siguiente decisión relacionada con las escuelas dominicales:

> Que cada estado tenga una convención de escuela dominical estatal y convenciones distritales de escuela dominical.
>
> Que cada estado seleccione a un superintendente estatal de escuela dominical, cuyos deberes sean velar por los intereses de la escuela dominical en su estado (especialmente en las escuelas nuevas), organizar y hacer arreglos para las convenciones estatales de escuela dominical y presidir las mismas.[33]

Esta misma medida estableció el nombramiento de superintendentes de escuela dominical en cada distrito de los estados. Tanto las convenciones como los superintendentes de escuela dominical fueron de gran valor para la iglesia. La organización más sistemática de la escuela dominical convirtió a ésta en una obra de educación cristiana mucho más amplia y su programa fue mucho más efectivo. Gradualmente, la escuela dominical tomó su posición debida en la labor de la Iglesia de Dios.

Esta asamblea siguió el modelo de entrelazar los departamentos de la iglesia y proveer un ambiente de amor y confraternidad.[34] Cada distrito celebraba una convención distrital y una convención de escuela dominical. Cada estado tenía su convención estatal y una convención de escuela dominical. No obstante, todo llegaba a su clímax con la asamblea general. Estas frecuentes reuniones fueron un factor prominente en la preservación de la unidad y confraternidad de la Iglesia de Dios. En los años venideros, a estas reuniones se añadirían conferencias estatales de oración, reuniones

---

[33] *Minutas de la Vigesimotercera Asamblea Anual*, 1928. pág. 25.

[34] En el *Evangel* del 3 de noviembre de 1928, página 2, Latimer se refirió a la asamblea de 1928: "La unidad entre los hermanos fue maravillosa. En las discusiones de la asamblea no se dijo ni una sola palabra ofensiva y los millares que asistieron parecían disfrutarla al máximo. Muchos señalaron que esta había sido la asamblea que más habían disfrutado. Se calculó que asistieron más de 5,000 personas. El inmenso auditorio se llenó a capacidad y había centenares de personas en el sótano y en las aceras del edificio".

ministeriales estatales, congresos regionales de juventud y escuela dominical, y reuniones de promoción para los supervisores estatales. Esta íntima cooperación ha dado significado particular a las siguientes palabras:

No estamos divididos,
somos sólo un cuerpo,
uno en esperanza y doctrina,
uno en amor.

Capítulo 20
LA ÉPOCA DE ORO

1. UN PASO ACELERADO

Cuando S. W. Latimer se convirtió en Supervisor General, la Iglesia de Dios tenía una deuda atrasada como de $50,000. Las demandas judiciales, cuotas legales y la inseguridad de los pasados cinco años no habían permitido una reducción notable de la pesada deuda. No sólo estaba la iglesia en un pantano de deudas, sino que la decisión oficial de la Corte Suprema con relación a las propiedades de la Iglesia de Dios, dependía del pago de dichas deudas. La mayor parte de la deuda ($50,000) correspondía a la construcción del tabernáculo para asambleas. Estos fondos provenían principalmente de personas que habían prestado su dinero o que tenían pagarés cercanos a la fecha de vencimiento o ya vencidos. Dichos pagarés habían sido vendidos durante el tiempo en que Tomlinson era Supervisor General.[1] A base de arreglos estratégicos en la administración, la totalidad de la deuda se pagó durante los siete años en que Latimer fue Supervisor General, y la iglesia nuevamente respiró el aire de la solvencia económica.

Estos siete años no sólo trajeron liberación de deudas, sino también un retorno al vigoroso avivamiento de antaño. Aunque los cinco años de tormenta no habían extinguido totalmente el fuego del evangelismo, la llama se había debilitado bastante. El gozo de salir del embrollo fue como un soplo que renovó su brillantez y calor. De hecho, nunca se había dejado de predicar el evangelio, en la medida que los medios lo permitían. Sin embargo, circunstancias más clementes produjeron un mayor esfuerzo y muchos triunfos más. En 1928, la iglesia estaba en condiciones excepcionales para la expansión. Los miembros que ya no estaban en comunión habían sido borrados de los libros de membresía y se

[1]Simmons, *op. cit.*, pág. 54.

había dado de baja a las iglesias inactivas. La incertidumbre había terminado. En cada pecho latían la esperanza y visión una vez más. El *Evangel* publicó muchos llamados para que los predicadores fueran a las regiones necesitadas y deseosas de oír el mensaje pentecostal.[2]

S. W. Latimer era un Supervisor General escrupuloso y enérgico, el cual pasaba la mayor parte del tiempo en el campo, animando a los pastores y aconsejando a los que necesitaban ayuda o dirección. En un año determinado visitó como treinta convenciones estatales y viajó a Jamaica y las Islas Bahamas.[3]

En 1928, la membresía de la Iglesia de Dios llegaba a un total de 24,902, con 789 iglesias, 842 ministros y 23,263 alumnos matriculados en 579 escuelas dominicales.[4] Durante los siguientes dos años sólo hubo un crecimiento moderado, pero el paso se aceleró y cada departamento de la Iglesia de Dios creció con una rapidez inesperada. Los años 1929 y 1930 produjeron varios pasos de avance que contribuirían mucho a la tarea de alcanzar a la humanidad con el mensaje de Cristo y el bautismo pentecostal. En ese tiempo de transición, la Iglesia de Dios estaba disfrutando lo que se podría llamar su época de oro.

2. El "Esfuerzo Juvenil"

Hasta 1929, la Iglesia de Dios no tenía ninguna organización nacional de la juventud, aunque se gestaron varios esfuerzos de trabajo entre los jóvenes en diversos lugares de la nación, particularmente en el extremo peninsular de Michigan y la Florida. En 1923, la hermana Alda B. Harrison organizó un grupo misionero juvenil en la iglesia de Cleveland, Tennessee, pero la obra no se extendió más allá de esta iglesia local.[5] Cuando la

---

[2]Tales como *Alabama Wants True Blue Preachers* [Alabama busca verdaderos predicadores], por S. J. Health, Supervisor Estatal, *Church of God Evangel*, 15 de septiembre de 1928, pág. 4.

[3]*Minutas de la Vigesimonovena Asamblea Anual*, 1934, pág. 17.

[4]*Minutas de la Vigesimotercera Asamblea Anual*, 1928, pág. 33.

[5]Gran parte de la información de esta sección se obtuvo por medio de entrevistas con la hermana Harrison, por correspondencia con la hermana Ethel S. Zaukelies, de Lansing, Michigan, y por entrevistas con E. L. Simmons, M. P. Cross y Houston R. Morehead. Todos ellos contribuyeron a la organización de la obra entre los jóvenes. De ayuda particular fueron los artículos publicados en el *Michigan Mirror* y la *Historia de la*

hermana Harrison se mudó a Lawton, Oklahoma, ella comenzó a promover nacionalmente la formación de una sociedad juvenil para toda la Iglesia de Dios. Esto lo hizo por correspondencia, promoción personal y por medio de artículos motivadores en el *Evangel.*[6]

M. P. Cross, pastor en Detroit, Michigan, organizó una sociedad de jóvenes el 3 de abril de 1923. Por medio de ésta, varias misiones pentecostales cooperaron para presentar programas en distintos lugares de la ciudad.[7] La idea pronto se extendió de Detroit a Pontiac y otras ciudades. Cuando Cross ascendió a Supervisor de Michigan en 1924, estimuló a que se organizaran sociedades de jóvenes en cada iglesia local. Un joven cristiano de Illinois, Houston R. Morehead, se convirtió en el campeón de esta causa. En el invierno de 1925-26 la sociedad se denominó "Club de Segadores Juveniles", y se organizó como en doce iglesias. Bajo la dirección de Cross y Morehead, la Iglesia de Dios en Michigan organizó su primera convención juvenil estatal, del 4 al 5 de septiembre de 1926.

La iglesia de Miami, Florida, pastoreada por E. L. Simmons, organizó una "Sociedad Misionera Juvenil" en 1926. Este trabajo fue vigoroso y su influencia se dejó sentir a través de todo el estado. Simmons escribió:

> Algunas de las organizaciones juveniles de aquellos días ayudaban a las misiones, mientras otras usaban sus fondos para algún plan de beneficencia o para construir edificios e iglesias. Sin embargo, la razón principal para esta organización era darle un lugar de trabajo a la juventud en la iglesia, un lugar para promover la confraternidad (vida cristiana social) y el progreso espiritual.[8]

Iglesia de Dios, de Simmons.

[6]La hermana Harrison escribió en años posteriores: "En 1928 fuimos a la convención en Weatherford, Texas y... hablamos con el hermano F. J. Lee acerca de la organización nacional y obtuvimos su promesa de que trabajaría para el logro de este fin. Lamentamos que Dios lo llamara a su hogar celestial durante la asamblea de ese mismo año... Luego decidimos escribir una carta para el *Evangel,* para ver cómo respondía la gente (*Our Young People* [Nuestros jóvenes] *Church of God Evangel*, 1 de diciembre de 1928). Sólo respondió el hermano R. P. Johnson. En el verano de 1929, en la convención de Florida, él reunió a un grupo y comenzó la obra en dicho estado..." (*The Lighted Pathway*, agosto, 1929, pág. 2).

[7]Diario de M. P. Cross.

[8]Simmons, *op. cit.*, págs. 69, 70.

Sin embargo, no fue sino hasta el verano de 1929 cuando la asociación de Florida se convirtió en un movimiento visible. En la convención de ese verano, R. P. Johnson, Supervisor de la Florida, organizó oficialmente a la juventud del estado bajo el nombre de "Esfuerzo Juvenil". También para ese entonces, Cross y Morehead escribieron una resolución en Michigan, la cual debía presentarse a la asamblea general, pidiendo que se estableciera una organización juvenil nacional. Como rayos que convergen en un eje común, estas luchas dispersas ejercieron su influencia homogénea en la asamblea de 1929 (vigesimocuarta). La resolución de Cross-Morehead, después de ser sometida a revisión y selección de nombre apropiado, fue adoptada por la asamblea.[9] En esencia, lo que se hizo fue adoptar el tipo de organización usada en Michigan y el nombre usado en Florida. El jueves 24 de octubre de 1929 nació el YPE *(Young People's Endeavor*, "Esfuerzo Juvenil"). Desde entonces ha sido una parte esencial de la Iglesia de Dios, ganando almas y moldeando jóvenes para el servicio cristiano.

3. *The Lighted Pathway* (La Senda Iluminada)

En 1929 también nació *The Lighted Pathway*, una revista mensual dedicada al Esfuerzo Juvenil. El primer número se publicó en agosto, precediendo al Esfuerzo Juvenil Nacional por dos meses. Esta nueva publicación fue producto de la visión y el esfuerzo individual de Alda B. Harrison, una dama de 52 años, madre de tres niños y esposa de un pastor presbiteriano. Cuando la hermana Harrison visitó a sus familiares en Durant, Florida, en 1908, también visitó la convención de Pleasant Grove, dirigida por F. M. Britton.[10] Esto fue antes de la organización de la Iglesia de Dios en Florida. Mientras estaba allí, ella recibió el bautismo del Espíritu Santo y se convirtió en una ferviente pionera de la fe pentecostal. Tres años más tarde se unió a la Iglesia de Dios. Esto la colocó en la difícil posición de pertenecer a una denominación

---

[9] *Michigan Mirror*, abril, 1951, pág. 4. *Minutas de la Vigesimocuarta Asamblea Anual*, 1929, pág. 24.

[10] Alda B. Harrison, *Mountain Peaks of Experience* [Cumbres de montañas de experiencia], (Cleveland, Tenn.: Church of God Publishing House, n. d.), págs. 15-21.

diferente a la de su esposo, quien era predicador. Pero esta mujer de una energía increíble fue capaz de resolver esta dificultad y libró a su esposo de un escándalo, trabajando en las dos iglesias en los lugares donde vivieron.

En 1929, la hermana Harrison escribió a M. W. Letsinger, editor y publicador, solicitando que se concediera espacio en el *Evangel* semanalmente para una lección bíblica dirigida a la juventud. Esta petición fue denegada por falta de espacio. Entonces la hermana Harrison le informó a su esposo que ella personalmente publicaría un periódico para la juventud de la Iglesia de Dios. Él cuestionó tal aventura, recordándole prudentemente a su esposa que muchas publicaciones bien establecidas estaban declarándose en bancarrota en aquel tiempo. El país estaba en una depresión terrible, lo cual hacía poco probable que la Iglesia de Dios publicara una nueva revista, por lo tanto, era una necedad intentarlo. Pero Alda B. Harrison no era fácil de desanimar o disuadir. En agosto de 1929 se publicaron quinientas copias de una revista de ocho páginas, a un costo de $20.00. Los gastos fueron cubiertos por el padre de la hermana Harrison, S. S. Haworth, agricultor en Temple, Oklahoma. Sin ayuda alguna y con muy poco estímulo, esta mujer persistió en su visión hasta que *The Lighted Pathway* creció y llegó a ser una publicación de interés: primero de 16 páginas, luego de 26. Su esposo se mudó a Cleveland para que ella pudiera estar cerca de su trabajo. En 1937, la Iglesia de Dios hizo de la revista una publicación denominacional: su revista oficial de la juventud.[11]

Totalmente distinta del *Evangel,* la revista juvenil *The Lighted Pathway* fue una publicación con artículos especiales, en vez de sólo sermones. Desde sus inicios, y a pesar de que se le conocía como una revista juvenil, en realidad fue una publicación de carácter familiar, con enfoque y énfasis en la juventud. Los

---

[11]Por primera vez, la Iglesia de Dios asumió la publicación de la revista combinándola con el *Evangel,* bajo el nombre de *Young People's Endeavor*, en 1933. El disgusto de los jóvenes fue tal que la hermana Harrison tomó nuevamente las riendas del trabajo en febrero de 1934 y publicó la revista en su forma original. Después de cuatro años de labor sacrificial, la revista llegó a pagarse por sí misma por medio de subscripciones y alcanzó una circulación mensual de 10,000 ejemplares. A partir de 1937, la Iglesia de Dios asumió la responsabilidad de la publicación de dicha revista y empleó a la hermana Harrison como editora. Simmons, *op. cit.*, pág. 71. Zeno C. Tharp, *The Lighted Pathway: Beginning and Progress,* agosto, 1949, pág. 6.

poemas, la ficción, las biografías, los artículos y demás, eran asuntos de interés inspiracional en vez de teológico. Los artículos de la editora eran más sentimentales e íntimos que formales o didácticos. A través de sus publicaciones, la hermana Harrison se convirtió en algo así como una visita mensual de una consejera generosa con buena aceptación. Los lectores la amaban y compraban la revista.

4. El concilio de obispos

Una trascendental decisión de la asamblea de 1929 fue la disolución del Concilio de los Setenta. Se decidió que todos los ministros ordenados (llamados obispos en ese tiempo) debían ser considerados consejeros, formando así el Concilio de Obispos, el cual se reuniría cada año antes de la asamblea. En las asambleas de 1906 a 1921, todos los asuntos eran discutidos abiertamente por todos los delegados. Después de 1921, todo se discutía primeramente en el Concilio de los Doce, luego se llevaba al Concilio de los Setenta, para finalmente presentarse ante la asamblea. Con esta medida de 1929, el Concilio de los Doce traería sus recomendaciones al Concilio de Obispos, quienes las discutirían y las aceptarían o rechazarían por mayoría de votos. Los asuntos aceptados por el Concilio de Obispos se convertían en recomendaciones a la Asamblea General, donde nuevamente se debatían, y se adoptaban o rechazaban por mayoría de voto. Como en el pasado, las medidas aprobadas por la Asamblea General se convertían en reglas y enseñanzas de la Iglesia de Dios.[12] A partir de 1930, el Concilio de los Doce sería electo por el Concilio de Obispos y se podía elegir a cualquier ministro ordenado.[13]

---

[12]Este procedimiento sigue siendo esencialmente el mismo actualmente. En las primeras asambleas todo se discutía abiertamente por los ministros y los delegados laicos. Una vez que los asuntos eran discutidos primeramente por los ministros ordenados antes de presentarlos a la asamblea, se usaba menos tiempo en ellos. Los delegados laicos y los ministros no ordenados confiaban en el criterio de los ministros ordenados, y éstos ya no discutían tanto los temas ya debatidos. Así que con el tiempo la Asamblea General empezó a aceptar, con muy pocas disensiones, las recomendaciones del Concilio General, como se ha llamado este cuerpo desde 1946. Cualquier delegado tiene el derecho a cuestionar los asuntos mientras se están tratando en la asamblea, y ninguna medida es legal hasta no ser adoptada por la Asamblea General. Por lo tanto, una decisión del Concilio General ha venido a ser equivalente a la de la Asamblea General, aunque todas las medidas son presentadas para su discusión, enmienda, adopción o rechazo.

[13]*Minutas de la Decimoquinta Asamblea Anual*, 1930, pág. 23.

Tres años más tarde, en la asamblea de 1932 (vigesimoséptima), la junta de los Jueces Supremos de la Corte de Justicia también fue disuelta.[14] Las razones para la abolición de esta junta no se encuentran registradas, aunque sus funciones nunca fueron abarcadoras. También había otras juntas para atender casos difíciles, especialmente la del Concilio Supremo.[15] El Comité Ejecutivo siempre podría nombrar a una junta especial para tratar cualquier caso.

5. Asistente del Supervisor General

Hubo un hombre que llenó la posición de Asistente del Supervisor General por catorce años, el cual fue electo en la asamblea de 1929 (vigesimocuarta). Su nombre era R. P. Johnson, quien había sido Supervisor de Florida. Era un talentoso orador, un efectivo ganador de almas y excepcional predicador de convenciones. En su juventud, Johnson consideraba a F. J. Lee como el ministro ideal y luchaba por parecerse a él en consagración y dedicación al estudio. Su estima por Lee se puede apreciar en lo que dijo de él en esta misma asamblea:

> Yo era un ministro joven cuando conocí al hermano Lee, y acudía a él en todo lo que no podía resolver y nunca falló en ayudarme... Yo atesoro la memoria de un hombre que practicó lo que predicó. Nunca había pensado en una consagración tan profunda hasta que él me la presentó.[16]

El protegido aprendió bien su lección y siguió los pasos de Lee, probablemente mejor que nadie en la Iglesia de Dios. Johnson prestó servicios muy especiales como Asistente del Supervisor General: poseía un gran sentido común, sabiduría innata y un natural sentido del humor. Sobre todo, en su vida había pasión por las almas y devoción a Cristo. Años más tarde se le aclamaba como el mejor predicador pentecostal de su época.

---

[14] *Minutas de la Vigesimoséptima Asamblea Anual*, 1932, pág. 37.

[15] El Concilio Supremo, o Concilio Ejecutivo como se le denominó en 1964, se compone del Concilio de los Doce y del Comité Ejecutivo, en sesión conjunta.

[16] *Minutas de la Decimocuarta Asamblea Anual*, 1929, pág. 9.

6. Años de avance

A pesar de que la nación se encontraba en medio de la gran depresión, la cual comenzó en 1929 y terminó en 1933,[17] afectando mayormente a los agricultores y a la clase trabajadora, a la cual pertenecía la mayor parte de los miembros de la Iglesia de Dios, se tuvo un progreso sobresaliente de 1928 a 1935. La membresía aumentó rápidamente de 24,902 a 52,913 durante estos siete años. En este mismo período se obtuvo un incremento de 624 iglesias nuevas: de 789 a 1,413. Quizás las dificultades de la época contribuyeron a este aumento considerable en membresía, pues la Iglesia de Dios trabajó extensamente entre gente de la clase baja, necesitada de esperanza y bienestar espiritual. A pesar de los obstáculos financieros, la Iglesia de Dios entró en nuevos pueblos y aldeas, de la manera que mejor sabía hacerlo: bajo carpas, en escuelas alquiladas y al aire libre. Los ministros estaban acostumbrados al sacrificio y las penurias, así que no los detenía el que tuvieran que orar un poco más por su pan cotidiano.[18] Los diezmos de la iglesia bajaron severamente en 1931 y 1932. Se nivelaron en 1933 y de ahí empezaron a aumentar rápidamente. Esta fluctuación financiera tuvo lugar mientras la membresía aumentaba constantemente, lo cual indica cómo fue azotada la Iglesia de Dios por la gran depresión. El hecho de que el descenso en las finanzas no fuera más drástico es una demostración de la fidelidad de los miembros de la Iglesia de Dios en pagar sus diezmos.

Fue un tiempo precioso de amor y cooperación, en el que todos compartían lo que poseían y se alentaban mutuamente para mantener en marcha el avivamiento. J. H. Ingram, Supervisor de California y Nevada, habló en la asamblea de 1931 (vigesimosexta) exhortando a que más obreros se dirigieran hacia el oeste de los Estados Unidos.

---

[17]Morris, *op. cit.*, págs. 508, 511.

[18]Latimer, el Supervisor General, dijo a la asamblea de 1932: "Debido a la situación económica, los ministros han sufrido mucho este año. Algunos... han trabajado donde no había nada que hacer y en donde los miembros de la iglesia estaban desempleados. Se ha sufrido mucho, ¡pero lo que nos alienta es que nuestros ministros han sido fieles!". *Minutas de la Vigesimoséptima Asamblea Anual*, 1932, pág. 14.

> Tenemos cuatro misiones pentecostales. Una en Arizona y tres en California. Necesitamos predicadores en California. Apenas tenemos obreros para cuidar de las iglesias ya existentes... pero el Señor está con nosotros y nos sentimos motivados a seguir adelante en California. Ese es un buen campo para trabajar... Si usted viene, dividiremos lo que tenemos, aunque las finanzas son escasas.[19]

De otros estados provenían llamados similares, en donde el evangelio se estaba esparciendo más rápidamente que lo que la disponibilidad de predicadores podía solucionar.[20] En cada asamblea había cálidas expresiones de confraternidad y ruegos urgentes por más obreros. Casi todas las secciones ofrecieron informes gloriosos en relación a la recepción del mensaje pentecostal, especialmente Pennsylvania, Kansas, Missouri, Texas, Virginia Occidental, Alabama e Illinois. Efford Haynes, pionero de la fe pentecostal en Ohio y Michigan, informó en 1932:

> He sido supervisor de Ohio por quince años y éste ha sido el mejor año que hemos tenido. El Señor nos ha dado trece iglesias nuevas.[21]

Esto hizo eco en muchos otros estados. El avivamiento de la depresión fue similar o superior al de los pioneros de la iglesia.

7. EDUCACIÓN Y PUBLICACIONES

T. S. Payne hizo una buena labor como Superintendente de la Escuela de Adiestramiento Bíblico, aunque estaba fuera de su campo y no era de la estatura educacional de su predecesor, J. B. Ellis. Uno de los alumnos de Payne fue un ministro precoz de Louisiana, quien enseñó en la escuela durante los tres últimos años de la superintendencia de Payne.[22] Cuando la Junta de Educación necesitó un sucesor para Payne en 1930, lógicamente seleccionó a

[19] *Minutas de la Vigesimosexta Asamblea Anual*, 1931, pág. 20.

[20] J. A. McCullar, Supervisor de Arkansas, dijo: "Si contáramos con algunos evangelistas buenos, podríamos ganarnos al estado para el Señor". *Ibíd.*, pág. 21. John C. Jernigan, Supervisor de Kentucky, dijo: "Si algunos predicadores necesitan trabajo, vengan a Kentucky. Hay lugares en donde jamás se ha celebrado un servicio de la Iglesia de Dios... vengan y ayúdennos". *Loc. cit.*

[21] *Minutas de la Vigesimoséptima Asamblea Anual*, 1932, pág. 30.

[22] Simmons, *op. cit.*, pág. 92.

este instructor de treinta años de edad, J. H. Walker. Su inteligencia y naturaleza progresista le dio a la escuela un buen crecimiento tanto en matrícula como en erudición.

M. W. Letsinger, un servidor concienzudo y muy amado por la iglesia, murió el 31 de enero de 1931, víctima de un tiro accidental de escopeta.[23] La tragedia dejó vacante el puesto de editor y publicador. Desde la fecha de su muerte inesperada hasta la siguiente asamblea, el *Evangel* fue editado por S. W. Latimer y E. J. Boehmer. En la asamblea de 1931 (vigesimosexta), R. P. Johnson fue seleccionado para servir como editor.[24] Sus responsabilidades como Asistente del Supervisor General no eran lo suficiente como para requerirle tiempo completo: sólo estar disponible cuando el Supervisor General lo necesitara o que éste dejara el puesto vacante por alguna razón. Sin embargo, el plan no funcionó.[25] En 1932, E. C. Clark, un estudioso joven ministro de Virginia Occidental, fue seleccionado como editor y publicador.

Clark era proficiente en los idiomas clásicos, ex alumno del Instituto Bíblico de Pittsburgh y estudiante especial en el Colegio Bob Jones de Cleveland. Durante sus tres años en el puesto, llevó al *Evangel* y otras publicaciones a un nivel más elevado, tanto editorial como financieramente. Por un año (1933-1934), Clark, sin obtener mayores logros que Johnson, sirvió simultáneamente como Asistente del Supervisor General y como editor y publicador.

J. H. Walker fortaleció la facultad y administración de la Escuela de Adiestramiento Bíblico con dos hombres que hicieron una gran contribución a la escuela y dejaron sus huellas en la historia de la iglesia. R. R. Walker era un pastor bautista y Superintendente de la Escuela Superior en Morgantown, Mississippi, quien recibió el bautismo del Espíritu Santo y se unió a la Iglesia de Dios.[26] Esto fue en mayo de 1933. Walker era un graduado del Colegio de Mississippi, en Clinton, Mississippi, con doce años de experiencia en el ministerio. Esto lo convirtió en un

---

[23] *Church of God Evangel*, 7 de febrero de 1931, pág. 1.

[24] *Minutas de la Vigesimosexta Asamblea Anual*, 1931, pág. 32.

[25] Johnson era estrictamente un hombre de púlpito, sin ningún deseo de estar confinado a una oficina. Él renunció debido a que "había sentido el llamado para predicar el evangelio en el campo todo el año". *Minutas de la Vigesimoséptima Asamblea Anual*, 1932, pág. 33.

[26] Del testimonio de R. R. Walker publicado en forma de folleto.

elemento valioso para la Escuela de Adiestramiento Bíblico, al unirse a la facultad como director en 1934. En ese mismo tiempo se empleó a Otis L. McCoy como instructor de música. McCoy, graduado del Conservatorio de Música Vaughan, en Lawrenceburg, Tennessee, era un talentoso compositor y maestro de música. Bajo su dirección, el departamento de música de la escuela ofrecía adiestramiento tanto en voz como en música.

La escuela progresaba también en otros campos. Además de la división de Biblia, los años 1930-1934 vieron el desarrollo de una escuela superior y una división comercial. Estos nuevos departamentos hicieron posible que los estudiantes de Biblia continuaran o reanudaran su educación mientras se preparaban para el servicio cristiano. Pronto muchos padres comenzaron a enviar a sus hijos de la escuela superior a la Escuela de Adiestramiento Bíblico, con el fin de evitar la influencia no cristiana de las escuelas públicas. En parte, esto provocó el gran aumento de estudiantes durante los cuatro años: de 87 a 131, con 123 matriculados adicionalmente para cursos de música o tomando otras clases especiales.

8. Raíces en suelo extranjero

Los años de la gran depresión no sólo fueron de prosperidad para la Iglesia de Dios en los Estados Unidos, sino también en el campo misionero. En 1928, la obra en Jamaica experimentó un crecimiento poco usual bajo la dirección de Z. R. Thomas, nativo de Florida, que al momento de enviársele al campo misionero estaba trabajando en Dakota del Norte.[27] El servicio de Thomas en Jamaica coincidió exactamente con los siete años de Latimer como Supervisor General. Thomas fue a Jamaica luego de sentir en su corazón una carga por las misiones foráneas por más de veinte años. Al tiempo de llegar a Jamaica había siete iglesias, pero estaban desanimadas debido al fracaso en la vida espiritual del supervisor anterior. Al finalizar el primer año de Thomas hubo un aumento de cinco iglesias. El segundo año hubo un aumento de once. Cuando él salió de Jamaica en el 1935, había cincuenta y

---

[27]McCracken, *op. cit*, págs. 36, 37.

dos congregaciones con un promedio de treinta miembros en cada una. Finalmente, la iglesia tendría un programa misionero vigoroso. El alto grado de entusiasmo se menciona en una declaración hecha por un delegado a la asamblea:

> Satanás también está trabajando duro, pero no le daremos suficiente crédito como para decir lo que está haciendo.[28]

En 1930, los miembros foráneos rebasaron el millar por primera vez, y el crecimiento continuó hasta que en 1935 se llegó a la cifra de 3,269 miembros en el campo misionero. Ningún miembro de estas tierras se consiguió fácilmente. Cada miembro era un triunfo individual de los esfuerzos de los misioneros y de la misericordia de Dios. Se esperaba que los nativos vivieran vidas de santidad, al igual que los miembros en los Estados Unidos. Debido a sus costumbres sociales, a muchos convertidos se les prohibía ser parte de la iglesia, a pesar de que eran seguidores de los misioneros. Frecuentemente, los misioneros le pedían al convertido que no se uniera y no le daban oportunidad de hacerlo, sino hasta que pasara suficiente tiempo, de manera que dieran prueba de una vida de santidad. Si esto fue o no sabio, no cambia un hecho —aquellos que eran señalados en los informes como miembros, podía ser considerados como cristianos bien establecidos.

En 1929 se perdieron varios edificios de iglesias en las Islas Bahamas, debido a una tormenta tropical. El Supervisor General fue conmovido en su corazón durante una visita a las islas en 1931, al ver "iglesias cuyas paredes de piedra habían sido construidas hacía unos meses, ahora sin puertas, ventanas, techo y sin dinero suficiente para reconstruirlas".[29] Los informes de estas pérdidas inevitables motivaron a que la iglesia redoblara sus esfuerzos. En la asamblea de 1931 (vigesimosexta) se presentó una extensa recomendación sugiriendo varios métodos con el fin de

---

[28] *Loc. cit.*
[29] McCracken, *op. cit.*, pág. 28.

recaudar fondos para misiones.[30] Debido a la gran depresión, estos métodos no tuvieron aumentos considerables inmediatamente, aunque en el transcurso de pocos años su efectividad fue conspicua.

9. MÉXICO

El primer trabajo misionero en México se hizo en 1931 por María W. Atkinson, una mujer oriunda de México, casada con un norteamericano. La hermana Atkinson era enfermera, maestra de escuela y convertida del catolicismo. Se cuenta que cuando era niña se convirtió en una iglesia católica mientras el sacerdote daba la misa[31], y poco tiempo después recibió el bautismo del Espíritu Santo. En 1932, ella invitó a J. H. Ingram, quien había sido nombrado para establecer la Iglesia de Dios en México, para que viniera a su misión y organizara la iglesia. Esta primera iglesia se encontraba en Ciudad Obregón, Sonora, desde donde la Iglesia de Dios se trasladaría a otras partes de México. La hermana Atkinson fue un gran instrumento de Dios para regar la fe pentecostal en su tierra nativa. Ella declaró en la asamblea de 1932 (vigesimoséptima):

> Hay muchos corazones hambrientos en México y mucho trabajo por hacer... Estamos tratando de hacer arreglos para que la obra continúe... Algunas personas tienen una opinión pobre de los mexicanos, pero ellos quieren conocer más acerca de Jesucristo. Ellos necesitan el evangelio.[32]

---

[30]*Minutas de la Vigesimosexta Asamblea Anual,* 1931, pág. 35. Cada iglesia local levantaría una ofrenda para misiones equivalente al 5% del total de sus diezmos; la mitad sería una ofrenda para misiones nacionales en el estado donde se recaudara. Este plan se había adoptado primeramente en 1927 (*Minutas de la Vigesimosegunda Asamblea Anual,* 1927, pág. 34). En cada asamblea, al igual que en cada convención estatal y distrital, se debería recibir una ofrenda. En cada iglesia se debía colocar una caja para ofrendas voluntarias, y se debía nombrar a un comité en cada iglesia para estimular el interés por las misiones. El "Plan Misionero del 5%", la ofrenda de la asamblea y las ofrendas de las convenciones estatales y distritales, se siguen practicando celosamente; cada iglesia lleva una ofrenda misionera a cada convención.

[31]Simmons, *op. cit.*, pág. 126.

[32]*Minutas de la Vigesimoséptima Asamblea Anual,* 1932, pág. 39.

10. HAITÍ

En la primavera de 1933 se estableció correspondencia entre S. W. Latimer y un predicador nativo de la República de Haití, J. Vital Herne, quien había sido un sacerdote católico romano. Este hombre había recibido recientemente el bautismo del Espíritu Santo y el 17 de marzo de 1933 estableció una obra pentecostal en la ciudad capital, Puerto Príncipe.[33] Vital Herne deseaba unirse a la Iglesia de Dios, solicitándole solamente una modesta ayuda financiera para sostener parcialmente a su iglesia en la capital haitiana. Se le aceptó en la iglesia el 13 de junio de 1933, y su congregación se convirtió en la primera Iglesia de Dios en esa empobrecida república.[34] El ministerio de la Iglesia de Dios probó ser muy efectivo en Haití, al organizar ocho iglesias durante el primer año. Para 1936 había treinta iglesias y cuatro escuelas diurnas en la república.[35] Las escuelas eran necesarias debido a la intolerancia y a las malas influencias de las escuelas públicas. De este comienzo, la misión de la Iglesia de Dios ha sido excepcionalmente fructífera en esta tierra llena de supersticiones y práctica del vudú.

11. GUATEMALA

J. H. Ingram, quien estaba destinado a hacer más por el programa de misiones mundiales de la Iglesia de Dios que ningún otro hombre de su tiempo, hizo un viaje a través de América Central en el verano de 1934. El propósito de este viaje de seis mil millas era investigar posibilidades y establecer contacto para futuras obras de la Iglesia de Dios en la obra misionera. Ingram, nativo de Kentucky y Ohio, había recibido el bautismo del Espíritu Santo el 11 de abril de 1920, al mismo tiempo que recibió el llamado al ministerio, específicamente a la obra misionera.[36]

---

[33] S. W. Latimer, *In Foreign Fields* [En suelos extranjeros], *Church of God Evangel*, 30 de septiembre de 1933, pág. 7.

[34] Simmons, *op. cit.*, pág. 122.

[35] *Minutas de la Trigesimoprimera Asamblea Anual,* 1936, pág. 41.

[36] J. H. Ingram, *Around the World With the Gospel Light* [Alrededor del mundo con la luz del evangelio] (Cleveland, Tenn.: Church of God Publishing House, 1938), pág. 11.

Alrededor del tiempo de su bautismo en el Espíritu, recordaría él posteriormente, alguien

> ...vino a regalar copias de un pequeño periódico llamado *The Church of God Evangel*. Yo obtuve uno y... me di cuenta en qué aspectos ellos tenían las mismas bendiciones que nosotros disfrutábamos, sólo que en forma más abundante. Así que me suscribí al periódico... Mientras continuaba leyendo, oré para que el Señor enviara un predicador de la Iglesia de Dios y mis oraciones fueron contestadas. La iglesia fue organizada... y yo fui nombrado secretario.[37]

Ingram comenzó inmediatamente a viajar en favor de misiones. Fue nombrado Supervisor de California y Arizona en 1929, donde sirvió por cinco años. Durante 1932, México fue añadido a su territorio. De ahí en adelante, él se entregó más y más al trabajo de su corazón, que era el de las tierras extranjeras, a pesar de que continuaba haciendo un trabajo encomiable en los dos estados.

En los albores de 1934, Ingram concibió la idea de su viaje a Centroamérica y escribió una carta personal al presidente de Guatemala expresándole sus deseos. El presidente, Señor Jorge Ubico, le contestó con una carta registrada, extendiéndole una "amable invitación para que viniera y le contara a su gente acerca de... la Iglesia de Dios".[38] Inmediatamente, la Junta de Misiones autorizó un viaje misionero de tres meses a Guatemala. Así que Ingram llegó a México en marzo para visitar las misiones, mientras se preparaba para seguir en dirección al sur. Cuando llegó a Guatemala estaba lloviendo y no tenía contactos, pero unos misioneros bondadosos de otra denominación lo hicieron su huésped, mientras esperaban que cesara la lluvia. Poco tiempo después viajó en caballo al área montañosa. Después de una jornada agotadora llegó a Totonicapán, en donde había un centro

---

[37] *Ibíd.*, págs, 11, 12.

[38] (*Church of God Evangel*, 22 de enero de 1934, pág. 10). Debido a su carta, la cual llevó consigo durante todo el viaje, Ingram tuvo una recepción hospitalaria y se le dieron privilegios no concedidos a otros. Él dejó una impresión tan favorable, que aun el secretario privado del presidente le escribió pidiéndole una copia de la Biblia. *Ibíd.*, 4 de agosto de 1934, pág. 8 ss.

misionero pentecostal compuesto como por catorce congregaciones.[39] La obra allí estaba formada principalmente de indios quichés. Pero los misioneros no estaban allí.

Los líderes americanos de la misión, Charles y Carrie Furman, se encontraban en los Estados Unidos bajo período de licencia misionera junto con Thomas Pullin y otros. El líder nativo, Don María Enríquez, recibió cordialmente a Ingram y éste predicó dos veces. Charles Furman había ido a Guatemala en 1916 como misionero de la Iglesia Metodista Primitiva. Él trabajó fielmente entre los indios, tanto para su Señor como para su denominación.[40] El 13 de abril de 1932, el Espíritu Santo comenzó a derramarse sobre los creyentes de las congregaciones, de tal manera que hubo una recurrencia espontánea del Día de Pentecostés y una duplicación milagrosa de lo que estaba sucediendo en muchos lugares en la tierra.[41] Esto no fue aprobado por su iglesia, a la cual él envió un informe del asunto el 21 de mayo de 1932, y continuó informando de tiempo en tiempo. Cuando los Furman regresaron a los Estados Unidos en su período de licencia misionera en 1934, al tiempo que Ingram visitaba su misión en Guatemala, ellos fueron citados por su junta de misiones para una audiencia.

El 19 de septiembre de 1934, a los Furman se les pidió que firmaran dos artículos de las Minutas de la Conferencia General que eran equivalentes a un repudio, o por lo menos un comprometimiento, de su fe y experiencia. Los Furman rehusaron firmar. La junta les dio treinta minutos para que los misioneros reflexionaran y oraran al respecto. Furman respondió: "Yo ni siquiera

---

[39](*Loc. cit.; Ibíd.*, 25 de agosto de 1934, pág. 6 ff). La señorita Alice Pullin, hija menor de Thomas Pullin, un misionero veterano de la fe pentecostal en Guatemala, le ha contado al autor cómo Ingram, sin éxito alguno, indagó sobre creyentes pentecostales en la ciudad de Guatemala. Los Pullin no habían oído de una creencia como él se las contaba. Cuando Ingram describió la adoración gozosa de la gente, ellos recordaron que en el interior del país había un grupo como ése, así que él se dirigió a localizarlo.

[40]Al reflexionar retrospectivamente sobre su obra, Furman escribió: "Veinte años atrás... nos remontan al establecimiento de nuestra obra entre los indios de los altiplanos mayas, de regreso al tiempo cuando... estos altiplanos eran un desierto espiritual, y los pueblos y las aldeas indígenas, en donde ahora florecen congregaciones de cristianos lavados por la sangre y llenos del Espíritu, eran como ciudades amuralladas, como fortalezas de las potestades de las tinieblas". Charles T. Furman, *Guatemala and the Story of Chuce* [Guatemala y la historia de Chuce] (Cleveland, Tenn.: Church of God Publishing House, 1940).

[41](*Church of God Evangel*) 1 de junio de 1935, págs. 12, 13). Los Furman eran graduados de la Escuela Bíblica de la Alianza Cristiana y Misionera en Nyack, N. Y., en donde hubo un derramamiento similar del Espíritu Santo hacía veinte años. Por tanto, ellos eran creyentes pentecostales y enseñaban el evangelio completo a sus convertidos antes del derramamiento de 1932.

necesito un minuto para reflexionar y orar acerca de esto. Yo nunca firmaré aquello que pueda causar que nuestra fe y experiencia se vean comprometidas".[42]

Desde ese momento, Furman fue depuesto de sus servicios en su iglesia.

Cuando Furman regresó a su casa de la audiencia, una carta de Ingram le estaba esperando, invitándolo a la asamblea general en Chattanooga, en octubre de 1934. Para el intrépido misionero, esta fue una respuesta a sus oraciones. Él y su esposa se unieron a la Iglesia de Dios en la asamblea y regresaron a Guatemala bajo los auspicios de la iglesia.[43] Las catorce iglesias del área montañosa de Guatemala se unieron junto con sus líderes a la Iglesia de Dios. No fue sino hasta diez años más tarde, en 1944, que Thomas Pullin, junto con su esposa y sus tres hijas, también se unieron a la iglesia.

J. H. Ingram visitó nuevamente Guatemala en la primavera de 1935 y estuvo por dos meses con los Furman. Él visitó todas las misiones que para ese entonces ya habían crecido a dieciséis,[44] con casi 672 miembros.[45] Actualmente, el pueblo pentecostal de Guatemala se encuentra entre los grupos evangélicos más numerosos, y el país es uno de los campos misioneros más fuertes de la Iglesia de Dios. Desde esta base, los misioneros penetraron eventualmente a Centro y Sudamérica hasta cubrir el hemisferio con misiones de la Iglesia de Dios.

---

[42]De un manuscrito de Charles T. Furman, sin publicar.
[43]*Church of God Evangel*, 20 de octubre de 1934, pág. 7.
[44]*Ibíd.*, 25 de mayo de 1935, págs. 13, 14.
[45]*Minutas de la Trigésima Asamblea Anual*, 1935, pág. 22.

Capítulo 21
EL CÍRCULO COMPLETO

1. La asamblea de 1934

En 1934, las asambleas anuales finalmente superaron las limitadas facilidades de Cleveland. El auditorio de la Iglesia de Dios, que solamente tenía capacidad para 4,000 personas sentadas, había sido insuficiente por varios años, y la conglomeración en el pequeño pueblo se había convertido en un serio problema.[1] Esto motivó la selección de un lugar nuevo para la asamblea. Se decidió celebrar la asamblea de 1934 (vigesimonovena) en el Auditorio Memorial de Chattanooga, donde había capacidad para sentar a 5,500 personas en el piso central, y 1,300 en el Salón de Actividades para la Comunidad.[2] Aun cuando la iglesia estaba reacia a dejar el pueblo en el que se habían celebrado estas reuniones, la asamblea jamás se ha vuelto a celebrar en Cleveland.

Bajo el liderazgo de E. C. Clark, los intereses publicitarios de la iglesia fueron expandidos rápidamente. Se eliminó el déficit y se mejoraron las publicaciones. La expansión hizo que la planta de publicaciones fuera obsoleta. No era muy recomendable que se siguiese expandiendo la planta impresora, así que Clark hizo presión para que la iglesia obtuviera una nueva y moderna casa de publicaciones. La asamblea de 1934 nombró un comité para proceder con la construcción de la planta,[3] la cual se terminó para la siguiente asamblea. Se construyó una comodísima planta de ladrillo en la Avenida Montgomery, a un costo de $26,590.39,[4] con suficiente equipo nuevo como para convertirse en una de las casas publicadoras religiosas más finas del área.

---

[1] En la asamblea de 1933 (vigesimoctava), se consideró seriamente la construcción de un salón comedor grande, el cual era necesario para ayudar en la alimentación de los miles de delegados. *Minutas de la Vigesimoctava Asamblea Anual*, 1933, pág. 42.

[2] *The Chattanooga Times*, 29 de agosto de 1954, pág. 21.

[3] E. C. Clark, E. J. Boehmer, Lloyd McLain, J. H. Walker, L. L. Hughes, E. M. Ellis.

[4] *Minutas de la Decimotercera Asamblea Anual*, 1935, pág. 47.

La asamblea de 1934 creó dos nuevas posiciones para la casa de publicaciones: un editor de música y un editor de literatura de escuela dominical.[5] Ya para el año 1931, el departamento de música de la casa de publicaciones, operando bajo el nombre de *Tennessee Music & Printing Co.*, editó y vendió suficiente música e himnarios para merecer un informe por separado en la asamblea.[6] Un editor de música fue necesario para 1934, así que Otis L. McCoy, quien había adquirido una gran reputación por sí mismo en la escuela, fue nombrado editor de música. En los años venideros, bajo su sabia orientación, la *Tennessee Music & Printing Co.* obtendría un prominente lugar en el campo de *gospel music* (música evangélica del sur). La agradable personalidad de McCoy y su vibrante voz lo convirtieron en una figura popular dondequiera que se presentaba. Durante su juventud, más que ningún otro maestro de música, él conscientizó a la Iglesia de Dios sobre las ventajas y los deleites de la música evangélica. T. S. Payne fue electo para editar la literatura de escuela dominical. Por alguna razón, esta posición fue eliminada después de un año de experimentación y la literatura de escuela dominical fue otra vez editada por el Supervisor General.

2. Un plan de jubilación para ministros

En la asamblea de 1934 se tomó un importante paso a favor de los ministros ancianos. Aunque el problema de "jubilación" había preocupado a la iglesia por varios años,[7] no se hizo nada definitivo sino hasta 1934, cuando se adoptó la siguiente medida:

> ...que cada ministro cuya remuneración de todos los recursos sea de $50 mensuales o más, pague el 1% de su ingreso... a fin de crear un fondo para sostener a los ministros ancianos. [También, que] cada iglesia local separe un día anual en honor de los ministros ancianos... con el propósito de aumentar el fondo mencionado...[8]

---

[5]*Minutas de la Decimonovena Asamblea Anual*, 1934, págs. 42, 48, 71, 120.

[6]*Minutas de la Vigesimosexta Asamblea Anual*, 1931, pág. 45.

[7]*Minutas de la Vigesimocuarta Asamblea Anual*, 1929, pág. 36. *Minutas de la Vigesimoquinta Asamblea Anual*, 1930, pág. 22. *Minutas de la Vigesimoséptima Asamblea Anual*, 1932, pág. 37.

[8]*Minutas de la Vigesimoprimera Asamblea Anual*, 1934, pág. 51.

Con la sabia orientación de defensores del plan, como Zeno C. Tharp, el fondo de retiro creció tan favorablemente, que en años venideros la Iglesia de Dios desarrolló un envidiable sistema de retiro y de compensación por incapacidad para sus ministros.[9]

3. Escuela para el noroeste

Paul H. Walker, supervisor de los estados del noroeste: Dakota del Norte, Dakota del Sur, Minnesota, Montana y Saskatchewan, Canadá, pidió a la asamblea de 1934 que se diera reconocimiento oficial a una escuela bíblica permanente en ese territorio.[10] Esta escuela fue el producto de seis semanas de cursos bíblicos impartidos en 1932 y 1933 por Frank W. Lemons, pastor en Lemmon, Dakota del Sur. El personal de la escuela aumentó a cinco en 1934 y un curso de tres meses fue impartido con tanto éxito, que Walker apeló para que se reconociera la escuela y se le diese permanencia.[11] La distancia para llegar a la Escuela de Adiestramiento Bíblico en Cleveland era muy grande para muchos estudiantes del noroeste que querían educarse en ella. Una escuela permanente en ese territorio sería de gran beneficio para aquellos que deseaban adiestramiento para el servicio cristiano.

La asamblea estuvo de acuerdo.[12] El permiso fue concedido. La Academia de Música y Escuela Bíblica del Noroeste comenzó su segundo término al año siguiente, 1935, en Lemmon, Dakota del Sur. Frank W. Lemons, hijo del pionero M. S. Lemons, fue el primer presidente. Poco tiempo después de que se comenzara el término de 1935, se compró un hermoso terreno en Minot, Dakota del Norte, cuyo campo y edificios eran ideales para la escuela. Así que se trasladaron de Lemmon a Minot.

Esta escuela en el noroeste fue la primera de varios campos regionales para servir a los intereses de la Iglesia de Dios.

---

[9]El plan se mantiene bajo constante estudio en relación con las condiciones económicas de la nación, siendo modificado frecuentemente para suplir las necesidades de sus beneficiarios. El ingreso promedio del ministerio activo de un ministro, junto con el total de sus años de servicio, son los factores básicos para calcular la compensación de su jubilación.

[10]Simmons, *op. cit.*, pág. 101.

[11]Según una entrevista hecha a Paul H. Walker.

[12]*Minutas de la Vigesimoprimera Asamblea Anual*, 1934, pág. 49.

Además, ésta fue simbólica de los tremendos pasos agigantados que la iglesia dio durante los años de la depresión. La iglesia estaba en un período de transición en el que cambió de una iglesia de lucha, ampliamente regional, a una de fuerza espiritual, de perspectiva amplia, de un alcance efectivo y gran utilidad en el esparcimiento del reino sobre la tierra.

4. Lo viejo y lo nuevo

La asamblea de 1935 (trigésima) completó siete de las reuniones anuales moderadas por S. W. Latimer como Supervisor General.[13] Él informó que durante el pasado año había viajado 24,000 millas y había visitado muchos estados y campos misioneros de la iglesia.[14] Señaló que la Iglesia de Dios estaba establecida en casi todos los estados de la nación.[15] Las perspectivas para el futuro eran brillantes.

Latimer renunció como Supervisor General en la asamblea de 1935, cuando muchos delegados pensaron que la votación que recibió, aunque mayoritaria, era muy baja para los mejores intereses de la iglesia. El fin de la superintendencia de Latimer vino en un momento de gran optimismo. Algunos frutos de éste fueron una apropiación de $8,000 para un nuevo dormitorio de la Escuela de Adiestramiento Bíblico,[16] la autorización de una escuela bíblica de verano en Florida,[17] y brillantes perspectivas para un programa misionero más grande.[18] Esta asamblea trajo un cambio en la posición conservadora que había marcado el liderazgo de Latimer como Supervisor General.

La gran depresión había pasado; ya era tiempo para una expansión agresiva y progresiva en todas las direcciones. El sucesor de Latimer fue J. H. Walker, el jovial superintendente de educación. El regionalismo y exclusivismo que había predominado

---

[13]Él también había moderado la asamblea de 1928, pero sólo en sustitución de F. J. Lee, cuya enfermedad no le permitió asistir a la reunión.

[14]*Minutas de la Trigésima Asamblea Anual*, 1935, pág. 17.

[15]*Ibíd.*, pág. 16.

[16]*Ibíd.*, pág. 39.

[17]*Ibíd.*, pág. 36.

[18]*Ibíd.*, págs. 18, 22, 40.

bajo el liderazgo de Lee y Latimer disminuiría bajo el mando de Walker, y virtualmente desaparecería. En su cambio de liderazgo de Latimer a Walker, la Iglesia de Dios experimentó una diferencia en estilo y énfasis. Esto se debió en parte a la diferencia en edades de estos dos hombres; Latimer tenía 63 y Walker solamente 35, el hombre más joven elevado a la posición de Supervisor General. Él trajo a la posición la visión y el vigor necesarios, mientras la iglesia dejaba atrás los años de la gran depresión, y proveyó el liderazgo dinámico requerido para la travesía en su alcance mundial. Si la Iglesia de Dios hasta ahora había estado confinada al sureste de los Estados Unidos por mucho tiempo, de aquí en adelante se convertiría en una iglesia universal en sus ministerios y su misión. Walker era un gran defensor de las misiones foráneas, y su superintendencia experimentó una marcada expansión misionera.

Latimer fue electo editor y publicador, la posición que había ocupado antes de ser Supervisor General. El gran trabajo que hizo E. C. Clark en esta oficina fue loado en el discurso de aceptación de Latimer:

> Yo he estado íntimamente asociado con el hermano Clark, en su calidad de editor y publicador. Él es un hombre de gran inteligencia y talento. Ha hecho más que cualquier otro editor por promover los intereses financieros de la casa de publicaciones, y hoy se yergue una hermosa planta publicadora como un monumento a su obra.[19]

La Junta de Educación seleccionó a Zeno C. Tharp, pastor en Greenville, Carolina del Sur, como sucesor de Walker en la Escuela de Adiestramiento Bíblico. Debido a su inexperiencia en el campo de la educación, Tharp estaba reacio a aceptar la nominación, pero finalmente accedió. Dotado de una gran habilidad innata, él se adaptó exitosamente a la administración de la escuela, de la que había graduado en 1923. El nuevo superintendente había realizado estudios graduados en el Instituto Bíblico Holmes de Greenville, mientras fue pastor allí,[20] y en 1929 había hecho un viaje-seminario a Tierra Santa. Tharp, al igual que

---

[19] *Ibíd.*, págs. 38, 39.
[20] Simmons, *op. cit.*, pág. 96.

Walker, favorecía un programa progresivo de misiones y usó todas sus energías para la promoción de su trabajo.

Con estos cambios en la administración, la iglesia anhelaba ansiosamente que los años futuros conservaran el paso con los años de la transición. F. J. Lee había luchado para mantener la iglesia unida, reclamar su honor, y crear en su gente conciencia del liderazgo divino. Latimer trabajó para ver la iglesia libre de deudas y la extendió a proporciones suficientes como para lanzarse hacia el mundo con el evangelio completo del Padre, del Hijo y del Espíritu Santo. Dios bendijo a estos dos hombres con la consumación de sus ambiciones. Bajo su guianza, la iglesia profundizó sus raíces en Él, hasta que en 1935 apenas estaba empezando a crecer.

El nuevo liderazgo fue progresivo y extrovertido. Los años futuros verían el final de la reticencia en asuntos cívicos, sociales e interdenominacionales. La Iglesia de Dios nunca aceptó lo que se llama el "evangelio social", pero ha reconocido su responsabilidad para los menos privilegiados, su lugar en los concilios de confraternidad interdenominacional, y su obligación de participar en los procesos democráticos de la sociedad. El gradual entendimiento de estas responsabilidades, con el calor de su ejemplo espiritual, hizo posible el florecimiento de Pentecostés.

Parte Cinco

El florecimiento de Pentecostés 1936-1956

Capítulo 22
UN TESTIMONIO MUNDIAL

1. EL RECORRIDO DEL JUBILEO DE ORO

La Iglesia de Dios tenía cincuenta años en 1936. Ésta fue capaz de mirar retrospectivamente a las cinco décadas de progreso dadas por Dios para alcanzar al hombre con el mensaje de redención y santidad. Sin embargo, la iglesia no consumió el año en reminiscencias irrelevantes, sino en planes enérgicos para el futuro. La visión de la iglesia era hacia adelante; no hacia atrás.

Dos hombres extraordinarios fueron dominantes en este período de optimismo y expansión. Ellos impulsaron a la Iglesia de Dios y le dieron influencia mundial más que cualquier hombre de su época. Estos fueron J. H. Walker, Supervisor General, y J. H. Ingram, el misionero por excelencia de la iglesia. Ambos eran diferentes en muchas maneras, pero muy parecidos en otras. Además, eran valientes, visionarios y trabajadores incansables, dispuestos a aventurarlo todo por el Señor. También eran tiernos de corazón, quienes sembraron la semilla del evangelio en el mundo con lágrimas y la segaron con gozo. La unión Walker-Ingram expandió los ministerios de la Iglesia de Dios por muchas partes del mundo.

J. H. Ingram fue guiado por Dios para hacer un recorrido por el mundo en favor de los intereses misioneros de la Iglesia. Debido a que el recorrido sería durante el año del cincuentenario, él lo llamó *Golden Jubilee Tour* (Recorrido del Jubileo de Oro).[1] Zarpó el 18 de febrero de 1936 del puerto Los Angeles-Long Beach, a bordo de un barco de la Línea Japonesa de Correos. El barco hizo una sola parada de nueve horas en Honolulu, Hawai; Ingram aprovechó bien el tiempo buscando las iglesias pentecostales en la

[1]Anteriormente un "jubileo" era un festival judío que se celebraba cada cincuenta años; se conmemoraba la liberación de los israelitas de la esclavitud egipcia. Levítico 25:8-24.(Ingram, *op. cit.*, págs. 69, 70).

ciudad. Él caminó a pie por la "metrópolis de la bella isla" hasta localizar una de estas iglesias, pero sólo tuvo tiempo para saludar a la gente y conocer las posibilidades para establecer una congregación de la Iglesia de Dios. Las perspectivas eran altamente favorables y su informe creó un gran entusiasmo en la iglesia en los Estados Unidos.[2]

Durante el 1936, Fred R. Litton y su esposa, de Los Angeles, sintieron una gran carga por Hawai y comenzaron a hacer arreglos para ir a las islas. Pasó un año para que sus deseos se convirtieran en realidad. Llegaron a Honolulu en mayo de 1937 y comenzaron un avivamiento que continuó por veintisiete meses.[3] Una iglesia sólida fue establecida y pronto todo Hawai presentaba un campo fértil para el mensaje pentecostés.

2. India

Pasando por las Filipinas y la China, Ingram llegó hasta India, al pueblo de Ootacamund, al sur del país, donde había un anciano nativo, misionero, llamado Hermano John Manoah. La Iglesia de Dios había sostenido parcialmente a Manoah, cerca de un año, a pesar de ser miembro de la Iglesia Unida del Sur de India.[4] J. H. Ingram visitó a Manoah en Ootacamund. También una serie de incidentes providenciales unieron a Ingram y Robert F. Cook. Cook era un misionero pentecostal veterano en el Estado de Travancore, en el sur de la India, donde había construido una fuerte organización independiente, compuesta por sesenta y tres estaciones misioneras, cuarenta y tres pastores, 2,537 miembros y una escuela excelente, el Instituto Bíblico Monte Sion.[5]

Cook había recibido el bautismo del Espíritu Santo en Los Angeles, en la famosa *Upper Room Mission* (Misión del Aposento Alto) en 1908, y fue a la India en 1913,[6] sin ser sostenido por

---

[2] *Church of God Evangel*, 25 de abril 25, 1936, pág. 10.

[3] McCracken, *op. cit.*, pág. 121.

[4] *Ibíd.*, pág. 135.

[5] De acuerdo con las entrevistas con Robert Cook, esta escuela fue establecida en el año de 1922, siendo la primera escuela bíblica pentecostal en el sur de India.

[6] Robert F. Cook, *A Quarter Century of Divine Leading in India* [Un cuarto de siglo de dirección divina en la India] (publicado privadamente en Ootacamund, sur de la India, 1938), pág. 5.

ninguna misión. Por breve tiempo estuvo afiliado con las Asambleas de Dios, pero ciertas circunstancias desafortunadas lo obligaron a separarse del grupo en 1929 y continuar solo. Al momento de la visita de Ingram a la India, Cook estaba descansando en Nilgiri Hills, cerca de Ootacamund, de aquí la posibilidad de que ambos se encontraran. Una mayor coincidencia fue el hecho de que Cook había comenzado a pensar mucho:

> ... qué pasaría con esta obra si la Sra. Cook y yo somos llamados a nuestro hogar eterno. Algunos de nuestros hermanos nativos nos habían aconsejado que nos afiliáramos a un cuerpo que sostuviese la verdad completa del evangelio. En respuesta, el Señor nos mostró los beneficios que derivaríamos de la afiliación a un cuerpo en esta hora particular y así salvaguardar la labor de los "engaños del demonio"...
>
> Pero la pregunta surgió, "¿Dónde hay un cuerpo que considere a los hindúes como iguales en la labor de la iglesia y que ayude parcial y financieramente?" Muchos de nuestros fieles hermanos hindúes se han sostenido junto a la labor... orando sin cesar en torno a esta preocupación...
>
> Mientras estaba en Nilgiri Hills, en un necesitado descanso, nos visitó un mercader de cintas y encajes que también era predicador. Durante la conversación sacó una tarjeta de presentación y nos preguntó si conocíamos a este hombre, J. H. Ingram. Al ver el nombre, al instante el Espíritu me dio testimonio: "Aquí está tu ayuda". Este mismo mercader de encajes, en una previa ocasión, le había mostrado al hermano Ingram nuestro membrete el cual le había dado un tiempo antes. Cuando el hermano Ingram vio mi nombre... hizo mención de su deseo de verme; una cita fue hecha...
>
> Después de revisar las enseñanzas en las *Minutas de la Iglesia de Dios,* estuvimos convencidos que eran doctrinas sólidas y que estaban de acuerdo con lo que sosteníamos y enseñábamos, enfatizando la santidad en la vida del creyente. Por lo tanto, no vimos razón por la cual la idea de afiliación no pudiese ser presentada a los hermanos de Travancore.[7]

La afiliación se llevó a cabo felizmente y de inmediato la Iglesia de Dios hizo de la India uno de sus campos misioneros más importantes. Ingram informó de la afiliación a la Junta de Misiones con gran entusiasmo.

---

[7]*Ibíd.*, págs. 61, 62.

> Hay un gran revuelo por todo el mundo y me temo no poder cumplir con todos los llamados. Esto parece ser una nueva era para la Iglesia de Dios...[8]

Realmente probó ser una era nueva para la Iglesia de Dios, y había una gran conmoción en el seno de la iglesia y en los corazones de muchas personas del mundo. Antes de regresar a su casa, el 19 de septiembre de 1936, Ingram se detuvo en Barbados y Dominica, estableciendo nuevas obras y fortaleciendo las obras recientes.[9] Esto incrementó en cinco el total de nuevos países alcanzados por la Iglesia de Dios durante el año: India, Barbados, Dominica, Panamá y las Islas Turcas.[10]

Cuatro cartas esperaban a Ingram en su hogar, cada una de un país diferente, preguntando por la Iglesia de Dios: "Venga, venga, venga. Venga y ayúdenos es su súplica".[11] La iglesia comenzó a mostrar sus dimensiones mundiales.

3. La Alemania nazi

Un inmigrante alemán, llamado Herman Lauster, que vivió en una pequeña finca cerca de Grasonville, Maryland, vino a ser el primer misionero de la Iglesia de Dios en Alemania. Él había relatado haber venido a América en busca de fortuna, pero que había hallado algo infinitamente más valioso que el oro: el bautismo del Espíritu Santo y la Iglesia de Dios. Él comenzó a sentir la urgencia de llevar el mensaje a su patria en septiembre de 1936; urgencia manifestada como un llamado divino. En la asamblea de 1935 (trigesimoprimera) se presentó a la Junta de Misiones y fue nombrado para representar a la iglesia en Alemania. Lauster era dueño de una tienda en Maryland, la cual vendió para poder llegar a su patria. Más tarde escribía que:

---

[8] *Church of God Evangel*, 4 de julio de 1936, pág. 10.

[9] Ingram, *op. cit.*, págs. 124, 125. En Barbados, 13 congregaciones con 602 miembros fueron recibidas en la iglesia. En Dominica, donde la iglesia se había establecido recientemente, Ingram, junto con el misionero Wesley L. Carter, organizó una nueva iglesia con 98 miembros en la ciudad capital de Roseau.

[10] McCracken, *op. cit.*, pág. 169.

[11] Ingram, *op. cit.*, pág. 126.

> ...el 26 de noviembre zarpamos hacia Alemania. Llegamos a Hamburgo el 6 de diciembre. Con algún dinero obtenido por mi propiedad, había comprado un carro y lo traje conmigo. Comenzamos a manejar hacia Stuttgart. Me sorprendió ver soldados por todas las carreteras, cantando canciones de guerra.[12]

Predicar en la Alemania nazi no era fácil. Lauster encontró que había que obtener un permiso de la *Gestapo*[13] para poder efectuar reuniones. Al comparecer frente a la *Gestapo* poco después de su llegada, fue informado: "No es nuestro deseo que prediques aquí. Ya tenemos suficientes iglesias y suficientes predicadores. No queremos ninguna más". En junio de 1937 recibió una correspondencia oficial de la policía estatal: "En Alemania ya hay muchas iglesias. Su predicación no es deseada en Alemania".[14] El mensaje era claramente siniestro.

Lauster no admitió la derrota fácilmente. Notoriamente advirtió a las personas con que se encontraba, del hecho de que Hitler llevaba a Alemania a la guerra, no sólo contra los Aliados, sino también contra Dios. Sin tener en cuenta el peligro que personalmente corría, predicaba en las casas, aun careciendo del permiso para hacerlo. El éxito fue lento, pero pronto organizó una iglesia con diez miembros en Stuttgart. Poco más tarde organizó una segunda en Aspergle. Constantemente encontraba problemas pero continuaba predicando hasta que fue arrestado y encarcelado en la prisión de Welsheim. Esto ocurrió al comienzo de la Segunda Guerra Mundial. Aun así, su trabajo fue sólido y la Iglesia de Dios no sucumbió en Alemania.[15]

---

[12]Herman Lauster, *The Hand of God and the Gestapo* [La mano de Dios y la Gestapo) (Cleveland, Tenn.: Departamento de Misiones de la Iglesia de Dios, 1952), pág. 11.

[13]*Gestapo* quiere decir Policía Estatal Secreta o *Geheime Ataats Polizei.* Durante el régimen de Hitler, la *Gestapo* servía al estado nazi como escuadrón policial de terror, el cual tiranizaba a Alemania y las tierras ocupadas por los nazis hasta que fueron derrotados en 1948.

[14]*Ibíd.*, pág. 12.

[15]La experiencia de Lauster durante la guerra fue horripilante. Con la excepción de unos contactos breves con la señora Lauster, hasta cerca del 5 de marzo de 1938, la iglesia no pudo saber de sus labores allí hasta después de la caída de Alemania. Después de siete meses fue dejado en libertad de la prisión de Welsheim y entonces predicó encubiertamente, mientras la Gestapo trataba implacablemente de atraparlo. Él ha escrito: "Todas las puertas y ventanas tenían que estar cerradas, los cantos y predicaciones tenían que llevarse a cabo en susurros, pero la gloria del Señor estaba en las reuniones... Con todo esto, nuestras vidas peligraban pero ¿cómo íbamos a dejar hambrientas a las ovejas? Sentí que ellas tenían que recibir el pan de vida y así pues, el trabajo continuó creciendo." Lauster fue forzado ilegalmente a entrar en el ejército nazi y predicó con éxito a muchos compañeros soldados. Capturado por los ingleses predicó a sus compañeros en la prisión donde había

4. Una escuela para Saskatchewan

Poco tiempo después de ser instituida la Academia de Música y Biblia del Noroeste en las Dakotas, una segunda escuela fue fundada en esa región. En el otoño de 1936 fue iniciada una Escuela Bíblica con 26 estudiantes en Consul, Saskatchewan, Canadá, en un edificio comercial vacante utilizado para salones de clase.[16] El fundador y presidente de la nueva escuela fue J. W. Bruce. Durante el primer término hubo suficiente estímulo como para buscar facilidades más adecuadas para el año 1937. Para el siguiente semestre, Bruce, junto a Charles Bowen, Supervisor del Oeste de Canadá, compró un edificio que antes había sido utilizado como hospital. La escuela, llamada Colegio Bíblico Internacional, servía con alentadores éxitos cada año a los miembros canadienses. El colegio fue mudado a Estevan en el 1947, en donde la iglesia adquirió lo que antes fuera un campo de entrenamiento de la Real Fuerza Aérea Canadiense. Finalmente, el colegio fue ubicado en Moose Jaw, Saskatchewan, donde se construyó un impresionante campus en los años 1962-63 y fue dedicado el 6 de abril de 1963.[17]

5. China

Cuando Paul C. Pitt, el fundador canadiense de la Misión Betania en Shantung, China, oyó del recorrido mundial del Jubileo de Oro de Ingram, bendijo al Señor y aceptó su venida a China como un acto de la providencia divina. Pitt, hombre mayor y piadoso, anteriormente había sido ministro ordenado de la Iglesia Metodista Libre.[18] Él había orado mucho durante seis de los ocho años que había estado en China para poder asociarse con una iglesia pentecostal. No se puede indicar exactamente cuándo fue bautizado con el Espíritu Santo, pero se cree que ocurrió en el

---

sido confinado. Pero al final de la guerra pudo reportar que la Iglesia de Dios estaba vigorosamente viva en Alemania. Más tarde, en el 1952, informó que había 22 iglesias, 550 miembros y que había predicado el mensaje pentecostal a 25,000 personas.

[16] Catálogo del Colegio Bíblico Internacional, 1953-1954, pág. 4.

[17] Diario de Charles W. Conn, 1963.

[18] McCracken, *op. cit.*, pág. 126.

tiempo en que él había comenzado a orar por su afiliación a una iglesia del evangelio completo; esto pudo haber sido alrededor del 1930.

A pesar de los esfuerzos de Pitt, Ingram pasó por China antes de que Pitt lo pudiese contactar. Pitt escribió a los Estados Unidos en julio de 1937, pidiéndole a Ingram que lo visitara en el segundo recorrido mundial que él había proyectado. El recorrido fue hecho teniendo como objetivo primario esta visita a China.[19] Trágicamente, la guerra chino-japonesa que había comenzado el 7 de julio de 1937, impidió la reunión planificada. Escribiendo al *Evangel* el 21 de agosto de 1937, Ingram dijo:

> Aquí tenemos grandiosas oportunidades para la Iglesia de Dios, pero soy víctima de... circunstancias... y parece que es imposible hacer algo aquí en este momento. Están ocurriendo inundaciones y terremotos al norte de aquí, en el área de *Yellow River* [el cual era mi destino]. El Japón ha desembarcado 100,000 soldados al norte de China y la batalla es fuerte.[20]

El barco en que viajaba Ingram —una embarcación de la *Línea Japonesa de Correos*— era comandado por la marina japonesa y había dejado desamparados a sus pasajeros. El misionero trató en vano de recorrer las 600 millas a Shantug. Atrapado en la vorágine de la guerra, con hostilidades que se escuchaban claramente, y evidencia de violencia dondequiera, Ingram cedió a las circunstancias y abandonó su viaje al interior del país. Frustrado en sus esfuerzos por llegar a la Misión Betania, Ingram le escribió a Pitt una calurosa carta de saludos, estímulo y promesa. Esta misiva fue suficiente y el valeroso santo pentecostal fue dejado solo en su amada "Tierra de Aflicción". Mientras tanto, Ingram regresó a casa. Los dos hombres nunca habrían de encontrarse.

Al comienzo de la primera correspondencia de Pitt en 1937, la Iglesia de Dios le envió apoyo financiero. A cambio, él enviaba sus humildes gracias e informes comprensivos de su trabajo en la

---

[19] J. H. Ingram, *Off With a Smile in Another World Mission Tour* [Con una sonrisa en otra gira mundial misionera] *Church of God Evangel*, 26 de junio de 1937, pág. 6. ss.

[20] J. H. Ingram, *War-Bound in China*, [Guerra en China], *Church of God Evangel*, 9 de octubre de 1937, pág. 6; también, *How Our Second World Mission Crusade Ended* [Cómo concluyó nuestra segunda cruzada de Misiones Mundiales], *Ibíd.*, 19 de diciembre de 1937, pág. 6 ss.

Misión Betania.[21] En correspondencia enviada a Ingram, el enfermo misionero dijo:

> Gustosamente seré el eslabón de la cadena del evangelio que una al mundo con el mensaje de la Iglesia de Dios... Nuestro trabajo habla por sí solo. Tenemos una buena iglesia, la propiedad está valuada en más de $2,000 y la feligresía está llena de fervor.
>
> ...Tenemos una feligresía de más de 300 en Langsham y sobre 300 en Yet Tau. Tenemos cinco pequeñas estaciones misioneras. Estoy en mi décimo año en China, sin vacaciones y no busco el descanso hasta que Jesús me llame... Estoy guiado por el Espíritu Santo a la unión con la Iglesia de Dios y oro porque nuestros trabajos y propiedades queden en sus manos.[22]

En la asamblea de 1937 (trigesimosegunda), Paul C. Pitt fue aceptado, "en ausencia", como ministro licenciado de la Iglesia de Dios y gustosamente la Iglesia asumió el auspicio del proyecto en China.[23] Pero Pitt nunca vería la iglesia a la cual él perteneció heroicamente. Murió sin alivio en su amada China.

---

[21]Los informes de Pitt, que eran estremecedores, fueron publicados en el *Church of God Evangel,* 8 de enero de 1938, pág. 15.

[22]*Church of God Evangel*, 8 de enero de 1938, pág. 15.

[23](*Minutas de la Trigesimosegunda Asamblea General,* 1937, pág. 41). Paul C. Pitt se mantuvo en su puesto en la *Misión Betania* a pesar de todos los estragos de la guerra. Sus informes llegan hasta el 19 de julio de 1941, llenos de valor y testimonio de actividad abundante. Pitt se enfermó de disentería en el 1940 y escribió: "La piel de mi cuerpo parece caerse y desprenderse. No tengo energías". Meticulosamente continuaba urgiendo a que alguien lo asistiera o lo reemplazara (la Iglesia de Dios lo intentó, pero no le fue posible) y dejando dicho que estaban los documentos de propiedad y otros documentos, murió antes que alguien llegara.

El 6 de octubre de 1942, un misionero bautista que había regresado con el permiso de los japoneses en un intercambio de civiles, escribió que había sido vecino cercano y amigo de muchos años de Pitt en el norte de la China... En muchas ocasiones, antes de diciembre, traté de persuadir al hermano Pitt de tomarse una licencia y regresar a los Estados Unidos para un cambio y un descanso. De alguna forma no se sintió movido a hacerlo.

Con esto cayó un silencio y todas las comunicaciones se cortaron. La iglesia trató en vano de comunicarse y enviar asistencia a Pitt, tratando todos los medios y fallando en todos. Cuando se acabó la guerra, la iglesia descubrió que el valiente y desprendido hombre, que nunca habían visto, pero al cual amaban, había muerto durante la ocupación japonesa. La "cortina de bambú" que llegó a China con el comunismo posterior a la Segunda Guerra Mundial, prohibió a la Misión Betania de futuras comunicaciones con la Iglesia de Dios.

6. ÁFRICA

No fue hasta el 1938 que los misioneros de la Iglesia de Dios entraron al continente negro.[24] Edmond y Pearl Stark ofrecieron sus servicios a la Junta de Misiones para Angola, África Portuguesa del Oeste, en la asamblea de 1937 (trigesimosegunda). Stark, un nativo de Oklahoma, había sido miembro de la Iglesia de Dios por muchos años, pero su esposa, anteriormente la señorita Pearl M. Pickel, había servido previamente como misionera en África para las Asambleas de Dios. De regreso a los Estados Unidos enseñaba en la escuela bíblica de esa denominación y su salud decayó. Creyó que su enfermedad era causada por estar fuera de la voluntad de Dios y estaba convencida que debía regresar a África. Edmond Stark también sintió un llamado divino hacia el África; así que cuando se casaron, ella se unió a la Iglesia de Dios y ambos se presentaron a la Junta de Misiones.

Los hermanos Stark zarparon el 7 de abril de 1938 para Angola, unas húmedas tierras al sur del ecuador. En esta colonia portuguesa había tres millones y medio de personas esperando para oír el evangelio. La joven pareja de misioneros llegó a sus labores con grandes energías, y en poco tiempo tenían una misión bien organizada. Stark enseñó artes manuales a los nativos junto con las verdades espirituales fundamentales. El trabajo en Angola fue exitoso desde el principio.

Después de nueve meses de ministerio entre los nativos, Stark fue azotado por una fiebre tropical. Días de angustia mental siguieron. Día y noche, por más de dos semanas, Pearl Stark cuidó sola a su esposo delirante.[25] Con sus amigos de color que le asistían en su lucha por salvarle la vida, esta dama valiente oraba y tenía esperanzas, hasta que la esperanza se acabó. Stark murió el 22 de marzo de 1939 y fue enterrado en las tierras por las que él tenía tanta compasión. Para ese tiempo, de una manera conmovedora la hermana Stark relató al *Evangel*:

---

[24]Al parecer hubo un intento abortivo y prematuro para establecer una labor allí en 1926-27. Un grupo de ocho intentaron llegar a Ougadougou, África Francesa del Oeste, pero las enfermedades y fondos insuficientes trajeron el intento a su fin. (Conn, *Where The Saints Have Trod,* [Por donde han caminado los santos], págs. 24, 25).

[25]Simmons, *op. cit.*, pág. 138.

> Solamente dos días antes de morir, él había estado durmiendo por unos minutos, despertó repentinamente y con mirada de gran preocupación en su rostro, dijo: ¡Oh qué contento estoy de saber que todavía estamos en África! Soñé que estaba en un velero camino a casa y que ya casi estábamos allí. Me hizo sentir muy triste el pensar que estaba regresando a casa, pero estoy contento que no es verdad. No venimos aquí para regresar a casa, ¿verdad? Venimos aquí por la causa de Jesús y estoy contento.[26]

Su esposa regresó a los Estados Unidos porque la Junta de Misiones estaba reacia en ese momento a que una mujer quedara sola en África.[27] Con tales sacrificios heroicos e inspiradores, la Iglesia de Dios se volvió más y más consciente de otras naciones alrededor del mundo y de su comisión de enseñarles. La obsesión de la Iglesia de Dios vino a ser la de implantar el mensaje pentecostal en todo el mundo.

---

[26]Un misionero de otra denominación en Angola escribió a la Iglesia de Dios concerniente a Stark: "Su corta estadía de nueve meses en Angola no fue en vano. Su celo por Dios y su trabajo nos sirvió de reprimenda a todos... era un cristiano maduro, alguien que amaba a Dios, su Palabra y su gente. Siento que todos somos mejores cristianos por haberlo conocido más de cerca". *Church of God Evangel*, 6 de mayo de 1936, pág. 6.

[27]Pearl M. Stark viajó en representación de Misiones Mundiales hasta 1948, deseando regresar a Angola. Finalmente fue autorizada a regresar en febrero de 1948.

Capítulo 23
LA VISIÓN PERSISTENTE

1. Las inconveniencias del progreso

Mientras la Iglesia de Dios extendía su ministerio a las partes lejanas del mundo, al mismo tiempo fortalecía sus bases en la tierra madre. El progreso siempre trae sus inconvenientes cuando hay procedimientos usuales que tienen que ser enmendados y sentimientos retrógrados eliminados de la senda del progreso. La Iglesia de Dios entró en su período de cambios y experimentación gradual, según el crecimiento y las perspectivas lo demandaron. Este período se registra desde que se cambió la asamblea de Cleveland a Chattanooga y ha continuado hasta el tiempo presente; esta lucha representa un esfuerzo constante de mantenerse al día en el crecimiento que Dios le ha dado a la organización. Las facilidades físicas de la iglesia muy pronto vendrían a ser obsoletas. Una estructura organizacional bien equilibrada durante un año puede ser inadecuada para una operación fluida en años subsiguientes. El progreso es devastador para los sentimentalistas y románticos, pero es el fruto inevitable de la gente con visión. La Iglesia de Dios estaba dirigida por una visión: alcanzar a los perdidos en todo el mundo, aprender de aquel cuya carga es liviana, convertirse en padre y madre de los huérfanos y cumplir toda la Palabra de Dios.

2. Un lugar para las mujeres

En la asamblea de 1936 (trigesimoprimera) nació la organización de las Damas Auxiliares de la Iglesia. Desde los primeros días, la iglesia usó a sus mujeres libremente como evangelistas y obreras de iglesias; un gran número de iglesias se unieron a través de las lágrimas y labor de estas consagradas hijas del Señor. A las mujeres de la iglesia se les consideraba como colaboradoras en la evangelización de los inconversos; se les permitió un ministerio limitado que no incluía la ordenación.[1] A pesar de que había numerosas mujeres predicadoras, no había ninguna organización oficial de damas. Algunos estados auspiciaban sociedades de damas a nivel estatal bajo nombres tales como: "Grupo Femenil de Oración", "Círculo de Mujeres", "Círculo de Dorcas".[2] A la esposa de S. J. Wood, Supervisor de Oklahoma, se le considera como la principal organizadora de estas sociedades locales y principal proponente de una organización nacional de damas.

La organización de mujeres auxiliares, formulada para la asamblea de 1936, fue denominada "Grupo de Trabajadoras Voluntarias". Cada sociedad local debía:

> ...reunirse cada semana, o tan a menudo como le fuera conveniente, para comprometerse en aquellas actividades legítimas que le fuera posible para levantar fondos para las necesidades de las iglesias locales.[3]

Esto no restringía ninguna otra sociedad local en lugar de o en adición a la sociedad nacional. La obra de las damas en la Iglesia de Dios ha hecho una contribución incalculable a su expansión material. A través de las Damas Auxiliares, como fue renombrada en 1972, muchos pastores con necesidades económicas han sido ayudados financieramente, se han construido, comprado y amueblado muchas casas pastorales, algunas obras misioneras se han fortalecido, se ha decorado iglesias; se ha patrocinado programas de extensión de la iglesia, y se han efectuado muchos otros proyectos. El trabajo no ha sido sólo material y físico, ya que muchos grupos locales se reunían para devocionales, reuniones de oración, y distribución de tratados y otra literatura, para visitar hogares y hospitales o para otros propósitos de beneficencia y caridad. La esposa de cada supervisor de estado, por virtud de su posición, generalmente ha servido como presidenta de las Damas

---

[1]Las predicadoras no podían celebrar matrimonios, bautizar, dirigir conferencias de negocios, administrar los sacramentos o "usurpar la autoridad del hombre". Estas no podían ser ordenadas, ni tenían voz en las sesiones de negocios en la Asamblea General.

[2]Simmons, *op. cit.*, pág. 71.

[3]*Minutas de la Trigesimoprimera Asamblea General* (1936), pág. 35.

Auxiliares de su estado. De igual manera, la esposa del Supervisor General sirve como presidenta nacional.[4]

3. Énfasis en la educación

El avance académico de la Escuela de Adiestramiento Bíblico bajo J. H. Walker fue acompañado por el éxito financiero bajo Z. C. Tharp.[5] Esto no significa que no hubo avance académico. De hecho, durante los nueve años de la presidencia de Tharp se tuvo un progreso académico sobresaliente y la matrícula alcanzó el punto máximo. El auditorio vacante de la asamblea fue cedido a la escuela bíblica en el 1937.[6] Sin embargo, las necesidades de espacio de la escuela no habían sido suplidas todavía, a pesar de que se había construido un nuevo edificio para señoritas a un costo de más de $12,000 en el invierno de 1936-1937.[7]

La escuela fue relocalizada en Sevierville, Tennessee, para el año académico de 1938-1939. La iglesia compró toda la planta física del Instituto Colegial Murphy en el pintoresco pueblo, situado en la pradera del verdoso valle entre Knoxville, Tennessee, y las montañas conocidas como *Smoky Mountains*. La propiedad tenía un edificio administrativo grande de dos pisos que albergaba el auditorio, un salón de estudio, salones de clases, oficinas, laboratorio, biblioteca, comedor y la cocina en el sótano. Al lado del edificio había un dormitorio para varones y otro para señoritas y damas.

La escuela creció bajo la dirección de Tharp de 157 estudiantes, el último año académico en Cleveland, a 216 en el año académico 1939-1940. Todo el espacio disponible en el nuevo edificio estaba lleno.[8] Tharp pidió a la asamblea de 1941 que autorizara la construcción de un edificio de $40,000 en la propiedad de Sevierville.[9] Este proyecto fue financiado por la Casa de Publica-

---

[4] *Minutas de la Cuadragesimotercera Asamblea General* (1950), pág. 73.
[5] *Minutas de la Trigesimosegunda Asamblea General* (1937), pág. 34.
[6] *Ibíd.*, pág. 35.
[7] Simmons, *op. cit.*, pág. 96.
[8] *Minutas de la Trigesimoquinta Asamblea General* (1940), pág. 21.
[9] *Minutas de la Trigesimosexta Asamblea General* (1941), pág. 48.

ciones.[10] El edificio de cinco pisos albergaba un auditorio de 800 asientos, cocina, comedor, almacén, salones de clase y veinte estudios de música.

Simultáneamente con la adquisición de estas facilidades se comenzó a pensar en la acreditación del programa, los dos primeros años de nivel universitario y otros adelantos académicos. El primer paso para alcanzar esos objetivos fue el cambio de un año académico de seis meses a uno de nueve meses. La Escuela de Adiestramiento Bíblico estableció los dos primeros años de nivel universitario y su división de escuela superior fue acreditada por el estado de Tennessee en 1941.[11] Su nombre fue cambiado a Escuela y Colegio de Adiestramiento Bíblico; el registro estudiantil aumentó a seiscientos.

4. Padres para más huérfanos

Cuando la escuela bíblica fue trasladada a Sevierville, el Orfanatorio y el Hogar de Niños compró el nuevo dormitorio de señoritas en Cleveland. Desde sus comienzos en 1920, el Orfanatorio había agregado varios nuevos hogares a su propiedad, incluyendo una granja de 119 acres, a unas ocho millas de Cleveland.[12] La compra del dormitorio de la escuela en 1938 proveyó suficientes facilidades para todas las cincuenta y seis niñas del hogar. Los cuarenta y nueve niños permanecieron en la casas pequeñas; arreglo que llegó a ser altamente insatisfactorio.

La asamblea de 1940 (trigesimoquinta) aprobó la construcción de un nuevo edificio para los niños. Un hogar grande de tres pisos fue construido para niños en una gran área de tierra, cinco millas al sur de Cleveland. E. L. Simmons, presidente de la Junta del Orfanatorio, fue un instrumento clave en este proyecto; estimuló

---

[10] *Minutas de la Trigesimoséptima Asamblea General* (1942), pág. 33.

[11] La Junta de Directores debía... "negociar, consumar y elaborar los planes para el establecimiento... de los dos primeros años de nivel universitario de acuerdo con los requisitos de la Asociación de Colegios del Sur, comenzando en el año académico 1941-42, si esto podía hacerse sin afectar adversamente a la Escuela Bíblica de Adiestramiento". (*Minutas de la Trigesimoquinta Asamblea General* (1940), pág. 31).

[12] En 1921 se había construido un hogar con fondos levantados mayormente en Cleveland y había sido denominado Orfanatorio de la ciudad de Cleveland; ya que era el segundo edificio se le llamó Número Dos. Un tercer edificio fue construido en 1922 con fondos levantados por las iglesias de Kentucky y fue llamado Hogar de Kentucky o Número Tres. La finca fue comprada en 1928. (*Ibíd.*, pág. 114).

el interés y respaldo entre los hombres de negocios de Cleveland, quienes contribuyeron con los fondos para el edificio. El edificio fue dedicado durante la asamblea general, el 2 de septiembre de 1941. La asamblea no tuvo tan buena asistencia como otras, debido a una epidemia de polio en Chattanooga;[13] sin embargo, una gran caravana de delegados se dirigió al nuevo hogar donde se encontró con otra caravana de hombres de negocios de Cleveland.[14] El hogar era impresionante, con una imponente fachada de columnas jónicas, centradas entre las simétricas alas cóncavas. Detrás del edificio había un almacén completamente moderno y una lechería. Es comprensible que el orfanatorio viniera a ser el orgullo y gozo de la Iglesia de Dios.

El progreso del hogar, de este momento en adelante, se refleja en el informe dado en la asamblea de 1943:

> Hemos construido un almacén de papas que almacenará todas las papas y batatas necesitadas en ambos hogares, una nueva lechería que producirá leche grado A, un nuevo silo, un nuevo almacén y un nuevo gallinero que albergará alrededor de 1,500 gallinas. Hemos construido aceras de concreto desde el hogar hasta la lechería y hemos instalado un refrigerador que nos permite tener nuestra propia carnicería y proveer de carnes frescas a ambos hogares.[15]

El orfanatorio no tuvo un superintendente general hasta la asamblea de 1943 (trigesimoctava), sino que cada hogar era supervisado por su propia matrona o administrador, con el presidente de la junta del orfanatorio como superintendente *de facto*. F. R. Harrawood fue seleccionado para servir como primer superintendente a tiempo completo durante la asamblea de 1943.[16] Harrawood fue sucedido por J. H. Muncy después de dos años. Durante la superintendencia de Muncy, el nuevo dormitorio de varones fue utilizado más allá de sus capacidades y una segunda finca fue comprada. Un edificio combinado de oficina y dormitorio para señoritas fue construido en el lugar del viejo auditorio de asamblea en 1947. Las solicitudes para ingresar al hogar venían de

---

[13] *Church of God Evangel*, 23 de agosto de 1941, pág. 4.

[14] *Ibíd.*, pág. 3.

[15] *Minutas de la Trigesimoctava Asamblea Anual*, 1943, pág. 50.

[16] *Ibíd.*, pág. 31.

todos los puntos de la nación, de huérfanos y niños sin hogares de muchas denominaciones y trasfondos. No todos podían ser aceptados, no debido a su fe religiosa —o falta de ésta— sino debido a la falta de espacio. Los niños necesitados, los corazones tiernos y las contribuciones generosas han mantenido al Orfanatorio de la Iglesia de Dios en un programa de expansión que no ha cesado hasta el día de hoy.

5. Énfasis en publicaciones

Los tres años entre 1939-42 trajeron grandes avances en el campo de la publicación. S. W. Latimer fue sucedido como editor y publicador por E. L. Simmons en la asamblea de 1936. El nuevo editor era un estudioso de las Escrituras y de la historia de la iglesia. Este trajo consigo un nuevo énfasis literario a las publicaciones de la Iglesia, al emplear técnicas editoriales modernas. Antes de iniciarse como editor, Simmons había escrito una *Historia de la Iglesia de Dios*, la cual en realidad fue un resumen breve y pintoresco de la iglesia.

6. Hacia América del Sur

J. H. Ingram planificó un tercer viaje misionero mundial en 1940, pero los nubarrones de la guerra lo hicieron imposible. Los países de donde venía el grito de ayuda no se podían alcanzar hasta que terminara la pesadilla del mundo. Obstaculizado en su tercer viaje alrededor del mundo, Ingram se dirigió al sur y siguió la costa este de Sudamérica hasta Buenos Aires, Argentina.[17] Ingram se había preocupado mucho con relación a la obra en Argentina en viajes anteriores, y había confiado en poder establecer la obra de la Iglesia de Dios en este país. La iglesia había enviado misioneros a Argentina, pero sus esfuerzos habían sido en vano.[18]

---

[17]McCracken, *op. cit.*, pág. 106.

[18]Vessie D. Hargrave, *South of The Rio Bravo* [Al sur del Río Bravo] (Cleveland, Tenn: Junta de Misiones de la Iglesia de Dios, 1952), pág. 34 ss.

En Buenos Aires Ingram visitó una organización denominada Iglesia Pentecostal Evangélica, de la cual Marcos Mazzucco, de trasfondo italiano, fue el fundador y líder.[19]

Ingram quedó impresionado porque esta organización tenía once iglesias y misiones en Buenos Aires y sus suburbios. La iglesia más grande tenía cerca de 430 miembros. Todas las iglesias por voto unánime se unieron a la Iglesia de Dios el 30 de junio de 1940.

Ingram informó lo siguiente a las oficinas con relación a su visita a Marcos Mazzucco:

> El hermano Mazzucco es un verdadero misionero y nosotros hemos estado poniendo nuestra teoría en práctica, yendo de casa en casa. Él no anda hablando sobre las condiciones del tiempo, sino inundando los hogares con himnos, oraciones y la Palabra de Dios. El Señor ha sido bendecido maravillosamente, en las últimas semanas, con familias completas que se han entregado a Dios. Cuarenta han recibido el bautismo del Espíritu Santo en este tiempo.[20]

Mazzucco realmente parecía infatigable, dirigido por una pasión por Cristo. Después de doce años, Vessie D. Hargrave le llamaría "el pastor más activo de la Iglesia de Dios". Bajo la supervisión de Mazzucco, la obra en Argentina ha prosperado y la Iglesia de Dios es hoy la denominación más fuerte en este país de Sudamérica. Sólo la iglesia central tenía más de 3,000 miembros, que es la congregación más grande en cualquier sitio en la obra de la Iglesia de Dios.

La iglesia también alcanzó el Sur de México y El Salvador en el 1940. J. W. Archer y su esposa fueron a México desde su hogar en Colorado e hicieron una obra importante en el fortalecimiento de las misiones recién organizadas por la iglesia. El Salvador, donde Ingram había comenzado una obra en años anteriores, se convirtió en el campo de H. S. Syverson, quien una vez había estado asociado con Paul C. Pitt, de China. Syverson estaba en la Escuela Bíblica del Noroeste y Academia Musical, en Lemmon,

---

[19]Especialmente, F. L. Ryder, cuyo trabajo se menciona brevemente en la página 144. Vea también, *Where The Saints Have Trod* (Donde han caminado los santos), pág. 157.

[20]J. H. Ingram, *Church of God Evangel*, 14 de septiembre de 1940, pág. 7.

Dakota del Sur, en el momento cuando sintió el llamado de Dios para ir a El Salvador.

7. El episodio haitiano

Fue en febrero de 1938 que John P. Kluzit y su esposa reemplazaron a J. Vital Herne en Haití. Kluzit era maestro de ciencias en la escuela superior de Croton-on-Hudson, Nueva York, y su esposa, de origen francés, enseñaba esa lengua en la escuela superior y en la universidad. Ellos recibieron el bautismo del Espíritu Santo en 1937 por separado, pero fueron llamados simultáneamente al campo misionero haitiano. Salieron de inmediato sin el respaldo de una Junta de Misiones. En Puerto Príncipe se reunieron providencialmente con J. H. Walker y J. H. Ingram, quienes se encontraban en la ciudad para resolver un problema con Vital Herne. El resultado fue que los Kluzit encontraron una Junta de Misiones y la Iglesia de Dios encontró unos misioneros capaces. La obra de Haití tuvo tan marcado éxito bajo el nuevo liderazgo que en pocos años su trabajo atrajo negativamente la atención del gobierno haitiano.

Mientras asistía a la asamblea de 1941 (trigesimosexta), Kluzit recibió informes de que todas las iglesias y misiones de la Iglesia de Dios en Haití habían sido cerradas por orden del gobierno y que la gente estaba sometiendo a los fieles a una persecución severa. El misionero voló inmediatamente a Puerto Príncipe para investigar la situación. Era un cuadro desalentador. Kluzit vio que no había posibilidades inmediatas de un cambio de actitud por parte del gobierno, ya que estaba completamente prejuiciado y mal aconsejado. Diez convertidos habían sido arrestados simplemente por cantar y orar en sus hogares. Habían sentenciado a ocho de éstos a seis meses de cárcel y multados con el equivalente de ocho dólares.[21] Por la actitud de los sacerdotes locales, a Kluzit le pareció que la persecución fue fomentada por los católicos debido

[21]La entrada per cápita de un haitiano en aquel tiempo era de $1.00 americano al año, lo que significa que la gente fue multada con el equivalente del salario de toda una vida.

a que la Iglesia de Dios estaba ganando más fuerza y popularidad.[22] Inmediatamente Kluzit hizo una apelación a la misión diplomática americana en Haití. En correspondencia del 4 de septiembre de 1941, él señaló que en el período de tres años y medio

> ...más de 300,000 personas habían conocido el evangelio, por lo menos 15,000 se habían convertido definitivamente y 3,200 se habían hecho miembros de la Iglesia; 145 misiones establecidas; y dos escuelas de Biblia y adiestramiento fueron organizadas, y un pequeño orfanatorio que servía a 53 niños... que eran recogidos de las calles, hambrientos y casi muertos y eran retenidos hasta que regresaban a la salud normal. En el interior, donde no había escuelas para enseñar a los nativos y nuestra obra estaba establecida, abrimos escuelas rurales para enseñar a los niños los rudimentos de lectura y de Biblia.[23]

El misionero apeló al presidente de Haití, Elie Lescot, quien había servido como embajador de Haití en los Estados Unidos por cuatro años, antes llegar a ser presidente. Lescot no aceptó ninguna componenda y las iglesias permanecieron cerradas por dos años, aunque no se determinó ninguna razón legítima para cerrar las mismas. El único consuelo de la Iglesia de Dios en Haití durante este período fue que se había convertido lo suficientemente grande y lo suficientemente influyente para que el gobierno nacional la atacara. El presidente había ordenado personalmente el cierre de las iglesias, sin ninguna notificación o procesos formales. Parece que éste se encolerizó cuando un ministro visitante, mientras predicaba, hizo declaraciones que fueron consideradas derogatorias

---

[22] *Church of God Evangel*, 11 de octubre de 1941, pág. 7... "un sacerdote estaba pasando frente a la casa de uno de nuestros obreros nativos. El sacerdote lo vio leyendo la Biblia fuera de su hogar y le dijo: '¿Por qué está leyendo eso? ¿No sabe usted que las iglesias están cerradas?' El hermano Christophe respondió: 'Sí, nuestras iglesias están cerradas, pero mi corazón todavía está abierto en dirección al cielo. Yo estoy leyendo la Palabra de Dios para confortarme'. El sacerdote regresó con un soldado, ordenándole arrestar a Christophe. Pero el soldado no lo arrestó, ya que no había evidencia alguna de que hubiera violado la ley. El sacerdote le dijo que se escondiera hasta que los oyera cantar himnos pentecostales. Esa noche antes de acostarse... el hermano Christophe y el hermano Weiner estaban orando y cantando en su hogar. El soldado tocó a la puerta y les dijo que estaban bajo arresto... Ellos fueron enviados a Cayes para ser juzgados en la Corte Correccional..." (Correspondencia de John P. Kluzit a J . H. Walker, fechada el 27 de septiembre de 1941).

[23] McCracken, *op. cit.*, págs. 49, 50.

hacia el gobierno haitiano.[24] A pesar de todas las gestiones que hicieron los misioneros, las iglesias permanecieron cerradas, pero no así los corazones del pueblo.

Finalmente, la persecución ayudó a la iglesia en Haití en vez de perjudicarla. También levantó el interés de la gente en los Estados Unidos. Se firmaron 36,500 peticiones solicitando la intervención del Departamento de Estado. La mayoría de los firmantes eran miembros de la Iglesia de Dios, pero cerca de 2,000 congresistas, senadores y gobernadores, alcaldes y otros oficiales a lo largo y ancho de la nación estaban conscientes de la buena obra que estaba llevando a cabo la Iglesia de Dios en sus respectivas áreas. J. H. Walker con dos congresistas[25] presentaron la petición al secretario de estado, Cordell Hull, el 22 de octubre de 1941, quien les aseguró que el Departamento de Estado intervendría.[26] Sin embargo, las ruedas de la diplomacia, manejadas por manos con guantes de seda, se movían suave, silenciosa y lentamente.

Mientras la Iglesia de Dios esperaba que el Departamento de Estado hiciera efectiva su ayuda, la Iglesia Metodista Africana en Haití se unió con las iglesias hostigadas en una manera fraterna e inesperada. A la Iglesia de Dios le fue permitido usar sus iglesias, lo cual permitió al pueblo pentecostal continuar su adoración, casi sin interrupciones, bajo el nombre de Iglesia Africana Metodista. La iglesia creció maravillosamente bajo este arreglo, aprendió a confiar en sí misma y vivió más cerca de Dios. A su tiempo, la obra de la maquinaria diplomática se hizo evidente y las puertas cerradas fueron abiertas el 13 de agosto de 1943.

> Después de pasar dos años de actividades detrás de puertas cerradas, la obra reapareció ampliamente a la luz del día. Un gran avivamiento surgió en el sur y mucha gente se convirtió. Con la ayuda de los hermanos de Estados Unidos muchas propiedades fueron compradas. Escuelas fueron reabiertas.[27]

---

[24] J. Herbert Walker, hijo, y Lucille Walker, *Haití* (Cleveland, TN.: Church of God Publishing House, 1050), pág. 33.

[25] El congresista Joseph Bryson, de Carolina del Sur, y el congresista (más tarde senador) Estes Kefauver, de Tennessee.

[26] *Church of God Evangel*, 1 noviembre de 1941, pág. 3.

[27] Walker, *op. cit.*, pág. 33.

La visión de la obra del Señor es una visión persistente. Esta se mantiene ya sea en la prosperidad, el cambio o la persecución. La visión aguijonea, estimula y se ejercita a sí misma; una vez suprimida, ésta surge con más fuerza que nunca; aunque permanezca en secreto por un momento, brilla con más intensidad cuando reaparece. El episodio haitiano dio indicaciones sólidas de que la Iglesia de Dios tenía este tipo de visión, tanto en suelo foráneo como en tierra nacional.

Capítulo 24
NUEVOS HORIZONTES

1. OTRO ASISTENTE DEL SUPERVISOR GENERAL

Ningún otro hombre vertió más abundantemente sus energías como J. H. Walker, en su calidad de Supervisor General de la Iglesia de Dios. Un año típico de viajes le llevó a seis reuniones ministeriales de estado, veintisiete convenciones de estado, cinco convenciones foráneas, después a la Asamblea Nacional de los Afroamericanos, culminando con el Concilio de Obispos en la Asamblea General.[1] Walker no solamente viajó extensamente en su liderazgo de la iglesia, sino que también fue un administrador excepcional en su oficina. Un hombre de precisión y equilibrio natural, hizo una excepcional función como moderador de las asambleas y presidente del Concilio Supremo.

R. P. Johnson, Asistente del Supervisor General, fue ideal como colaborador junto a Walker; fue brillante como predicador, así como Walker lo fue en la administración ejecutiva. Sin embargo, para el 1941 fue claro que el Supervisor General necesitaba realmente otro asistente, si las muchas convenciones de estado iban a ser visitadas por un oficial de la oficina general cada año. Earl P. Paulk, Supervisor de Carolina del Norte y miembro del Concilio de los Doce, fue electo al oficio de Segundo Asistente al Supervisor General en la asamblea de 1941 (trigesimosexta).[2] Paulk era lo suficientemente elocuente para competir con Johnson como predicador y lo suficientemente agresivo y dinámico para competir con Walker como líder, así que él llegó a ser un valioso representante de la Iglesia. Su juicio sano y pensamiento progre-

---

[1] *Minutas de la Trigesimosegunda Asamblea General,* 1937, págs. 14, 15.
[2] *Minutas de la Trigesimosexta Asamblea General,* 1941, pág. 18.

sivo ayudaron a dirigir a la iglesia hacia campos de mayor servicio para Dios.[3]

2. Secretario Ejecutivo de Misiones

Un año más tarde una nueva posición fue creada en la asamblea de 1942 (trigesimoséptima), un secretario ejecutivo de misiones.[4] Anteriormente, un miembro de la Junta de Misiones servía como secretario a jornada parcial, pero la constante expansión de los intereses misioneros provocó la necesidad de un secretario ejecutivo que se dedicara a tiempo completo a esta tarea. M. P. Cross fue nombrado a la nueva posición. Cross era un veterano supervisor estatal, prominente miembro de la Junta de Misiones, y había sido miembro del Concilio de los Setenta cuando éste existió. También era uno de los grandes entusiastas de las misiones mundiales en la Iglesia de Dios, factor que influyó decididamente en su selección. Así que la creciente actividad trajo como consecuencia gran demanda de personal administrativo adicional.

3. Asociación Nacional de Evangélicos

Un grupo de clérigos evangélicos de varias denominaciones se reunieron en Saint Louis, el 7 de abril de 1942, para explorar la posibilidad de una Asociación Nacional de Evangélicos. La Iglesia de Dios envió cuatro delegados a esta conferencia.[5] Esta conferencia preparatoria decidió que tal asociación era posible y ciertamente deseable, así que una convención constituyente fue organizada para reunirse en Chicago en la primavera de 1943. A pesar de que la mayoría de los hombres que se reunieron en Saint Louis no eran pentecostales, éstos sintieron una profunda apreciación por el pueblo pentecostal. Significativamente, la Iglesia de Dios y otros

---

[3]Una de las principales responsabilidades de Paulk era dirigir la naciente obra juvenil, reconocida entonces como un elemento importante en la iglesia, pero todavía no como un departamento separado (*Minutas de la Trigesimoséptima Asamblea General* [1942], pág. 42).

[4]*Ibíd.*, págs. 37, 38.

[5]Los delegados de la Iglesia de Dios a la Conferencia Nacional de Acción Unida Entre los Evangélicos fueron: E. C. Clark, M. P. Cross, E. L. Simmons y J. H. Walker. *Acción Evangélica.* (Boston: United Action Press, 1942), págs. 92-100. En virtud de su posición como Supervisor de Missouri, Houston R. Morehead representó a la Iglesia como delegado no registrado.

grupos pentecostales también fueron invitados para asistir a la convención constituyente en Chicago. Antes de que se pudiera aceptar la invitación, el asunto sobre la participación de la iglesia tenía que ser aprobado por el Concilio de Ministros Ordenados, en Birmingham. Esto fue hecho en la asamblea de 1942 (trigesimoséptima).

La asociación propuesta fue una aventura atrevida y reflejó el pensamiento natural entre los líderes evangélicos, y entre los hermanos pentecostales.[6] Como era de esperarse, algunos ministros de la Iglesia de Dios cuestionaron la asociación tan marcada con los no pentecostales. Sin embargo, una gran mayoría de los delegados entendieron que sólo había una división muy escasa entre la presente convicción y el fanatismo superficial. La propuesta asociación fue un gran paso hacia el rompimiento de las barreras de desconfianza y mal entendido. El principio de la ANE siempre ha sido "cooperación sin compromiso".

La Iglesia de Dios aceptó la invitación inmediatamente.[7] Entre muchos de los ministros había un intenso deseo de unir sus esfuerzos con otros fundamentalistas, en la protección y promulgación de los preceptos evangélicos. El Supervisor General J. H. Walker presidió un progresivo comité de delegados de la Iglesia de Dios a la convención constituyente: Earl P. Paulk, E. L. Simmons, M. P. Cross y E. C. Clark.[8]

Los objetivos históricos y presentes de la Asociación Nacional de Evangélicos son como siguen:

---

[6]Indirectamente, las iglesias pentecostales jugaban un papel importante en la formación de la asociación. Otra asociación de objetivos similares (El Concilio Americano de Iglesias Cristianas) había precedido a la Asociación Nacional de Evangélicos en el campo de la cooperación evangélica. Anteriormente, el grupo había propuesto una amalgamación de los dos grupos antes de que la ANE fuera oficialmente organizada. El Concilio Americano solicitó a la nueva asociación que se uniera con ella, sosteniendo que aquella tenía prioridad en el campo. Por un tiempo pareció que los dos grupos se iban a unir; pero por varias razones el esfuerzo fracasó. Un serio intento fue hecho en 1944 para combinar los dos grupos. El Concilio Americano, con el cual el pueblo pentecostal estaba particularmente disgustado, no quería una unión de los dos cuerpos con todos sus miembros. Por el contrario, los miembros de la ANE tenían que solicitar la afirmada asociación como miembros. El Concilio Americano hizo esta demanda para prohibir que a la iglesia pentecostal no entrara a la nueva asociación. Los fundadores de ANE rehusaron abandonar a sus hermanos y amigos, así que la unión nunca se efectuó. La ANE continuó como una organización vital de cooperación evangélica hasta el día de hoy. Harold Lindsell, *Park Street Prophet* (Wheaton, Illinois: Van Kampen Press, 1951), págs. 118-120.

[7]*Minutas de la Trigesimoséptima Asamblea General,* 1942, pág. 36.

[8]E. C. Clark, *Evangel* de la Iglesia de Dios, 29 de mayo de 1943, pág. 3.

1. Estimular el evangelismo en todas sus formas y ayudar en la promoción del esfuerzo evangelístico.
2. Proveer servicios a los comités de misiones en los pasos de conseguir pasaportes, visas, rápida transmisión de fondos y material a los campos foráneos, y la extensión del interés misionero. Proteger la empresa misionera de restricciones y regulaciones impropias.
3. Actuar como agencia intermediaria en asuntos de capellanía para denominaciones o grupos que no estén representados por otras organizaciones en Washington.
4. Proteger la libertad de radiodifusión del evangelio.
5. Mantener y defender la doctrina americana de la separación de la iglesia y el estado.
6. Cooperar en la coordinación de las obras de las iglesias; promoviendo entendimiento y cooperación entre sus organizaciones.
7. Promover y alentar la educación cristiana en todos sus campos.
8. Proveer información, liderazgo y ayuda en todas las formas posibles, y a todas las organizaciones comprometidas con la propagación del mensaje del evangelio.
9. Proveer un medio interdenominacional de confraternidad espiritual e inspiración para los cristianos creyentes de la Biblia.[9]

Los hombres de la Iglesia de Dios han servido en importantes comisiones y comités de la ANE desde sus comienzos. A la asociación madre están relacionadas varias asociaciones nacionales de las cuales varios departamentos de la iglesia son miembros. El *Evangel* y *The Lighted Pathway* (descontinuada) son miembros de la Asociación de Prensa Evangélica; el Departamento de Educación Cristiana y Juventud, la Editorial y la Casa de Publicaciones son miembros de la Asociación Nacional de Escuelas Dominicales, y el Departamento de Misiones es miembro de la Asociación Evangélica de Misiones Foráneas.

[9]Lindsell, *op. cit.*, págs. 117, 118.

4. Estremecimiento administrativo

Las restricciones en los viajes durante la Segunda Guerra Mundial hizo que la asamblea de 1944 fuera muy difícil, pero una delegación limitada llenó totalmente el Salón Memorial en Columbus, Ohio. El sol brillaba como nunca antes; los días finales del verano eran refrescantes y los delegados tenían mucha más expectación a medida que se acercaban a la capital de Ohio. Todo era tan normal para ellos que no podían imaginarse los cambios drásticos que traería esta asamblea. Pero sí fue una de cambios drásticos.

Fue una gran asamblea. Una de grandes eventos. A pesar de que las medidas revolucionarias no fueron planificadas, una vez que éstas comenzaron, barrieron toda la Iglesia como una reacción mental en cadena. Algunos de los cambios fueron permanentes; otros cambios fueron lamentados antes de terminar el año; otros eran sólo una puerta para mayores cambios en el futuro. Pero —buenos, malos o indiferentes— los cambios fueron hechos.

La dirección de nueve años de J. H. Walker llegó a su fin en 1944. A pesar de que había sido un destacado líder fue víctima del creciente sentimiento de que ningún hombre debía ser retenido por demasiado tiempo en la posición de Supervisor General. Walker recibió la mayoría del voto de los ministros, pero él entendió que el factor minoritario era demasiado elevado para aceptar la nominación. Las circunstancias eran más o menos iguales a las que prevalecieron nueve años antes. Sólo que en aquella ocasión fue S. W. Latimer quien dejó la posición, y Walker el que fue electo. Ahora Walker dejó la posición y abrió el camino para otra persona.

Cuando Walker declinó la estrecha nominación, John C. Jernigan fue electo Supervisor General. Jernigan había sido supervisor de estado por muchos años, habiendo servido en Virginia, Kentucky, Georgia, Florida y Tennessee. Su destacado ministerio en esos estados le convertía en la selección lógica para la posición de Supervisor General. El nuevo supervisor era un líder fuerte, con propósitos definidos, pero sin embargo, un hombre jovial que por muchos años había sido un favorito entre los ministros de la Iglesia de Dios. Jernigan se convertiría en un supervisor popular y del pueblo.

En esta misma asamblea, Zeno C. Tharp renunció como presidente del la Escuela y Colegio de Adiestramiento Bíblico. Su renuncia no llegó por sorpresa, ya que por alrededor de un año había dado indicaciones de su renuncia. J. H. Walker fue nombrado a la posición vacante, desde la cual él había sido electo Supervisor General nueve años antes. Tharp fue nombrado Supervisor de Carolina del Sur, donde hacía nueve años había pastoreado la iglesia de Greenville.

5. El gran experimento

El tiempo de servicio de Johnson y Paulk como asistentes generales del supervisor, terminó abruptamente. Por algún tiempo se había tenido la impresión general de que la iglesia era más fuerte en el sureste que en otros sectores de la nación, debido a que las oficinas generales están en el sureste. Recurrentemente, a través de los años ha habido debates sobre si se deben cambiar o no las oficinas generales a una ciudad más céntrica que Cleveland a nivel nacional. Esta idea nunca ganó suficiente apoyo para ponerla en práctica. Llegando a un arreglo, la asamblea de 1944 (trigesimonovena) decidió elegir a seis supervisores generales asistentes, cada uno de los cuales residiría en un sector diferente de los Estados Unidos. Cada uno de estos hombres tendría la supervisión general de los estados de su región.[10] Cada asistente viviría en su área geográfica, y por lo tanto, seis centros de operaciones de la Iglesia serían creados. El Concilio Supremo procedió a dividir la nación en seis distritos y nombró seis supervisores asistentes para los respectivos distritos. Ni Johnson ni Paulk fueron seleccionados entre los seis ayudantes. H. L. Chesser, el primer hombre electo, fue enviado al distrito noroeste; P. L. Walker fue nombrado al noreste; A. W. Beaube al sur

[10]*Minutas de la Trigesimonovena Asamblea General,* 1944, págs. 22, 23.

central; E. L. Simmons al sureste; E. W. Williams al norte central y J. D. Bright al oeste.[11]

Fue un gran experimento. Pero un experimento que propició la fragmentación. Y no funcionó.

6. Límites en el término de servicio

El sacudimiento administrativo no había terminado. Es una gran verdad que la perpetuación de la autoridad a veces tiende a convertirse en una autocracia o reúne una clase privilegiada alrededor de sí misma. Consciente de esta situación, la Iglesia de Dios no quería enfrentarse algún día a tal eventualidad, así que esta asamblea revolucionaria decretó que todos los oficiales generales de la iglesia, más el Concilio de los Doce, debían limitarse a un término de cuatro años. Las elecciones se celebrarían bienalmente y no se permitiría a ningún oficial sucederse a sí mismo más de una vez. Los supervisores de estado también serían limitados a cuatro años consecutivos en cualquier estado o grupos de estados.[12] Los informes de abusos de poder en algunos estados provocaron este levantamiento. Los ministros de la Iglesia de Dios estaban firmemente en su posición de limitar los términos de servicio para aquellos que tenían autoridad administrativa o que poseían poderes de nombramiento. Al principio, la regla de limitación proveía para que con un voto de un 80%, el Supervisor General y sus asistentes podían ser reelectos después de cuatro años, pero el ambiente de esta asamblea continuó y aun esta posibilidad fue cancelada en la asamblea de 1946 (cuadragesimoprimera).

---

[11]Los seis distritos quedaron compuestos como sigue: Noreste: Maine, New Hampshire, Vermont, Massachussetts, Connecticut, Rhode Island, Nueva York, Nueva Jersey, Pennsylvania, Delaware, Maryland, Virginia, Virginia Occidental, Carolina del Norte y el Distrito de Columbia. Norte Central: Wisconsin, Michigan, Illinois, Indiana, Ohio, Kentucky y Tennessee. Sureste: Carolina del Sur, Georgia, Florida, Alabama y Mississippi. Sur Central: Missouri, Arkansas, Louisiana, Kansas, Colorado, Oklahoma, Texas y Nuevo México. Noroeste: Dakota del Norte, Dakota del Sur, Minnessota, lowa, Nebraska, Montana y Wyoming. Oeste: Idaho, Washington, Oregon, California, Arizona, Utah, Nevada.

[12]*Minutas de la Trigesimonovena Asamblea General,* 1944, pág. 23.

7. Una naciente organización juvenil

Fue en esta asamblea que los dolores de parto para una entidad de escuela dominical y la juventud se comenzaron a sentir. Se nombró un comité de escuela dominical y literatura de juventud cuyos deberes eran: "supervisar la edición y publicación de literatura de Escuela Dominical, Esfuerzo Juvenil, Escuela Bíblica Vacacional y otra literatura juvenil y tratados".[13] El presidente del comité fungiría como editor y jefe de la publicación de la juventud y escuela dominical. Excepto durante el año anterior cuando había un editor para la literatura de escuela dominical, el Supervisor General había editado el material de escuela dominical. El talentoso y estudioso Frank W. Lemmons fue nombrado presidente del nuevo comité.[14] Lemmons, hijo del predicador pionero M. S. Lemmons, era uno de los primeros predicadores de la Iglesia de Dios.[15]

8. El orfanatorio de Carolina del Norte

A. V. Childers, el atractivo joven pastor de la iglesia de Kanapolis, Carolina del Norte, fundó un hogar de niños cuando tuvo que responder al llamado de ayuda de una familia de niños pequeños que habían sido abandonados por sus padres.[16] Este fue organizado en enero de 1944. Childers albergó en su hogar a los dos hijos abandonados, mientras pedía ayuda en su programa radial para ayudar a los mismos. En un corto tiempo recibió más de $7,000.00 en contribuciones. Esto resultó en la apertura de un nuevo orfanatorio que fue adoptado como parte del programa general de orfanatorios en el 1944.[17] El orfanatorio compró 193 acres de tierra y una casa de doce cuartos a la mitad del camino entre Kanapolis y Concord en 1945. Muy pronto fueron añadidos

---

[13]*Minutas de la Trigesimonovena Asamblea General,* 1944, págs. 29, 30.

[14]El nuevo comité de Literatura de Escuela Dominical y Juventud quedó compuesto por las siguientes personas: Frank W. Lemons, D. C. Boatwright, Harry Kutz, James L. Slay, H. D. Williams.

[15]Dos hijos de M. S. Lemons se convirtieron en prominentes predicadores en la Iglesia de Dios; el otro era David, un distinguido pastor, maestro de Biblia, supervisor de estado y miembro del Concilio de los Doce.

[16]Correspondencia con la esposa de A. V. Childers, fechada el 4 de octubre de 1954 y un artículo de la Sra. Childers en *Echos,* Carolina del Norte, febrero, 1944, pág. 5.

[17]*Minutas de la Trigesimonovena Asamblea General* (1944), pág. 29.

dos nuevos hogares y el Hogar para Niños se convirtió en una parte prominente del ministerio de benevolencia de la Iglesia.

H. D. Williams fue nombrado superintendente del orfanatorio en 1946, el primer superintendente de tiempo completo en la institución. C. H. Rochester sirvió como superintendente desde 1947 hasta 1952, durante cuyo tiempo se hizo un buen progreso. La Fundación Duke otorgó al hogar una donación en 1949, de la cual recibiría contribuciones anuales paulatinas. Este fue el primero de varios hogares para niños que la Iglesia de Dios abriría en diferentes estados.

9. Adelante con Misiones

A pesar de los cambios críticos en casa, la Iglesia de Dios permanecía avanzando con determinación hacia otras tierras con el evangelio completo. Cuba fue alcanzada en 1943.[18] Hoyle y Mildred Case, que habían regresado recientemente de India donde habían trabajado por cuatro años con Robert F. Cook, fueron nombrados para dirigir la obra en Cuba. En la asamblea de 1943 se informó de una iglesia principal y dos misiones pequeñas.

Alaska se convirtió en un campo misionero de la Iglesia de Dios cuando un joven de Dakota, Jorge Savchenko y su esposa, de origen escandinavo, salieron para Alaska en julio de 1944. Esta pareja intrépida estableció un fundamento sólido en este territorio norteño, fundando una iglesia en el Valle de Matenuska.[19]

La iglesia alcanzó otros países en 1944: Nicaragua, Honduras, Honduras Británicas y Costa Rica en América Central; Bermudas, Puerto Rico, República Dominicana y otras pequeñas islas del Caribe.[20] Estos no eran simples nombres en un registro. Representaban campos donde el mensaje del Espíritu Santo se había predicado, labrado, y en donde se había llorado y orado por aquellos en cuyo seno todavía ardía la llama del fuego de la obra pionera del evangelio completo.

---

[18] *Minutas de la Trigesimoctava Asamblea General* (1943), pág. 50.

[19] Savchenko ha relatado, en una carta fechada el 30 de septiembre de 1954, que su primer invierno en Alaska lo pasó en una granja de pollos que alquiló por $15.00 mensuales. En una tierra de precios astronómicos, esto revela la condición paupérrima de su morada.

[20] *Minutas de la Trigesimonovena Asamblea General* (1944), págs. 49, 50.

10. Después de doce meses

Los seis asistentes generales salieron para sus territorios con grandes ambiciones. Algunos tuvieron éxito en organizar sus regiones para un esfuerzo evangelístico mayor y elaboraron planes sabios para la expansión de la iglesia en sus respectivas regiones. Fue un experimento imaginativo, pero fracasó. Algunos de los supervisores de estado levantaron fuertes protestas, ya que éstos sintieron que estaban demasiado sobrecargados de responsabilidades y mucha interferencia inevitable con la obra. Los ministros regresaron a la asamblea de 1945 (cuadragésima) determinados a volver a la estructura administrativa original. La insatisfacción era tan grande que se descartó totalmente la idea de asistentes múltiples y sólo se retuvo a uno.

La asamblea de 1945 fue limitada pero de grandes proyecciones. Se reunieron en Sevierville, Tennessee, en el auditorio del nuevo edificio de la escuela bíblica. La pequeña asistencia se debió al congestionamiento de viajes durante el tiempo de guerra. La reunión de dos días fue anunciada sólo para los ministros ordenados, pero la conclusión de la Segunda Guerra Mundial en agosto 14 de 1945, quitó la restricción sobre viajes con tiempo suficiente para que por lo menos 2,000 delegados estuvieran presentes en la misma. Desde la convención en Columbus, el año había sido bueno, especialmente en crecimiento numérico. La iglesia había crecido maravillosamente —173 iglesias nuevas y 11,363 nuevos miembros; los miembros ahora sobrepasaban los 100,000— hasta 101,441.[21] Además de estas ganancias hubo un aumento en propiedades de más de dos millones de dólares. La insatisfacción con los asistentes del supervisor general no había sido producto de un año estéril. H. L. Chesser, el primero de los seis hombres electos en 1944, fue seleccionado para continuar como Asistente del Supervisor General en 1945.[22] Chesser, oriundo de Florida, había servido como Supervisor Estatal en Alabama y Carolina del Norte. Un hombre recto y consejero sabio, tenía sobre sus hombros gran parte de la tarea administrativa como asistente de Jernigan.

---

[21] *Minutas de la Cuadragésima Asamblea General* (1945), págs. 27, 28.
[22] *Ibíd.*, págs. 28, 29.

11. UN COLEGIO MEJOR

E. L. Simmons reemplazó a J. H. Walker como presidente del Colegio y Escuela de Adiestramiento Bíblico en 1945. Walker, quien había regresado al colegio sólo el año anterior, se había retirado a un pastorado local, donde pudo librarse un poco de las tremendas presiones a las cuales había sido sometido desde que había sido electo como Supervisor General en 1935. Las cosas no habían comenzado muy bien en la escuela durante el año de su presidencia. E. L. Simmons, presidente más tarde, explicó:

> El [Comité de Educación] había empleado a un administrador y por alguna razón la situación financiera comenzó a decaer. El administrador renunció pero era ya demasiado tarde para salvar la situación financiera de la escuela...[23]

Durante el primer año en la escuela, Simmons completó un dormitorio de $200,000.00 que comenzó a ser construido cuando Tharp era presidente, y además hizo considerables mejoras a la propiedad. Durante la presidencia de Simmons, Earl M. Tapley fue añadido a la facultad y fue nombrado como decano de la escuela. Tapley estaba académicamente preparado en el campo de la educación, tenía grados académicos de la Universidad de Vanderbilt y de Peabody College. Con Simmons como presidente y Tapley como decano, la división del colegio mejoró lo suficiente para merecer la aprobación de las principales universidades y colegios de la nación. Los egresados del colegio muy pronto pudieron transferirse a escuelas más grandes para completar su educación.

En 1946 se presentó lo que se consideró como la oportunidad dorada de la Iglesia de Dios. El Colegio Bob Jones, en Cleveland, decidió relocalizarse en otra ciudad y le ofreció la venta de su propiedad en Cleveland a la Iglesia de Dios, por millón y medio de dólares. Los ministros de la Iglesia de Dios votaron por correspondencia y aceptaron la proposición y ahora nuevamente la escuela estaría en la misma ciudad donde estaban las oficinas

[23]De un manuscrito sin publicar de la *Historia de la Iglesia de Dios* por Simmons.

generales. El cambio se llevó a cabo con suficiente tiempo para el año académico 1947-1948, y las perspectivas se presentaban color de rosa para el programa educacional de la iglesia. El nombre de la escuela fue cambiado a Lee College, al mismo tiempo que se efectuó el cambio, en honor a ese gran líder F. J. Lee, segundo presidente de la institución.

12. Establecimiento del programa juvenil

Otro paso tomado durante la asamblea de Servierville fue la formación de un departamento para la juventud. Se nombró un comité de programación juvenil para suplir las necesidades de la juventud con relación a la educación, recreación y vida espiritual. En el comité fueron nombrados dos hombres de edad madura, pero con corazones jóvenes, y tres jóvenes con mentes maduras. Los miembros maduros fueron E. L. Simmons y R. R. Walker; y los más jóvenes, Ralph E. Williams, Paul Stallings y Robert Johnson.[24] El comité tendría la responsabilidad de asimilar y programar información útil, sugerencias y otros materiales para los líderes de la juventud en los estados. Quizás la tarea mayor del nuevo y ambicioso comité era organizar un congreso nacional de juventud. Este era un verdadero desafío pues representaba un área nueva para la iglesia; sin embargo, el congreso fue organizado para preceder la asamblea de 1946.[25] La Iglesia de Dios entró a estas nuevas áreas de servicio cristiano con un gran sentido de responsabilidad. Fue un período de pruebas y esfuerzos; el crecimiento y la ambición de la iglesia demandaban nuevas y mejores formas de servir a las necesidades espirituales, sociales e intelectuales del pueblo.

13. El Oriente Medio

El primer interés que la Iglesia de Dios tuvo en el Oriente Medio fue la pequeña ayuda que le envió a Lillian Thrasher,

---

[24] *Minutas de la Cuadragésima Asamblea General,* 1945, pág. 30.

[25] Cecil M. Truesdell, *National YPE and Sunday School News, Lighted Pathway*, enero de 1946, pág. 20. *Et seq.*

durante los primeros años de su actividad en Egipto.[26] Mucho más tarde, se estableció contacto con un ministro pentecostal egipcio, Boutros Labib, quien tentativamente fue aceptado en la comunión de la iglesia y se le envió una ayuda financiera modesta.

Finalmente se hicieron arreglos cuando J. H. Ingram visitó Egipto durante su tercer viaje misionero mundial.[27]

Ingram llegó a Egipto en la primavera de 1946, luego de haberse detenido en Palestina. Debido a las restricciones de la ley egipcia sobre los misioneros foráneos, Ingram tuvo que detenerse por seis semanas en Palestina antes de conseguir visa para viajar a Egipto.[28] Durante su espera en la tierra santa, el misionero se reunió con una familia árabe de Belén —que vivía en Jerusalén para aquel tiempo— quienes eran cristianos de la fe pentecostal. Hanna K. Suleiman con su esposa y dos hijos se interesaron en la Iglesia de Dios durante la visita de Ingram, pero no se unieron a la iglesia en esta ocasión. Poco más tarde, se unieron y una obra pentecostal prometedora fue iniciada en Palestina.

Cuando Ingram finalmente entró en Egipto encontró la obra de Boutros Labib en buen estado. Labib había registrado sus 16 iglesias con las autoridades de El Cairo, señalando que su obra estaba afiliada con la Iglesia de Dios en los Estados Unidos. Finalmente, Ingram aceptó la organización en la comunión de la Iglesia de Dios y luego dedicó seis semanas a viajar por el país, visitando iglesias y ministrando a los nativos de la antigua tierra.

A su regreso, el informe de Ingram a la Junta de Misiones fue recibido gozosamente. La junta sintió que hacía falta un misionero americano en el Medio Oriente tan pronto como fuera posible. En la asamblea de 1946 (cuadragesimoprimera), D. B. Hatfield, un distinguido y popular predicador en Virginia Occidental, fue nombrado como misionero a la tierra santa. Él y su esposa habían sentido el llamado de Dios al Medio Oriente por más de diez años.

---

[26]Ver págs. 141-142.

[27]La información para esta sección fue obtenida en su mayoría de una entrevista con D. B. Hatfield y de un manuscrito sin publicar por Hatfield, *Historia de la Iglesia de Dios en el Medio Oriente.*

[28]"El gobierno egipcio pasó la Ley Convención Montraux en el 1936, que restringía la entrada de nuevos misioneros en Egipto. Sólo los grupos religiosos foráneos que se habían establecido en Egipto antes del 1936, podían enviar misioneros al país y ellos sólo podían ser reemplazados". (D. B. Hatfield, *Historia de la Iglesia de Dios en el Oriente Medio,* manuscrito sin publicar).

Así que aceptaron el nombramiento como una obra de Dios. El primer superintendente de Palestina y Egipto viajó de Nueva York con su familia el 23 de abril de 1947 y llegó a Haifa, Palestina, el 8 de mayo. Palestina se encontraba en un período de levantamiento civil en aquel tiempo, debido a las demandas israelíes de independencia de Inglaterra. La situación resultó en un conflicto armado.

> El número de árabes era el doble del de los judíos y esto hacía difícil que Gran Bretaña considerara el deseo de independencia de los judíos. Debido a la negación de Gran Bretaña, los judíos formaron guerra de guerrillas y grupos terroristas... Ataques eran hechos en todo tiempo sin previo aviso, y esto hacía del país un lugar turbulento, con mucha tensión e inseguridad diariamente.[29]

A pesar de la lucha, los esposos Hatfield condujeron servicios en el hogar de Suleiman, donde comenzó una misión muy prometedora. Suleiman, empleado del departamento del registro del gobierno palestino y predicador de tiempo parcial, se convirtió en ministro de la Iglesia de Dios.

Desde el principio, Hatfield se las arregló para visitar Egipto con alguna frecuencia. Debido a las condiciones turbulentas en Palestina se le permitía permanecer en Egipto —con muy poca hospitalidad pero con alguna esperanza. Él describió los tiempos de incertidumbre de la siguiente manera:

> ...el 28 de noviembre de 1947, las Naciones Unidas decretaron la división en Palestina. Este hecho llevó a siete estados árabes a la guerra en contra de Israel. Egipto marchó con sus tropas moviéndose al desierto de Sinaí... y se declaró como un país en guerra. Ellos declararon la ley marcial y no dieron ninguna visa de salida a persona alguna en Egipto.[30]

Hatfield permaneció en tierra santa hasta la primavera de 1949. El misionero y su familia se marcharon para Chipre en mayo y establecieron sus oficinas allí. La iglesia no había disfrutado tremendas ganancias en el Medio Oriente, pero la obra había sido fructífera;

---

[29]Hatfield, *op. cit.*
[30]Hatfield, *op. cit.*

el evangelio había sido predicado en la tierra donde se oyó por primera vez.

14. Las Islas Filipinas

La Iglesia de Dios extendió sus esfuerzos misioneros a las Islas Filipinas en 1947. Por cerca de treinta años, el archipiélago tropical había atraído la atención y carga de la iglesia. Jennie E. Rushin, misionera pionera de China, visitó las Filipinas en 1918 y había informado que no había obra pentecostal en las islas.[31] J. H. Ingram también visitó las islas en 1936 y se impresionó profundamente con la necesidad espiritual de la tierra.[32] Algunos militares de la Iglesia de Dios que estuvieron estacionados en las Filipinas desde la Segunda Guerra Mundial también fueron impresionados con las posibilidades misioneras y las necesidades de aquella tierra. Por lo menos dos de éstos, J. C. Williams y Elmer F. Odom, escribieron alentando a la iglesia para que enviara misioneros a esta tierra atormentada por la guerra.[33]

El primer misionero de la Iglesia de Dios a las Filipinas fue Frank Parado de Pittsburgh, Pennsylvania, quien anteriormente había sido misionero en las Islas Filipinas para otra denominación. Mientras se encontraba en los Estados Unidos se unió a la Iglesia de Dios en febrero de 1947, regresando a Manila como misionero de la Iglesia de Dios. Eventualmente se estableció en Ilocos Norte, una provincia en el extremo noroeste de la isla de Luzón. Parado, quien hablaba con fluidez el dialecto ilocano, ganó numerosos convertidos entre los filipinos. La obra creció tan rápidamente que para mayo de 1947 los seis ministros y los 280 miembros de la Iglesia de Dios se reunieron para una convención.

Cuando Parado regresó a los Estados Unidos después de dieciocho meses, nombró a Fulgencio R. Cortez, un cristiano ilocano, para supervisar las tres iglesias en su ausencia. Parado no regresó y la obra misionera permaneció bajo la tutoría de Cortez

---

[31] *Church of God Evangel*, 1 de junio de 1918, pág. 3.

[32] Ingram, *Around The World With The Gospel Light* (Alrededor del mundo con la luz del evangelio), pág. 81.

[33] *The Macedonian Call* [El llamado macedónico], segundo trimestre, 1946, págs. 4-28.

y otros obreros filipinos por más de una década. Rápidamente, las Islas Filipinas se convirtieron en uno de los campos misioneros más prósperos de la Iglesia de Dios. La historia de los obreros filipinos es una de valentía frente a la oposición y los obstáculos. Estos fueron a las villas más remotas de las provincias norteñas de Luzón y predicaron la Palabra de Dios. Cientos de almas fueron ganadas para Cristo.[34]

De un total de 7,000 islas, hay cuatro islas principales en las Filipinas. La más grande es Luzón en el norte y la segunda es Mindanao, lejos en el sur. Después de una década en Luzón, la obra fue extendida a Mindanao, donde los misioneros nativos experimentaron un gran éxito evangelístico ente los morros. Las montañas solitarias y sin trillar en las islas tropicales constituyen un campo misionero dentro del campo misionero. Institutos bíblicos exitosos fueron organizados tanto en Luzón como en Mindanao, con el fin de adiestrar a obreros nativos para la prodigiosa tarea de evangelizar a los primitivos pueblos de esta tierra.

[34]F. R. Cortez, una historia sin publicar sobre la Iglesia de Dios en las Islas Filipinas.

Capítulo 25
AMPLIACIÓN DE HORIZONTES

1. OTRA ASAMBLEA REVOLUCIONARIA

Sólo dos años después de los cambios drásticos de 1944, llegó otra asamblea con cambios igualmente revolucionarios. El período de cambios de la Iglesia de Dios estaba en todo su apogeo en 1946. La Segunda Guerra Mundial había terminado y surgieron nuevas oportunidades en el campo para la obra misionera de la Iglesia de Dios. La nueva planta física comprada en Cleveland estaba lista para convertirse en el hogar del Colegio Lee. Durante los doce meses que precedieron la asamblea de 1946, la iglesia había ganado más de 14,000 miembros y tres millones de dólares en propiedades. Tales ganancias fueron alentadoras para los 8,000 delegados que se reunieron en Birmingham, Alabama. El crecimiento maravilloso fue tomado como una manifestación de las bendiciones de Dios sobre un pueblo que había luchado, ayunado y se había sacrificado por su causa.

2. SOLIDARIDAD DOCTRINAL

Cualquier temor de que la iglesia estuviera perdiendo énfasis en su doctrina de santidad fue disipado eficazmente en el Concilio de Ministros Ordenados. Esta fue una de las más turbulentas sesiones jamás sostenidas en el concilio, la cual surgió debido al sentimiento de que algunos ministros mantenían puntos de vista contrarios a la doctrina histórica de la santificación. El debate se centró no tanto en la realidad de la santificación, sino en el tiempo y proceso de su incepción en el corazón humano. Algunos mantenían vigorosamente que esta era una obra instantánea o "definida" de la gracia de Dios, y otros sostenían que era una obra progresiva en vez de instantánea. La controversia dramática sirvió principalmente como una manifestación de la completa adherencia de la iglesia a la doctrina y experiencia de la santificación. A pesar de que la asamblea no promulgó ningún edicto en particular, no hubo lugar a dudas de que la Iglesia de Dios es sólida, básica y determinadamente una iglesia pentecostal, fundamental de santidad. Aun cuando la iglesia ha cambiado frecuentemente su estructura administrativa y sus enseñanzas prácticas, jamás ha cambiado ninguna de sus doctrinas.

3. La última asamblea anual

Una de las fuerzas cohesivas de la Iglesia de Dios había sido sus asambleas anuales desde 1906. Desde su reunión inicial, con la excepción de 1918, donde una epidemia nacional de influenza causó que se prohibiera tal reunión, siempre hubo una asamblea cada año. Por varios años, antes de 1946, había existido una considerable agitación para cambiar a una reunión bienal en vez de anual. Sin embargo, la idea había sido descartada hasta que tuvo suficiente apoyo para ser adoptada en 1946. Debido a su tradición, siempre hubo un sentimiento general de rechazo para terminar con la asamblea anual. Sin embargo, la lógica incuestionable no podía ser anulada por el sentimiento. Las reuniones anuales implicaban el nombramiento anual de pastores y supervisores, lo que resultaba en una pérdida de tiempo en el proceso de cambios tan frecuentes. Esto provocó que cada predicador se sintiera indeciso en relación con su nombramiento cada vez que se acercaba la asamblea. También provocaba que se perdiera el corazón de la temporada de avivamiento cada año. Los costos de las reuniones anuales —viajes, comidas y hospedaje— habían aumentado considerablemente para miles de delegados. La combinación de los gastos con la pérdida de tiempo evangelístico sería reducida a la mitad luego del cambio. Este fue el argumento principal para el cambio a una asamblea bienal.

Hubo un tiempo en que reuniones generales frecuentes habían sido altamente beneficiosas y realmente necesarias. Pero con las convenciones estatales, muchas de las cuales eran más largas que las primeras asambleas, convenciones anuales de distrito, reuniones ministeriales y conferencias anuales de oración, disminuyó la necesidad de asambleas anuales. Los pastores y supervisores podían trabajar por dos años sin ser interrumpidos por viajes largos o por la incertidumbre de un nombramiento. Este período prolongado permitiría una mejor planificación de la obra a nivel local y estatal.

Así que en 1946 se cambió la asamblea anual por una asamblea general bienal.[1] Paradójicamente, este rompimiento con la tradición fue para conservar los objetivos tradicionales de la Iglesia de Dios. Los dos años siguientes fueron tan satisfactorios y llenos de actividad que no hubo quejas evidentes por no tener asamblea a mitad de tal período. Poco tiempo después, la mayoría de opiniones se convirtió en una aprobación unánime.

4. Cambios administrativos

Desde el momento de los primeros esfuerzos publicitarios en 1910, los departamentos editorial y administrativo estuvieron combinados bajo un mismo director, llamado editor y publicador. Mientras el programa de publicaciones fue pequeño este arreglo fue suficiente, pero a medida que aumentaron las publicaciones periódicas y las ventas, la responsabilidad fue tan grande que no era posible que un solo hombre supervisara todo adecuadamente. El sentir era que debía haber un director de publicaciones y una segunda persona a cargo de producción y ventas. Este cambio se efectuó en la asamblea de 1946, en donde J. H. Walker fue nombrado como editor en jefe y E. C. Clark, quien había servido en la posición combinada hasta entonces, fue nombrado como administrador.[2] Esta última posición se conoce ahora como publicador.

La asamblea de 1946 marcó el fin de la carrera distinguida de E. J. Boehmer como Secretario Tesorero General. Luego de la renuncia del tremendo ministro de Cristo, el Supervisor General le rindió un gran tributo:

> En la historia de la Iglesia de Dios, ningún hombre se ha retirado con mayores honores que E. J. Boehmer. Ningún hombre se ha

---

[1] *Minutas de la Cuadragésima Asamblea General* (1946), pág. 22.
[2] *Ibíd.*, págs. 22, 26, 32.

> ganado la confianza de la iglesia en general en un grado superior al suyo... Su honestidad jamás ha sido cuestionada y su carácter ha estado por encima de cualquier reproche, sin mancha alguna.[3]

R. R. Walker, quien había servido como director de la Escuela de Adiestramiento Bíblico, fue la selección de la asamblea para suceder a Boehmer.

Hubo otra renuncia en la asamblea de 1946; esta fue la de M. P. Cross como Secretario Ejecutivo de Misiones. Aun cuando su celo misionero no había menguado, Cross deseaba intensamente que se le relevara de la rutina del trabajo ejecutivo. Para esta posición se nombró a un joven de Maryland, J. Steward Brinsfield, quien se había distinguido como Supervisor de Pennsylvania.

5. Impacto e identidad juvenil

Tal vez la innovación más grande de esta asamblea fue el Congreso Nacional de la Juventud, celebrado del 27-29 de agosto de 1946, durante los primeros tres días de la reunión. Los tres días estuvieron llenos de sesiones de estudios, talleres y períodos devocionales. Fue el verdadero comienzo de una obra que había estado ganando fuerzas por varios años.

La Junta de Literatura de Escuela Dominical y Juventud fue fusionada con el Comité de Interés Publicitario para formar la Junta General Editorial y de Publicaciones.[4] El Comité de Programas Juveniles fue reorganizado para formar el Comité Nacional de la Juventud. Se nombró a un director nacional para dirigir el Departamento Nacional de la Juventud, con el fin de iniciar los ministerios juveniles de la Iglesia de Dios. Ralph E. Williams, quien tenía un sólido trasfondo en la obra juvenil a nivel estatal, fue nombrado para esta importante tarea. Por fin, la juventud de la Iglesia de Dios tenía identidad, y tal como suele suceder

---

[3] *Ibíd.*, pág. 25.
[4] *Ibíd.*, págs. 22, 23.

con los jóvenes, pronto se convertiría en uno de los departamentos más productivos y eficientes de la iglesia.[5]

Bajo el liderazgo de Ralph E. Williams, el Departamento de Escuela Dominical y Juventud, o Departamento de la Juventud y Educación Cristiana, como se le conoce actualmente, hizo una notable contribución al adelanto de la obra de la Iglesia de Dios. En lugar de celebrar un segundo congreso juvenil nacional, en 1948 se celebraron congresos regionales organizados en distintas áreas de los Estados Unidos. Las reuniones consistían de conferencias, talleres y despliegue de materiales de ayuda para obreros de escuela dominical y juventud a nivel local. El programa de congresos regionales fue tan exitoso que siguió vigente por una década; seis de ellos se celebraban bienalmente en los años cuando no había asamblea general. Fue por medio de estas reuniones que la Iglesia de Dios comenzó seriamente a demandar, y a desarrollar, métodos y destrezas para la enseñanza a nivel local.

6. *PFNA* (CPNA): Fuerzas Combinadas de Pentecostés

En 1948 se exploró otra área de confraternidad interdenominacional cuando ocho grupos pentecostales asistieron a la Convención de ANE en Chicago y discutieron la formación de una confraternidad pentecostal.[6] Estos grupos se reunieron el 7 de mayo de 1948 y encontraron que la propuesta de una asociación pentecostal era muy deseada por todos los presentes. Se hicieron planes para una segunda conferencia el 3 y 4 de agosto, "con el propósito de explorar las posibilidades de una cooperación y confraternidad pentecostal a nivel interdenominacional, y para formular los re-

[5]No fue sino hasta la asamblea de 1948 (cuadragesimosegunda) que la Escuela Dominical fue formalmente colocada bajo la supervisión del Director Nacional de la Juventud (*Minutas*, pág. 33). En 1952 se cambió el título por el de Director General (o nacional) de la Juventud y Escuela Dominical, y se le dio instrucciones para que se "dedicara de tiempo completo a la promoción de la obra de la Escuela Dominical y de la labor de la juventud de la Iglesia de Dios". (*Minutas de la Cuadragesimocuarta Asamblea Anual*, 1952, pág. 30). En 1970 se adoptó el nombre de Departamento de la Juventud y Educación Cristiana.

[6]*Libro de Actas de la Conferencia de Líderes Pentecostales*, Chicago, Illinois, 7 de mayo de 1948.

glamentos de tal confraternidad..."[7] Los reglamentos fueron presentados a cada denominación para su estudio y aceptación.

Cuando se reunieron por segunda vez, otros grupos enviaron representaciones. La noticia de una confraternidad pentecostal se había diseminado ampliamente, y la respuesta había sido entusiasta. Se nombraron varios comités, especialmente el comité de constitución, que se reunió en Des Moines, Iowa, del 26 al 28 de octubre de 1948.[8] La Confraternidad Pentecostal de Norteamérica ha hecho mucho por la causa de la unidad, comunión y cooperación entre las denominaciones afiliadas.

Es una confraternidad dinámica que no tiene ningún otro propósito que lo expuesto anteriormente. Los objetivos de la CPNA incluyen:

1. Proveer un vehículo de expresión y coordinación de esfuerzos en asuntos comunes a todos los miembros de la misma, incluyendo esfuerzos evangelísticos y misioneros alrededor del mundo.
2. Demostrar al mundo la unidad esencial de los creyentes bautizados con el Espíritu, cumpliendo de este modo la oración del Señor Jesús "que todos sean uno", Juan 17:21.
3. Proveer servicios a todos sus miembros para capacitarlos, a fin de que cumplan pronta y eficazmente su responsabilidad de evangelizar al mundo.
4. Estimular los principios de urbanidad para la nutrición del cuerpo de Cristo, luchando por mantener la unidad del Espíritu hasta que todos lleguemos a la unidad de la fe.[9]

7. Conferencia Pentecostal Mundial

El mundo pentecostal se dio cuenta de sí mismo en 1947. En Europa, Asia y otras partes del mundo había otras organizaciones pentecostales muy parecidas a la CPNA de Norteamérica. Un fuerte deseo de confraternidad internacional creció hasta llegar a

---

[7] Además de la Iglesia de Dios, que estuvo representada por John C. Jernigan, H. L. Chesser y J. Steward Brinsfield, estaban representadas las Asambleas de Dios, la Iglesia Pentecostal de la Santidad, las Asambleas Pentecostales de Canadá, la Iglesia Cuadrangular, las Asambleas Pentecostales Internacionales, Asambleas Misioneras Elim y la Iglesia de la Biblia Abierta.

[8] *Loc. cit.*

[9] *Constitución y Reglamento de la Confraternidad Pentecostal de Norteamérica.*

ser más que un simple impulso y se programó la celebración de una Conferencia Pentecostal Mundial a reunirse en Zurich, Suiza, durante el verano de 1947. Entre los participantes de la conferencia estaban Donald Gee de Inglaterra, Lewi Pethrus de Suecia y Leonard Steiner de Suiza.

La Iglesia de Dios ha participado de estas reuniones trienales desde que fueron iniciadas. La conferencia no tiene sesiones de negocios, sino solamente el ministerio de la Palabra y del Espíritu, inspiración y adoración, y una confraternidad feliz en Cristo. Entre 25,000 y 30,000 creyentes de todo el mundo se reúnen en estos eventos para compartir su fe común.[10]

8. Primicias de la limitación

En la asamblea de 1948 (cuadragesimosegunda) se sintió por primera vez la limitación de duración en el puesto en las posiciones ejecutivas, cuando John C. Jernigan, quien había estado promoviendo fervientemente la limitación en los cuatro años de su función, fue reemplazado por J. L. Chesser, Asistente del Supervisor General.[11] Jernigan había sido un supervisor excepcionalmente popular; había dado lugar a que algunos pensaran que él no debía retirarse de la posición de Supervisor General. No obstante, el concepto de la limitación probó ser una buena medida. Jernigan fue nombrado Supervisor de Virginia, donde había ministrado en su juventud.

Zeno C. Tharp, Supervisor de Carolina del Sur, fue electo Asistente del Supervisor General. La experiencia previa de Tharp en el Comité de Nombramientos o Comité Ejecutivo, cuando él era presidente de la Escuela de Adiestramiento Bíblico, lo hacía una selección lógica para la posición. A la edad de 51 años, Tharp era reconocido como un sagaz hombre de negocios y un líder conservador de la iglesia.

---

[10]Los lugares donde se han celebrado las conferencias son: Zurich, Suiza (1947); París, Francia (1949); Londres, Inglaterra (1952); Estocolmo, Suecia (1955); Toronto, Canadá (1958); Jerusalén, Israel (1961); Helsinki, Finlandia (1964); Río de Janeiro, Brasil (1967); Dallas, Texas (1970); Seúl, Corea del Sur (1973); Londres, Inglaterra (1976).

[11]*Minutas de la Cuadragesimosegunda Asamblea General* (1948), pág. 25.

E. L. Simmons renunció como Presidente del Colegio Lee en la asamblea de 1948, lo cual inició una serie de cambios de personal que afectarían varios nombramientos. J.. Steward Brinsfield fue seleccionado para suceder a Simmons en el colegio, lo cual dejó vacante la posición de Secretario Ejecutivo de Misiones. J. H. Walker renunció como editor en jefe para aceptar la posición de misiones, y J. D. Bright, pastor en la ciudad de Alabama City, Alabama, fue electo a la posición de editor.

También se hicieron otros cambios. E. C. Clark renunció como administrador de la casa de publicaciones y fue reemplazado por A. M. Phillips, pastor en Atlanta, Georgia. J. A. Muncy fue reemplazado por William F. Dych como superintendente del orfanatorio. En medio de todos estos cambios, quizás el cambio más notable fue el de editor de *The Lighted Pathway* (La Senda Iluminada). El cambio de editores llamó mucho la atención debido a la larga estadía de Alda B. Harrison como editora de la revista. La hermana Harrison había fundado dicha publicación en 1929, y había servido como su única editora desde entonces. Cuando se hizo necesario que renunciara por motivos de salud en 1948, fue reemplazada por Charles W. Conn, pastor en Leadwood, Missouri. La señora Harrison fue nombrada editora emérita. Ella se había convertido en una tradición entre sus lectores y en un símbolo de calurosa amistad personal. A pesar de la desilusión por el retiro de la editora, los lectores aceptaron cortésmente al nuevo editor.

9. Rápida sucesión

A pesar de que los presidentes del Colegio Lee no están limitados en cuanto al tiempo de duración en su puesto, los cambios en la presidencia han sido más frecuentes que en las posiciones sujetas a limitación. Brinsfield sirvió solamente dos períodos y un semestre. Durante el segundo semestre del año académico 1950-51, E. M. Tapley sirvió como presidente interino. En un esfuerzo por estabilizar la presidencia de la escuela, la junta directiva nombró a John C. Jernigan en 1951,[12] pero sólo

[12]E. Gene Horton, *A History of Lee Junior College* (Tesis de maestría sin publicar, Universidad de Dakota del Sur) pág. 38.

permaneció por un período. R. Leonard Carroll, pastor en Anderson, Carolina del Sur, fue nombrado presidente en 1952 y permaneció hasta 1957. El rápido cambio afectó el progreso de la escuela tanto en términos académicos como de matrícula. En 1944-45, cuando la escuela todavía estaba en Sevierville había 630 estudiantes; sin embargo, sólo se matricularon 530 para el semestre de otoño de 1954-55, y 496 para el semestre de primavera de ese mismo año.

El colegio se esforzó por compensar su debilidad estructural, ofreciendo un programa académico sólido. No obstante, había un sentimiento fuerte entre muchos ex alumnos y líderes influyentes de que la búsqueda por acreditación de las artes liberales desviaría el propósito original de la escuela —ser un colegio bíblico eficiente y completo.[13] Por consiguiente, en el año académico 1953-54 se inició un currículo de colegio bíblico. Los cuatro años de dicho currículo se hicieron efectivos en el período 1954-55, graduando a la primera clase del colegio bíblico en la primavera.[14]

10. Un campo para los desamparados

Las facilidades en Sevierville, que quedaron vacantes cuando el colegio regresó a Cleveland, fueron cedidas al orfanatorio y al Hogar de Niños en la sesión de primavera del Concilio Ejecutivo en 1949.[15] Las amplias facilidades acomodaban fácilmente a todos los pequeñines —tanto niños como niñas, reuniendo una vez más a hermanos y hermanas— y les proveía una planta espaciosa y una amplia área de recreo. Los salones de clase fueron de gran beneficio cuando se inició una escuela elemental para los niños. El

---

[13]A pesar de que el programa de artes liberales nunca fue separado totalmente del departamento de Biblia, hubo una disminución temporal de los requisitos bíblicos para estudiantes de colegio. "Durante los años académicos 1941-42 y 42-43 se requerían diez horas semestrales en Biblia y educación religiosa. En el año 44-45, los requisitos fueron reducidos a seis horas de estudio en Biblia. En 1946-47 sólo se requería cuatro horas de Biblia para graduarse; en 1948-49, los requisitos bajaron a tres horas de estudios bíblicos. En 1951-52, la cantidad de estudios bíblicos aumentó a seis horas por semestre" (Horton, *op. cit.*, págs. 23, 24). En 1955, el programa de artes liberales requería seis horas semestrales de estudio bíblico, llamado "Introducción a la Biblia".

[14]En 1950 el Supervisor General Chesser, dijo: "Los objetivos de esta institución están orientados a un programa de cuatro años plenamente acreditado a nivel universitario y a nivel de colegio bíblico". *Minutas de la Cuadragesimotercera Asamblea General*, 1950, pág. 12.

[15]*Libro de Actas del Concilio Ejecutivo*, 7 de septiembre de 1949, pág. 179.

pequeño pueblo de Sevierville no podía proveer suficiente espacio para todos los niños, así que el estado de Tennessee endosó y acordó apoyar a la escuela del orfanatorio. De este modo, los niños del orfanatorio recibieron enseñanza en su propio campo con todas las ventajas y regulaciones del sistema de escuelas públicas.

Toda la propiedad del orfanatorio en Cleveland fue vendida excepto el nuevo dormitorio para niñas y el edificio de administración. Ésta, adyacente a las oficinas generales y a la casa de publicaciones, fue convertida en oficinas ejecutivas para la denominación. Cuando se tomó esta medida hubo un respiro de alivio en la sobrecargada casa de publicaciones —pero no por mucho tiempo.

11. Una declaración de fe

En la asamblea de 1948 se cambió el título de obispo a ministro ordenado, y el de ministro evangelista a ministro licenciado. El Concilio de Ministros Ordenados ha sido conocido desde entonces como Concilio General.

Durante esta reunión del Concilio General se discutió la necesidad de una *Declaración de Fe* y se nombró un comité para comenzar a trabajar en tal documento.[16] La fe de la Iglesia de Dios estaba tan unificada que el comité pudo redactar una breve declaración de fe e informar en la misma reunión. La declaración propuesta estaba incompleta y se pidió al comité que continuara su trabajo y redactara una declaración de fe más exhaustiva. El comité permaneció intacto por varios años y luchó por expandir el instrumento doctrinal, pero no ha habido añadidura ni expansión al mismo. La breve declaración se ha convertido en la expresión oficial del credo de la Iglesia de Dios.

Creemos:

1. En la inspiración verbal de la Biblia.
2. En un Dios que existe eternamente en tres personas, a saber: el Padre, el Hijo y el Espíritu Santo.

---

[16]Este comité estuvo compuesto por las siguientes personas: James L. Slay, Earl P. Paulk, Glenn C. Pettyjohn, J. L. Goins, J. A. Cross, Paul H. Walker, R. P. Johnson, E. M. Ellis y R. C. Muncy.

3. Que Jesucristo es el unigénito del Padre, concebido del Espíritu Santo y nacido de la virgen María. Que fue crucificado, sepultado y resucitó de entre los muertos. Que ascendió a los cielos y está hoy a la diestra del Padre como Intercesor.
4. Que todos han pecado y están destituidos de la gloria de Dios; y que el arrepentimiento es ordenado por Dios para todos y necesario para el perdón de pecados.
5. Que la justificación, la regeneración y el nuevo nacimiento se efectúan por fe en la sangre de Jesucristo.
6. En la santificación, subsecuente al nuevo nacimiento, por fe en la sangre de Jesucristo, por medio de la Palabra, y por el Espíritu Santo.
7. Que la santidad es la norma de vida de Dios para su pueblo.
8. En el bautismo con el Espíritu Santo, subsecuente a la limpieza del corazón.
9. En el hablar en otras lenguas, como el Espíritu Santo dirija a la persona, lo cual es evidencia inicial del bautismo en el Espíritu Santo.
10. En el bautismo en agua por inmersión y en que todos los que se arrepientan deben ser bautizados en el nombre del Padre, del Hijo y del Espíritu Santo.
11. Que la sanidad divina es provista para todos en la expiación.
12. En la Cena del Señor y en el lavatorio de pies de los santos.
13. En la premilenial segunda venida de Jesús. Primero, para resucitar a los justos muertos y arrebatar a los santos vivos hacia Él en el aire. Segundo, para reinar en la tierra mil años.
14. En la resurrección corporal; vida eterna para los justos y castigo eterno para los inicuos.[17]

Esta *Declaración de Fe* fue escrita cuarenta y dos años después de la primera asamblea general. Fue una manifestación de que en esos cuarenta y dos años de cambios y expansiones no hubo variantes en la fe de la iglesia. Las verdades que poseyeron los corazones de los 21 creyentes pentecostales en la asamblea de 1906, también poseyeron los corazones de los 8,000 delegados de 1948.

---

[17] *Minutas de la Cuadragesimosegunda Asamblea General* (1948), pág. 188.

12. Una escuela para la costa oeste

La Iglesia de Dios estableció otra escuela bíblica regional en 1949. El 16 de febrero, el Colegio Bíblico de la Costa Oeste fue iniciado en la iglesia de Pasadena, California, bajo la dirección de J. H. Hughes, Supervisor de California.[18] Hubo suficiente interés en el proyecto para añadir un departamento de escuela secundaria en el año académico 1949-50, durante el cual la escuela había tenido un avivamiento continuo en las aulas de clases y los dormitorios.

> Entonces se decidió que se necesitaba una localización más central en el estado... Se compró una propiedad en Fresno, California, y el año académico 1950-51 inició el 5 de septiembre en la Iglesia de Dios "Temple". Durante este término, la escuela fue establecida firmemente.[19]

Al igual que el Colegio Bíblico del Noroeste en Minot, Dakota del Norte,[20] la escuela de California operó por varios años bajo la presidencia *ex oficio* del supervisor estatal. Lemuel E. Johnson, quien había estado asociado formalmente con la Escuela Bíblica del Noroeste del Pacífico en Spokane, Washington, sirvió como principal durante los años formativos. Aun cuando el crecimiento del Colegio Bíblico de la Costa Oeste ha sido modesto, provee un gran servicio a la Iglesia de Dios en la Costa del Pacífico.

---

[18]Una escuela conocida como Escuela Bíblica del Noroeste del Pacífico, había existido en el oeste varios años antes. C. C. Rains, Supervisor de Washington y Oregon, fue fundador y superintendente de la escuela, y E. E. Coleman fue el director. El 17 de enero de 1944 se inició un término de nueve semanas en Yakima, Washington. En octubre de 1944 comenzó un término de seis meses. El tercer término inició en las nuevas facilidades compradas en Spokane, teniendo como superintendente a Lemuel E. Johnson, el nuevo supervisor de Washington y Oregon. A pesar de las esperanzas que se tenían en esa área, la escuela fue descontinuada después de tres años debido a que los miembros de la iglesia eran muy pocos para continuar la operación y el sostenimiento de la misma. Sin embargo, la escuela de California es considerada como una reorganización de la escuela de Washington. (*The Harbinger*, Anuario de la Escuela Bíblica del Noroeste del Pacífico, Spokane, Wash., págs. 4, 5).

[19]*Sentinel*, Anuario de la Escuela Bíblica de la Costa Oeste.

[20]En 1958 se cambió el nombre de la Academia de Biblia y Música del Noroeste por el de Colegio Bíblico del Noroeste.

Capítulo 26
UNA PERSPECTIVA GLOBAL

1. La amalgama de la Iglesia del Evangelio Completo

Las condiciones en varios territorios foráneos en el 1949 impulsaron al Supervisor General, H. L. Chesser, y al Secretario Ejecutivo de Misiones, J. H. Walker, a visitar estas tierras. Ese viaje los llevó literalmente alrededor del mundo —con escalas en África del Norte, Palestina, India, Filipinas y Hawai. El conocimiento de primera mano que H. L. Chesser obtuvo en este viaje le ayudó en su trabajo como jefe de la iglesia. Tanto él como Walker eran líderes de mentes progresistas que hacían amigos para la iglesia con prontitud y aprovechaban cada oportunidad para el progreso y testimonio de la iglesia.

Chesser, Walker, y algunos otros predicadores de la Iglesia de Dios asistieron a la segunda Conferencia Pentecostal Mundial en París en la primavera de 1949. El secretario de la conferencia era David J. DuPlessis de la Unión de Sudáfrica, quien se había convertido en un gran amigo de los líderes de la Iglesia de Dios durante la visita de éstos a su país, antes de la reunión en París.[1] Por medio de DuPlessis, Chesser y Walker conocieron a J. H. Saayman, Asistente del Moderador General de la Iglesia del Evangelio Completo de Sudáfrica, quien se encaminaba hacia los Estados Unidos para estudiar la organización de las iglesias pentecostales en este país. Chesser invitó a Saayman a visitar la Iglesia de Dios. Un itinerario fue organizado para el ministro africano que lo llevó a muchas iglesias locales, tanto pequeñas como grandes. Inmediatamente, Saayman aprendió a apreciar a la Iglesia de Dios —su organización, confraternidad, celo y visión. Este escribió a la Iglesia del Evangelio Completo solicitándole autorización para

---

[1]El Colegio Lee empleó a duPlessis como instructor de Biblia en el año 1949-1950. Durante este tiempo él residió en Cleveland.

unirse a la Iglesia de Dios. El permiso fue concedido y Saayman se unió a la Iglesia de Dios y asistió a la asamblea de 1950 en Birmingham. Cuando él habló en una de las sesiones despertó un gran interés con relación a la obra en Sudáfrica, esto lo demuestra el hecho de que los delegados levantaron una ofrenda para ayudar a construir iglesias en Sudáfrica.[2]

La afinidad entre la Iglesia de Dios en América y la Iglesia del Evangelio Completo en Sudáfrica comenzó a aumentar hasta que se comenzó correspondencia sobre una posible amalgamación de los dos grupos. Se hicieron arreglos para que Chesser y Walker visitaran la Iglesia de Sudáfrica en la primavera de 1951. Los planes para esta reunión se llevaron a cabo libremente en América, pero en Sudáfrica había considerable precaución y renuencia con relación a la amalgamación con la Iglesia de Dios. El Concilio Ejecutivo de la Iglesia del Evangelio Completo adoptó la resolución de desalentar la unión el 6 de enero de 1951, pero no cerró completamente las puertas a las negociaciones.[3] A pesar de esta nota desalentadora, Chesser, Walker y Saayman volvieron a Johannesburg en febrero como se había planeado.

La recepción que tuvieron en Sudáfrica fue cordial pero dudosa. En muchas maneras, los dos grupos eran idénticos pero había divergencias severas en algunos asuntos de organización.[4] Los obstáculos no probaron ser imposibles y la amalgamación se efectuó el 28 de marzo de 1951. La Iglesia del Evangelio Completo alargó su nombre a Iglesia de Dios del Evangelio Completo, un cambio total de nombre hubiera afectado el reconocimiento y los privilegios obtenidos por la iglesia durante los treinta años de establecida en la Unión de Sudáfrica. En América, la iglesia continuaría llamándose Iglesia de Dios.

La Iglesia del Evangelio Completo era la segunda obra pentecostal más grande de Sudáfrica. Su pionero, Archibald H. Cooper, viajó por primera vez a Sudáfrica desde Inglaterra durante la Guerra Anglo-Boer en 1902. En el 1904, Cooper estuvo bajo la

---

[2] *Minutas de la Vigesimotercera Asamblea General* (1950), pág. 77.

[3] Correspondencia entre H. R. Carter y H. L. Chesser, 10 de enero de 1951.

[4] Por ejemplo, la Iglesia de Dios era firme en su forma de gobierno centralizado, mientras que la Iglesia del Evangelio Completo "favorecía fuertemente la descentralización". (*Libro de Actas del Concilio Ejecutivo de la Iglesia del Evangelio Completo,* 6 de enero de 1951).

influencia del evangelista Gypsy Smith y se convirtió durante una campaña en la ciudad de Capetown. Casi inmediatamente se fue a Johannesburg, donde en el 1907 recibió el bautismo del Espíritu Santo bajo el ministerio de John G. Lake y Thomas Hezmalhalch, evangelistas de los Estados Unidos. Como resultado Cooper sintió el llamado de Dios en su corazón y comenzó una iglesia en Middleburg, Transvaal.

La obra del Evangelio Completo creció desde el principio, no dramática, pero consistentemente. Ésta logró mayor fortaleza en el 1921 cuando la misión pentecostal de Cooper y un pequeño grupo conocido como la Iglesia de Dios se unieron bajo el nombre Iglesia del Evangelio Completo. La primera constitución de la organización fue firmada el 19 de abril de 1922.[5]

Fue en el 1910 que la Iglesia del Evangelio Completo inició por primera vez su labor misionera entre los nativos de África, con W. A. DuPlooy como el primer misionero. Eventualmente, el pastor DuPlooy estableció una obra misionera en Levubye al norte de Transvaal.[6] A pesar de que el liderazgo de la denominación consistía en su totalidad de europeos —aquellos de descendencia británica u holandesa— sus triunfos evangelísticos principalmente fueron obtenidos entre los africanos: los "bantus", los negros puros de África; los "coloreds", aquellos socialmente mixtos; y los "asiáticos", los que habían emigrado de la India. La mayor parte del trabajo entre los asiáticos fue fruto de dos hombres, J. F. Rowlands y su hermano Alex.

Como una condición para la amalgamación:

> Fue acordado que el Moderador de la Iglesia de Dios del Evangelio Completo en Sudáfrica, por virtud de su puesto, sería miembro del Concilio Supremo de la Iglesia de Dios en los Estados Unidos de América...
>
> ...El Supervisor General de la Iglesia de Dios de los Estados Unidos de América, en virtud de su puesto, sería miembro del Concilio Ejecutivo de la Iglesia del Evangelio Completo en Sudáfrica.

---

[5]Constitución de la Iglesia de Dios del Evangelio Completo.

[6]La información de esta sección ha sido obtenida de Alex Thompson, *Church of God Evangel,* abril 13 de 1970, pág. 20; H. G. Jenkins, *Sow*, invierno, 1976, pág. 13, además de entrevistas con la Sra. Dorothy Wooderson, hija de A. H. Cooper.

> Los privilegios de voto en cada Concilio General respectivo son otorgados a los ministros ordenados de ambas iglesias y fue acordado ofrecer igual reconocimiento a los ministros de la Iglesia de Dios del Evangelio Completo en Sudáfrica y la Iglesia de Dios en los Estados Unidos de América, cuando estuvieran visitando las respectivas iglesias.

El acuerdo fue firmado por H. L. Chesser y J. H. Walker, representantes de la Iglesia de Dios; y F. M. Beetge, Moderador General y H. R. Carter, Secretario General de la Iglesia del Evangelio Completo.[7] Después de consumar la amalgamación, J. H. Saayman fue electo moderador general, principalmente como un reconocimiento a la obra que éste había hecho para efectuar la unión.

La amalgamación abrió un campo amplio para la Iglesia de Dios en el continente de África. La Iglesia del Evangelio Completo tenía cerca de 30,000 miembros y una excelente escuela en Kroonstad —Colegio Bíblico Berea— y un gran número de misiones bien establecidas en muchas partes del interior de África. Con la fortaleza añadida de la obra de los Estados Unidos hubo tan inmediata expansión en Sudáfrica que resultó en un crecimiento casi fenomenal. De 30,000 miembros en el 1951, la Iglesia de Dios del Evangelio Completo creció a 39,257 en el 1952, a 49,257 en el 1953; y a 56,839 en el 1954.

Aun cuando los dos grupos son totalmente autóctonos, con la excepción de los asientos recíprocos en los concilios de la iglesia, ha habido una corriente continua de predicadores americanos hacia Sudáfrica y de predicadores sudafricanos hacia los Estados Unidos. Este intercambio libre ha solidificado la confraternidad y el entendimiento entre los dos grupos. M. G. McLuhan, una vez Presidente del Colegio Bíblico del Noroeste en Minot, Dakota del Norte, fue a Sudáfrica como presidente del Colegio Bíblico de Berea, en Kroonstad, en 1953. James L. Slay ayudó en las obras evangelísticas de la Unión de 1952 al 1953. Ray H. Hughes pasó dos meses en 1954, promoviendo el Departamento de Escuela Dominical y Juventud de la Iglesia.

---

[7]Los testigos cuyas firmas aparecen en el documento fueron: A. W. Cooper, W. A. duPlooy, W. D. Badeshesste, y J. F. Rowlands.

2. El patrón administrativo

Mientras estos avances ocurrían en el extranjero, la iglesia en los Estados Unidos estaba siguiendo satisfactoriamente el autodecretado curso de limitación administrativa. R. R. Walker fue sucedido como Secretario Tesorero General por Houston R. Morehead en la asamblea de 1950 (cuadragesimotercera).[8] Morehead había servido como Supervisor en Missouri, Michigan y Carolina del Sur antes de su elección a esta oficina general. A pesar de que era muy joven, su evidente consagración y consistente sentido de equilibrio le ganaron la confianza de los ministros, quienes se habían acostumbrado a la profundidad espiritual de hombres como Boehmer y Walker. La habilidad de Morehead como predicador lo convirtió en una gran bendición para la iglesia, porque estaba en constante demanda como el representante oficial en convenciones de estados y reuniones de ministros a través de la nación. Él no era sólo un eminente predicador, sino un brillante pensador. Además de su eficiencia como custodio de los negocios y finanzas de la iglesia, la posición de Secretario Tesorero General se convirtió en una función administrativa vital bajo su liderazgo.

A. M. Phillips renunció en 1950, después de sólo dos años, como administrador de la Casa de Publicaciones para aceptar un pastorado local. Cecil Bridges, el cual había sido administrador del Colegio Lee por dos años, fue nombrado para reemplazarlo.

El tiempo de Ralph E. Williams como Director de la Juventud y Escuela Dominical expiró también en la asamblea de 1950. Éste fue reemplazado por Lewis J. Willis, quien había ganado la atención del Concilio Supremo por su labor distinguida como Director de la Juventud y Escuela Dominical en el estado de Florida. Willis era miembro del Comité Nacional de la Juventud y Escuela Dominical, lo cual contribuyó muchísimo a su éxito como director nacional.

Dos años más tarde en la asamblea de 1952 (cuadragesimocuarta), hubo un cambio en todas las posiciones generales de la iglesia, debido a la limitación de cuatro años en la mayoría de las

---

[8] *Minutas de la Cuadragesimotercera Asamblea General* (1950), pág. 21.

posiciones. Dos nuevas posiciones fueron añadidas al Comité Ejecutivo —un segundo Asistente del Supervisor General y un editor en jefe.[9] Zeno C. Tharp fue elevado de Asistente del Supervisor General a la posición de Supervisor General. Su astucia en los asuntos de la iglesia, al igual como su prolongado servicio como ministro y administrador, hicieron de él la selección natural. Houston R. Morehead y John C. Jernigan fueron electos como sus asistentes; H. L. Chesser se mantuvo como Secretario Tesorero General; Charles W. Conn fue añadido al comité como editor en jefe.

Ray H. Hughes fue electo para reemplazar a Lewis J. Willis en el Departamento de la Juventud y Escuela Dominical. A pesar de que Hughes era pastor en Chattanooga, su gran prominencia surgió de su labor evangelística. Mientras que William y Willis habían sido destacados organizadores y administradores del departamento, Hughes se destacó como promotor y orador. Su ebullición contagiosa fue la piedra angular para la sólida organización que habían erigido sus predecesores.

Willis fue nombrado editor de *The Lighted Pathway* (La Senda Iluminada) donde muy pronto demostró su distintiva habilidad editorial, y como escritor hábil y profundo. Otis L. McCoy, quien había editado más de 52 himnos durante sus 16 años en la posición en el departamento de música, fue reemplazado por V. B. (Vep) Ellis, hijo de E. M. Ellis y nieto del pionero J. B. Ellis. Por años, Ellis había sido considerado como uno de los más talentosos compositores de música evangélica de América. A través de los años, la Iglesia de Dios usaba el tipo de música de avivamiento, pero al mismo tiempo con una gran apreciación por la música de himnos tradicionales. La aventura ocasional de Ellis en el campo de la composición produjo música apreciable de calidad sublime y tradicional.

Para completar los cambios de personal, Paul H. Walker reemplazó a J. H. Walker como Secretario Ejecutivo de Misiones cuando éste último fue nombrado Supervisor de Ohio. El nuevo secretario vino a su nueva posición con una amplia experiencia

---

[9] *Minutas de la Cuadragesimocuarta Asamblea General* (1952), págs. 31, 36.

como supervisor estatal, miembro del Concilio Supremo y de la Junta de Misiones. Debido a que Walker comenzó desde muy joven a aceptar tareas desafiantes, se convirtió en un hombre de gran experiencia a una edad relativamente temprana.

Después de la Asamblea General en octubre de 1952, la Junta de Misiones nombró a Wade H. Horton como representante foráneo en el campo de misiones. Esta no era una posición nueva, ya que J. H. Ingram había sido reconocido popularmente como representante al campo durante sus años de viajes y actividades misioneras. En el 1938-39, Paul H. Walker había servido como representante al campo por un año,[10] y cuando su nombramiento expiró la posición se dejó vacante, pero no se eliminó. Horton había sido un pastor destacado antes de venir a su nueva posición. Él había obtenido amplio reconocimiento como pastor en Washington, D.C. pero estaba pastoreando en Charlotte, Carolina del Norte, cuando fue nombrado representante al campo.

En la primavera de 1953, William F. Dych renunció como Superintendente del Orfanatorio y Hogar de Niños. Su sucesor fue R. R. Walker, Supervisor de Kentucky, cuya bondad y actitud paternal hacían su selección muy apropiada para el hogar. A principios de 1952, George W. Ayers, pastor en Cawood, Kentucky, había venido al hogar como asistente del superintendente. Walker y Ayers tuvieron éxito en proveer al hogar una atmósfera de benevolencia y orden.

3. Centro latinoamericano

Lo que J. H. Ingram hizo en el esfuerzo misionero inicial de la iglesia, Vessie D. Hargrave lo hizo para América Latina. Hargrave había sido miembro de la Iglesia de Dios desde su niñez y predicador desde la edad de 18 años. Fue pastor de varias iglesias y Director Estatal de la Juventud en su estado natal, Texas, antes de ser nombrado como director social y moral para México.[11]

---

[10] *Minutas de la Trigesimocuarta Asamblea General* (1939), pág. 74.

[11] Vessie D. Hargrave, *Evangelical Social Work in Latin America* [Obra evangélica social en Latinoamérica] (Tesis sin publicar para el grado de Maestría en Ciencias, Trinity University, San Antonio, 1951), págs. 190, 191.

Esto ocurrió en 1944. Después de un año, fue nombrado superintendente del Departamento Latinoamericano de la Iglesia de Dios. Bajo su liderazgo, el Departamento Latinoamericano obtuvo un progreso encomiable. Este crecimiento hizo necesaria la creación de una casa publicadora y un centro de distribución de literatura en español. San Antonio, Texas, se convirtió virtualmente en las oficinas principales para la obra latinoamericana en 1947, cuando Hargrave estableció oficinas administrativas y editoriales allí. Una edición en español del *Evangel* de la Iglesia de Dios y otras publicaciones fueron distribuidas ampliamente a través de la América hispana.[12]

4. PERÚ

La organización de la Iglesia de Dios en Perú fue el resultado de este esfuerzo publicitario en español. Los lectores de *El Evangelio* comenzaron a preguntar acerca de la iglesia, así que Hargrave visitó Perú en 1947 y tuvo éxito en comenzar una iglesia allí. Por dos años, solamente obreros nativos fueron empleados, pero en 1949, A. S. Erickson fue nombrado misionero para este país de Sudamérica. Erickson y su esposa habían servido anteriormente como misioneros en Perú para otra denominación, pero al tiempo de su nombramiento en 1949 eran empleados de la Iglesia de Dios en la Casa de Publicaciones y del Colegio Lee. Bajo el liderazgo de esta pareja, la obra prosperó y la Iglesia de Dios fue bien establecida en varias secciones del país.

5. BRASIL

Hargrave fue al interior de Brasil en donde se comunicó con Albert J. Widmer en 1948, quien había oído de la Iglesia de Dios por primera vez en 1944. En marzo de ese año, Widmer estuvo presente en la dedicación del gran templo de la Iglesia de Dios en Buenos Aires y fue impresionado con la obra maravillosa del

[12]*El Evangelio* de la Iglesia de Dios fue publicado en México como de tres años antes de ser publicado en San Antonio. Ahora son editadas en español La Senda Iluminada, la literatura de escuela dominical y otras revistas.

pastor Marcos Mazzucco. Durante la reunión de Hargrave y Widmer en 1948 se hicieron arreglos para que Widmer trabajara con la Iglesia de Dios. Widmer fue reconocido como misionero de la Iglesia de Dios en 1951 y centró su ministerio en el estado de Paraná.

Otra misionera fue recibida en la comunión de la Iglesia en el 1954, Matilda Paulsen —quien había trabajado por un gran número de años en la región del Amazonas, bajo los auspicios de una pequeña organización en la costa occidental de los Estados Unidos. Cuando este grupo no pudo ayudarla por más tiempo, esta dama se sintió libre para unirse con alguien que pudiera ayudarla en su proyecto en Sudamérica. Su decisión fue traer su misión brasileña a la comunión de la Iglesia de Dios. La señora Paulsen regresó a Brasil el 7 de julio de 1954 y la obra que había fundado, compuesta como de 25 obreros y varios cientos de miembros, hizo su ingreso a la Iglesia de Dios. Los líderes de su organización votaron unánimemente para unirse a ella en su ingreso a la Iglesia de Dios.

6. Chile

Chile fue otro campo de los que la Iglesia de Dios alcanzó a través del ministerio de *El Evangelio*. Después de leer la edición en español de *El Evangelio,* Enrique Chávez, un pastor chileno, le escribió a Hargrave preguntándole acerca de la Iglesia de Dios, decisión que inició un intercambio de correspondencia entre los dos hombres. Hargrave visitó a Chávez y a su iglesia en 1949; en aquella ocasión, una joven de la iglesia chilena salió para estudiar al Instituto Preparatorio Internacional.[13] Esta joven fue Rosa Vega, quien se convirtió en la primera miembra de la Iglesia de Dios en Chile.

[13]El Instituto Preparatorio Internacional en San Antonio, Texas, fue una de las más pintorescas escuelas de la Iglesia de Dios. Comenzó en 1947 como un centro de adiestramiento para misioneros a Latinoamérica, tanto anglosajones como hispanoamericanos. Vessie D. Hargrave fue el fundador de la escuela y su presidente desde 1947 hasta 1953. Wayne McAffe fue el presidente desde 1953 hasta que la escuela cerró operaciones en 1954. La escuela cerró operaciones porque se llegó al convencimiento de que, económicamente, los obreros nativos podían ser más y mejor preparados en sus propias tierras. Durante la historia de la escuela se matricularon estudiantes de más de 20 países.

Edmund F. Outhouse visitó a Hargrave en el Instituto de San Antonio en 1953. Outhouse había sido misionero en Colombia por más de diez años, pero había sido forzado a salir de allí debido a severas persecuciones en aquel lugar. Outhouse no estaba afiliado con ningún grupo en particular, pero era respaldado por amigos a través de todos los Estados Unidos. Outhouse conocía bastante acerca de la Iglesia de Dios y había tenido alguna correspondencia con el superintendente de América Latina, y había enviado a uno de sus miembros colombianos al Instituto Preparatorio Internacional por dos términos.

En San Antonio, Outhouse se sintió dirigido a unirse con la Iglesia de Dios, sin embargo, él y Hargrave estuvieron de acuerdo que debían esperar hasta que regresara a Chile para que hiciera su decisión final. El asunto se discutiría seriamente en el campo. Outhouse y su esposa se unieron a la Iglesia de Dios el 22 de febrero de 1954. La primera iglesia organizada fue en Santiago y de ahí en adelante el crecimiento fue inmediato y favorable. Cerca de ocho misiones y dos pequeñas escuelas bíblicas fueron iniciadas en Chile después de ocho meses.

7. Esparcimiento en Latinoamérica

La Iglesia de Dios llegó a Paraguay en el invierno de 1953 cuando José Minay, de Chile, solicitó que se le enviara a aquel lugar. Minay inmediatamente abrió una misión en Asunción y comenzó a predicar en las villas y pueblos cercanos.

Miguel Flores, de El Salvador, fue nombrado a Nicaragua en 1951. Este fiel siervo de la iglesia sacrificó su hogar y otras propiedades personales para trabajar en Nicaragua. En el período de un año organizó cuatro iglesias y estableció nuevos convertidos en la fe de Cristo. Flores fue reemplazado en 1958 por Pedro Abreu, de la República Dominicana, quien era un hábil constructor. Abreu construyó varias iglesias a través de todo el país, la principal de las cuales fue en la ciudad capital de Managua. En esta misma manera sacrificial, la Iglesia de Dios alcanzó a la gran mayoría de los países latinoamericanos.

La Iglesia de Dios llegó a Colombia calladamente en 1955, cuando dos predicadores pentecostales en Bogotá unidos a la iglesia, comenzaron a predicar bajo los auspicios de ésta. La obra misionera protestante, en la católica Colombia, era una tarea peligrosa y difícil; sin embargo, Ricardo Moreno y Mesías Juárez trabajaron discretamente con cierto éxito. Un año más tarde, en abril de 1956, Paul Childers, de Carolina del Norte, fue nombrado por la firma comercial con la que trabajaba para ir a Colombia. Childers y su esposa Candita se unieron a Moreno y trabajaron para establecer una congregación en Sogamoso, la cual fue organizada en noviembre de 1956. No había transcurrido un año cuando otras congregaciones fueron establecidas en Apulo y Villa Vicencio. A pesar de las dificultades de las misiones protestantes en Colombia, el pueblo tenía hambre del evangelio y recibieron la Palabra alegremente.

8. TÚNEZ

El mensaje pentecostal llegó a Túnez, en África del Norte, a principios de 1911, cuando Josephine Planter fue allí como misionera. Esta dama trabajó sola en Túnez en el ministerio del evangelio completo por 41 años. La señorita Planter estableció contacto con la Iglesia de Dios alrededor de 1947, luego de lo cual comenzó a recibir ayuda de ésta. A pesar de que esta solitaria misionera trabajó fielmente y ganó varios convertidos para la fe pentecostal, muy pocos recibieron el bautismo del Espíritu Santo.[14]

Para este tiempo había en el Colegio Lee una joven en cuyo corazón el Señor había colocado una carga por Túnez. Cuando la Junta de Misiones decidió no enviar sola al campo a una joven de veinte años, en donde la iglesia no tenía otro misionero, esta jovencita decidió pagar su propio pasaje. Salió para Túnez en abril de 1952. Por un año ayudó a la señorita Planter, luego de lo cual se trasladó de Túnez a la pequeña villa de Megrine. Margaret Gaines, una singular y dedicada joven, abrió una pequeña misión en su hogar, la cual fue reconocida oficialmente por el gobierno tunecino el 4 de febrero de 1954. Fue un comienzo muy feliz.

---

[14]Correspondencia con la señorita Margaret Gaines, sin fecha, pero recibida el 12 de octubre de 1954.

Muy lentamente fueron ganados los convertidos para Jesucristo, los cuales fueron pacientemente establecidos en la fe de las Escrituras. El 8 de junio de 1954, una de las personas convertidas en Túnez recibió el bautismo del Espíritu Santo —en la misma manera que la gente de la Iglesia de Dios lo había recibido en Camp Creek en el 1896. Esta convertida, Ivette Peliser, vino a ser la ayudante de la señorita Gaines en esta tremenda tarea de sembrar la semilla del evangelio completo en la nación árabe donde antes se encontraba la antigua Cartago.

9. Celo por las misiones

El Departamento de Misiones fue fortalecido en noviembre de 1953, cuando Johnny Milton Owens fue nombrado representante de misiones. Mientras Owens estaba en el servicio armado de los Estados Unidos en Egipto, durante la Segunda Guerra Mundial, se convirtió y estuvo bajo la influencia de un brigadier del Ejército de Salvación que había recibido el bautismo del Espíritu Santo. Cuando Owens regresó a su hogar en Estados Unidos, comenzó a asistir a la Iglesia de Dios en Riverside, Atlanta.

Recordando las condiciones que él había visto en el mundo, Owens obtuvo una lista de todas las iglesias de Dios en el campo misionero y comenzó a trabajar a favor de éstas. Levantó dinero para construir nuevas misiones y reunió ropa para que los misioneros la distribuyeran en sus campos entre los nativos necesitados. El éxito de su esfuerzo fue sobresaliente. Para la época que él fue nombrado representante de misiones en el 1953, ya había levantado fondos para construir 110 misiones alrededor del mundo. Como representante de misiones, Owens viajó extensamente a convenciones, conferencias de oración y otras reuniones representando el programa misionero mundial de la Iglesia de Dios. Owens fue el primero de numerosos representantes de misiones que esparcirían el desafío a la iglesia para alcanzar el mundo.

10. La asamblea de 1954

Como diez mil delegados asistieron a la asamblea de 1954 (cuadragesimoquinta) en Memphis, Tennessee. Pocos cambios fueron hechos en la administración de la iglesia y prevalecieron el acostumbrado amor y la confraternidad. La incapacidad física, debido a un accidente automovilístico que ocurrió mientras se encontraba visitando las convenciones de estado en el verano de 1953, forzaron a John C. Jernigan a retirarse. Jernigan fue reemplazado como Asistente del Supervisor General por James A. Cross, Supervisor de Carolina del Sur. Cross, un brillante pensador y sólido administrador, poseía múltiples habilidades por mucho tiempo admiradas por sus colegas. Hijo del pionero predicador W. H. Cross, el recién electo Asistente del Supervisor General, ya había sobrepasado 43 años de experiencia, habilidad e influencia.

H. L. Chesser, inelegible para sucederse a sí mismo como Secretario Tesorero General, fue reemplazado por H. D. Williams, supervisor de Alabama.[15] En muchas maneras, Williams se parecía al hombre que estaba reemplazando, metódico, meticuloso, popular entre los ministros de la Iglesia de Dios y muy correcto en sus asociaciones. Tanto Cross como Williams habían sido personas prominentes como miembros del Concilio de los Doce durante los dos años que precedieron a su elección a las posiciones ejecutivas. No hubo otros cambios de inmediato en el Comité Ejecutivo, aunque fue decidido que la posición de editor en jefe sería separada del Comité Ejecutivo efectivo en el 1956. Esta decisión fue tomada debido a la vasta diferencia de responsabilidades en los campos administrativo y editorial y para darle mayor atención a los intereses publicitarios de la iglesia.[16]

11. Adelantos en las publicaciones

Para el 1954, la iglesia había llegado a ser manifiestamente cuidadosa de las tremendas, pero ahora descuidadas oportunidades en el campo de las publicaciones. Esto había sido probado en 1952, cuando la construcción de una nueva planta publicadora fue recomendada por el Concilio Supremo y aprobada por el Concilio

---

[15] *Minutas de la Cuadragesimoquinta Asamblea General* (1954), págs. 17, 27.
[16] *Ibíd.*, pág. 30.

General.[17] La construcción fue iniciada en la primavera de 1953 y completada en la primavera de 1954.

En el otoño de 1952 fue creado un departamento de arte con Chloe Stewart, dotado y destacado joven dibujante, quien fungió como jefe artístico.[18] La producción de literatura de escuela dominical fue organizada en la primavera de 1954 por W. Perdue Stanley como director de literatura de escuela dominical. Antes de llegar al departamento editorial, Stanley sirvió en Georgia como Director de la Juventud y Escuela Dominical. *The Pilot* (El Piloto), una publicación trimestral para líderes juveniles, fue iniciada en el 1952-53, por la escuela dominical nacional y el comité de juventud, y Cecil M. Truesdell fue nombrado como su primer editor. Comenzando en 1954, esta revista fue supervisada por O. W. Polen, el nuevo Asistente del Director de la Juventud y Escuela Dominical.

Además de estos avances editoriales, la oficina de administración fue fortalecida por el nombramiento de E. C. Thomas como gerente de circulación, créditos y ventas. Thomas se había especializado en administración comercial en el Colegio de Queens, mientras era pastor de una iglesia local en Charlotte, Carolina del Norte. La nueva planta de publicaciones de 750 mil dólares estaba lista para ser ocupada cerca del tiempo de la asamblea de 1954. Poco después de la dedicación de la nueva planta, Cecil Bridges sometió su renuncia como gerente de negocios, por lo cual E. C. Thomas fue elevado al puesto vacante.[19] Bridges aceptó la posición como asistente del superintendente del Hogar para Niños en Sevierville, el 1 de abril de 1955.

Con estos avances editoriales en las publicaciones, la Iglesia de Dios demostró una creciente preocupación por la excelencia en las publicaciones. Había una nueva conciencia de adiestramiento y técnicas en el uso de la palabra impresa. Progresivamente, la iglesia usaría métodos más sofisticados en la proclamación del evangelio.

---

[17] *Libro de Actas del Concilio General*, 1952, pág. 23.

[18] Los primeros artistas que sirvieron a las necesidades editoriales de la Casa de Publicaciones fueron James C. Rickles de Alabama (1945) y A. S. Erickson durante su interinato como misionero a Perú (1949). Estos hombres sirvieron brevemente y no pudieron comenzar un departamento gráfico continuo tal como en 1952.

[19] *Church of God Evangel*, 26 de marzo de 1955, pág. 2.

12. Hogar para niños en Carolina del Sur

Como lo había hecho Carolina del Norte en 1944, la Iglesia de Dios en Carolina del Sur instituyó un Hogar para Niños en el 1956. El nuevo hogar regional surgió con los esfuerzos de H. B. Ramsey, Supervisor de Carolina del Sur y su concilio de ministros. El hogar estaba localizado a seis millas al noroeste de Gaffney, en una finca de 125 acres, donada a la iglesia para ese propósito. J. B. Camp, veterano ministro de la Iglesia de Dios fue nombrado superintendente del hogar, el cual inició sus operaciones el 13 de enero de 1956 con la llegada de cuatro niños sin hogares.[20] La estructura que acomodaría veinte niños se llenó a capacidad para el final del primer año de operaciones. El hogar permaneció en Gaffney hasta el 1969, cuando fue movido a Mauldin, cerca de Greenville. Al igual que en Carolina del Norte, el Hogar para Niños de Carolina del Sur era sostenida por las congregaciones del estado, las cuales contribuían a ésta en lugar de aportar al Hogar Nacional en Sevierville.

La apertura de un nuevo hogar iba de acuerdo al deseo de la iglesia de no enfatizar la centralización y cuidado institucional de los huérfanos y los niños sin hogares. Esto fue un paso para proveer una atmósfera mucho más hogareña para aquellas vidas tiernas que ya estaban marcadas por la tragedia y el infortunio.

13. Tiempo para cosechar

La década del 50 fue un tiempo de cosecha misionera para la Iglesia de Dios. Muchos campos misioneros que habían resistido y eludido a la Iglesia de Dios por muchos años, finalmente fueron alcanzados con misiones permanentes; muchas de las victorias fueron ganadas por medios inesperados, pero afortunados. Después de la Segunda Guerra Mundial, cuando Japón fue derrotado y se presentaba como un campo fértil para la obra cristiana misionera, muchos soldados, fieles miembros del ejército de ocupación, testificaron de Cristo a los japoneses y sembraron la buena semilla

---

[20] J. D. Free, *Church of God Evangel,* 20 de agosto de 1956, pág. 13.

del evangelio. Tales esfuerzos resultaron en la apertura de la Iglesia de Dios en Japón. Entre los soldados que hicieron esta obra de evangelismo se encuentran Henry E. Flower, Leon Simms, James Joplin, Arthur Shannan y Robert L. Orr. En respuesta a estas posibilidades en la tierra chintoísta, la Iglesia de Dios envió a L. E. Heil, un joven ministro de Virginia Occidental y a su esposa Letha, como misioneros al Japón. Los Heils llegaron a Yokohama el 19 de agosto de 1952. La obra de los Heils fue lenta y difícil, pero muy fructífera en "La tierra del sol naciente"[21] Fue un buen fruto de la trágica semilla de la guerra.

Las Islas Gilbert, 16 pequeños puntos en el Océano Pacífico, que no representaban posibilidad misionera alguna para la iglesia, también se convirtieron en un campo misionero para la Iglesia de Dios en el 1955. Estas islas se encuentran cercanas al ecuador, como a dos terceras partes del camino entre los Estados Unidos y Australia. Edward Kustel, nativo de las Islas Gilbert, que vivía en los Estados Unidos, sintió el llamado divino para regresar a su tierra madre con el evangelio completo. El 20 de enero de 1955, después de dos años de preparación, oración y viajes, Kustel y su esposa Ana Lee, llegaron a Betio, un pequeño islote al sur de Tarawa. En esta pequeña isla a once mil millas de los Estados Unidos, los Kustel comenzaron una buena y prometedora obra.[22]

Cerca de los Estados Unidos, en el área del Caribe, algunos campos endurecidos se abrieron al mensaje de la Iglesia de Dios o comenzaron a ceder a la influencia del evangelio. Un triunfo tardío fue llevado a cabo en julio de 1956 en Trinidad, Granada y Tobago, cuando Edward D. Hasmatali, un nativo de Trinidad, trajo su iglesia nativa a la comunión de la Iglesia de Dios. Con diez y seis iglesias y misiones, 15 ministros y 350 miembros, ésta era una obra sustancial, cuando Hasmatali extendió sus esfuerzos a las islas de Granada y Tobago.

Guyana, en el continente sudamericano, fue otro lugar de triunfo dilatado para la Iglesia de Dios en la década de 1950. Desde 1942, la Iglesia de Dios hizo esfuerzo en lo que entonces era la Guayana Británica, sin embargo, el trabajo fue indistinguible

---

[21]Conn, *Where The Saints Have Trod* [Donde los santos han caminado], págs. 232-236.
[22]*Ibíd.*, págs. 214-217.

y volátil. El ímpetu de la obra de Hasmatali, en Trinidad, llegó hasta Guyana, no obstante, en 1956 Guyana se convirtió en un campo estable y prometedor para la Iglesia de Dios.[23]

14. La iglesia en Inglaterra

Los esfuerzos misioneros continuaron aún más lejos. Durante la década inmediata a la Segunda Guerra Mundial, un gran número de personas de las Indias Occidentales emigraron hacia Inglaterra; como súbditos británicos, éstos tenían el derecho a establecerse en Inglaterra. Cuando estos nativos de Jamaica, Bahamas y Barbados emigraron a Inglaterra, también llevaron consigo su adoración y creencia religiosa. Muchos eran miembros de la Iglesia de Dios en el Caribe y formaron el fundamento de la iglesia en esta nueva tierra.

O. A. Lyseight, de Jamaica, y su esposa se mudaron a Midland, Inglaterra, en 1951. Para septiembre de 1953, Lyseight y unos pocos amigos jamaicanos comenzaron unas prometedoras misiones pentecostales en Wolverhampton y Birmingham, en el corazón de la zona industrial. Aunque pocos ingleses asistían a los servicios de adoración, las congregaciones estaban compuestas principalmente de gente jamaicana de color y de otras islas caribeñas.

Las dos misiones fueron organizadas como las primeras congregaciones de la Iglesia de Dios en Inglaterra en el 1955. Esto fue logrado cuando Paul H. Walker, el infatigable Secretario Ejecutivo de Misiones Mundiales, visitó Inglaterra después de asistir a la Conferencia Pentecostal Mundial en Estocolmo, Suecia. Walker organizó oficialmente las congregaciones el 18 de junio de 1955.[24] Casi inmediatamente fueron establecidas congregaciones en otras ciudades y pueblos. En un período de tres años había tres iglesias con más de mil miembros entre los ingleses inmigrados de Jamaica y otras áreas de las Indias Occidentales.

---

[23] *Ibíd.*, págs. 111-114.
[24] *Ibíd.*, págs. 252, 253.

15. LAS CATACUMBAS EN ESPAÑA

De los campos que tardaron en florecer, probablemente España fue el de mayor recompensa. La Iglesia de Dios entró en España secretamente, más o menos en la misma forma que el cristianismo primitivo se esparcía de un país a otro. A pesar de que la iglesia no fue organizada oficialmente hasta el 1956, la fe pentecostal había trabajado como levadura, calladamente, por más de una década antes de este tiempo. Un ciudadano español, Custodio Apolo, se convirtió a la fe pentecostal en Nueva York en 1934 y casi inmediatamente sintió la urgencia de regresar a España con el evangelio. Apolo se unió con una Iglesia de Dios de habla hispana en Nueva York, que lo apoyó financieramente en su regreso como misionero a su gente. Esto no fue fácil. El estado revolucionario de la nación ibérica en aquellos días de opresión, hacía de la obra misionera protestante una empresa excesivamente peligrosa. Apolo sufrió persecución considerable cuando conducía servicios secretos de adoración en las casas, después que las autoridades españolas rehusaron darle permiso para conducir servicios públicos.

Dos veces, el 26 de julio de 1951 y el 6 de septiembre de 1955, Apolo fue tan intrépido en su ministerio que condujo servicios bautismales para los nuevos convertidos.[25] El Departamento de Misiones de la Iglesia de Dios suplió a Apolo la literatura que era distribuida y leída en secreto; así como era leída la literatura cristiana en los primeros días de los apóstoles.

Hay ocasiones cuando el ejército del Señor entra en una campaña abierta y gana victorias en gran escala; pero en otras ocasiones no tiene las mismas posibilidades. Entra a los nuevos campos encubiertamente y comienza a trabajar y disfruta sus victorias sin mucha fanfarria. Tales victorias calladas también son gloriosas.

Ray H. Hughes, quien se encontraba en una gira evangelística por otros países europeos, visitó a Apolo temprano en 1956 en Badajos, España, cerca de la frontera portuguesa. Después de predicar primero en Madrid y Barcelona, Hughes llegó a Badajos

---

[25] *Ibíd.*, pág. 250.

el 29 de febrero, donde se reunió con un pequeño grupo de creyentes en el hogar de Apolo. En la casa del santo anciano, el joven americano organizó formalmente la Iglesia de Dios. Dos de los convertidos de Apolo recibieron el bautismo del Espíritu Santo en el servicio de adoración de aquella noche. Estos fueron los primeros que recibieron la bendición del bautismo del Espíritu Santo durante los años que Apolo había trabajado en España. Esta experiencia fue como un amén divino a la empresa de la iglesia.

Las condiciones en España finalmente mejoraron y la obra del Señor a la postre se llevó a cabo más abiertamente. A pesar de que su principio fue pequeño y su progreso lento, la obra de la Iglesia de Dios en España representó uno de sus mejores esfuerzos. Fue una reminiscencia de tiempos pasados y sin embargo, abrió las puertas para el futuro. De una manera maravillosa, era como la frontera para una nueva era.

Parte Seis

El umbral de la grandeza 1956-1976

Capítulo 27
LOS CANALES SE ENSANCHAN

1. La corriente de madurez

Un río es algo vivo y emocionante, a medida que sus corrientes comienzan a fluir hacia el mar. Desde lo alto de la montaña, su cristalina corriente se desliza falda abajo para unirse a los burbujeantes arroyuelos y helados riachuelos a lo largo del camino. El agua es clara, fresca y vigorizante a medida que avanza en su tierno cauce a través de la planicie. El brote inicial se convierte en una pequeña corriente, luego en un arroyuelo, para finalmente transformarse en un río transparente de poca profundidad. A medida que otros arroyuelos desembocan en él, el naciente río se ensancha y fluye con mayor intensidad. Su vida es abundante y corre con entusiasta energía, aunque todavía lejos del mar. Los animales del bosque y la pradera se abren paso a lo largo de sus orillas revestidas de yerba; los hombres encuentran reposo e inspiración en sus confortantes aguas y riberas.

Mientras la corriente continúa fluyendo, crece ensanchando sus orillas y profundizando su canal; ésta se transforma de un adorable brote en la montaña en un portentoso río. El cambio no es en sustancia, calidad o naturaleza básica, sino en su tamaño y capacidad. Tal vez el ímpetu y entusiasmo no sean igual que antes, pero su fuerza y servicio son mayores. El vibrante río da la impresión de ser más tranquilo y lento que el arroyuelo de la montaña, pero eso sólo es una ilusión; él tiene fuerza y capacidades que el arroyuelo nunca imaginó tener. El profundo e implacable río, ahora más turbio que cristalino debido al sedimento que su corriente desprende de la tierra, parece más impersonal y traicionero que el arroyuelo de la montaña. Pero esto también es una ilusión; el río tiene cualidades de vida y servicio que el arroyuelo nunca podría conocer. Ahora el río puede irrigar los valles y las planicies, generar energía para iluminar ciudades y operar fábricas, transportar provisiones y embarcaciones a través de sus amplias aguas, y suplir la vida para su región de distintas maneras. Lo que pierde en salpicante vivacidad, lo gana en utilidad y efectividad.

Los hombres también son como el río mientras progresan de la infancia a la madurez. Así también son las naciones y las instituciones; y también lo es la Iglesia de Dios. En su etapa formativa, todo en la Iglesia de Dios era nuevo, innovador, emocionante; todo era una aventura impetuosa. A medida que la iglesia fue madurando, también ganó en eficiencia para tratar asuntos y conceptos con los que había batallado en los primeros días. Su denuedo y valentía permanecieron tan grandes como siempre, aunque menos notorios que en los días de su solitario inicio. Las innovaciones de la iglesia son tan numerosas como siempre, quizás aún más. Estas emocionantes contribuciones frecuentemente son acalladas por el ruido de la corriente principal, cuyo canal ya ha sido definido.

Para 1956, la Iglesia de Dios ya había dejado atrás su infancia y juventud; como iglesia, había logrado madurar rápidamente. Ya tenía 70 años y habían transcurrido dos generaciones desde su nacimiento. Con su supervivencia y crecimiento asegurados, su servicio y carácter se convirtieron en los asuntos apremiantes. Había llegado la hora de afirmarse madura y responsablemente. En otras palabras, la Iglesia de Dios había alcanzado su madurez.

2. Sucesión ejecutiva

Cuando Zeno C. Tharp concluyó su término como Supervisor General en la asamblea de 1956 (cuadragesimosexta), y se jubiló, Houston R. Morehead, quien había servido como Primer Asistente del Supervisor General, fue electo a la posición.[1] Su elección estableció un patrón que nunca ha sido roto: la persona que sirve como primer asistente cuando se hace un cambio de Supervisor General, siempre ha sido promovida al puesto más alto. No ha habido excepción desde que en 1964 se iniciara la práctica de tener varios asistentes del supervisor general. A pesar del número de asistentes, el puesto de supervisor general sólo se ha obtenido a

[1] *Minutas de la Cuadragesimosexta Asamblea General*, 1956, pág. 15.

través de la posición de primer asistente. De hecho, la práctica se estableció mucho antes, con la elección de H. L. Chesser en 1948, y Zeno C. Tharp en 1952, quienes fueron electos al puesto de Supervisor General desde la posición de Asistente del Supervisor General, cuando sólo había un asistente.

Este patrón le ha asegurado a la Iglesia de Dios un liderazgo experimentado, a pesar de los cambios frecuentes debido al límite de duración en los puestos ejecutivos. Sin embargo, a diferencia de la ley del límite de duración en el puesto, el patrón de sucesión no es un asunto requerido. Sencillamente, siempre ha ocurrido así. Frecuentemente se han efectuado diversos cambios en otras posiciones del Comité Ejecutivo, pero nunca en este punto tan vital de la sucesión.

Houston R. Morehead llegó al liderazgo de la Iglesia de Dios con una experiencia muy amplia. Nativo de Illinois, ya contando con 50 años de edad, se había distinguido como líder de la juventud en Michigan y Supervisor en Missouri, Michigan y Carolina del Sur. Miembro del Concilio Ejecutivo desde el 1946 y del Comité Ejecutivo desde 1950, Morehead era altamente respetado por sus colegas y los miembros de la iglesia en general. Este hombre trajo sensibilidad espiritual a la posición de Supervisor General y le dio un liderazgo cabal a la iglesia. Morehead sólo era elegible por un término de dos años; él llegó a la posición de Supervisor General después de haber cumplido seis de los ocho años permitidos como miembro del Comité Ejecutivo.

Además de Morehead, los siguientes fueron electos para servir en el comité: James A. Cross, primer asistente; Earl P. Paulk, señor, segundo asistente y H. D. Williams, secretario tesorero. Para Paulk, esto significó regresar a una posición que él había ocupado doce años antes, de 1941 a 1944. Con el fin de mantenerse en acuerdo con la decisión tomada en la asamblea anterior (1954), se eliminó el puesto de editor en jefe como parte del Comité Ejecutivo, para que no hubiera diluciones innecesarias en las responsabilidades departamentales.

3. El nombre *Pathway*

Los años de 1955 a 1960 produjeron avances significativos en los materiales impresos de la iglesia, a través de la casa de publicaciones. En 1956, con el fin de celebrar el septuagésimo aniversario de la Iglesia de Dios, el *Evangel* (Evangelio) adoptó un tema editorial para todo el año y cada semana destacaba un aspecto particular del ministerio de la Iglesia de Dios. Durante ese año se empezó a usar una impresora moderna que procesaba a colores, para la producción del *Evangel, The Lighted Pathway* (La Senda Iluminada) y la literatura de escuela dominical.

Otro proyecto igualmente ambicioso se relacionaba con la publicación de libros. En 1956, la casa de publicaciones tomó la decisión de convertirse en una publicadora respetable de libros pentecostales. Desde sus inicios, el avivamiento pentecostal consistió principalmente de la Palabra predicada y de publicaciones de naturaleza inmediata pero transitoria. Se le dio poca atención a la publicación de libros con temas generales. La casa de publicaciones resolvió corregir esta deficiencia al adoptar el nombre de *Pathway Press* (Casa de Publicaciones Pathway), con el fin de que futuros libros pudieran ser distribuidos a un mercado más amplio, y no sólo a los miembros de la Iglesia de Dios.[2] En 1956, se publicaron los dos primeros libros bajo el nuevo nombre: *Pillars of Pentecost* (Pilares de Pentecostés), por Charles W. Conn, y *Religion on Fire* (Religión en fuego), por Ray H. Hughes. A estas dos obras les siguieron muchas otras basadas en la Biblia.

Otro paso importante fue la apertura de una librería donde se vendiera material pentecostal. Ampliando el nombre *Pathway*, a la librería se le llamó *Pathway Bookstore* (Librería Pathway). La primera librería fue abierta en Tampa, Florida,[3] y más tarde otras abrieron sus puertas en Charlotte, Carolina del Norte; Akron, Ohio; Atlanta, Georgia y Chattanooga, Tennessee. Bajo la dirección de Thomas, el sistema de Librerías *Pathway* comenzó a

---

[2] *Ibíd.*, pág. 24.

[3] De hecho, la librería de Tampa se abrió en 1955 con otro nombre. En 1956 se le cambió el nombre a *Pathway Bookstore*, convirtiéndose en la primera del sistema de *Pathway Bookstore*.

proveer un servicio muy necesitado en numerosas áreas del país.[4] En reconocimiento a sus habilidades comerciales y logros como administrador de la casa de publicaciones, se le cambió el título a "Publicador", en 1960.[5] Esta medida realzó la dignidad y enfatizó la importancia de lo que se ha convertido en una de las posiciones de mayor responsabilidad en la Iglesia de Dios.

4. Semillas del evangelismo

Desde sus albores, el impulso de la Iglesia de Dios fue de carácter evangelístico. Cada esfuerzo estaba dirigido a ganar almas para el Señor Jesucristo. A pesar de los esfuerzos evangelísticos itinerantes, personales en su mayoría, de muchos de sus primeros ministros, la Iglesia de Dios dependió casi totalmente del evangelismo en masa para ganar almas para Cristo. Los avivamientos de las iglesias locales, las reuniones en las ciudades, las convenciones y aun los campamentos juveniles, tenían propósitos evangelísticos. Se le dio poca atención al evangelismo personal, aunque permaneció como un esfuerzo mínimo por muchos años. En la asamblea de 1956, se dio el primer paso para coordinar los esfuerzos evangelísticos de la iglesia: se nombró un Comité Nacional de Evangelismo, el cual constituiría el posible inicio de un departamento permanente de evangelismo.[6]

> Este comité estará en calidad de junta permanente y servirá como posible comienzo de un departamento de evangelismo. Esta junta hará un estudio de todas las formas de esfuerzo evangelístico cristiano: evangelismo en masa, evangelismo personal, evangelismo infantil, etc. Esta junta promoverá los intereses evangelísticos

---

[4]En 1971, se comenzó a desarrollar un sistema de franquicias para dar mayores oportunidades a las librerías distribuidoras. A los propietarios y administradores individuales se les da una franquicia para que sean concesionarios de *Pathway,* en las ciudades donde deseen abrir una librería.

[5]*Minutas de la Quincuagésima Asamblea General,* 1960, pág. 43.

[6]Un "departamento" se debe definir como un área de operación de la iglesia, que consta de un jefe ejecutivo y una junta administrativa. Por lo general, un departamento empieza a funcionar cuando se nombra un comité o a una persona para suplir una necesidad particular de la iglesia. Si las necesidades lo ameritan, posteriormente se designa a un director ejecutivo y una junta permanente. Es entonces que el área de servicio se convierte plenamente en un departamento. Frecuentemente se nombra a un comité, cuya condición sea de junta permanente, el cual puede desarrollarse en un departamento de la iglesia, aunque no necesariamente. De manera similar, funciones particulares son frecuentemente ejecutadas por una persona u oficina, pero esto se considera como una posición y no como un departamento.

> generales de la iglesia por cualquier medio publicitario, de registros o directrices que sean benéficos o necesarios. Ellos harán las recomendaciones que crean necesarias al Concilio Supremo para desarrollar un énfasis evangelístico, bíblico y equilibrado dentro de la iglesia.[7]

El comité, compuesto por C. Raymond Spain, Doyle Stanfield y Ray H. Hughes, probó ser vigoroso y creativo como se esperaba, y los esfuerzos evangelísticos de la iglesia pronto comenzaron a reflejar una nueva cohesión y efectividad. La obra enérgica del grupo era como buena semilla en tierra fértil, que pronto produciría buenos frutos.

En ese mismo entonces se nombró el Comité Nacional de Música,[8] pero no llegó a convertirse en un departamento. En vez de esto, se uniría al esfuerzo evangelístico de la iglesia, convirtiéndose en parte de este ministerio. El evangelismo en la Iglesia de Dios floreció rápidamente, y así fue como ésta enfatizó su punto fuerte y continuó creciendo.

5. Los jóvenes pioneros

Durante los últimos años de la década de los cincuenta, dos de los programas más emocionantes de crecimiento cristiano y madurez, tenían que ver con la participación de la juventud de la Iglesia de Dios. Ambos programas demostraban con cuánto entusiasmo puede responder la juventud cuando se le desafía y delegan responsabilidades.

El primero fue incubado en el campo del Colegio Lee y representó la estrella más luminosa en el firmamento escolástico, en la que realmente fue una de las décadas más dolorosas para el colegio. A través de los esfuerzos combinados del Colegio Lee, del recién nombrado Comité de Evangelismo y del Departamento de la Juventud y Escuela Dominical, se dio un tremendo énfasis al evangelismo personal y al testimonio cristiano en el colegio. Los grupos existentes de "Juventud para Cristo" se involucraron activamente bajo el liderazgo de Charles R. Beach, un miembro de

---

[7] *Minutas de la Cuadragesimosexta Asamblea General*, 1956, pág. 28.
[8] G. W. Lane, W. E. Tull, C. S. Grogan.

la facultad de idiomas en Lee. En 1956, el dinámico profesor junto con un grupo de líderes estudiantiles, comenzaron a hacer excursiones evangelísticas en las ciudades de los estados cercanos. Finalmente se eligió el nombre *Pioneers for Christ* (Pioneros por Cristo) para el intrépido grupo, que muy pronto se convirtió en el esfuerzo evangelístico más inspirador de la Iglesia de Dios.

El profesor Beach fue la fuerza motriz de los "Pioneros por Cristo". Sus energías produjeron un nuevo género de líderes juveniles y evangelistas laicos, los cuales aplicaron adiestramiento serio y habilidades naturales a los primeros impulsos evangelísticos de la iglesia. El nombre de "Pioneros por Cristo" fue un feliz acierto para los evangelistas del colegio, los cuales mostraban características muy similares a las de los primeros pioneros de la iglesia. Ellos iban de casa en casa de los pueblos y ciudades, para testificar de que Cristo es el Señor de la vida. Visitaban cárceles, asilos de ancianos y hospitales para proclamar las buenas nuevas de redención. También celebraban servicios en las esquinas de las calles y en iglesias locales, o en cualquier lugar donde hubiera quien escuchara.

Beach, junto con estudiantes tales como G. A. Swanson, Terry Beaver, Bill Wooten y Robert Blackaby organizaron "invasiones". Una invasión es un grupo de estudiantes (de veinte cada uno) llevando a cabo esfuerzos de evangelismo personal masivo en un pueblo determinado. Se visitaron cientos de hogares y se celebraron numerosos servicios de adoración. También hubo seminarios para ayudar a que los miembros de las iglesias locales comprendieran los mejores métodos para guiar a los pecadores a Cristo.

En los veranos había mucho trabajo, ya que equipos de estudiantes pasaban todas sus vacaciones haciendo labor de evangelismo. Iban a lugares tales como Salt Lake City, Boston, Albuquerque y la ciudad de Nueva York. A veces también iban fuera de los Estados Unidos, a lugares tales como: las Bahamas, Trinidad, Jamaica, etc. Donald S. Aultman, quien era Asistente del Director Nacional de la Juventud y Escuela Dominical, respaldó este programa y personalmente dirigió algunas de las invasiones misioneras.

Incluso en la actualidad se sigue haciendo el mismo trabajo con alegría y dedicación. Los "Pioneros" se han convertido en un movimiento. No solamente han hecho una obra evangelística masiva, sino que también han motivado y adiestrado a cientos de laicos para hacer la obra evangelística en sus pueblos. Los "Pioneros por Cristo" han contribuido con un nuevo elemento dinámico en la responsabilidad cristiana de hablar a las almas de Cristo.

6. YWEA (EMMJ): Juventud y Misiones

El segundo énfasis evangelístico de la juventud se centró en apoyar a las misiones mundiales. O. W. Polen, un veterano líder juvenil de Ohio, quien en 1956 había sido electo a la posición de Director de la Juventud y Escuela Dominical, en 1957 organizó un programa llamado Esfuerzo Evangelístico Juvenil Mundial.[9] Este programa de educación y ofrenda misionera, organizado por esfuerzos conjuntos del Departamento de Misiones y el Comité de Evangelismo, tenía como propósito conscientizar a la juventud de la iglesia sobre la labor misionera. Los grupos de jóvenes y las distintas clases de la escuela dominical en las iglesias locales recaudaban fondos para ayudar a los misioneros con el equipo y material que necesitaban. Los jóvenes eran estimulados para que oraran diariamente por los misioneros y ofrendaran de sus ganancias o del dinero que recibían de sus padres.

El dinero recaudado de estas ofrendas se usaba para comprar cosas tales como: bicicletas, mulas, burros, botes y otros artículos que necesitaban los misioneros para su trabajo. Ciertos grupos juveniles se encargaban de proveer para las necesidades de algunos misioneros en específico. Este fue un gran programa y como muchos otros programas buenos, mejoró mucho más con el tiempo.

Cuando Cecil B. Knight, que había sido asistente de Polen por cuatro años, fue elevado a la posición de director nacional en el 1960, presentó un plan que amplió grandemente el esfuerzo de EEMJ. Se recaudarían fondos para construir iglesias y otro tipo de edificios tales como: centros juveniles, institutos de adiestramiento

---

[9] Conn, *Where the Saints Have Trod* (Por donde han caminado los santos), pág. 48.

alrededor del mundo, tratando de desarrollar un proyecto por año.[10] El primero de estos proyectos fue en 1961, para una iglesia en Brasilia, Brasil; después siguieron proyectos más grandes, como un centro juvenil en Tokio, un seminario en Yakarta y un colegio bíblico en Durbán, Sudáfrica. La juventud de la Iglesia de Dios sacó dinero de sus bolsillos y construyó facilidades impresionantes en todas partes del mundo, las cuales permanecerán para siempre.

7. *Forward in Faith* (Adelante en fe)

Por años, la Iglesia de Dios había soñado con un programa nacional de radio, sin embargo, estaba muy lejos de cumplirse. Muchos ministros conducían programas radiales atractivos y de éxito, algunos con amplias audiencias en áreas interestatales grandes. No obstante, el deseo de una transmisión nacional era muy real, aunque no muy práctico. A mediados de 1940, la iglesia inició una serie de difusiones, aunque por poco tiempo, cuando el Supervisor General John C. Jernigan y otros líderes prominentes de la iglesia, predicaron en una potente estación mexicana de la frontera. La idea no prosperó y pronto fue descartada.

Finalmente, la iglesia comenzó a cristalizar su deseo de radiodifusión, aunque todavía con cierta precaución. La asamblea de 1956 sólo pidió al Concilio Supremo que "iniciara un programa radial y de televisión en favor de la Iglesia de Dios".[11] Pasaron más de dos años antes de que el programa fuera emitido por las ondas radiales.

---

[10]Los proyectos de la YWEA (EEMJ) han sido los siguientes: (1961) $21,109.19 para una iglesia en Brasilia, Brasil; (1962) $18,181.27 para una iglesia y un centro juvenil en Tokio, Japón; (1963) $34,753.47 para una iglesia en Bombay, India; (1964) $43,836.44 para una iglesia en Manila, Filipinas; (1965) $45,349.54 para un hogar cristiano para los zulus, tribu que fue desalojada, en Durbán, África del Sur; (1966) $55,951.08 para una escuela bíblica en Hermosillo, México; (1967) $46,311.99 para una iglesia en Puerto Príncipe, Haití; (1968) $74,995.84 para un seminario en Yakarta, Indonesia; (1969) $72,054.88 para un colegio bíblico en Nassau, Bahamas: (1970) $124,814.69 para un instituto bíblico en Gallup, Nuevo México; (1971) $116,708.40 para un seminario en Balboa, Panamá; (1972) $148,164.87 para un centro cristiano de una base militar en Pearl Harbor, Hawai; (1973) $214,333.92 para una escuela bíblica, Sudáfrica: (1974) $292,000.00 para el Seminario Bíblico Europeo; (1975) $307,803.58 para las iglesias en la Ciudad de México, México; San Salvador, El Salvador; Managua, Nicaragua; (1976) $262,326.64 para centros misioneros en el Colegio Lee, el Colegio Bíblico del Noroeste y el Colegio Bíblico de la Costa Oeste.

[11]*Minutas de la Cuadragesimosexta Asamblea General*, 1956, pág. 30.

A finales de 1957 y principios de 1958, el Concilio Supremo comenzó una serie de entrevistas para la posición de predicador de radio y director del programa. Earl P. Paulk, hijo, un pastor popular en Atlanta, fue seleccionado como el predicador de radio; Bennie S. Triplett, quien a la sazón era Director de la Juventud y Escuela Dominical en Tennessee, fue seleccionado como el locutor y director del programa. Objetivamente hablando, cada uno de estos hombres tenía un lugar especial en el aprecio y la admiración de los ministros y miembros de la iglesia. Paulk era hijo de un hombre prominente; Triplett era fruto del Hogar de Niños. Ambos hombres eran afables y talentosos. Paulk era admirado como pastor, erudito y escritor. Sirvió como predicador de la radio, además de sus responsabilidades como pastor en Atlanta. Triplett, un talentoso músico y compositor, se convirtió en la primera persona de tiempo completo del ministerio radial. Éste organizó un coro y un grupo de música en el área de Cleveland.

Después de la presentación de un desfile de *Forward in Faith* (Adelante en Fe), en la asamblea de 1958, se nombró una comisión radial, teniendo como presidente a H. D. Williams, con el fin de dirigir y acelerar el ministerio radial.[12] El primer programa se lanzó al aire el 7 de diciembre de 1958 y se escuchó a través de una red de seis estaciones, localizadas en secciones estratégicas del país.[13] Con el nombre de *Forward in Faith*, el programa era grabado semanalmente en la capilla de las oficinas generales. Casi inmediatamente, se añadieron más estaciones a la cadena radial. En un espacio de seis meses, el programa de *Forward in Faith* estaba en más de cuarenta estaciones.[14] Antes de que terminara el primer año, se transmitía en más de cincuenta estaciones en la mayor parte de los Estados Unidos y en varios países extranjeros.[15] Por fin, el sueño se había vuelto realidad.

---

[12] *Minutas de la Cuadragesimoséptima Asamblea General*, 1958, pág. 37.

[13] Birmingham, Alabama, San Francisco, California: Baxley, Georgia; Detroit, Michigan; Chattanooga, Tennessee; y Charleston, West Virginia. (H. D. Williams, *Church of God Evangel,* 1 de diciembre de 1958, pág. 2).

[14] *Church of God Evangel,* 8 de junio de 1959, pág. 2.

[15] *Ibíd.*, 26 de octubre de 1959, pág. 2.

8. Nadir académico

A pesar del progreso de la iglesia en muchas otras áreas, su programa educacional permaneció muy desalentador durante el fin de la década de los 50. La matrícula en el Colegio Lee comenzó a disminuir y las escuelas regionales en Dakota del Norte, California y Saskatchewan permanecieron latentes en sus operaciones. La Iglesia de Dios parecía no estar al día con relación a los cambios que habían ocurrido en el campo de la educación: su nuevo énfasis en la vida moderna, así como sus nuevas demandas y direcciones. En ese tiempo de incertidumbre con relación a la educación, la condición de sus instituciones educacionales llegó a niveles deprimentes. Una epidemia académica se regó a través de toda la iglesia.

En un esfuerzo desesperado, la Junta de Directores del Colegio Lee, junto con su facultad y administración, trataron de cambiar el rumbo y ganarse la confianza de la iglesia con relación a la calidad académica del programa del colegio. En mayo de 1957, la junta elevó a Rufus L. Platt, decano del colegio, a la presidencia.[16] El presidente saliente, R. Leonard Carroll, regresó a un pastorado local. En el tiempo del cambio de presidencia, la matrícula era de 436. Para el nuevo término de septiembre de 1957, declinó a 397. Eventualmente, para la primavera de 1960, la matrícula bajó al desconcertante número de 337. A pesar de los esfuerzos de Platt y del apoyo de quienes lo rodeaban, el tiempo del cambio no había llegado. La iglesia todavía no había podido engranar en el progreso ni en las oportunidades del campo de la educación.

9. Nueva vitalidad afroamericana

Después de la separación que se hizo en 1926 de la obra angloamericana y afroamericana en la Iglesia de Dios, había supervisión separada para las iglesias afroamericanas, las cuales también tenían su propia asamblea nacional. Con excepción de la asamblea

---

[16] *Actas de la Junta de Directores del Colegio Lee,* 21 de mayo de 1957.

general, donde se reservaba una sección para los delegados afroamericanos y generalmente se celebraba un servicio de adoración especial por y para ellos, había poco contacto entre las dos razas. La falta de crecimiento entre la hermandad afroamericana era una constante preocupación para el liderazgo de la iglesia. El Comité Ejecutivo y el Concilio Supremo le dieron consideración con el fin de encontrar modos para aumentar la fuerza de dicha obra y su participación en el alcance general de la iglesia. Sin embargo, en ese período las respuestas eran, o difíciles de encontrar o típicamente superficiales. De diversas maneras, la Iglesia de Dios fue víctima de la frustración nacional e inercia de los tiempos.

En mayo de 1958, el Comité Ejecutivo nombró un experimentado y dinámico ministro angloamericano para supervisar la obra de las iglesias de los hermanos afroamericanos: J. T. Roberts, pastor en Tampa y miembro del Concilio Supremo. Esta fue una decisión arriesgada y sin precedentes; los seis supervisores nacionales previos habían sido respetables líderes afroamericanos.

El anuncio del nombramiento de Roberts en la asamblea nacional en Jacksonville, Florida, se recibió con cierta preocupación y con considerable optimismo en los dos grupos. Fue con mucha fe y esperanza que el Supervisor General Morehead, anunció lo siguiente:

> La asamblea fue bendecida con mucho interés y buena asistencia de principio a fin. La excelente cooperación de los ministros es encomiable e indica buen progreso para el futuro. Tenemos grandes esperanzas para la expansión de la obra afroamericana... Oren mucho para que el Señor bendiga (al supervisor Roberts) en su trabajo y para que la obra crezca y prospere bajo la bendición del Señor.[17]

Bajo la dirección y efervescencia evangelística de Roberts, la obra afroamericana pronto mostró una nueva energía y motivación, que rayaba en lo dramático. Se organizaron nuevas iglesias y se construyeron numerosos edificios. Aunque breve, hubo una nueva vitalidad y como resultado, un nuevo sentido de identidad entre los

---

[17] *Church of God Evangel,* 21 de julio de 1958, pág. 2.

miembros afroamericanos de la iglesia. Parecía que la respuesta esperada por tanto tiempo finalmente había llegado.

10. Al borde de la división

Cuando los ministros ordenados se reunieron en Memphis para la asamblea de 1958, ni siquiera sospechaban que la unidad de la Iglesia de Dios sería probada hasta lo sumo. Una medida aparentemente inofensiva para permitir el uso del anillo de bodas, precipitó una de las más tormentosas asambleas que la iglesia hubiera celebrado. El debate fue tan profundamente emocional e intenso que la armonía de los ministros llegó a un punto crítico. Algunos temían que permitir el uso del anillo de bodas abriría las compuertas para el abuso; es decir, que los miembros comenzarían a usar adornos o "joyas innecesarias", violando así el código de santidad que la iglesia había mantenido desde su principio. Otros sostenían que las restricciones de la iglesia sobre joyas innecesarias, nunca tuvieron la intención de incluir el anillo de bodas. Muchos otros también pensaban que las circunstancias de los tiempos requerían un poquito de elasticidad en las restricciones del código.

El Concilio General adoptó la medida por un margen mínimo y la presentó a la asamblea general, donde el debate continuó con los laicos y los ministros licenciados, además de los ministros ordenados. Esta fue la primera vez, según el recuerdo de muchas personas presentes, que una medida haya sido discutida ampliamente por la asamblea. Las medidas del concilio generalmente eran adoptadas por la asamblea sin ninguna discusión. Después que terminó el picante debate, se adoptó la propuesta para permitir el uso del anillo de bodas.

Por un tiempo parecía que habría una profunda división dentro del cuerpo, debido a los problemas de mundanalidad, y que este debate había servido para aclarar esta situación. Sin embargo, la iglesia estaba hecha de un material más fuerte; tales diferencias de opiniones fueron permitidas dentro de la gran expresión de hermandad y amor. La permanencia y tenacidad del amor espiritual obtuvo la victoria; la verdadera unidad del cuerpo no se rompió, sólo fue probada.

La Iglesia de Dios fue como un río que se divide momentáneamente alrededor de una roca y luego continúa fluyendo en un mismo cauce, sin interrupción. El río puede dividirse alrededor de muchas piedras en su trayectoria, pero siempre es el mismo río en su camino al mar.

Capítulo 28
A MITAD DE CAMINO

1. El liderazgo antiguo y el nuevo

La asamblea de 1958, la cual estuvo llena de tensiones, marcó el final de la gestión abreviada de Houston R. Morehead como Supervisor General. Debido a la limitación de ocho años en el Comité Ejecutivo, Morehead no era elegible para un segundo término en el puesto. James A. Cross, quien había sido el Primer Asistente del Supervisor General, fue electo para suceder a Morehead. Como se esperaba, los miembros restantes del Comité Ejecutivo fueron promovidos a la posición inmediatamente superior: Earl P. Paulk, padre, como Primer Asistente del Supervisor General, H. D. Williams, Segundo Asistente. A. M. Phillips, Supervisor de Florida, fue añadido al comité como Secretario Tesorero General.

El rico trasfondo de James A. Cross en la Iglesia de Dios lo preparó idealmente para el oficio de Supervisor General. Él era hijo de ministro, creció al calor de la casa pastoral y se distinguió como estudiante en el Colegio Lee (en aquel entonces "Escuela de Adiestramiento Bíblico"). Cross comenzó su ministerio a temprana edad y fue un pastor destacado, además de tener éxito en numerosas congregaciones. A la edad de 24 años fue nombrado Supervisor de Nebraska, la primera de una serie de asignaciones de gran responsabilidad. Se destacó como un hombre de mentalidad hábil, analítica y de liderazgo firme. De gran importancia fue el hecho de que Cross tenía la confianza y el respeto de la Iglesia de Dios en todas partes.

2. Nuevos rostros para misiones

Hubo cambios importantes en la supervisión del creciente ministerio de la iglesia. Paul H. Walker, predicador pionero y representante de misiones, fue reemplazado como Secretario Ejecutivo de Misiones por L. H. Aultman, popular Supervisor de Carolina del Norte. Walker regresó como supervisor a las Dakotas, la áspera región de su nacimiento y niñez.

En 1958, también hubo un cambio en la posición del representante de misiones: Wade H. Horton, quien había ocupado la posición por seis años, fue reemplazado por C. Raymond Spain, Supervisor de Michigan en ese entonces. Para completar el cambio total de personal, Johnny Owens también dejó el Departamento de Misiones, en donde había servido como representante desde 1953. No se nombró a ninguna persona para remplazarlo. Aultman y Spain fueron muy bien recibidos por los misioneros y la iglesia en general. La preocupación inicial de algunos con relación a los cambios se disipó pronto. El entusiasmo de las misiones mundiales y el crecimiento continuaron sin demora alguna.

3. La empresa de doble ánimo

Desde el año 1954 hubo algunos hombres orientados hacia los negocios que lamentaban los altos costos de los seguros sobre las propiedades de la Iglesia de Dios. Éstos señalaron que era necesario que la iglesia desarrollara un programa de seguros que redujera o eliminara los altos costos de los mismos. Lo que comenzó como un simple sueño creció a grandes proporciones: la institución de una compañía de seguros que no sólo redujera los costos sino que también proveyera una fuente de ingresos para la iglesia.

Pero este fue un sueño en desánimo. Desde el principio, la iglesia estaba dividida sobre el asunto. Cuando la idea fue presentada al Concilio Supremo, algunos pensaron que era una buena idea, otros que le daba una marca de comercialismo a la iglesia, contraria a los principios de las Escrituras. Muchos no querían formar parte en una empresa como ésta. La iglesia operaba la compañía *Tennessee Music and Printing* y administraba las inversiones de los fondos de retiro ministerial, pero ambas empresas eran consideradas como espirituales, tanto en naturaleza como en propósito. La compañía de seguros parecía sólo un asunto de negocios. Algunas personas comenzaron esa aventura comercial en 1956 y la desarrollaron como una compañía privada, llamándola *Pathway Mutual Insurance Company*. Ya que virtualmente todas las pólizas de la compañía eran propiedad de la Iglesia de Dios, los dueños ofrecieron vender el negocio a ésta en la asamblea de 1958.

Con considerable ambivalencia, la iglesia compró la compañía en enero de 1959 y la operó como uno de sus departamentos. Arlis Roberts fue nombrado presidente y E. C. Thomas, presidente del comité.[1] A pesar de que a la compañía le iba bien, siempre existía una actitud negativa de parte de muchos, argumentando que la iglesia no debía envolverse en una empresa de esa naturaleza. Las objeciones prevalecieron hasta que en la asamblea de 1966 se aprobó descontinuar la compañía.[2]

En octubre de 1967, la compañía fue vendida a negociantes ajenos a la Iglesia de Dios y el asunto quedó en el pasado.

4. Comisión de estudio interiglesia

Animada por su gran sentido de hermandad, la Iglesia de Dios también persiguió sueños fugaces en otras áreas mucho más importantes. Debido a sus grandes similitudes, especialmente en lo relacionado a la doctrina de la santidad y la experiencia de la santificación, la Iglesia de Dios y la Iglesia Pentecostal de Santidad frecuentemente hablaban sobre una unión. El primer diálogo sobre esta posibilidad ocurrió en 1947-48, bajo la supervisión de John C. Jernigan. A pesar de que no hubo progreso con relación a la unión, las esperanzas permanecieron vivas y volvieron a germinar en 1959.

Ese año, cada denominación nombró miembros para una comisión de estudio interiglesia,[3] "para explorar las posibilidades de confraternidad y cooperación más estrecha entre los dos grupos". En la reunión inicial en Des Moines, Iowa, el 25 de

---

[1] James A. Cross. *Church of God Evangel*, 16 de febrero de 1959, pág. 2.

[2] *Minutas de la Quincuagésima Asamblea General*, 1966, pág. 56.

[3] Los miembros de la Iglesia de Dios fueron James A. Cross, Earl P. Paulk, padre, H. D. Williams, A. M. Phillips y Charles W. Conn (otros miembros posteriores a éstos fueron Wade H. Horton, R. Leonard Carroll, Ralph E. Williams y C. Raymond Spain). En representación de la Iglesia Pentecostal de la Santidad estaban: J. A. Synan, W. H. Turner, R. O. Corvin, W. Eddie Morris y Byron A. Jones (otros miembros nombrados posteriormente fueron: J. Floyd Williams, A. D. Beachman y R. L. Rex).

octubre de 1959, se adoptó una breve resolución con relación a "las múltiples similitudes y mutuos intereses de las dos denominaciones".[4]

Las reuniones continuaron por diez años, alternando los lugares de reunión entre Cleveland, Tennessee, y Franklin Springs, Georgia. Se desarrollaron fuertes lazos fraternales que fueron aumentando por el libre intercambio de predicadores en las conferencias de las denominaciones, en las convenciones y por esfuerzos editoriales cooperativos, junto a otros esfuerzos publicitarios.[5]

La confraternidad entre la Iglesia de Dios y la Iglesia Pentecostal de Santidad incluyó la celebración bienal de cuatro "Conferencias sobre Santidad", de 1963 a 1969.[6] Las conferencias tuvieron muy buena asistencia e hicieron mucho por nutrir a la comunidad, fortalecer la experiencia pentecostal y la tradición de santidad. La reunión final de la comisión de estudio interiglesia se efectuó el 24 de septiembre de 1969: exactamente diez años después de que se organizara el grupo.[7] Nunca se hizo esfuerzo alguno para unir a las dos iglesias; cada una mantuvo su propia identidad y operación. El resultado de la comunión fue algo mucho más precioso; algo que ejemplificó el ideal cristiano de hermandad; una confraternidad y cooperación que ha durado y sobrevivido a la misma comisión.

5. El establecimiento de una memoria

En 1960, cincuenta años después de que R. M. Evans y Edmond Barr llevaran por primera vez el mensaje pentecostal a las Bahamas, la Iglesia de Dios celebró el evento con una gira evangelística a las islas. L. H. Aultman y C. Raymond Spain organizaron y dirigieron la gira en la cual participaron 750 personas. Hasta donde fue posible, la gira siguió la ruta que por

---

[4] *Church of God Evangel*, 7 de diciembre de 1959, pág. 2.

[5] *Ibíd.*, 30 de mayo de 1960, pág. 2.

[6] En Charlotte, Carolina del Norte (septiembre de 1963); Falcon, Carolina del Norte (mayo de 1965); Atlanta, Georgia (mayo de 1967); y Greensboro, Carolina del Norte (mayo de 1969).

[7] Tomado de los registros oficiales de la Iglesia de Dios.

primera vez caminara Evans desde Durant, Florida, vía Miami, hasta Nassau.

El enorme grupo de turistas salió de Miami el día de Año Nuevo de 1960 y arribaron a Nassau al mediodía del día siguiente. El barco fue recibido por una multitud de creyentes de las Bahamas que cantaban himnos alrededor del puerto a donde llegó el barco. Fue un tiempo de regocijo con una serie de actividades de fin de semana en varias de las iglesias de Nassau. Los delegados americanos y de las Bahamas llenaron las iglesias de la ciudad. Al mediodía del 4 de enero, la celebración del aniversario culminó con una reunión masiva en un parque de pelota. Miles hicieron acto de presencia. Fue al mismo día y a la misma hora en que R. M. Evans arribó a Nassau en 1910. Carl M. Padgett, un joven que acompañó a Evans en el histórico día, también estuvo presente en esta conmemoración. El ahora anciano misionero presentó su testimonio a los delegados allí reunidos.

En el viaje de regreso a Miami, el barco tuvo ciertos problemas, lo cual les dio una idea a los cansados turistas de los peligros y las inconveniencias que a diario enfrenta el misionero. Después de un breve fuego en la parte inferior del barco, la embarcación estuvo inmovilizada en mar abierto por cerca de 24 horas. Ya casi agotados los recursos de comida, los desilusionados delegados respondieron a la situación con un improvisado culto de adoración y de fraternal comunión. Finalmente, un remolcador de Miami llegó hasta donde estaba el barco y lo remolcó a puerto seguro con su preciosa carga humana.[8]

Siendo la memoria lo que es, los placeres del viaje muy pronto afloraron en los participantes de la excursión, mientras que el miedo y las inconveniencias sólo sirvieron para acentuar el drama y agudizar la memoria.

6. El impulso misionero

Mientras el impulso misionero de la Iglesia de Dios era celebrado en las Bahamas, también fue reafirmado en otras partes

---

[8]Conn, Diario, 5 de enero de 1960.

del mundo. La Iglesia de Dios entró a Bolivia, Sudamérica, el 1 de enero de 1960.[9] A finales de 1959, un joven pastor chileno de nombre Daniel Cubillos, sintió la urgencia divina de ir a Bolivia con el evangelio. Éste y su pequeña familia se mudaron para la nueva tierra unos días antes de que comenzara el nuevo año. El primer día del año, mientras delegados de la Iglesia de Dios cantaban en Nassau, Cubillos celebró su primer culto de adoración en Sucre, una ciudad de 40,000 habitantes en los andes bolivianos. Al igual que la mayoría de los campos latinoamericanos, la montañosa Bolivia demostró ser un campo fértil para la Iglesia de Dios.

El indomable Herman Lauster extendió los perímetros de la Iglesia de Dios en Europa, más allá de su Alemania natal. Él recibió un llamado para celebrar servicios en Suiza, a finales de 1959. Este llamado resultó en la organización de una iglesia en Schaffhausen, en febrero de 1960.[10]

Lauster, ya legendario en Alemania, también dirigió su atención hacia Alsace Lorraine, una región bilingüe en la frontera entre Alemania y Francia. Una iglesia fue organizada en la ciudad medieval de Colmar, en abril de 1960.[11] Más tarde, Lauster también organizó una iglesia en Muenster. A un dotado ministro alemán, Karl Otto Boehringer, casado con una mujer inglesa, se le asignó las tarea de pastorear la congregación de Colmar. Más tarde fue sucedido por otro joven ministro alemán, Eberhard Kolb, producto de la escuela bíblica alemana. A pesar de que la organización de estas iglesias, en la antigua y avanzada Europa, no representaba un trabajo misionero tradicional, sí reflejaba el mismo espíritu de urgencia e identificación con el necesitado, que había motivado a la obra de la Iglesia de Dios desde sus comienzos. De una manera similar, otras congregaciones serían organizadas en diversos países y ciudades.

La Escuela Bíblica Alemana, establecida en Krehwinkel, en octubre de 1958, con E. Lamar Daniel como presidente, se convirtió en una fuente misionera para varios países de Europa,

---

[9]Vessie D. Hargrave. *Church of God Evangel*, 27 de junio de 1960, pág. 3.
[10]Herman Lauster, *Church of God Evangel*, 19 de diciembre de 1960, pág. 14.
[11]Lauster, *Ibíd.*, 12 de diciembre de 1960, pág. 7.

África y el Medio Oriente. Además de suplir los obreros para Alemania, esta escuela vería salir a sus graduados hacia tierras como Israel, Nigeria, Ghana y Alsace Lorraine. El día había llegado cuando las tierras evangelizadas evangelizarían a otras. Ese es el verdadero impulso misionero. Esa es la verdadera senda cristiana.

7. Francia y Saarlandia

La Iglesia de Dios en Francia tuvo un comienzo alemán y al principio hablaba con acento alemán. Aun antes de que Herman Lauster organizara la iglesia en Colmar, su hijo Walter se mudó a Heiligenwald, una ciudad de la región industrial de Saar, y comenzó obra evangelística allí. Junto a su esposa Bobbie, el joven Lauster predicó en varios pueblos y ciudades de Saar. La ciudad de Saar, al igual que Alsace Lorraine, era una región fronteriza, mitad alemana y mitad francesa, con una mezcla de ambas culturas y con un conocimiento pleno de ambos idiomas. A principios de 1958, se organizó una congregación en el pueblo de St. Ingbert y en mayo de ese mismo año se organizó la segunda en Saarbrucken, capital del distrito.[12]

A través de la intervención de J. H. Saayman de Sudáfrica, en 1959, un joven pastor francés de nombre Andre Weber, se unió a Lauster y abrió una iglesia en Troyes, en el interior de Francia. Weber, quien había ministrado en Bélgica cuando conoció a Lauster, era pariente de Pierre Nicole, el renombrado pionero pentecostal francés. Oriundo del área de Troyes, hacía tiempo que Weber había sentido la carga de iniciar una iglesia en la ciudad de su juventud. El joven pastor celebró varias campañas de avivamiento y luego organizó la iglesia en 1959. Más tarde, erigió una carpa en los barrios bajos de la ciudad y evangelizó a las prostitutas, los parias, gitanos y otros grupos descartados por la sociedad. Weber era un ministro dedicado al evangelio, acostumbrado a las dificultades y ansioso de ganar almas para Cristo. Bajo su

---

[12] Entrevista con Walter Lauster, 14 de enero de 1977.

liderazgo, la iglesia en Troyes se convirtió en un centro efectivo para la proclamación del mensaje pentecostal.

Cerca de las fronteras de Saarlandia, Lauster estableció iglesias en Pirmasens, Alemania, en 1961, y Saarlouis, en 1962. Animado por el éxito en esos lugares, en 1964 la Junta de Misiones envió a Lauster a Chatelleraut, en el Valle de Loire, en el centro de Francia. El propósito era esparcir la fe pentecostal en otras partes de la nación francesa, espiritualmente destruida. Pero Francia no sería un terreno fértil para el evangelio como lo fue Alemania.

8. 1960: Asamblea de reagrupamiento

La Iglesia de Dios fue profundamente estremecida en la asamblea de 1958, y dos años más tarde todavía se sentían los efectos. Era un tiempo de reagrupación para los años venideros. Los delegados llegaron a Memphis con una mezcla de sentimientos, tanto de optimismo como de desencanto, debido a la fe.

Como se esperaba, James A. Cross fue electo nuevamente como Supervisor General en la asamblea de 1960. Wade H. Horton, Supervisor de Mississippi, quien había sido representante de misiones, fue electo como Primer Asistente del Supervisor General. Horton había sido un favorito de la Iglesia de Dios por mucho tiempo; su surgimiento repentino al alto puesto confirmó la confianza y el afecto de la iglesia por él. Earl P. Paulk, padre, a quien Horton remplazó, no fue reelecto al Comité Ejecutivo, pero H. D. Williams fue reelecto como Segundo Asistente del Supervisor General y A. M. Phillips fue reelecto como Secretario Tesorero General.

Hubo otros cambios en la asamblea. El más destacado fue el nombramiento simultáneo de Ray H. Hughes como presidente del Colegio Lee y como ministro nacional de radio. Pocos hombres en la iglesia podían sobrevivir a una responsabilidad tan ardua. Tanto Horton como Hughes serían líderes distinguidos de la iglesia por mucho tiempo.

Un tercer hombre a quien se le daría la responsabilidad de liderazgo en el 1960, fue Cecil B. Knight, quien fue electo Director de la Juventud y Escuela Dominical. Knight traería a la obra de la juventud nuevos niveles de logro e innovación. El futuro de la Iglesia de Dios entraba en lo que se ha llamado su "década de destino".

9. Una interrupción divina

Después de las tensiones de la asamblea de 1958, se temía que éstas continuarían en la reunión de 1960. Esto pudo haber ocurrido, sin embargo, Dios intervino en una forma maravillosa. Todo comenzó en una sesión previa a la asamblea que celebró el Concilio Supremo, en la cual se discutía la necesidad que la iglesia tenía de reafirmar su creencia y práctica en la santidad. El concilio adoptó una resolución para ese fin y luego tuvo un período de oración y afirmación personal. La resolución sobre santidad fue elaborada de la siguiente manera:

> Los fundamentos de la Iglesia de Dios descansan sobre los principios básicos de santidad. Aun antes de que la iglesia experimentara el derramamiento del Espíritu Santo, sus raíces estaban incrustadas en el avivamiento de santidad del siglo pasado. Esta fue, y es, una iglesia de santidad: santa en hechos y en nombre.
>
> El paso de tres cuartos de siglo no ha disminuido en nada nuestra posición o nuestras convicciones sobre la santidad. En cambio, los años han fortalecido nuestro conocimiento de que sin santidad es imposible agradar a Dios.
>
> Por lo tanto, nos recordamos que las Escrituras nos reclaman en todo tiempo que examinemos nuestros propios corazones. La continua y consistente vida de santidad requiere esto. Las condiciones de nuestro tiempo también lo requieren. Las sutilezas de la mundanalidad que intentan infiltrarse dentro de la iglesia, son una amenaza real y verdadera. Por lo tanto, *nosotros* tenemos que estar alerta, de lo contrario, nos podríamos conformar al mundo, o adquirir un amor por el mundo que se arraigue en nuestro corazón y se manifieste a sí mismo como concupiscencia de la carne, concupiscencia de los ojos o soberbia.
>
> Por estas razones, presentamos lo siguiente:
>
> *Por cuanto* la Iglesia de Dios es una iglesia históricamente santa, y
>
> *Por cuanto* las Escrituras nos reclaman que seamos así, y
>
> *Por cuanto* una nube de mundanalidad amenaza a la espiritualidad de la iglesia,

> *Resuélvase* que nosotros, la Iglesia de Dios, reafirmamos nuestra norma de santidad, en doctrina, en nuestros principios de conducta, como una realidad viva en nuestros corazones.
>
> *Resuélvase*, además, que nosotros, como ministros, mantendremos esta norma en nuestras vidas, en nuestros hogares y en nuestros púlpitos.
>
> *Resuélvase*, además, que nosotros, como ministros y miembros, rededicaremos nuestras vidas a este propósito, y evitaremos que nuestras vidas se conformen al mundo en apariencia, en ambición egoísta, en actitudes carnales y en asociaciones malignas.
>
> *Resuélvase,* además, que nosotros, como ministros y miembros, trataremos de conformarnos a las virtudes positivas de amor, misericordia y perdón, como lo enseñó Jesucristo.[13]

Mientras se leía la resolución a los ministros ordenados, tanto el orador como aquellos que habían escrito la resolución, así como la audiencia, fueron sobrecogidos por un espíritu de lágrimas. Los ministros comenzaron a arrodillarse para orar en las butacas donde se encontraban. Luego hubo un tiempo de confesión y testimonio, a tal grado que hubo que suspender todos los negocios. Las oraciones, lágrimas y los testimonios continuaron por dos días completos, en lo que se recuerda como uno de los tiempos de mayor renovación personal y denominacional. Se registró que "la resolución relacionada con los principios de santidad de la Iglesia de Dios, se adoptó unánimemente en el Concilio General, el jueves 18 de agosto de 1960, con unidad y propósito genuino".[14] Este espíritu de desbordamiento espontáneo tan saludable y sobrecogedor, dejó una huella permanente en la Iglesia de Dios.

10. Preocupación por la imagen de la iglesia

Por mucho tiempo, la Iglesia de Dios había sido lo suficientemente grande como para que los medios de comunicación masiva estuvieran deseosos, y algunas veces determinados, a informar sobre sus asuntos. En 1958, el acostumbrado comité de publicidad fue cambiado por un Comité de Relaciones Públicas,[15] cuya

---

[13] *Minutas de la Cuadragesimoctava Asamblea General,* 1960, págs. 51, 52.
[14] *Loc. cit.*
[15] Charles W. Conn, O. W. Polen y Earl Paulk, hijo.

función principal en cada asamblea era ayudar a los reporteros y proteger el punto de vista público de la Iglesia de Dios. A los reporteros se les preparaba cubículos y salón de prensa, aun para las sesiones que anteriormente eran exclusivas para los ministros ordenados. El comité interpretaba las creencias y costumbres de la Iglesia de Dios, y las acciones de la asamblea, para la inquisitiva prensa y ayudaba a preparar despachos especiales para el servicio nacional de noticias. La iglesia hizo amistad con aquellos que no siempre habían sido prensa amigable.

Además de sus responsabilidades editoriales, en 1960 se nombró al editor en jefe como director de relaciones públicas. Él tendría que publicar las actividades de la Iglesia de Dios y manejar la imagen de la iglesia; ayudaría a los diversos medios de información y noticias (periódicos, estaciones de radio y televisión, cadenas de noticias, revistas, enciclopedias, investigadores e historiadores) para que éstos obtuvieran información correcta y fidedigna, con el fin de que tuvieran un mejor entendimiento de los asuntos de la Iglesia de Dios. En 1960 se estableció una oficina de relaciones públicas. Aunque no se convirtió en un trabajo de tiempo completo sino hasta seis años más tarde.

11. Ministerio a los militares

Desde los tiempos de la Segunda Guerra Mundial, la Iglesia de Dios vio que un gran número de sus jóvenes eran llamados al servicio militar. Desarraigados de su familia e iglesia, muchas veces estos militares se sentían solos y descorazonados, y algunos atravesaban por serias dificultades espirituales. En 1961, la iglesia demostró su preocupación por estos jóvenes al iniciar un departamento de ministerio a los militares. El Supervisor General Cross asignó a H. D. Williams, Segundo Asistente del Supervisor General, para que organizara una lista de direcciones de los miembros de la Iglesia de Dios y amigos en el servicio militar, y para que comenzara a establecer correspondencia con ellos. Williams comenzó dicha correspondencia con una lista como de mil militares. De igual manera, despertó la conciencia de la Iglesia de Dios sobre la responsabilidad en esta área de ministerio, publicando una página en el *Evangel* sobre el ministerio a los militares.[16]

Este fue el inicio de uno de los ministerios más emocionantes y satisfactorios de la iglesia. A través del mismo, la iglesia extendería su cuidado y apoyo por sus hijos alrededor del mundo. Como resultado, estos hijos desarraigados se convertirían asimismo en misioneros y evangelistas para llevar el evangelio a nuevas partes del mundo. Muy pronto, la iglesia experimentaría una dramática y nueva dimensión en el área de la evangelización mundial.

[16]H. D. Williams, *Church of God Evangel*, 20 de febrero de 1961, pág. 6.

Capítulo 29
REJUVENECIMIENTO

1. El segundo aire

De muchas maneras, la Iglesia de Dios tuvo su segundo aire en 1962. Un nuevo brote de energía alcanzó casi a todas las áreas de ministerio de la iglesia y hubo una descarga general para ir hacia adelante. Aun desde la destacada asamblea de 1960, la iglesia había sido llena con un profundo sentido de bendición y responsabilidad; cada departamento se había involucrado en nuevos planes de avance y había aumentado la efectividad.

Los preparativos para la asamblea de 1962 eran muy positivos y progresistas. Éstos incluían planes sin precedente para una activa participación de ministros y laicos en la evangelización personal en la ciudad de Memphis. Por primera vez, los negocios de la asamblea fueron suspendidos y los delegados salieron en grupos a muchas secciones de la ciudad para hacer trabajo personal por Cristo. Los experimentados *Pioneers for Christ* (Pioneros por Cristo) del Colegio Lee y los equipos de trabajo personal de verano, acompañaron y dirigieron a los ministros y miembros en la tarea de evangelización personal por Cristo. Mucho más de lo que pudieron haber mostrado los resultados inmediatos, el esfuerzo conjunto establecía un nuevo tono de evangelización para el futuro.

El Supervisor General Cross habló en forma destacada sobre el tema "Dejemos que la iglesia hable", el cual fue un llamado a una vida cristiana agresiva y de trabajo. Los demás servicios fueron muy positivos, optimistas y dinámicos; la inspiración corría como corriente eléctrica a través de toda la asamblea. Se dedicó mucho tiempo a hacer planes para el futuro en cada departamento de la denominación. La iglesia mostró estar vibrantemente viva y felizmente unificada. Era como un ejército en marcha a paso redoblado. Como una iglesia que sabía cuál era su misión.

2. El nuevo liderazgo

Los hombres seleccionados para dirigir a la iglesia en este período de rejuvenecimiento mostraban una interesante configuración. Como se preveía, Wade H. Horton fue electo Supervisor General; A. M. Phillips fue elevado a la posoción de Primer Asistente del Supervisor General. Luego, en vez de seleccionar a los próximos miembros del Comité Ejecutivo de entre los supervisores de estado, como había sido la costumbre reciente, los ministros seleccionaron dos líderes de departamentos para llenar las restantes posiciones ejecutivas. Charles W. Conn, quien había sido editor en jefe por diez años, fue electo como Segundo Asistente del Supervisor General, y C. Raymond Spain, representante del campo misionero por los últimos cuatro años, como Secretario Tesorero General. Esta desviación de los patrones tradicionales de conducta no indicaron una nueva dirección para la iglesia; de hecho, representó el regreso a una práctica antigua, en donde los líderes departamentales frecuentemente eran seleccionados para puestos en el Comité Ejecutivo.

Aun el Supervisor General, Wade H. Horton, tenía mucha más experiencia en misiones que en la supervisión de estado. Había sido supervisor de Mississippi por dos años, del 1958 al 1960, pero había sido representante del campo misionero por seis años, de 1952-1958, y había disfrutado de un ministerio efectivo en muchas partes del mundo. Anterior a esto, este hombre oriundo de Carolina del Sur había servido como pastor en varios estados y en Washington D. C. Sin embargo, fue mejor conocido por el magnetismo personal de su liderazgo y por la calidad de su ministerio en el púlpito.

Antes de que concluyera el 1962, el Comité Ejecutivo se redujo de cuatro hombres a tres. A. M. Phillips enfermó poco tiempo después de la asamblea, durante el curso de sus viajes en asuntos de la iglesia. Este activo ministro continuó en sus responsabilidades tanto tiempo como le fue posible, pero en noviembre fue confinado a guardar cama, víctima de un cáncer incurable. Cada vez se fue debilitando más. En un día nevado de diciembre, dio su final testimonio victorioso a su familia y a los miembros del

Comité Ejecutivo, los cuales estaban a su lado, y así murió tranquilamente. Fue el 24 de diciembre, en Nochebuena.

Debido a que no había provisión para la selección de un sucesor, las responsabilidades fueron distribuidas entre Conn y Spain. El Comité Ejecutivo continuó con sólo tres hombres por los próximos dos años.

3. La falange departamental

Decir que la Iglesia de Dios era como un ejército que marchaba a paso redoblado es decir que sus varios departamentos se movían unidos hacia adelante. Sus diversos ministerios eran agencias especializadas de un todo. Cada departamento cumplía con su función particular y contribuía al progreso del cuerpo en su totalidad. La iglesia se había convertido en una falange bien organizada y unida, con unidades individuales en un esfuerzo conjunto por penetrar al mundo con el evangelio de Jesucristo. Cualesquiera que fueran las funciones, el propósito era uno. Como el cuerpo que Pablo describe a los corintios, la Iglesia de Dios era un solo cuerpo compuesto de muchos miembros. La victoria de uno era la victoria de todos; el fortalecimiento de uno era el fortalecimiento de todos.

Fue un tiempo de rejuvenecimiento. Nacieron nuevos departamentos y los ya existentes fueron mejorados; se organizaron nuevos proyectos y se ampliaron los ya existentes. Nacieron nuevas esperanzas y se fortalecieron y confirmaron las antiguas.

4. Un superintendente para Europa

En la asamblea de 1962 fue nombrado un superintendente para Europa, para supervisar el rápido crecimiento de la Iglesia de Dios en ese continente. Las iglesias europeas, debido a su progreso gradual bajo el liderazgo de misiones, se consideraban como una sección del Departamento de Misiones Mundiales. Pero las iglesias europeas no eran "misiones" como tales; sólo eran consideradas así desde los Estados Unidos. Vessie D. Hargrave, bien conocido por su largo tiempo trabajando en Latinoamérica, fue nombrado para ocupar la posición. Él estableció su base de operaciones en

Basel, Suiza, y asumió la supervisión de las iglesias europeas desde este punto neutral. Se creía que el centro suizo de operaciones enfrentaría mejor las fuertes demandas de las crecientes obras en otros países, sin darle ventaja a ninguno en particular. Con iglesias fuertes en Alemania e Inglaterra, y obras más pequeñas, aunque prometedoras en Francia y España, y con congregaciones individuales en otros países, la iglesia se entregó de lleno a los intereses del "viejo mundo".

5. Evangelización y misiones nacionales

Los muchos esfuerzos evangelísticos de la Iglesia de Dios crecieron a tal punto que fue necesario un programa de coordinación y dirección para los mismos. El Concilio Supremo autorizó la institución de un Departamento de Evangelismo y Misiones Nacionales, en su reunión de marzo de 1963.[1] El Comité Ejecutivo nombró a Walter R. Pettit, Supervisor de Pennsylvania, para que dirigiera el nuevo departamento. Pettit, quien tenía tres años de experiencia en el Comité de Evangelismo, entró a esta nueva obra con energía y entusiasmo.

Además de su trabajo en la evangelización, Pettit también supervisaría los servicios de arquitectura de la iglesia.[2] El Comité de Arquitectura, compuesto por ministros y arquitectos con licencia, había ofrecido planos para la construcción de edificios y facilidades para iglesias desde 1962.[3]

6. Nueva vida en Lee

Durante la década de los sesenta, uno de los cambios más dramáticos en la historia de la Iglesia de Dios ocurrió en el Colegio Lee. Inmediatamente después del nombramiento de Ray H. Hughes a la presidencia en 1960, la ya decadente matrícula de estudiantes bajó hasta 312; luego se mantuvo estable y se estableció una nueva dirección para el colegio. Hughes, siempre evange-

---

[1] *Actas del Concilio Supremo*, 6 de marzo de 1963.
[2] Wade H. Horton, *Church of God Evangel*, 8 de julio de 1963, pág. 4.
[3] Charles W. Conn, *Church of God Evangel*, 4 de junio de 1964, pág. 3.

lista, dirigió una renovación del espíritu que parecía la del valle de Ezequiel. Después de un crecimiento continuo en la matrícula, un increíble número de 629 estudiantes se registró para el otoño de 1963. La resurrección de Lee requería crecimiento simultáneo en tres frentes: reclutamiento de estudiantes, reclutamiento de facultad, y desarrollo y mejoras de las facilidades físicas.

El resultado del reconocimiento académico le dio nueva vida a Lee. El colegio bíblico había sido acreditado por la Asociación Acreditadora de Colegios Bíblicos en 1959 y la escuela de dos años a nivel universitario fue acreditada por la Asociación de Colegios y Escuelas del Sur en 1960. Hughes también dirigió un estimulante ensanchamiento de las facilidades físicas: en 1963 se construyó un nuevo edificio para la administración y en 1965 uno para ciencias.

Una innovación en este período fue la celebración anual del "Día del Colegio", en la que se recibían estudiantes del tercer y cuarto año de preparatoria como invitados especiales al campo del Colegio Lee. La primera de estas actividades fue celebrada bajo la colaboración del Colegio Lee y el Departamento de la Juventud y Escuela Dominical, el 25 de abril de 1964. A los visitantes, que eran más de mil, les fue presentado el programa académico, espiritual y social de la vida colegial. Este movimiento probó ser un método excepcional para reclutar estudiantes y muy pronto se convirtió en uno de los puntos sobresalientes del calendario académico.[4]

Este resurgimiento temporal aceleró el crecimiento y elevó la moral de la escuela, aumentando la matrícula y expandiendo el campo. Finalmente, la educación universitaria obtendría su lugar adecuado en el ministerio de la Iglesia de Dios.

7. "ADELANTE EN FE" CAMINA HACIA ADELANTE

Al mismo tiempo que se revitalizaba al Colegio Lee bajo la presidencia de Ray H. Hughes, el programa radial *Forward in Faith,* debido al liderazgo de este hombre, se convirtió en una voz

---

[4]Ray H. Hughes, *Church of God Evangel*, 6 de abril de 1964, pág. 11.

pentecostal respetada. Su cadena de estaciones creció de 42 a 120 en 37 estados, 5 países y varias estaciones de las fuerzas armadas de los Estados Unidos.[5] En las facilidades que anteriormente pertenecían a la *Tennessee Music and Printing Company,* se construyó un estudio de grabación para el programa. Delton L. Alford, un talentoso y joven músico que había llegado recientemente al Colegio Lee, se unió al equipo como director de música y desarrolló una impresionante organización musical. Debido a la creciente demanda, tanto del Colegio Lee como de *Forward in Faith*, fue necesario que Hughes renunciara a su responsabilidad de uno de éstos para dedicarse de lleno al otro. Él permaneció en Lee y renunció a su labor del ministerio radial en septiembre de 1963. Después de un verano en el que se probó por un mes a cuatro prominentes predicadores con experiencia radial, G. W. Lane, de Cincinnati, quien tenía un programa radial de considerable mérito en esa ciudad, fue seleccionado como ministro de radio.[6] Bennie S. Triplett permaneció como director del programa.

8. Una nueva apariencia para las publicaciones

Bajo la supervisión de Lewis J. Willis, quien había sido recién nombrado como editor en jefe, el formato y la apariencia física de las publicaciones de la iglesia alcanzaron tal mejora, que el *Evangel* marchó a la vanguardia de las revistas denominacionales. Las mejoras aprobadas para el *Evangel* en la asamblea de 1962, fueron puestas en efecto en 1963; esto incluyó arte y diseño y una máquina procesadora de *offset,* el uso semanal de color y un aumento en número de páginas. La excelencia del *Evangel* fue reconocida por la Asociación Evangélica de Prensa en 1964 y 1965, cuando la revista ganó varios premios, entre ellos el codiciado premio de la "La publicación denominacional del año". Con los cambios implementados en su contenido editorial, color, arte y diseño, y un mayor número de páginas, el *Evangel* alcanzó alturas impresionantes en el periodismo pentecostal.

---

[5]Bennie S. Triplett, *Church of God Evangel*, 2 de diciembre de 1963, pág. 11.
[6]Charles W. Conn, *Church of God Evangel*, 9 de septiembre de 1963, pág. 4.

Willis demostró capacidades editoriales y se rodeó de un impresionante personal editorial. El resultado de esto fue el logro de una de las revistas cristianas más completas del momento.[7]

Mejoras similares se implementaron en *The Lighted Pathway* (La Senda Iluminada) bajo la dirección de Clyne W. Buxton, quien se convirtió en editor en 1962. Buxton, ministro joven y experimentado, había sido Director de la Juventud y Escuela Dominical de Alabama. La revista para la juventud también fue mencionada en 1964 por la Asociación Evangélica de Prensa, por su apariencia y contenido.[8]

9. Adiestramiento para el servicio

Con sus cursos de adiestramiento para la iglesia, el Departamento de la Juventud y Escuela Dominical hizo una duradera contribución a las necesidades generales de la educación en la Iglesia de Dios. Lo que comenzó con una serie de cursos de adiestramiento para obreros en 1955, continuó y creció hasta convertirse en un programa de grandes proporciones que involucraba estudios en técnicas de enseñanzas, introducción bíblica, doctrina y otros temas de beneficio para la iglesia. Debido a su creciente énfasis en la excelencia dentro de todas las áreas de la educación cristiana, el departamento eventualmente se convertiría, tanto en nombre como en servicio, en el Departamento de la Juventud y Educación Cristiana.

Este vigoroso brazo de la iglesia auspició una conferencia de adiestramiento para líderes, del 19 al 23 de agosto de 1963, para "dar adiestramiento avanzado en educación cristiana a todas las personas que estaban relacionadas con el ministerio educacional de la iglesia".[9] La conferencia, que se celebró en el campo del Colegio Lee, fue diseñada especialmente para pastores, líderes de la juventud, maestros de escuela dominical y directores de educación cristiana. Fue un serio esfuerzo con una facultad de 17

---

[7]Willis consiguió el servicio de dos destacados ayudantes editoriales durante su estancia como editor. Duran M. Palmertree, miembro de la facultad del Colegio Lee, sirvió de 1963-1967. Este fue reemplazado por Heinrich Scherz, quien regresó a su nativa Alemania como presidente del Seminario Bíblico Europeo en 1973.

[8]Duran R. Palmertree, *Church of God Evangel,* 29 de junio de 1965, pág. 5.

[9]Palmertree, *Ibid.*, 16 de septiembre de 1963, pág. 6.

instructores con sus respectivos grados académicos. Bajo la dirección de Cecil B. Knight, el ambicioso seminario atrajo a más de cuatrocientos educadores para el adiestramiento intensivo de cuatro días. Los resultados de esta conferencia fueron excelentes y marcaron otro paso en el énfasis creciente de la iglesia para adiestrar en todas las áreas de servicio. La respuesta fue lo suficientemente buena como para colocar en itinerario futuras conferencias. Había dado comienzo la iniciativa de los requisitos educacionales y mejoramiento para el liderazgo de la Iglesia de Dios y una vez hecho esto, sólo podía continuar su curso hacia adelante.

10. El eslabón nutritivo

El movimiento progresivo de la Iglesia de Dios se manifestó por todo el mundo a medida que las demandas de evangelización y adiestramiento cristiano llegaban de todos los lugares. La Junta de Evangelismo de la Iglesia de Dios del Evangelio Completo de Sudáfrica, necesitaba urgentemente ayuda evangelística de América. A finales de agosto de 1963, el Comité Ejecutivo respondió al comisionar a tres destacados ministros para ir a Sudáfrica: Paul F. Henson, de Mississippi, J. Frank Spivey, de Georgia, y Albert H. Batts, de Tennessee, estuvieron predicando por tres meses en 45 iglesias de Sudáfrica y Rodesia. Más de 600 personas se convirtieron bajo su ministerio, antes de que éstos regresaran a sus hogares a principios de diciembre.[10]

> El equipo evangelístico que el Comité Ejecutivo envió a Sudáfrica en agosto, regresó hoy. El Comité Ejecutivo estaba en el aeropuerto para recibirlos. Los hombres tenían informes entusiastas de sus viajes a través de todo Sudáfrica y todavía hoy se veían entusiasmados. Oro para que su fervor y entusiasmo se esparza por toda la iglesia, para tener una renovación evangelística en los estados de aquí. Los africanos ya están pidiendo un grupo similar para el año entrante. Inglaterra también está haciendo una petición similar. Los

[10]Palmertree, *Ibíd.*, 30 de diciembre de 1963, pág. 4.

mismos evangelistas piensan que ese esfuerzo debe repetirse anualmente.[11]

En una situación similar, Cecil B. Knight y Donald S. Aultman, del Departamento de la Juventud y Educación Cristiana, fueron a Sudáfrica en la primavera de 1964 para dar conferencias de educación cristiana. Durante 17 días los dos hombres dictaron conferencias a más de 600 pastores y maestros y a 2,500 miembros. Los ministros de Sudáfrica establecieron como meta para la década, "un edificio de educación cristiana para cada Iglesia de Dios del Evangelio Completo".[12]

11. Los americanos olvidados

Aunque el énfasis evangelístico de la iglesia era grande, éste aumentó durante los años del 62 al 65, prestando atención especial a nuevos métodos y nuevas directrices. Una de estas nuevas directrices fue encaminada hacia los americanos olvidados: los indios americanos. A pesar de que los primeros esfuerzos en esta dirección se habían iniciado mucho antes, se le dio nuevo énfasis a la evangelización entre los indios durante esos años. En los albores de 1948, la iglesia había auspiciado un ministerio entre los indios de Carolina del Norte, cuando el pastor R. P. Fields comenzó un esfuerzo evangelístico entre los indios *Lumbee, Smiling y Seminole,* al oriente de Carolina del Norte. Miembros de numerosas tribus se convirtieron y formaron núcleos de misiones indígenas de la Iglesia de Dios. Una iglesia organizada en el territorio de Saddle Tree, la cual creció a 70 miembros en 1950, fue la razón fundamental para comenzar una congregación en Pembroke. Muy pronto se establecieron iglesias en numerosas comunidades de Carolina del Norte.[13]

En 1959 se desarrolló un campamento en Pembroke, para que los indios celebraran sus convenciones. La asistencia pronto rebasó las tres mil personas. Uno de los nativos *Lumbee,* Millard

---

[11]Conn, *Diario,* 5 de diciembre de 1963.
[12]W. J. Dekorck, *Church of God Evangel,* 4 de mayo de 1964, pág. 5.
[13]Entrevistas con R. P. Fields y Millard Maynard.

Maynard, un experimentado ministro de la iglesia, ayudó en el desarrollo de la evangelización a los indios. Otras tribus indígenas del sureste también fueron alcanzadas con el evangelio: los *Cherokees* de Carolina del Norte y los *Creels* de Carolina del Sur. Esto presagiaba un ministerio vigoroso y determinado entre los indios, dentro de lo que pronto sería el departamento de evangelismo de la iglesia.

Esfuerzos evangelísticos también fueron iniciados en las Dakotas entre las tribus *Sioux, Cheyenne y Mandan.* La obra indígena en Dakota fue iniciada por Hilbert y Victor Nelson a finales de los 50 y principios de los 60. Estos dedicados hermanos dejaron sus fincas en Dakota del Norte para trabajar entre los indios. Su misión principal estaba localizada en Eagle Butte, Dakota del Sur, cerca de Wounded Knee, en donde los *Sioux* pelearon su última y valiente batalla en contra del hombre blanco. Otras misiones fueron establecidas en LaPlant y Dupree. Los esfuerzos evangelísticos obtuvieron éxito particularmente entre los *Sioux,* tribu distinguida anteriormente por ser guerrera, la cual ahora estaba hambrienta del Príncipe de Paz. El supervisor del estado, Paul H. Walker, escribió en 1963: "Un grupo de indios *Sioux,* una vez obscurecido por el pecado, ahora tienen al Salvador y se regocijan en el gozo recién encontrado".[14]

La iglesia extendió sus brazos en 1963 hacia los indios *navajos* y los *zunis* del suroeste. A principios del año, W. M. Horton, supervisor de Nuevo México, comenzó a tener cultos en la reservación de los *navajos,* cerca de Gallup. Los indios, espiritualmente hambrientos, eran receptivos al evangelio y un considerable número de ellos se convirtió. En mayo de 1963, Charles W. Conn, Asistente del Supervisor General, visitó las reservaciones de los *navajos* y los *zunis*; junto con Horton, conversó con los líderes indios acerca de formar parte de la Iglesia de Dios. Horton y Conn viajaron mucho a lo largo del territorio de Arizona y Nuevo México; llegaron a numerosos hogares indígenas para visitar y orar con esta gente amable y confiable. En la noche del 27 de mayo, los dos líderes de la iglesia se reunieron con los representantes

---

[14]Paul H. Walker, *Church of God Evangel*, 24 de junio de 1963, pág. 8.

indígenas en Gallup, Nuevo México. Durante la larga conferencia, celebrada en el idioma navajo por medio de un joven intérprete, Harry Beagy, 14 líderes de los *navajos* se unieron a la Iglesia de Dios.[15]

Los corazones hambrientos de los indígenas inmediatamente se convirtieron en un campo misionero para la iglesia. Pronto se celebró una convención en Two Wells, Nuevo México, y muchos grupos de toda la pintoresca tierra navajo asistieron a la misma. Finalmente se les daría debida atención a algunos de los primeros y más tenaces grupos que poblaron América.

[15]Conn, *Diario*, 28 de mayo de 1963.

Capítulo 30
UNA NUEVA DIMENSIÓN

1. UN COMPAÑERISMO SIN PLANIFICAR

Al final de la Segunda Guerra Mundial, misioneros de la Iglesia de Dios obtuvieron apoyo y confraternidad en varias partes del mundo, ocasionalmente adquiriendo una responsabilidad adicional, de parte de una fuente inesperada. Al terminar el conflicto armado, los miembros de la Iglesia de Dios en las facilidades militares americanas frecuentemente tomaban sus pases de fines de semana para visitar las misiones de la iglesia y los hogares de los misioneros. Allí, en compañía hospitalaria, los cansados y solitarios jóvenes encontraron a los padres y hermanos de los cuales habían leído en las Escrituras. En vez de asistir todo el tiempo a servicios celebrados en las bases, con los cuales no siempre se identificaban, ellos asistían a otros fuera de la misma, aunque ocasionalmente no pudieran entenderlos.

Los militares comenzaron a cantar y a trabajar en los servicios; ayudaron a los misioneros y ofrecieron también asistencia financiera. A cambio, los misioneros alentaban y ofrecían confraternidad a estos jóvenes desarraigados de su medio ambiente. Entonces, con su propio celo espiritual renovado y avivado, los militares empezaron a estar conscientes de las necesidades espirituales que los rodeaban. Ellos percibían las necesidades de los nativos donde estaban estacionados y las de sus propios compañeros en el servicio militar. Percibieron las necesidades y cuidaron de los necesitados.

Los misioneros y militares se apoyaban mutuamente, como un equipo de trabajo, en la manera más apropiada. En algunos lugares fue difícil distinguir entre unos y otros. Debido a que había misioneros trabajando entre los militares, muchos jóvenes estacionados regresaron a sus hogares siendo ya salvos. Además, por medio de los militares, surgieron muchas congregaciones en esas tierras azotadas por la guerra. Esta fue una bendición compartida, en el mejor sentido de la palabra.

2. Misioneros en uniforme

Las circunstancias desafortunadas a veces producen resultados afortunados. Ese fue el caso de los jóvenes pentecostales que fueron llamados al servicio militar durante la Segunda Guerra Mundial. Desarraigados de su familia y amigos, a estos jóvenes se les envió a partes extrañas y distantes del mundo. En muchas ocasiones, los resultados fueron benéficos debido a que muchos de estos jóvenes se organizaron en lo que se llamó Confraternidades Pentecostales. A través de estas confraternidades de poca duración, muchos de estos jóvenes fueron librados de ser destruidos en su soledad o de caer en vicios carnales. Ellos formaron islas de confraternidad en un ancho mar de pecado. Los militares de la Iglesia de Dios encontraron que los lazos del hogar y de la iglesia eran lo suficientemente fuertes para mantenerlos y alimentarlos durante la estadía fuera de su tierra.

Los soldados percibieron la necesidad evangelística y misionera en sus alrededores. Percibieron las necesidades de sus compañeros de servicio y se convirtieron en evangelistas. Percibieron las necesidades de la gente y se convirtieron en misioneros. Así que, lo que había sido espontáneo y temporal en las décadas de los 40 y 50, comenzó a tomar un aspecto de cohesión y continuidad en la década del 60.

Una de las obras más prodigiosas fue llevada a cabo en Europa, en donde un ex soldado que sintió mucha carga por los militares, organizó numerosas confraternidades entre los mismos. Este fue J. Don Amison, oriundo de la Florida. Impresionado por las posibilidades evangelísticas entre los militares y deprimido por el pecado que había visto en las diferentes secciones del mundo, Amison le pidió a la Junta de Misiones que lo enviara a Europa como misionero entre los militares. Cuando fue denegada su petición debido a la falta de fondos, el joven soldado salió a la tarea misionera por su propia cuenta. Con un llamado y una experiencia igual a la de cualquier misionero, Amison regresó solo a Alemania en enero de 1961. Su esposa, Wilma, y su pequeña familia se reunirían con él más tarde. Militares de todas partes de Europa asistieron a un servicio introductorio en el pequeño poblado de Krehwinkel, Alemania, el 22 de febrero de 1961. Después, el estímulo de personas como Walter Lauster, en Saarlandia, Lamar McDaniel, en la Escuela Bíblica Alemana, con quien él vivió al principio, y con la ayuda del capellán Robert D. Crick, Amison viajó por las bases militares organizando reuniones y disfrutó de un éxito inmediato.

Amison comenzó una revista para los militares llamada *On Guard* (En guardia), para darle publicidad a los nuevos esfuerzos evangelísticos. Él generó tal entusiasmo que alrededor de diez confraternidades de militares fueron organizadas para fines del año.[1] Estos grupos de confraternidades, con la aprobación del capellán de la base, se reunían en hogares o rentaban algún edificio cercano a la base. Otros hombres tales como B. R. Butler, en Evroux, Francia y O. M. Shepard, en Mannheim, Alemania, fueron instrumentos para organizar estas confraternidades. Luego, a medida que aumentaron las responsabilidades, se organizó un concilio de ministerio a los militares para ayudar a Amison y dirigir el creciente esfuerzo evangelístico.[2]

3. Retiros espirituales

Un paso de gran importancia fue el inicio de programas de retiros espirituales para el personal militar. En septiembre de 1962, Charles W. Conn, recién nombrado director de la obra del servicio a los militares, viajó a Alemania con Amison e hizo arreglos con la Capellanía del Ejército para organizar un retiro del personal militar de la Iglesia de Dios. La petición fue aprobada y se organizó el retiro para el otoño de 1963.

Amison, después de haber emprendido esta obra sumamente efectiva, regresó a los Estados Unidos antes de que comenzara dicho retiro. G. A. Swanson, quien viajó a Europa en enero de

---

[1] J. Don Amison, *Church of God Evangel,* 8 de enero de 1982, pág. 11.

[2] Este concilio incluyó en diferentes épocas a hombres tales como el Capellán Robert D. Crick, el Capellán James N. Layne, el Coronel Lawrence B. Owens, Leon Groover, Paul Bright, Lee Butcher, Robert Seyda, hijo, Marvin C. Freeman, B. R. Butler, Vessie D. Hargrave y William D. Alton.

1963 como asistente de Amison, reemplazó a éste como representante de los servicios a los militares. Swanson, oriundo de Arizona, quien había hecho mucho para organizar los *Pioneros por Cristo* en el Colegio Lee, le dio un liderazgo firme y crecimiento continuo al ministerio militar. Bajo la dirección de Swanson, la confraternidad de Kaiserslautern se convirtió en el centro de operaciones del ministerio a los hombres en servicio. Tanto la iglesia como el centro de servicio a los militares se establecieron allí. Swanson y su esposa Treasure, convirtieron a Kaiserslautern en el centro de operaciones del amplio ministerio a los militares.

El primer retiro de la Iglesia de Dios para los militares se celebró en Berchtesgaden, del 9-13 de septiembre de 1963; Swanson fue el encargado y Robert D. Crick, el coordinador del mismo. Los 181 participantes del retiro llegaron de Alemania, Francia, Suiza, Inglaterra y Libia. La reunión llegó a tener tal éxito que fue puesta en itinerario como un evento regular en el calendario del año de trabajo del ministerio europeo a los militares.

El retiro fue celebrado en las espectaculares montañas de Obersalzburg, en donde Hitler se había retirado a su *Eagle's Nest* (Nido de águila), para descansar durante la Segunda Guerra Mundial. Todos los servicios fueron celebrados en el Hotel del General Walker, una vez hotel de lujo para altos oficiales del ejército nazi. Ahora las facilidades eran usadas para descanso y recreación de los soldados americanos, en el retiro semanal de invierno.[3] Eso fue un punto de justa ironía.

4. El frente asiático

Mientras las confraternidades militares seguían prosperando en Europa, programas similares se comenzaban a desarrollar al otro lado del mundo. En Japón se inició una confraternidad de militares a principios de 1952, cuando Roberto Orr organizó ese grupo en la base aérea de Misawa, en la isla de Honshu. Después de comenzar la obra en Japón, Orr fue trasferido a Alemania, donde

---

[3]Lewis J. Willis, *Church of God Evangel*, 21 de octubre de 1963, pág. 6.

también trabajó en las confraternidades. Debido a la rotación militar, los hombres en servicio eran comúnmente trasladados de una parte del mundo a otra; esta condición debilitaba, en cierta medida, algunas confraternidades, pero por otro lado, fortalecía a otras.

El grupo de Misawa, bajo el fuerte liderazgo de George F. Matheny, en 1961 se convirtió en un grupo bien activo. A través del sistema rotativo, Leon Groover, quien había sido instrumento en la obra en Europa, vino a Misawa y ayudó a Matheny. Al principio, los servicios de adoración eran celebrados en el hogar de Matheny,[4] y más tarde el grupo alquiló un edificio por 18 meses. Esto no era lo deseado, así que los jóvenes acordaron comprar su propio edificio. En dos ocasiones, Matheny solicitó que se le extendiera por seis meses su responsabilidad en Japón, para poder conseguir facilidades permanentes para la confraternidad. Se compró una propiedad y se erigió un pequeño edificio en la comunidad militar.[5] Los militares pusieron su propiedad a nombre de la Iglesia de Dios de Japón, para que así se pudiera usar como una iglesia misionera, si la obra de los militares cesaba de operar. El misionero L. E. Heil, un experimentado constructor, fue de gran ayuda para el grupo.

En 1958 se organizó una confraternidad en Fukuoka, en la isla sureña de Kyushu; no obstante, este grupo nunca creció en la medida de la iglesia de Misawa.

5. Okinawa

Al sur de Japón, en la isla de Okinawa, la más grande de las islas de Ryukyuan, fue organizada una vigorosa confraternidad en 1963. El grupo fue organizado en Naha, en abril 17 de 1963, por Jack Landers, Douglas Lane, Don Prewitt y Lucas Matthews.[6] Estos militares cristianos trabajaron diligentemente entre sus colegas y dieron testimonio a los nativos de Ryukyuan, de habla japonesa, en la medida que les fue posible.

---

[4]H. D. Williams, *Church of God Evangel,* 5 de marzo de 1962, pág. 5.
[5]L. E. Heil, *Church of God Evangel,* 8 de abril de 1963, pág. 11.
[6]Doug Lane, *Church of God Evangel,* 14 de octubre de 1963, pág. 6.

El 2 de julio, menos de tres meses después de que la confraternidad de Okinawa fuera organizada, el director de ministerio a los militares fue a Okinawa para intervenir a favor de un joven de la Fuerza Aérea que había sido sometido a severa discriminación debido a sus creencias religiosas.[7] Durante el curso de sus negociaciones con las autoridades de la Fuerza Aérea, el director se reunió con la mayoría de los miembros de la joven confraternidad y se impresionó profundamente con la dedicación y consagración de éstos.[8]

La primavera siguiente, del 12 al 15 de abril de 1964, Conn regresó a Okinawa para el primer Retiro para Militares de la Iglesia de Dios en el Lejano Oriente. La reunión inicial fue de tal bendición espiritual que Conn registró lo siguiente:

> Okinawa. Este es el primer aniversario de nuestra iglesia para los militares. Alrededor de cien personas estaban presentes cuando prediqué esa mañana. Luego almorzamos en la iglesia; esto parecía como la celebración de un aniversario en los Estados Unidos. En la tarde tuvimos un servicio de cánticos y testimonios. En la noche hubo una multitud numerosa. Después de predicar, cuatro adultos pasaron al altar para recibir salvación. El hermano Landers y el grupo de este lugar son muy espirituales y de una profunda consagración.[9]

Los militares en Okinawa también extendieron sus esfuerzos a la gente de Ryukyuan, cuya religión principal era el shintoísmo. Esos esfuerzos evangelísticos entre los nativos eran la práctica dondequiera que se estacionaban los hombres militares pentecostales.

6. El inicio coreano

La Iglesia de Dios en Corea es el resultado de la obra de los militares estacionados en ese lugar. Muchas de las tropas americanas en Corea, después de la guerra coreana, 1950-1953, sintieron la carga por la miseria de esta tierra postrada y trataron de ayudar

---

[7] Finalmente el joven de la Fuerza Aérea fue declarado inocente de las acusaciones en su contra y fue restaurado a su rango original. Poco después abandonó la Fuerza Aérea y fue a estudiar al Colegio Lee.

[8] Conn, *Diario,* 2, 3 de julio de 1963.

[9] *Ibíd.*, 12 de abril de 1964.

a aquella gente que, aunque triste, era amistosa. Debido al gran número de huérfanos, en su mayoría descendientes de soldados americanos y mujeres coreanas, comenzaron a establecerse un sinnúmero de hogares para estos huérfanos abandonados. Así como la Segunda Guerra Mundial había dejado dividido al país, la guerra coreana lo había dejado pobre y devastado. Los soldados asignados a Corea del Sur estaban en una situación difícil, sin esposas ni familias y siempre alerta. Al norte del paralelo 38 se encontraba Corea Comunista del Norte, amenazante y beligerante cual temible enemigo.

Una compañía, a través de la influencia de hombres de la Iglesia de Dios, estableció el "Orfanatorio Angel" y sostenía setenta huérfanos. Significativamente, un soldado escribió a la iglesia en los Estados Unidos diciendo: "Oren para que nosotros aquí podamos dar la buena impresión a la gente coreana de que todavía hay muchos buenos cristianos que vienen de América".[10]

Un joven de la Fuerza Aérea, natural de Georgia, Joseph L. Comer, quien había ido a Corea en el 1962, decidió estudiar intensivamente el idioma coreano, de tal forma que en seis meses podía testificar y predicar a los coreanos.[11] Con Frank T. Stansell y Richard A. Jackson, ambos de California, y otros miembros, Comer comenzó la obra misionera para la Iglesia de Dios.[12] El capellán Richard Y. Bershon fue asignado a Corea para este tiempo y también ayudó en la obra.

El director Conn, después del retiro de Okinawa en el 1964, fue a Corea para reunirse con los militares en aquel lugar. La reunión fue programada como un retiro, pero fue una temporada de lluvia y la tierra estaba mojada, fría y sombría. El tiempo estaba tan malo que tomó alrededor de tres horas para ir en autobús desde Osan, donde aterrizó el avión, hasta Seúl, como a 48 kilómetros (30 millas) de distancia. El área campestre de Corea estaba inundada.

---

[10] George W. Jones, *Church of God Evangel,* 5 de junio de 1961, pág. 5.
[11] Joseph L. Comer, *Church of God Evangel,* 30 de marzo 1964, pág. 15.
[12] Charles W. Conn, *Church of God Evangel,* 9 de marzo de 1964, pág. 5.

> Estaba lloviendo y hacía un frío miserable, cuando nuestro autobús llegó a Seúl. Luego el conductor dejó el autobús estacionado en el centro de la ciudad, con una palabra de despedida, como queriendo decir que hasta allí podía llevarnos. Un pequeño grupo de militares y yo quedamos a la deriva: todos en Corea por primera vez. Entonces vi al Capellán Berhon que corría debajo de la lluvia hacia el lugar donde estaba estacionado el autobús. No sé cómo nos encontramos accidentalmente, ya que todo había salido mal.[13]

Un pequeño grupo de cristianos militares se reunió en el Octavo Centro de Retiro Militar en Seúl, pero debido a un tiempo casi insuperable y a las restricciones militares, sólo cinco militares estuvieron presentes. Con los norteamericanos estaba Kim Doo Hwan, un joven ministro coreano a quien ellos habían ganado para la Iglesia de Dios y quien había accedido a ser el pastor de la iglesia que pensaban construir. Los hombres habían comprado propiedad en Moon Lae Dong, en una sección de Seúl, cerca al aeropuerto de Kimpo. A pesar de estos modestos inicios, en Corea se estableció el fundamento de la Iglesia de Dios, como señal de un esfuerzo misionero inspirador.

7. Corea nuevamente

Un año más tarde, el 1 de octubre de 1965, Conn, acompañado por Lewis J. Willis, regresó a Seúl para organizar oficialmente la Iglesia de Dios en Corea. La iglesia bajo carpa estaba llena de adoradores; ocho de ellos se unieron a la iglesia. Kim Doo Hwan, cuyo nombre fue americanizado al de David Kim, fue nombrado como pastor de la congregación y supervisor del esfuerzo misionero.[14] Antes de que pasara otro año, se construyó una preciosa iglesia en el lugar y nuevos obreros fueron añadidos a la Iglesia de Dios en Corea. La obra creció rápidamente en este fértil campo y se convirtió en una de las áreas más fructíferas en el Lejano Oriente.

Cuando Kim abandonó Corea para asistir al Colegio Lee en 1966, dejó la obra bajo la supervisión de Yung-Chul Han, otro

---

[13]Conn, *Diario,* 17 de abril de 1964.
[14]*Ibíd.*, 1 de octubre de 1965.

joven y dedicado ministro. La Junta de Misiones nombró permanentemente a Han en 1970. La Iglesia de Dios había tenido un ministerio sumamente efectivo en la República de Corea. Bajo el enérgico liderazgo de Yung-Chul Han se fundó una escuela bíblica en Seúl y se establecieron nuevas iglesias en todas partes de Corea del Sur. Para 1976 había más de treinta y cinco iglesias organizadas, once misiones y alrededor de seis mil miembros. Estos frutos maravillosos crecieron de la trágica semilla de la guerra, sembrada por creyentes solitarios que sólo querían ser buenos cristianos.

8. El frente doméstico

La asamblea de 1964 le dio ímpetu a la dirección y las actividades creadoras de la Iglesia de Dios. El Comité Ejecutivo fue aumentado a seis miembros y se aceptó un proceso de sucesión, en la eventualidad de la muerte de algún ejecutivo, como había ocurrido con la muerte de A. M. Phillips en 1962. Horton, Conn y Spain fueron reelectos al comité; R. Leonard Carroll, pastor en la ciudad de Lenoir, Tennessee, fue electo como Tercer Asistente del Supervisor General. Ralph E. Williams, pastor en Charlotte, Carolina del Norte, fue electo como Secretario Tesorero General. La posición de Director Mundial de Misiones fue añadida a la junta; Vessie D. Hargrave, Superintendente de Europa, fue electo para fungir en esta posición. William D. Alton, con experiencia en Latinoamérica, reemplazó a Hargrave en Europa. El Supervisor General Horton le asignó responsabilidades específicas a cada miembro del Comité Ejecutivo para los dos años siguientes; un plan que le daría continua representación ejecutiva a los numerosos ministerios de la iglesia. Considerando que el Supervisor General era presidente *ex oficio* de todos los comités, los demás hombres servían como representantes de enlace a los diversos departamentos y juntas.

En el área de la juventud y educación cristiana, Donald S. Aultman fue electo Director Nacional de la Juventud y Escuela Dominical y Paul F. Henson fue nombrado su asistente. Ambos tenían experiencia como directores de la juventud y eran predicadores de gran popularidad. Formaron un equipo progresivo y entusiasta.

9. El Concilio Ejecutivo

En esta asamblea fue cambiado el nombre de Concilio Supremo a Concilio Ejecutivo, un cambio que muchos habían esperado por algún tiempo. Se pensaba que el nombre antiguo era equivocado; el más alto y continuo concilio de la iglesia era ejecutivo, no supremo. Sólo se cambió el nombre; el cuerpo todavía consistiría del Comité Ejecutivo y del Concilio de los Doce, que se sentaban en sesión conjunta como un solo cuerpo.

> *Resuélvase,* por la Iglesia de Dios, reunida formalmente en su Asamblea General Número 50, que el concilio de la iglesia hasta este momento conocido como "Concilio Supremo", y que consiste del Concilio de los Doce y el Comité Ejecutivo de la iglesia, de aquí en adelante se conocerá y designará como "Concilio Ejecutivo".
>
> *Resuélvase, además,* que esta acción no anulará ninguna acción válida tomada por el concilio hasta este momento, cuando se designaba como "Concilio Supremo", ni prohibirá el uso del término "Concilio Supremo" para designar al mencionado concilio donde, debido a asuntos pendientes o compromisos anteriores, sea necesario o deseable que el mencionado concilio sea así designado.[15]

10. Las Trabajadoras Voluntarias

Las Trabajadoras Voluntarias fueron organizadas como un departamento nacional de la Iglesia de Dios en 1964. Ésta había sido una agencia de servicio a la denominación por treinta años o más, pero sin un director o comité de gobierno. Ellen B. French, quien había servido junto a su esposo, C. E. French, como misionera en India, Puerto Rico, Haití, República Dominicana y Perú, fue nombrada como secretaria ejecutiva.

La esposa del Supervisor General permanecería como presidenta titular y de la junta, teniendo como miembros de la misma a las respectivas esposas de los demás miembros del Comité Ejecutivo.

[15] *Minutas de la Quincuagesimoprimera Asamblea General,* 1974, pág. 56.

11. Decisión a favor de Cleveland

Cuando el espacio disponible en las oficinas generales llegó a ser inadecuado para la operación eficiente de la iglesia, se prestó atención al asunto de construir nuevas facilidades, ya fuera en la ciudad de Cleveland o en cualquier otra ciudad. En 1963 se inició un estudio serio sobre el asunto, el cual continuó por más de un año. Se consideraron lugares tales como Atlanta, Memphis, Chattanooga y Cincinnati; se le dio poca consideración a la posibilidad de permanecer en Cleveland.

Los oficiales de las mencionadas ciudades estuvieron presentes en la asamblea de 1964, para tratar de obtener la decisión a favor de sus respectivas ciudades; sin embargo, la decisión arrolladora del Concilio General fue de permanecer en Cleveland. Inmediatamente se hicieron planes para construir un nuevo edificio para las oficinas generales, el cual tomaría alrededor de cuatro años para planificar y construir.

12. Victoria alemana

Aun en la asamblea se hicieron planes para retiros militares en distantes campos misioneros. El "ministerio a los militares" comenzó a florecer plenamente como una de las más grandes oportunidades evangelísticas de la iglesia. El nuevo esfuerzo se enfatizó con tal vigor y entusiasmo que Conn, director de este ministerio, hizo dos viajes alrededor del mundo en 1964, para celebrar retiros y conferencias en varios lugares donde había tropas americanas estacionadas: Okinawa, Turquía, Vietnam, Corea, Islas Filipinas, Alemania y Japón. Como coincidencia, las dos principales áreas eran Alemania y Japón, que en un tiempo habían sido los peores enemigos de Estados Unidos. Dentro de cada una de estas dos reuniones de otoño habría evidencias de la providencia divina.

En Alemania, del 7 al 10 de septiembre de 1964, la asistencia ascendió a 235, unos cincuenta más que el año anterior. Fue una reunión memorable por muchos motivos, especialmente, debido a la presencia de Herman Lauster. El anciano misionero, quien había desafiado a Hitler en los días terribles de los nazis, ahora habría de predicarles a los militares americanos bajo la sombra del

Eagle's Nest de Hitler. Hablando a los militares sobre el tema "Toda la armadura de Dios", Lauster recordó mucho de su tiempo de prueba durante la pesadilla nazi.

Entonces, el héroe de la fe comenzó a debilitarse y se detuvo y dijo: "Mi corazón se está debilitando; no puedo continuar. Dios les bendiga. Amén." El corazón que había latido tan fuertemente por tanto tiempo en la obra del Señor, finalmente se detuvo. Lauster murió en el púlpito, rodeado de sus seres queridos y amigos, con una muerte tan victoriosa como lo había sido su vida. Esa noche, un solitario amigo que había pasado la última semana con Lauster recordó lo siguiente:

> El hermano Lauster luchó una vez en contra de la tiranía nazi y fue encarcelado por sus esfuerzos. Sin embargo, murió hoy predicando el evangelio en el mismo lugar donde Hitler se había revelado e intentado extirpar la religión. En un sentido muy real, éste ha sido un día de victoria. Sin embargo, me siento solo esta noche porque he perdido a un querido y atesorado amigo. Ambos habíamos planeado hacer una gira hoy, pero él se encuentra ahora en el cielo y yo estoy aquí solo.[16]

13. La victoria japonesa

El retiro en Japón, del 23 al 26 de noviembre de 1964, fue otro testamento de la providencia divina. La reunión conducida en el pequeño y pintoresco pueblo de Hakone, registró la asistencia de cincuenta y ocho participantes de cinco países asiáticos: Japón, Corea, Okinawa, Taiwán e Islas Filipinas.[17] Hakone era un bello pueblo en las montañas del Parque Nacional Hakone-Fuji, muy parecido a Berchtesgaden en Alemania. Con riachuelos calientes y un clima agradable, el pueblo se había convertido en un remanso de salud para japoneses agotados. Ahora los militares americanos encontraban descanso y restauración para la mente y el corazón en este saludable ambiente. Los servicios fueron celebrados en el Hotel Gohra, con facilidades utilizadas para retiros y propósitos recreativos. Los testimonios de los jóvenes militares eran tan

---

[16]Conn, *Diario,* 9 de septiembre de 1964.
[17]*Ibíd.*, 23 de noviembre de 1964.

conmovedores y relevantes que muy bien pudieran haber sido parte del libro de Los Hechos. Muchos de ellos llegaron al retiro después de enfrentar múltiples dificultades en el camino. Solos y agotados, estos jóvenes militares hallaron gran fortaleza en la confraternidad del retiro; gradualmente, los nudos de tensión fueron deshechos y se desataron torrentes de bendiciones espirituales.

Bajo la dirección del Capellán Richard Y. Bershon, L. E. Heil, Lovell Cary, Lewis J. Willis y el director ejecutivo, el retiro fue una mezcla espiritual de responsabilidad militar y oportunidad misionera. Aun antes de concluir el retiro, ya se había hecho planes para tener una reunión similar el año entrante. El retiro concluyó el Día de Acción de Gracias con una comida americana tradicional para la ocasión, preparada por los anfitriones japoneses. De hecho, había mucho, muchísimo, por lo cual dar gracias.

Capítulo 31
GENTE, LUGARES Y PLANES

1. Evangelización mediante la unión

La Iglesia de Dios fue organizada en Grecia, Portugal, Holanda, Ghana, Siria y Antigua en 1965. Esta expansión fue lograda recibiendo en la iglesia a congregaciones nativas que ya estaban funcionando en esos países. Frecuentemente las congregaciones eran pequeñas y pobres y necesitaban hacerse miembros de una organización mundial. Al unirse con la Iglesia de Dios, las congregaciones tenían la posibilidad de expandir sus esfuerzos; por otro lado, al unirse con estas congregaciones, la Iglesia de Dios ganaba acceso inmediato a tierras que de otra manera permanecerían cerradas por años.

El movimiento pentecostal alcanzó a la mayor parte del mundo de esta manera. Las congregaciones pequeñas experimentaban el bautismo del Espíritu Santo en sus propias tierras, sin asociación ni conocimiento del tremendo avivamiento mundial. Así como el metal es atraído por el imán, estas congregaciones independientes, con el pasar del tiempo, entraron en la comunión y fortaleza de la Iglesia de Dios. Estos pequeños comienzos eran nutridos y fortalecidos hasta convertirse en la base sólida del evangelismo en sus tierras. De esta forma, los grupos locales se convirtieron en parte vital de un gran todo y la Iglesia de Dios pudo acelerar su esfuerzo de predicar el evangelio en todo el mundo.

2. Evangelización metropolitana

En armonía con su creciente énfasis evangelístico alrededor del mundo, en 1965 la Iglesia de Dios dirigió su atención a las áreas descuidadas de la tierra madre. Aunque parezca insólito, las grandes ciudades de los Estados Unidos constituían esas áreas descuidadas. Desde sus comienzos, la Iglesia de Dios hizo su esfuerzo mayor en las áreas rurales y las ciudades pequeñas, un hecho que muy probablemente refleje los orígenes de la iglesia. Muchas de las áreas metropolitanas de los Estados Unidos ni siquiera tenían el testimonio de la Iglesia de Dios y, en donde lo había, el esfuerzo era demasiado pequeño para alcanzar a las grandes masas.

Un programa de evangelismo metropolitano fue organizado en 1965, en un esfuerzo por corregir esta situación y de llegar hasta donde estaba la gente. Evangelistas experimentados fueron enviados a ciudades tales como Chicago, Filadelfia, Milwaukee, Boston, Denver y Nueva York. Algunas de estas ciudades ya tenían congregaciones en pleno desarrollo, pero necesitaban muchas más: las grandes masas de las ciudades no estaban siendo alcanzadas con el evangelio.

Los evangelistas metropolitanos eran sostenidos totalmente por los fondos de la iglesia. Ellos trabajaban sin la preocupación del sostén financiero, lugar donde vivir o facilidades para adorar. Generalmente, ellos hacían un estudio y se localizaban en secciones apropiadas de la ciudad, en donde hacían la obra de evangelismo. Entonces, cuando una iglesia era organizada, la entregaban a un pastor y el evangelista se iba a otra sección de la ciudad para comenzar de nuevo.

Bajo este programa, la iglesia tuvo notable éxito en el establecimiento de nuevas iglesias en ciudades grandes. Pero cada triunfo era sólo un principio el cual, aun en su mejor esfuerzo, todavía no hacía gran mella en las grandes masas de las ciudades. En realidad, el mundo todavía esperaba oír el evangelio de nuestro Señor Jesucristo.[1]

3. Concilio de asesores

En 1965, el Comité Ejecutivo convocó a todos los miembros antiguos del comité a una reunión. Estos patriarcas de la iglesia fueron llamados a servir como un "Concilio de Asesores" al Comité Ejecutivo, para compartir experiencias y conocimientos

[1] Los esfuerzos de Ray H. Sander en Chicago y Denver, Gerald Johnson en Milwaukee y J. D. Golden en Nueva York, tuvieron gran éxito.

con los líderes presentes acerca de cómo manejar los asuntos de la iglesia. Este no era un cuerpo de carácter ejecutivo, sino más bien honorario y asesor.

En la primera reunión del Concilio Asesor, el 14 de diciembre de 1965, una amplia gama de asuntos fueron discutidos.[2] Este cuerpo no tenía poder para tomar decisiones, sino exclusivamente para aconsejar a aquellos que tenían tales responsabilidades. De los trece delegados elegibles, once estaban presentes.[3] El grupo fue debidamente constituido y estableció una reunión anual para el futuro.

4. Liderazgo experimentado

La asamblea de 1966 trajo pocas sorpresas y mucha confianza en el futuro de la Iglesia de Dios. Mientras los delegados se reunían en Memphis del 10 al 15 de agosto para celebrar la conferencia, había un sentimiento general de que todo iba bien y se pondría mejor. Charles W. Conn fue electo Supervisor General después de haber servido como Asistente del Supervisor General por cuatro años. Las siguientes personas fueron seleccionadas para asistir a Conn en los asuntos de la iglesia: R. Leonard Carroll, Primer Asistente del Supervisor General; C. Raymond Spain, Segundo Asistente del Supervisor General y Ray H. Hughes, Tercer Asistente del Supervisor General. Ralph E. Williams fue reelecto como Secretario Tesorero General y Vessie D. Hargrave como Director de Misiones Mundiales. No hubo sorpresas ni caras nuevas; estas elecciones habían sido anticipadas por un año.

La selección de Hughes al Comité Ejecutivo dio por terminada su distinguida presidencia en el Colegio Lee donde a su vez fue sucedido por James A. Cross, Supervisor de Florida. Parecía que el sentimiento general de los delegados no era favorecer un liderazgo neófito o sin experiencia. Este deseo de un liderazgo experimentado, también se reflejó en la elección del Concilio de

---

[2] Lewis J. Willis, *Church of God Evangel*, 7 de febrero de 1966, pág. 3.

[3] Los delegados presentes fueron: J. H. Walker, padre, John C. Jernigan, Zeno C. Tharp, Houston R. Morehead, James A. Cross, Earl P. Paulk, padre, A. V. Beaube, J. D. Bright, Paul H. Walker, R. R. Walker y H. D. Williams. Los miembros en función del Comité Ejecutivo que estaban presente fueron: Wade H. Horton, Charles W. Conn, C. Raymond Spain, R. Leonard Carroll, Ralph E. Williams y Vessie D. Hargrave.

los Doce; sólo salió electo un hombre sin previo servicio en el mismo.

En su discurso de aceptación, el Supervisor General Conn declaró:

> Yo creo que nosotros estamos en el umbral de la grandeza... La Iglesia de Dios ha reunido ahora la fortaleza, el moméntum y la dirección que nuestros padres desearon, y por los cuales oraron y lloraron. Nosotros tenemos la responsabilidad de lograr en nuestros días, aquello que ellos añoraron [en sus días].[4]

5. La reserva no explotada

Esta fue una asamblea centrada más en la gente que en los negocios. Se prestó atención a los laicos y se les involucró en los asuntos de la iglesia. Estos se sentaron en las galerías durante las sesiones del Concilio General y usaron su derecho de hablar en el foro de la Asamblea General. Lo que se había estado formando en años recientes cobró vida en 1966. La importancia de los laicos se hizo explícita con la creación de la "Junta Nacional de Laicos". En la resolución que le dio poder se declaró francamente que "la evangelización de nuestros días necesita los esfuerzos unidos de toda la feligresía de la iglesia".[5] Los laicos fueron vistos como una vasta reserva de servicio que el ministerio de la iglesia había pasado por alto, descuidado y relegado a funciones de menor importancia. Ahora esta reserva tenía que ser explotada y sus poderes liberados.[6]

6. El muro derribado

De igual importancia fue el asunto de los derechos humanos, el cual fue tratado con valentía. Por cuarenta años, desde 1926, la Iglesia de Dios se había dividido, aunque benignamente, en dos grupos, uno negro y otro blanco. Cada uno tenía sus propias

---

[4] *Minutas de la Quincuagesimoprimera Asamblea General,* 1966, pág. 29.

[5] *Ibíd.*, pág. 61.

[6] Los primeros miembros del comité de laicos fueron: Lynwood Maddox, Charles R. Beach, Arthur Hodge, H. A. Madden y J. D. Silver (*Ibíd.*, pág. 68).

funciones, en unidad y fraternidad, y cada uno se mantenía respetuosamente a la distancia del otro. Los miembros afroamericanos tenían un supervisor nacional, una asamblea nacional y sus propios supervisores estatales. Aquellos que asistían a las asambleas generales tenían una sección especial reservada para ellos.

La asamblea de 1966 recomendó que se eliminara esa discriminación racial. El ambiente había sido preparado desde 1964, cuando se adoptó una fuerte "Resolución sobre los Derechos Humanos", que reconocía la dignidad y el valor de cada individuo. La resolución declaraba que "ningún americano debía, debido a su raza o religión, ser privado de sus derechos de adorar, votar, descansar, comer, dormir, ser educado, vivir y trabajar sobre las mismas bases de cualquier otro ciudadano".[7] Junto con su retórica, la resolución ejerció fuerza espiritual al declarar que "ningún cristiano puede manifestar una actitud pasiva cuando los derechos de los demás son puestos en peligro."

El liderazgo de la Iglesia de Dios, tanto afro como angloamericano, trabajó fuertemente para convertir en realidad la resolución. Otra resolución fue adoptada en la asamblea de 1966, la cual eliminaría la separación étnica o de grupos raciales en la Iglesia de Dios.[8] Se eliminaría inmediatamente toda referencia a raza o color, así como cualquier barrera racial, de todos los registros de la Iglesia de Dios. Así que todos los miembros de la Iglesia de Dios podían asistir o llegar a ser miembros de cualquier congregación local o asistir a cualquier conferencia, convención o matricularse en cualquier colegio sin importar su raza o color.

Mientras otras denominaciones todavía discutían estos elementos básicos de los derechos humanos, la Iglesia de Dios actuó sobre los mismos positivamente y con determinación. El muro que apareció en 1926, aunque de manera inocua, fue derribado en el 1966. Todavía habría problemas, pero la Iglesia de Dios trabajaría fuerte para resolver los mismos. Con el fin de ayudar en el proceso de implementación, el supervisor Conn nombró al veterano ministro H. C. Poitier como embajador especial para los

[7] *Minutas de la Quincuagésima Asamblea General,* 1964, págs. 67, 68.

[8] *Minutas de la Quincuagesimoprimera Asamblea General,* 1966, pág. 62.

miembros afroamericanos de la iglesia. Esto sería temporal hasta que se completara totalmente el proceso de unificación.

7. Retiros ministeriales

La preocupación de la iglesia por el bienestar y la capacitación de sus ministros, dirigió a su liderazgo a iniciar una serie de programas de enriquecimiento ministerial durante este período. Uno de estos programas, que comenzó en el 1967, fue la inclusión de un retiro ministerial en la mayoría de los estados. Teniendo en cuenta los efectos negativos que las presiones de la vida moderna ejercían sobre los pastores y demás ministros, el Comité Ejecutivo propuso a los supervisores estatales que programaran un tiempo de descanso e inspiración. Esta propuesta fue hecha en una reunión promocional de supervisores el 10 de enero; antes de finalizar el año, se habían celebrado 22 retiros. Después de esto, los retiros formaban parte regular y bien recibida en el calendario anual de cada estado.[9]

Los ministros se dieron cuenta de los beneficios de la invitación de Jesús a sus cansados apóstoles: “Venid vosotros aparte, a un lugar desierto, y descansad un poco” (Marcos 6:31). Los retiros eran celebrados en lugares que invitaban al relajamiento; de ser posible, en lugares rústicos, o que proveyeran amplias posibilidades para el recreo. No se permitían los negocios; los predicadores recibían una tregua de sus tensiones cotidianas. Lentamente, sus emociones eran tocadas por la mano sanadora del descanso y todos eran mutuamente fortalecidos por la confraternidad.

Las sesiones en la mañana generalmente proveían discusiones de mutuo interés y en las noches regularmente había adoración y fraternidad. El resto del día era para descanso y actividades de recreo. Los resultados fueron tan saludables que muy pronto los retiros de ministros motivaron retiros para esposas de ministros. Más tarde le siguieron otros tipos de retiros: para laicos, matrimonios y grupos relacionados.

[9]Hollis L. Green, *Church of God Evangel,* 29 de enero de 1968, págs. 6, 7.

8. La visión de Indonesia

El sueño de la Iglesia de Dios de una misión indonesia, tardó mucho para convertirse en realidad, pero cuando finalmente sucedió, fue mucho más grande que lo que cualquier persona pudo haber soñado. En 1955, Dalraith N. Walker salió como misionero para la nueva república isleña. Él trabajó con Ho L. Senduk y con la Iglesia "Bethel" del Evangelio Completo, que había sido organizada tres años antes, en 1952. Wade H. Horton también había visitado y predicado en Indonesia con Ho y Walker, en varias de las islas. Nada surgió de inmediato como resultado de estos esfuerzos y la visión se desvaneció.

Indonesia consistía de las primitivas Indias Holandesas Orientales, un vasto archipiélago de tres mil islas, esparcidas a lo largo de tres mil millas bajo el ecuador. Estas son las legendarias Islas *Spice*. La colonia ganó su independencia de Holanda en 1949 y se estableció a sí misma como la República de Indonesia en 1950.[10] Había una gran desconfianza hacia los europeos y americanos entre la gente de las Indias Orientales, quienes recientemente habían sido liberadas de la dominación occidental. Más aún, la república coqueteó brevemente con el comunismo. Así que las esperanzas de la Iglesia de Dios se retrasaron.

Ho L. Senduk y su esposa visitaron los Estados Unidos en 1958 y se unieron a la Iglesia de Dios. De ahí en adelante, Ho trabajó para ver el día en que la Iglesia "Bethel" del Evangelio Completo se uniera a la Iglesia de Dios. El sueño se convirtió en realidad en 1967, después que Indonesia rompiera sus lazos crecientes con el comunismo internacional.

En una gira por Indonesia, James L. Slay fue informado del deseo de la Iglesia Bethel de amalgamarse con la Iglesia de Dios. Respondiendo a esa noticia, el Supervisor General, Charles W. Conn, salió para Indonesia en febrero de 1967 y más tarde se le unieron C. Raymond Spain y W. E. Johnson. Spain se encontraba en Asia en asuntos relacionados con el ministerio a los militares,

---

[10] *Tanah Air Kita,* B. P. U. Perusahaan Pertjetakan Dan Penerbitan Negara, Djakarta, c. 1965, págs. 12, 13 ss.

al cual había sido recientemente asignado; W. E. Johnson era el presidente de la Junta de Misiones Mundiales.

Los tres norteamericanos se reunieron el 2 de febrero de 1967 con Ho y su comité ejecutivo en Yakarta, la ciudad capital. Las negociaciones fueron muy productivas y exitosas, a pesar de las diferencias culturales, las dificultades en el idioma y el gran abismo geográfico que separaba a los dos grupos. Estados Unidos e Indonesia están en lugares geográficos opuestos del mundo. Están al este y oeste; uno es espiritualmente mahometano y el otro nominalmente cristiano.

Los artículos de amalgamación se redactaron después que los americanos conferenciaron con los oficiales y ministros de la Iglesia Bethel y visitaron numerosas congregaciones locales. El Supervisor General informó a la iglesia:

> Redactamos los artículos de amalgamación cuidadosamente. Fue una noche memorable (5 de febrero) cuando nos reunimos en el hogar del hermano Ho para refinar y firmar el documento. Debido a la falla en el sistema eléctrico, tuvimos que trabajar a la luz de las velas. Después de firmar, nosotros, los americanos, y los hermanos indonesios, juntamos nuestras manos en círculo, alrededor de la mesa donde estaba el documento, y oramos para que Dios enviara su bendición sobre nuestra unión.[11]

Representando a la Iglesia de Dios, firmaron el documento Charles W. Conn, Supervisor General; C. Raymond Spain, Segundo Asistente del Supervisor General y W. E. Johnson, presidente de la Junta de Misiones Mundiales. Firmaron el documento por la Iglesia Bethel del Evangelio Completo, Ho L. Senduk, Supervisor Nacional; The Sean King, Asistente del Supervisor, Ong Ling Kok, Primer Secretario; Khoe Soe Liem, Segundo Secretario y A. I. Pelealu, Tesorero. El cuerpo indonesio tomó el nombre inglés que lo denominaba como Iglesia de Dios Bethel del Evangelio Completo y el nombre indonesio Gereja Bethel Indonesia.

---

[11]Conn, *Church of God Evangel,* 24 de julio de 1967, pág. 3 ff.

9. Manos alrededor del mundo

La iglesia indonesia reportó 71,127 miembros, localizados en 431 congregaciones locales en 7 islas: Java, Sumatra, Borneo, Célebes, Maluccus, Timor y Nueva Guinea. Bajo las condiciones de la amalgamación, la iglesia indonesia sería autóctona y sus ministros miembros del Concilio General de la Iglesia de Dios, cuando estuvieran en los Estados Unidos, y el supervisor nacional, miembro del Concilio Ejecutivo. De igual modo, los ministros de la Iglesia de Dios serían miembros del concilio indonesio de ministros y el Supervisor General sería miembro del Concilio Ejecutivo.

La Iglesia de Dios nombró a W. H. Pratt y Larry Bonds como maestros misioneros en el seminario construido en Yakarta, Indonesia por el programa de *YWEA* (EMMJ: Esfuerzo Misionero Mundial Juvenil). Los viajes frecuentes de los líderes de la Iglesia de Dios a Indonesia y los de los líderes de la Iglesia Bethel a los Estados Unidos, unieron a los dos grupos más íntimamente. Varios estudiantes indonesios se registraron en el Colegio Lee.

Con todos estos contactos, la Iglesia de Dios extendió su mano de confraternidad y hermandad al otro lado del mundo. De igual modo, la Iglesia de Dios despertó a una región exótica del mundo, en donde corazones amigables y calurosos latían como los de ella.

10. "Perpetuad Pentecostés"

El Domingo de Pentecostés de 1967, la Iglesia de Dios celebró una campaña a nivel nacional denominada "Perpetuad Pentecostés". Se distribuyó un número especial del *Evangel* a las congregaciones locales para su tarea de evangelismo personal casa por casa. En la tarde del 8 de mayo, el domingo de Pentecostés, cientos de obreros visitaron hogares con testimonios personales y literatura especial. Aproximadamente un millón de hogares fueron visitados. Los testimonios de aquellos que recibieron el bautismo pentecostal indicaron el éxito del proyecto. El esfuerzo masivo fue una bendición para la iglesia en diversas maneras, especialmente para las relaciones públicas.

La campaña se usó con éxito similar en otros países, especialmente en Sudáfrica. La preocupación por la perpetuación de la doctrina y experiencia pentecostal era real. La iglesia sintió que el avivamiento pentecostal estaba en su mejor período de oportunidad y aceptación. La Iglesia de Dios no debía fallar en esparcir el evangelio en tantos lugares como le fuera posible.

La iglesia mostró preocupación por su identidad e integridad pentecostal en otras formas. En 1967, se hizo un estudio para determinar cuántos miembros habían recibido el bautismo del Espíritu Santo. Los resultados del estudio demostraron que sólo el 61% de los miembros lo habían experimentado.[12] La iglesia tenía la preocupación de ser pentecostal en doctrina y experiencia. El programa para perpetuar Pentecostés vino a ser algo más que una frase contagiosa. Sería una forma de vida.

[12]Boletín del Supervisor General, 4 de marzo de 1968.

Capítulo 32
PATRONES DE PROGRESO

1. EXPANSIÓN DE LAS OFICINAS

En varias ocasiones de su historia, la Iglesia de Dios sobrepasó las facilidades físicas de sus oficinas generales y tuvo que expandirse. No hubo un tiempo de mayor necesidad que el período de 1963 a 1968, cuando la iglesia pasó por una necesidad desesperante en términos de espacio adecuado. La expansión se convirtió en una necesidad crítica. La construcción de las nuevas facilidades de las oficinas generales se aprobó por la asamblea general de 1964,[1] y la construcción comenzó inmediatamente después de la asamblea de 1966. El período de preparación abarcó 2 años de la administración de Horton como Supervisor General, y 2 años de construcción durante la administración de Conn. Clifford B. Bridges fue nombrado como oficial de enlace de la construcción.

El 22 de mayo de 1968 se dedicó el nuevo e imponente edificio. Era una estructura de tal belleza arquitectónica y de diseño artístico, que desde entonces ha atraído la admiración del público conocedor. La serenidad del edificio de cuatro pisos, con sus bellas fuentes y patio espacioso, también se experimentaba en el vestíbulo del segundo, en donde se exhibía un mosaico bizantino, representando el Día de Pentecostés. Una rotonda adjunta seguía al vasto mural con puntos sobresalientes de la historia de la Iglesia de Dios.

Las mismas oficinas eran atractivas y adecuadas con un equipo funcional y moderno para la obra de los múltiples ministerios de la iglesia. Alrededor de 3,000 ciudadanos de Cleveland desfilaron por el edificio durante su fiesta de casa abierta; 1,500 personas

---

[1] *Minutas de la Quincuagésima Asamblea General,* 1964, págs. 56, 57.

asistieron a la dedicación. En el discurso de dedicación, el Supervisor General dijo:

> Este edificio sobre la ladera es como la caída de agua entre el pasado y el futuro... Es más que acero y piedra, cristal o madera; es más que la habilidad humana para crear. Es una memoria de una herencia divina y una visión de un gran futuro.[2]

La impresionante estructura, edificada en un terreno de 22 acres, en la intersección de las calles Keith y 25, dominaba el lado norte de Cleveland. El proyecto total costó $2,317,000 incluyendo el terreno, el edificio y el mobiliario.[3]

Cuando las oficinas generales fueron cambiadas a las nuevas facilidades, la casa de publicaciones tomó todo el edificio de la Avenida Montgomery. Se inició un programa de expansión para suplir las necesidades de publicaciones de la iglesia. Las facilidades aumentaron casi el doble de espacio, de tal manera que ahora se tenía unas facilidades muy amplias.

2. A LAS REGIONES LEJANAS

Las nuevas e impresionantes facilidades no eran objeto de orgullo, sino un instrumento de servicio. Era la fuente desde donde fluirían los ministerios mundiales de la iglesia. Antes de finalizar el 1958, el esfuerzo misionero se había iniciado en el país africano de Chad, en Yugoslavia, Taiwán, Tórtola y Guadalupe. Los brazos de la iglesia habían abrazado estas tierras de Asia, Europa y el Caribe, en un deseo de alcanzar al mundo para Cristo. Los misioneros independientes que habían laborado en situaciones muy difíciles, trajeron los frutos de su labor a la comunión de la iglesia. Así que la Iglesia de Dios aumentó su alcance y oportunidades en las regiones lejanas del mundo.

De estos comienzos, las obras en Chad y Yugoslavia eran de particular promesa e inspiración. La misión de Chad se abrió en el 1961 por Andre Girod, de Francia, quien salió de África

---

[2]Conn, *Church of God Evangel,* 22 de julio de 1968, pág. 10.
[3]Boletín del supervisor general, 1 de junio de 1968.

Central, inmediatamente después de su conversión. Éste, junto con su hermana, comenzó la única misión pentecostal en esa tierra árabe y de raza negra. En la primavera de 1968, James L. Slay, representante al campo de misiones, viajó a Chad mientras cruzaba África y recibió la obra de Girod dentro de la comunión de la Iglesia de Dios. La unión produjo frutos inmediatos: nuevos obreros se unieron a los misioneros en Chad y tuvieron mucho éxito en ganar almas para Cristo.

La iglesia entró a Yugoslavia por medio de la amalgamación con una pequeña organización conocida como la Iglesia Evangélica de Cristo. La oficina general de esta organización estaba cerca de la ciudad capital de Belgrado; el grupo consistía de diez congregaciones y 220 miembros. Por más de veinte años, la iglesia yugoslava había predicado la doctrina pentecostal en esa nación comunista. La unión con la Iglesia de Dios se produjo por medio de los contactos de William D. Alton, Superintendente de Europa, y se efectuó el 16 de marzo de 1968. El líder yugoslavo, Pavlov Milivoj, dirigió la amalgamación y exitosamente unió a las congregaciones con los ministerios mundiales de la iglesia.[4]

3. La asamblea de 1968

En un período de tal progreso, se anticipaban muy pocos cambios en la asamblea general en Dallas aunque, después de todo, sí hubo algunos cambios de importancia. Charles W. Conn fue reelecto como Supervisor General y R. Leonard Carroll como primer asistente. Ray H. Hughes fue elevado a la posición de segundo asistente y C. Raymond Spain, quien había sido segundo asistente, fue electo como Secretario Tesorero General, en donde él había servido cuatro años antes. Wade H. Horton regresó al comité como tercer asistente después de haber estado ausente por dos años. Luego la asamblea eliminó la posición de Director de Misiones Mundiales, como parte del Comité Ejecutivo, y la restauró a su título y función originales de Secretario Ejecutivo de Misiones Mundiales. Sencillamente, la idea de que los departamen-

---

[4]Heinrich C. Scherz, *Church of God Evangel,* 29 de julio de 1965, pág. 23.

tos de la iglesia tuvieran una función doble en la administración eclesiástica, no demostró ser apropiada. Por años, la Iglesia de Dios había jugado con la idea de que el Comité Ejecutivo se fortaleciera por medio de la adición de uno de los departamentos ejecutivos. Aunque esa tentación parecía ideal, nunca funcionó. No fue más práctica con el director de misiones que lo que había sido anteriormente con el editor en jefe o el presidente del Colegio Lee. Así que en 1968, una vez más, el Comité Ejecutivo se componía sólo de aquellos miembros electos específicamente para tal función.

James L. Slay reemplazó a Vessie D. Hargrave en la posición de misiones, cuando éste último fue nombrado como Supervisor de Carolina del Sur. De esta manera concluyó la larga y distinguida carrera de Hargrave, con 24 años de servicio en la obra misionera de la iglesia. Otro cambio de importancia que se hizo en la asamblea de 1968, fue en el Departamento de la Juventud y Educación Cristiana. El director saliente, Donald S. Aultman, ocupó la posición de vicepresidente y decano del Colegio Lee, y fue reemplazado en la posición del Departamento de la Juventud y Educación Cristiana por Paul F. Henson, quien rápidamente había llamado la atención como líder hábil y gran predicador. Aultman haría mucho bien en el Colegio Lee, como lo había hecho en la obra de la juventud. Él fue especialmente clave en llevar al Colegio Lee al nivel académico necesario para la acreditación. La Iglesia de Dios se sintió orgullosa de esta enorme cantera de jóvenes; líderes capaces que representaban una gran promesa para el futuro.

En la asamblea de 1968, Cecil B. Knight, Supervisor de Indiana, fue electo Director de Evangelismo y Misiones Nacionales. Knight era un líder dinámico e innovador, que trajo continuo vigor al ministerio evangelístico de la iglesia. Knight le dio ímpetu a la obra entre los indios americanos del suroeste, noroeste y sureste.

En esta asamblea, la obra de las damas de la Iglesia de Dios también tuvo un cambio en el liderato administrativo. Willie Lee Darter, de Texas, miembro de la Junta Directiva de las Trabajadoras Voluntarias, fue nombrada como Secretaria Ejecutiva de la vigorosa organización. Con todos estos cambios en lo que parecía ser una asamblea rutinaria, la iglesia se preparó para un nuevo movimiento de vanguardia.

4. Junta General de Educación

En la asamblea de 1968 se creó una junta permanente para "encargarse de los programas educacionales a nivel elemental, secundario y universitario de la Iglesia de Dios".[5] Esta junta, que se conocería como Junta General de Educación, y sería un cuerpo altamente especializado, se encargaría del creciente y amplio interés en la educación de la iglesia. Principalmente, esta junta "revisaría los objetivos educacionales de las instituciones con relación a la doctrina, enseñanza y el gobierno de la iglesia, y buscaría promover la lealtad en los miembros de la Iglesia de Dios hacia las instituciones educacionales de la misma". La junta se creó para complementar, y no para suplantar, a las juntas ya existentes de las diferentes escuelas: "para fungir en capacidad de asesoramiento a las instituciones educacionales, sin sobrepasar la autoridad de las juntas que controlaban estas instituciones".[6]

La nueva junta reflejaba la preocupación de la iglesia por una educación de calidad a todos los niveles; fue una creación del acelerado énfasis de la iglesia en el papel de la educación dentro del reino de Dios. R. Leonard Carroll fue nombrado Director Ejecutivo del Programa General de Educación, en conexión con sus responsabilidades como Primer Asistente del Supervisor General.[7]

5. Ministerio continuo a los militares

En la asamblea de 1968 se le dio mucha atención al creciente ministerio a los militares. Este esfuerzo de "llevar la iglesia a aquellos que habían salido de sus iglesias", encendió la imaginación y el aprecio de la gente, como muy pocas cosas lo habían

---

[5] *Minutas de las Quincuagesimosegunda Asamblea General,* 1968, pág. 34.
[6] *Ibíd.*, pág. 35.
[7] Los miembros de la primera Junta General de Educación fueron: H. D. William, James M. Beaty, Robert E. Fisher, Albert M. Stephens y Robert White.

hecho antes. El Director del Ministerio a los Militares, C. Raymond Spain, quien se proyectó en este ministerio con una gran efectividad, tuvo éxito en abrir nuevas vías para alcanzar a los hombres en uniforme. Trabajando en coordinación con el comando militar en los Estados Unidos, Spain pudo llegar a muchas áreas restringidas donde los militares americanos estaban estacionados. Esto incluyó el campo de batalla de Vietnam, donde los Estados Unidos estaban enfrascados en uno de los conflictos más trágicos y divisorios.

Spain organizó un retiro anual en Baguio, Islas Filipinas, y consiguió un director del centro para los militares en el Lejano Oriente, James E. Garlen, de Nuevo México. Spain reportó que los militares americanos estaban estacionados en 99 países y que las confraternidades pentecostales se habían organizado en muchos de éstos.[8]

G. A. Swanson regresó a los Estados Unidos en 1968 y fue reemplazado como representante a los militares en Europa por Roy F. Stricklin, de Missouri, quien había ido a Europa como asistente de Swanson dos años antes. Él y su esposa, Margy, como pastores por cuatro años del Centro de Kaiserslautern, se habían convertido en figuras paternales para los hombres en uniforme.[9] Stricklin dirigió la obra europea por seis años; durante este tiempo la obra se multiplicó muchas veces. Al principio sólo existía el centro para los militares en Kaiserslautern, Alemania. Con la finalidad de proveer un lugar de adoración para los militares fuera de su tierra natal, se abrieron nuevos centros en varias partes de Alemania y en otros países: desde Holy Loch, Escocia, hasta Madrid, España y Adana, Turquía. Estos centros proveían dormitorios para visitas los fines de semana, cuartos de recreo, bibliotecas para lecturas, cocina para comida, capilla para servicios y amigos para compartir y ayudar. Dentro de estos seis años, se construyeron más de diez centros y se organizaron 53 confraternidades en Europa. Con un programa de retiros anuales, convenciones, campamentos de jóvenes, conferencias de adiestramiento de líderes, la obra de

---

[8] C.Raymond Spain, *Church of God Evangel,* 1 de enero de 1968, pág. 22.
[9] Spain, *Ibíd.*, 21 de octubre de 1968, pág. 4.

ministerio a los militares se había convertido en una iglesia dentro de la iglesia.

6. Nuevas normas en la educación

Uno de los ministerios más alentadores de la iglesia durante este período fue el campo de la educación superior, donde lo que había estado en gestación por muchos años produjo el fruto esperado. El Colegio Lee, bajo el liderato del Presidente James A. Cross, fundió sus dos colegios en una institución unificada con tres divisiones: artes y ciencias, educación y religión. Se reconoció la elevada calidad académica del colegio por medio de la total acreditación de la Asociación Sureña de Colegios y Escuelas, el 3 de diciembre de 1969. Esta acreditación, como institución universitaria, le dio a la iglesia justificado orgullo en su escuela más antigua. El Presidente Cross informó:

> Hubo dos eventos que fueron muy significativos para hacer posible la acreditación: la transición de un colegio con programa universitario de dos años a un colegio de cuatro años, y la combinación del colegio bíblico de cuatro años y del de artes liberales bajo una misma estructura. Esta última acción hizo posible que nuestros estudiantes con concentraciones en educación bíblica y en educación cristiana, reciban grados con el mismo valor académico que aquellos estudiantes de las artes liberales.[10]

En 1964, se tomaron pasos para elevar el nivel académico del Colegio Bíblico del Noroeste y del Colegio Bíblico de la Costa Oeste, cuando estas dos instituciones, consideradas anteriormente como regionales, se colocaron bajo el patrocinio general de la iglesia. Esto significaba que de aquí en adelante se conformarían al mismo gobierno y provisiones del Colegio Lee, con la excepción de que éstas serían escuelas de dos años y no de cuatro. Hasta 1964, el supervisor de las Dakotas había sido el presidente *de jure* (en virtud de su posición) del Colegio Bíblico del Noroeste y el Supervisor de California, el presidente *de jure* del Colegio Bíblico de la Costa Oeste. Bajo el nuevo gobierno, las respectivas juntas

---

[10] James A. Cross, *Church of God Evangel*, 27 de abril de 1970, pág. 20 ss.

de directores de las escuelas podrían nombrar sus propios presidentes por separado.

Laud O. Vaught, quien había estado en el noroeste por once años, fue nombrado inmediatamente como presidente de tiempo completo de la institución. Por otro lado, el Colegio Bíblico de la Costa Oeste no nombró un presidente de tiempo completo sino hasta 1969, cuando R. Terrell McBrayer, que había sido decano de estudiantes del Colegio Lee, fue nombrado presidente.[11]

El Colegio Bíblico del Noroeste creció firmemente bajo el liderato de Vaught. De sesenta estudiantes en el 1964, duplicó su matrícula en un período de tres años. Aunque una terrible inundación destruyó gran parte del campo en 1969, se logró que éste fuera grandemente mejorado en los años subsecuentes.[12] El colegio fue aceptado como miembro de la Asociación Americana de Colegios Bíblicos en 1966. En 1967, el programa académico del Colegio Bíblico del Noroeste fue lo suficientemente sólido como para garantizar la aprobación de los estudiantes que transfirieran sus créditos a la Universidad de Dakota del Norte. Además del enriquecimiento académico del colegio, Vaught también dirigió la expansión física del campo. Se construyó un nuevo edificio para la administración en 1966 y una residencia para el presidente en 1968.

El Colegio Bíblico de la Costa Oeste cobró nueva vida durante la breve presidencia de McBrayer. La matrícula aumentó de 64 a 109. Se construyeron tres nuevas facilidades: una biblioteca, una capilla y un edificio de administración. En 1970, el colegio fue aceptado como miembro de la Asociación de Escuelas y Colegios del Oeste: un logro que más tarde llevaría a la acreditación académica.

7. "Proyecto 70"

A medida que la Iglesia de Dios se acercaba a la década de los 70, se le dio mucho énfasis a los problemas y oportunidades que

---

[11]Lewis J. Willis, *Church of God Evangel,* 16 de junio de 1969, pág. 15.

[12]Laud O. Vaught, *Church of God Evangel,* 16 de junio de 1969, pág. 4; 9 de febrero de 1970, págs., 11, 12.

enfrentaría durante ese período. Se prepararon proyectos que se desarrollarían a lo largo de la década, sin interrupción alguna por los cambios de líderes durante este período. El 16 de abril de 1969, el Supervisor General escribió al ministerio de la iglesia con relación a lo que el Comité Ejecutivo llamó "Proyecto 70", y nombró tres comisiones de estudios.[13] Estas comisiones le darían un año de estudio a áreas tales como educación, publicaciones y mayordomía; evangelismo, misiones mundiales y vida espiritual; comunicaciones, escuela dominical y actividades juveniles. Se someterían recomendaciones para su implementación a principios de la década de los 70.

La iglesia percibió acertadamente el significado de su próxima década. Por medio de esta percepción de su tiempo y sus oportunidades, avanzó hacia la década de los 70 con esperanza y confianza.

---

[13]**Boletín del Supervisor General, 16 de abril de 1969.**

Capítulo 33
LA OLEADA DE LA DÉCADA DE LOS 70

1. El cambio de escenario

Frente al crecimiento firme y la planificación extensiva, la asamblea de 1970 comenzó con un sentimiento de bienestar y buena voluntad. La mayoría de las sesiones en Saint Louis, del 25 al 31 de agosto, estuvieron llenas de adoración y de discusión positiva con relación al futuro de la iglesia. Como se había hecho durante las últimas dos asambleas, se le dio mucha consideración a la posibilidad de modificar el sistema de diezmo de diezmos de la iglesia. El deseo de modificar el plan para retener una mayor porción de los diezmos en las congregaciones locales, representaba una expresión de confianza en la salud de las finanzas dentro la iglesia a nivel general y estatal.

A pesar del sentimiento de confianza de esta reunión, la asamblea de 1970 trajo una serie de cambios administrativos. R. Leonard Carroll, Asistente del Supervisor General por los últimos seis años, fue elevado a la posición de Supervisor General. Carroll, quien era oriundo de Carolina del Sur, había servido anteriormente como pastor en Tennessee. También electos al Comité Ejecutivo fueron Ray H. Hughes, como Primer Asistente del Supervisor, Wade H. Horton, Segundo Asistente del Supervisor General; Cecil B. Knight, Tercer Asistente del Supervisor General, y G. W. Lane, Secretario Tesorero General. La limitación de ocho años consecutivos en el Comité Ejecutivo comenzó a tener un efecto visible en la posición de supervisor general en esta asamblea. Carroll podría ser electo a este alto oficio solamente por dos años, ya que llegó al mismo después de haber servido por seis años en el comité. De hecho, cuatro supervisores generales asumirían sucesivamente la posición por un breve término de dos años. La década de los 70 no vería a un supervisor general que durara cuatro años en la posición.

Charles W. Conn, el Supervisor General saliente, fue nombrado como el decimocuarto presidente del Colegio Lee. C. Raymond Spain, el Secretario Tesorero General saliente, fue electo para dirigir el Departamento de Evangelismo y Misiones Nacionales. Hubo cambios en dos posiciones que habían sido ocupadas por largo tiempo en la casa de publicaciones: Lewis J. Willis, quien había servido ocho años como editor en jefe y E. C. Thomas, quien había sido publicador por 15 años. O. W. Polen fue nombrado para la posición de editor en jefe y F. W. Goff a la posición de publicador. Ambos hombres tenían experiencia como miembros del Concilio Ejecutivo y como supervisores de estado. Otro cambio a nivel departamental fue en el área de misiones mundiales. James L. Slay dejó el Departamento de Misiones para dar la cátedra de Misiones Mundiales en el Colegio Lee; Slay fue sucedido como secretario ejecutivo por W. E. Johnson, quien había sido presidente de la junta.

2. Mejor cuidado para los niños

También hubo un cambio en el Hogar de Niños en Sevierville: P. H. McCarn, quien había servido como superintendente por seis años fue sucedido por E. K. Waldrop. Durante el tiempo de la administración de McCarn se había registrado mucho progreso en el desarrollo de cabañas individuales para el Hogar de Niños. Desde sus orígenes como orfanatorio, y desde 1952 cuando tuvo una población de 297 niños, el hogar se había convertido en un refugio para niños que habían quedado sin hogar por deserción, descuido, enfermedades mentales, abusos y otros malestares sociales. El enfoque institucional había desarrollado el concepto de casas pequeñas, compuestas de padres y con un sentido familiar.[1] Cada uno de estos hogares modernos alojaba doce niños junto a los padres de la casa. Las unidades se convirtieron en una comunidad de casas bien organizadas en una calle vecinal, en donde los niños podían vivir su infancia de una manera más normal y feliz. La

[1]E. K. Waldrop, *Church of God Evangel,* 14 de diciembre de 1970, pág. 14.

preocupación de la iglesia impulsó a la búsqueda de mejoras para el Hogar de Niños.

3. Una voz alrededor del mundo

Bajo la dirección de Floyd J. Timmerman, el ministro radial desde 1966, "Adelante en Fe" trasmitía en 250 estaciones, en casi todos los estados de la nación. Además, el programa radial semanal era escuchado alrededor del mundo en estaciones de onda corta en Europa y el Lejano Oriente. La oficina del programa recibía correspondencia de muchas partes donde se escuchaba su emisión alrededor del mundo. Animado por la respuesta de los radioescuchas e impresionado por las peticiones de oración, Timmerman inició un ministerio telefónico de oración en enero de 1971. Se instaló una línea telefónica especial para que todo aquel que necesitara oración pudiera llamar directo a las oficinas del ministerio radial a cualquier hora del día o de la noche.[2]

4. El mandato europeo

W. D. Alton terminó su tiempo como superintendente de Europa en 1970. Su sucesor fue J. Herbert Walker, hijo, quien llegó a esta posición con un rico historial de servicio. Walker, junto a su esposa Lucille, estaba asociado al Colegio Lee, en donde había sido decano académico de 1957 a 1968. Anteriormente, Walker había sido Asistente del Superintendente de América Latina de 1955 a 1957. De 1947 a 1952, la pareja había hecho labor misionera en Haití.

Walker hizo un gran trabajo en Europa y le dio a las iglesias del viejo mundo un liderato de confianza. Después de un año de trabajo en Europa, Walker mudó las oficinas continentales de Suiza, donde la obra de la Iglesia de Dios estaba descuidada, a Urbach, Alemania, un centro sólido de actividad y evangelismo. El Seminario Bíblico Europeo fue trasladado nuevamente a

---

[2]Floyd J. Timmerman, *Church of God Evangel,* 24 de mayo de 1971, pág. 22.

Rudersburg, Alemania, como a siete millas del histórico Krehwinkel, en donde había comenzado la Iglesia de Dios en Europa.

5. Una administración trágica

La administración de R. Leonard Carroll como Supervisor General, ya abreviada por la cláusula de limitación, fue acortada mucho más debido a su muerte. El líder eclesiástico de 51 años viajó extensamente representando a la Iglesia de Dios, después que concluyera la asamblea de 1970 y representó a ésta más allá de sus propios muros. Carroll, que poseía un doctorado en educación de la Universidad de Tennessee, fue autor de varios libros, el último de los cuales fue un estudio abarcador de la mayordomía cristiana, titulado *Stewardship: Total Life Commitment* (Mayordomía: Entrega total de la vida). La mayordomía cristiana había sido tanto su énfasis como su ministerio más reciente.

El 26 de enero de 1972, Carroll y su esposa Evelyn asistieron a una conferencia de oración en su estado natal de Carolina del Sur. En la sesión de la mañana, él se dirigió a los ministros usando el tema "Tomando en cuenta el costo". Casi proféticamente el Supervisor General dijo:

> Después que usted tome en cuenta el costo, siga hacia adelante y no mire atrás. Yo quiero afirmar mi rostro como un pedernal. Quiero seguir aunque haya una batalla, o aunque haya una carga todo el tiempo, o algún sufrimiento en cada paso del camino, o algún valle intolerable y desagradable; quiero seguir caminando. Si alguien me pregunta, "¿A dónde vas?", yo le diré, "Tengo mis ojos fijos en la otra orilla de ese puerto distante. Estoy haciendo mi jornada con un paso hacia adelante y en plena confianza, sabiendo que puede suceder cualquier cosa que remueva las piedras de apoyo que hayamos planificado. Pero tenemos la consolación de que mientras caminamos, Dios abrirá el camino delante de nosotros paso a paso".[3]

Inexplicablemente débil después del discurso, Carroll regresó a su hogar en Cleveland. Al anochecer sucumbió a un ataque masivo al

[3]R. Leonard Carroll, *Church of God Evangel*, 28 de febrero de 1972, pág. 8.

corazón y murió tranquilamente. Amigos y compañeros fueron rápidamente al hospital a donde fue llevado, pero ya era demasiado tarde.

Tanto la Iglesia de Dios como el mundo cristiano sintieron gran dolor y angustia. Por segunda vez en su historia, la Iglesia de Dios había perdido a su Supervisor General por causa de muerte: F. J. Lee en el 1928 y R. Leonard Carroll en 1972. A. M. Phillips, Asistente del Supervisor General, había muerto en el 1962. La Iglesia creó el "Fondo de préstamos para estudiantes ministeriales R. Leonard Carroll". El Colegio Lee le puso el nombre de Leonard Carroll a un amplio complejo residencial para estudiantes casados.

6. Una sucesión ordenada

De acuerdo al procedimiento de sucesión adoptado por la iglesia en el 1964, Ray H. Hughes fue elevado a la posición de Supervisor General. Wade H. Horton, a la de Primer Asistente del Supervisor General y Cecil B. Knight, a la de Segundo Asistente del Supervisor General. El Concilio Ejecutivo se reunió el 31 de enero para la ceremonia de instalación. El solemne cuerpo ministerial instaló al nuevo Supervisor General en su oficio mediante oración e imposición de manos y sancionaron a los asistentes en sus puestos.[4] El Secretario Tesorero General no sufrió cambio alguno.

Luego se celebró una elección a través de toda la Iglesia de Dios para nombrar al Tercer Asistente del Supervisor General. Mediante voto emitido a través del correo, los ministros eligieron a W. C. Byrd, Supervisor de Georgia, para el puesto vacante.[5] El Comité Ejecutivo pudo continuar su trabajo sin ninguna interrupción o retraso fuera de lo usual. La Iglesia de Dios sintió tristeza por la muerte del Supervisor General, pero cobró ánimo por la manera tan tranquila y capaz en que se manejó la transición.

Floyd J. Timmerman, el ministro de radio, fue nombrado para supervisar el estado de Georgia en lugar de Byrd y Carl

---

[4]O. W. Polen, *Church of God Evangel,* 13 de marzo de 1977, pág. 3.
[5]Polen, *Ibíd.*, 8 de mayo de 1972, pág. 20.

Richardson, un pastor de Florida, fue nombrado a la posición vacante del ministerio radial. La transición total se completó el 15 de junio de 1972.[6]

7. Una asamblea de confianza

Cuando los quince mil delegados llegaron a Dallas para reunirse en la 54ª Asamblea General, del 12 al 21 de agosto de 1972, la atmósfera estaba llena de confianza y optimismo. Cada miembro del Comité Ejecutivo fue reelecto sin cambio alguno en su posición, fenómeno que no había ocurrido desde la asamblea de 1943, veintinueve años antes. Esto se debió, en parte, a los numerosos cambios previos a la asamblea, aunque la unidad de la asamblea fue el factor principal. La confianza y unidad prevalecieron a lo largo de toda la reunión, aun en aquellos momentos en que se discutían asuntos bastante delicados.

8. Plan financiero modificado

Desde 1966 se había visto un esfuerzo activo de parte de numerosos ministros para modificar el sistema financiero de la iglesia. El histórico sistema que fue adoptado en el 1917, disponía que un diez por ciento de todos los diezmos de la iglesia se pagaran a las oficinas generales, y otro diez por ciento a las oficinas estatales/territoriales, lo cual dejaba un ochenta por ciento para la iglesia local. Este sistema de doble diezmo de las tesorerías de las iglesias locales permitió que la iglesia llevara a cabo programas generales, que de otra manera no hubieran sido posibles: evangelismo, educación, supervisión y administración en todos los niveles. La iglesia creció muy bien bajo este plan. A medida que aumentaban las ganancias anuales y crecían los fondos estatales y nacionales, las iglesias locales buscaban que se les liberara de este sistema de diezmo doble. Desde 1970-72, un comité compuesto de quince hombres estudió la forma de hacer la reducción, sin mutilar los ministerios generales de la iglesia.

---

[6]Polen, *Ibíd.*, 10 de julio de 1972, pág. 18.

La Asamblea General de 1972 adoptó un plan por medio del cual se enviaría la mitad de lo que se acostumbraba enviar a las oficinas generales y estatales. Esto es, cinco por ciento a cada una de las oficinas y el restante noventa por ciento se quedaría en la iglesia local. Esta reducción se debía hacer cuidadosamente a lo largo de un período de veinte años, substrayendo un dos por ciento en intervalos de cuatro años.[7] Este largo proceso permitiría que las tesorerías generales y estatales mantuvieran sus ingresos a niveles constantes a medida que la iglesia creciera, mientras que las congregaciones locales conservarían más diezmos para sus usos locales. Esta teoría probó ser acertada cuando se hizo el primer ajuste en 1974; se esperaba que continuara funcionando en los ajustes posteriores.

9. Evangelización total

El Supervisor General Hughes siempre ha sido un evangelista; sin importar la posición que ocupe, su obra es la de evangelismo. Bajo su liderato, la asamblea de 1972 adoptó un programa llamado "Evangelismo Total". La medida designaba al año 1973 como un año de evangelismo total y se estableció un programa ambicioso para organizar una "nueva iglesia cada día", en el período de dos años del 1972 al 1974.[8] En su discurso de clausura a los laicos de la asamblea, Hughes lanzó un desafío contundente, diríamos casi audaz.

> Cada miembro debe ser un testigo. La predicación desde el púlpito no podrá efectuar la tarea por sí sola. Desde el púlpito sólo se puede alcanzar a un grupo muy pequeño. Así que necesitamos su ayuda. Debe haber un testimonio público que complemente la predicación del púlpito. Yo les hago un llamado para que así como Aarón y Hur mantuvieron en alto las manos de Moisés, ustedes mantengan en alto

[7]Plan de ajuste en el programa de diezmo del 20%

Fecha	*Porciento total*	*General*	*Estatal*
1. Enero 1974	18%	9%	9%
2. Enero 1978	16%	8%	8%
3. Enero 1982	14%	7%	7%
4. Enero 1986	12%	6%	6%
5. Enero 1990	10%	5%	5%

[8]*Minutas de la Quincuagesimocuarta Asamblea General,* 1972, pág. 43.

> las manos de los ministros y les ayuden a alcanzar al mundo perdido... Creemos que para el 1974 la iglesia movilizará sus fuerzas de tal manera que se organizará una iglesia diariamente, a todo lo largo y ancho de la Iglesia de Dios.[9]

Era un programa ambicioso, pero al mismo tiempo fue una asamblea de gran confianza. Tradicionalmente, el pueblo de la Iglesia de Dios ha sido gente de confianza.

---

[9] *Ibíd.*, pág. 61.

Capítulo 34
LA HERENCIA Y LA ESPERANZA

1. INTERNACIONALISMO

La Iglesia de Dios se convirtió ciertamente en una iglesia internacional en su ministerio evangelístico durante la década del 70. En muchas partes del mundo, los misioneros y líderes de la iglesia serían de otros países fuera de los Estados Unidos. La Iglesia de Dios había desarrollado y adiestrado a líderes capaces de otras tierras, quienes llevaron la luz a otros países.[1] En muchos otros países, la obra había llegado a ser nacional y de amplio desarrollo autóctono, sin la presencia de ningún misionero. Canadá, México, Puerto Rico, Inglaterra, Francia, Corea, Argentina y Egipto son ejemplos de dichos países.

De influencia especial en la internacionalización de la iglesia fueron los fuertes lazos de amalgamación formados en Sudáfrica e Indonesia. Estos canales de intercambio mutuo trajeron una interrelación continua entre las secciones unificadas de la Iglesia de Dios.

---

[1]Por ejemplo, Luke R. Summers de Canadá fue a las Islas Vírgenes como misionero, luego a Barbados, después a Jamaica y finalmente a las Indias Occidentales como superintendente; O. A. Layseight, de Jamaica, fue a Inglaterra como fundador y supervisor; S. E. Arnold, de Inglaterra, fue a Ghana como misionero; Gerhard Becker, de Canadá, fue a Nigeria; Walter Greiner, de Alemania, fue a Palestina; Willie Ruoff, de Alemania, fue a Nigeria; Arthur W. Pettyjohn, de Canadá, fue a las Islas Filipinas como misionero-supervisor; Andre Girod, de Francia, sirvió como supervisor de Chad; Andre Marcelin, de Haití, fue a Chad como director educacional; Curtis Grey, de Jamaica, fue a Inglaterra y luego a Liberia; Jeremías McIntyre, de Jamaica, fue a Inglaterra y luego a Canadá; Ridley Usherwood, de Jamaica, fue a Inglaterra y luego al Seminario Bíblico Europeo; Samuel Robeff, de Argentina, fue a Indonesia; Tommy Sands, de Las Bahamas, fue al seminario en Indonesia; Juan Alzamora, de Perú, fue al noroeste de Guatemala como supervisor; Enrique Guerra, de Guatemala, fue a Costa Rica y luego a El Salvador como supervisor; Francisco Son, de Guatemala, fue a El Salvador como director educacional; Joaquín Guadalupe, de Puerto Rico, fue a Panamá como director educacional del instituto bíblico; José Minay, de Chile, fue a Paraguay, Uruguay y Guatemala; Abel Sánchez, de México, fue como director educacional a Panamá y luego a El Salvador: Silvestre Pineda, de México, fue a Chile como director educacional y luego a Perú como supervisor: Roberto Rodríguez, de Puerto Rico, fue a Colombia como supervisor. Este intercambio es demasiado profuso en Latinoamérica como para hacer una lista completa.

La juventud de la iglesia desarrolló y mantuvo una fuerte participación en el evangelismo a nivel mundial a través de sus proyectos *YWEA* (JEAM, siglas en español: Juventud en Acción Misionera). Sus fondos fueron transformados en acero, piedra y madera alrededor del mundo, a medida que bellas estructuras eran construidas en Brasil, Japón, India, Las Filipinas, Sudáfrica, México, Haití, Las Bahamas, Indonesia, Alemania, Panamá, El Salvador y Nicaragua.[2]

Otro aspecto animador en el proceso de internacionalización fue el aumento de viajes entre los países donde ya se había establecido la iglesia. Mientras los viajeros visitaban otros países, los americanos encontraron muchos de sus hermanos y hermanas no americanos, y por otro lado, ellos eran vistos en otras áreas del mundo. Los *Lee Singers* (Cantores de Lee), dirigidos por Delton L. Alford, hicieron su primera gira por numerosas áreas de Europa en 1967. Este grupo coral de primera categoría del Colegio Lee viajó extensamente por Europa Occidental y detrás de la cortina de hierro en giras subsecuentes. Un grupo hermano, *Ladies of Lee* (Damas de Lee), dirigido por Roosevelt Miller, también hizo varias giras internacionales. De igual modo, los Estados Unidos recibieron la visita de grupos corales de Inglaterra, Alemania y Corea. Grupos musicales más pequeños también viajaron al extranjero y compartieron en esta confraternidad.

La mezcla de las culturas fue también parte primordial en el ministerio a los militares, en todos los lugares del mundo en donde había hermanos y hermanas en Cristo. Uno de los convertidos de la obra a los militares, Jake Popejoy, fue nombrado supervisor de la Iglesia de Dios en Italia, en 1976. Si la constante mezcla de su gente no homogeneizó totalmente las distintas secciones de la iglesia, por lo menos logró que los diversos elementos nacionales se apreciaran entre sí.

La asamblea de 1972 reflejó el aspecto internacional de la iglesia por medio de sus procedimientos multilingües. El material

---

[2]Otro proyecto prominente del programa de *YWEA* (JEAM) fue el Instituto Bíblico Indígena para las tribus navajo y zuni en Gallup, Nuevo México. Este instituto abrió su primer semestre en la primavera de 1971. Bajo el liderazgo de A. M. Stephens, superintendente para asuntos indígenas en el suroeste, el instituto rápidamente se desarrolló como una parte productiva de Departamento de Evangelismo y Misiones Nacionales de la iglesia.

del programa fue impreso en varios idiomas y se reservaron secciones del vasto auditorio de Dallas para las traducciones en español, alemán, francés y otras, en beneficio de los delegados que no hablaban inglés.

2. Congreso internacional de evangelización

La Iglesia de Dios celebró un Congreso Internacional de Evangelismo en la Ciudad de México, del 9-12 de agosto de 1973, el primer evento de tal magnitud conducido fuera de los Estados Unidos. Además de sus aspectos prácticos en evangelismo, la reunión evidenció el carácter internacional de la iglesia. Alrededor de nueve a diez mil delegados de 25 países se reunieron en la conferencia; dos mil de los cuales viajaron de los Estados Unidos. Los delegados fueron educados con relación a México. En lugar de encontrar un lugar sin importancia, un punto blanco en el mapa, encontraron una tierra variada, verde y colorida. Cruzando la Sierra Madre Oriental, los delegados vieron una parte espectacular del hemisferio. En lugar de encontrar moradores en casas de adobe, según el estereotipo, los delegados encontraron gente afectuosa y amigable. En lugar de encontrar extraños, los delegados encontraron hermanos y hermanas.[3]

El tema del congreso fue “Hasta que Todos Hayan Oído”. Los cinco objetivos, tal y como los anunció el Supervisor General Hughes, fueron: “(1) crear conciencia en la iglesia de su visión mundial, (2) enfatizar la urgencia del evangelismo en los últimos días, (3) enfatizar el evangelismo total para toda la iglesia, (4) enseñar técnicas para alcanzar a la gente, (5) renovar nuestro compromiso con la gran comisión”.[4]

Oradores del Lejano Oriente, Jamaica, Chile, Sudáfrica y los Estados Unidos se dirigieron a la gran concurrencia en el Palacio de los Deportes. Hubo 58 secciones de talleres cubriendo todas las fases del evangelismo. La experiencia total fue inspiradora y educacional para todos los delegados internacionales. Los resultados evangelísticos fueron buenos, y se organizaron dos iglesias

[3]Diario de Conn, 8 y 16 de agosto de 1973.
[4]Entrevista con Ray H. Hughes, 9 de marzo de 1977.

mexicanas como fruto del congreso. El congreso fue tan estimulante para los ministerios evangelísticos y misioneros de la iglesia, que se proyectó la celebración de otro congreso similar en San Juan, Puerto Rico, en agosto de 1977.

3. El Rancho Highland para Jóvenes

A medida que se manifestaba el genio de la iglesia en su ministerio mundial, éste también se multiplicaba y alcanzaba a los Estados Unidos. En Louisiana, un grupo de laicos inició exitosamente el establecimiento de unas facilidades para el cuidado de la juventud, muy parecidas al Hogar de Niños en Tennessee, Carolina del Norte y Carolina del Sur. Un rancho para jóvenes fue abierto en enero de 1971, en un área de cuarenta acres donada para ese propósito en Loranger, Louisiana. Debido a que la mayoría de los hombres que organizaron este hogar para muchachos necesitados eran miembros de la Iglesia de Dios en Highland Park, Baton Rouge, y debido a que este proyecto estaba auspiciado principalmente por esta congregación, a las nuevas facilidades se les dio el nombre de "Rancho Highland para Jóvenes".

Localizado a ocho millas al noreste de Hammond, el rancho consistía de una finca de cuarenta acres, una residencia, un almacén, una casa móvil y equipo agrícola. Bajo el liderazgo de Jack Dyer, presidente de la corporación, y John Gray, administrador del rancho, el proyecto se desarrolló como un hogar para muchachos que necesitaban alimentación espiritual y física, entre las edades de 10 a 16 años. Las facilidades del rancho pronto llegaron a su capacidad total de 16 muchachos.

En mayo de 1972, los ministros de Louisiana, bajo la dirección del supervisor Clifford V. Bridges, le pidieron permiso al Concilio Ejecutivo para usar fondos recaudados en el estado con el fin de "dirigir, ampliar y sostener" el Rancho para Jóvenes en lugar de sostener el Hogar de Niños en Sevierville. El concilio aprobó la petición el 16 de enero de 1974,[5] y más tarde hizo un préstamo de $60,000.00 para expandir y mejorar las facilidades. El Rancho

---

[5] *Libro de Actas del Comité Ejecutivo,* 16 de enero de 1974.

Highland para Jóvenes y sus 16 residentes vinieron a ser parte del programa general de la iglesia para cuidar a los necesitados y desamparados. Este fue un paso adicional para proveer sostenimiento regional o estatal para los huérfanos por causa de muerte, deserción, descuido o abuso.

4. El programa del "Hermano Mayor"

En armonía con el énfasis de evangelismo total presentado en la Asamblea General, el Departamento de Evangelismo anunció un plan, en 1973, para que los estados con amplia feligresía y con mayores recursos ayudasen a los estados con obras más pequeñas. El compartimiento de fuerzas fue diseñado para elevar a los estados misioneros (aquellos que requerían ayuda financiera como subsidio de los fondos generales) a una condición de sostén propio. Por ejemplo, las iglesias en Carolina del Sur contribuyeron con $15,000 para una nueva iglesia en Vermont, y las iglesias de Virginia Occidental respaldaron a un evangelista de tiempo completo en un nuevo campo en Idaho. Esto ilustra cómo trabajaba el plan entre los 18 estados "hermanos mayores" y sus 20 estados "hermanos menores".[6]

5. El avance detenido

Habiendo alcanzado un período de eficiencia óptima, la Iglesia de Dios creció en todas las áreas: evangelismo, educación, comunicaciones y mayordomía. Los delegados asistieron a la asamblea de 1974 con grandes esperanzas. Cada departamento de la iglesia había demostrado progreso e innovación: el cuerpo estaba en un movimiento ascendente. Sin embargo, la reunión en Dallas, del 6 al 12 de agosto, se envolvió en debates divisivos que amenazaban con detener el avance de la iglesia. El debate tenía que ver con propuestas para señalar ciertas prácticas consideradas como contrarias a las normas de santidad y a la herencia de la Iglesia de Dios. El deseo de especificar estas prácticas, fuera

---

[6]Ray H. Hughes, *Church of God Evangel,* 23 de julio de 1973, págs. 4, 5.

justificado o no, se convirtió en un asunto tremendamente intenso y emocional. Sin embargo, al final de cuentas se impusieron la gente, el amor permanente y la confianza de los ministros. Aquellos que no habían tenido la perspectiva de otras asambleas turbulentas, tales como las de 1946 y 1958, estaban preocupados del futuro. Los siguientes puntos fueron añadidos al cuerpo oficial de las "Enseñanzas de la Iglesia":

> Que nuestros miembros vistan de acuerdo a las enseñanzas del Nuevo Testamento. 1 Juan 2:15, 16; 1 Timoteo 2:9; 1 Pedro 3:1-6.
> En contra de que nuestros miembros asistan a cines, bailes y otros lugares mundanos de entretenimiento; además, recomendamos que se ejerza sumo cuidado en ver y seleccionar programas de televisión. 1 Juan 2:15, 16; Romanos 13:14; 1 Tesalonicenses 5:22; Filipenses 4:8; 2 Corintios 6:14; 7:1.
>
> En contra de que nuestros miembros naden en compañía del sexo opuesto, excepto su familia inmediata. 1 Juan 2:15, 16; 1 Timoteo 2:9; 1 Corintios 6:19, 20; Romanos 6:13; 2 Pedro 1:4; Gálatas 5:19.
>
> Que nuestros miembros se adhieran a la admonición escritural de que nuestras mujeres tengan su cabello largo y que nuestros hombres tengan su cabello corto como lo especifica 1 Corintios 11:14, 15.[7]

6. El regreso de un Supervisor General

Wade H. Horton, quien había sido Supervisor General de 1962 a 1966, fue electo al oficio por segunda ocasión en 1974. En ninguna ocasión anterior se había reelecto a persona alguna por segunda ocasión a la posición de Supervisor General. Algunos hombres habían sido reelectos al Comité Ejecutivo, pero ninguno a la más alta posición administrativa. Horton era un líder muy popular. Es bastante improbable que persona alguna de la iglesia, desde los tiempos de A. J. Tomlinson o F. J. Lee, hubiera disfrutado de tanta popularidad como él. Debido a la limitación de las posiciones del Comité Ejecutivo, el supervisor Horton podría servir por sólo dos años. Siguiendo el patrón usual en sucesión

---

[7] *Minutas de la Quincuagesimoquinta Asamblea General* (1974), pág. 51.

administrativa, Cecil B. Knight fue elevado a la posición de Primer Asistente del Supervisor General.

Después de la elección de Knight, tres nuevos miembros fueron electos al comité: T. L. Lowery, pastor de la Iglesia North Cleveland, fue electo como Segundo Asistente del Supervisor General; J. Frank Culpepper, Supervisor de Carolina del Sur, fue electo como Tercer Asistente del Supervisor General; Floyd J. Timmerman, Supervisor de Georgia, fue electo como Secretario Tesorero General.

Hubo también otros cambios administrativos. T. L. Forester, quien había servido interinamente como Secretario Ejecutivo de Misiones después que W. E. Johnson se retirara en mayo de 1973, fue nombrado para continuar en la posición. John D. Nichols fue electo a la posición de Director de Evangelismo y Misiones Nacionales; B. A. Brown fue nombrado superintendente del Hogar de Niños. Cecil Guiles continuó como Director de la Juventud y Educación Cristiana, en donde había servido desde 1972.

7. Emergencia en España

Después del cambio en la política española en 1967, cuando las iglesias evangélicas fueron reconocidas y se les permitió operar abiertamente, la Iglesia de Dios emergió de su pequeño y encubierto comienzo. La obra comenzó de manera fragmentada, principalmente de congregaciones aceptadas en la comunión de la Iglesia de Dios por William D. Alton, Superintendente de Europa. Irónicamente, la obra valiente de Custodio Apolo en Badajos no jugó un papel importante en el surgimiento de la iglesia. Aparentemente, la misión de Badajos no sobrevivió a la muerte de este santo en 1966. Las pequeñas congregaciones se encontraban en Barcelona, Madrid, Tarragona, Miranda de Ebro y Ceuta, al otro lado del Estrecho de Gibraltar en África del Norte. De hecho, la congregación de Ceuta era la más antigua de todas las que se identificaron con la Iglesia de Dios. Este grupo que no estaba en la tierra continental de España se unió con la iglesia en 1960, durante una visita de Vessie D. Hargrave desde América Latina. Con pastores como José A. Caballos, Luisa O. Parga, Alfredo Rodríguez y

Miguel B. Trallero, estas congregaciones formaron el núcleo para un mayor esfuerzo en el futuro.

En septiembre de 1975, la Junta de Misiones nombró a James E. Lewis y su esposa Tarose, como los primeros misioneros americanos a este país profundamente católico. Al igual que Apolo, Lewis pronto encontró los corazones de la gente cálidamente receptivos al evangelio de Cristo. De igual modo, la joven pareja misionera respondió con gran entusiasmo al calor de los corazones españoles.

8. Vanguardia militar

Aun antes de que la Iglesia de Dios nombrara su primer misionero a España, la iglesia estuvo representada allí por el ministerio a los militares. Como había sucedido en Las Filipinas, Japón, Corea y Okinawa, los militares cristianos estuvieron a la vanguardia de la penetración misionera. Se organizó un centro para los militares en la base aérea de Torrejón, Madrid, en febrero de 1975. Larry G. Hess, quien había tenido una amplia experiencia como Pionero por Cristo en el Colegio Lee, fue asignado como director del nuevo centro.

Del mismo modo, los líderes para el ministerio a los militares en otros países, han servido simultáneamente como misioneros debido a la carencia de los mismos en dichos países. Entre éstos están Charles A. Page, en Adana, Turquía y Ron L. Byrne, en la Isla Guam del Pacífico. Este esfuerzo es una rápida y exitosa combinación de empresas evangelísticas y misioneras.

9. Una escuela para graduados

La asamblea de 1974 inició dos proyectos educacionales que se habían planificado en las propuestas del “Proyecto de la Década del 70”. El primero de éstos fue un Instituto Ministerial Hispano, localizado en Houston, Texas. James M. Beaty, profesor de religión en el Colegio Lee, fue nombrado presidente. La escuela abrió el 3 de septiembre de 1975 con 17 estudiantes.

El segundo fue la Escuela Graduada de Ministerio Cristiano de la Iglesia de Dios que comenzó su operación en 1975. La escuela graduada no surgió de manera fácil y rápida. En 1965, el Supervisor General Horton nombró un comité para estudiar las posibilidades para tal escuela. El primer llamado oficial para un seminario fue hecho por el Supervisor General Conn, en un discurso del Aniversario de Oro del Colegio Lee, el 8 de enero de 1968.[8] Los planes para dicha escuela fueron incluidos en el "Proyecto 70" y la Asamblea General de 1970 aprobó la siguiente medida:

> Que la Asamblea General autorice al Concilio Ejecutivo para proceder con un estudio con miras a establecer un seminario y un instituto bíblico, y de ser posible, que el Concilio Ejecutivo inicie la primera fase del programa.[9]

Después de cinco años de planificación y preparación, la escuela inició su primer año académico el 1 de septiembre de 1975, con siete estudiantes a tiempo completo y once a tiempo parcial. R. Hollis Gause, ex decano académico del Colegio Lee y F. J. May, pastor en Louisville, Kentucky, fueron nombrados respectivamente como director-decano y profesor asociado de la nueva escuela. El Supervisor General de la Iglesia de Dios fue nombrado presidente, lo cual convirtió a Wade H. Horton en el primer presidente *de jure* de la escuela graduada.

La escuela fue establecida en la Avenida Centenary, en unos apartamentos remodelados del Colegio Lee que se conocían como *College Arms.* Las dos instituciones compartían las facilidades de biblioteca y facultad adjunta, pero en lo demás no estaban relacionadas.

El 27 de julio de 1976, la escuela graduada graduó a los primeros cinco estudiantes: Ralph Douglas, Darrell Kilpatrick, Lukie L. Magee, M. Dwain Pyeatt y Marvin Woods. Estos recibieron el grado de Maestría en Artes o Maestría en Ciencias. El orador para los primeros ejercicios de graduación fue H. D. Williams, presidente del Junta General de Educación, quien había sido instrumental en traer a la luz la ambición de una escuela graduada. Fue un comienzo pequeño de lo que prometía ser uno

---

[8] Conn, *Church of God Evangel,* 12 de febrero de 1968, págs. 13, 22.

[9] *Minutas de la Quincuagesimotercera Asamblea General* (1970), págs. 57, 58.

de los pasos más importantes jamás tomados en el ministerio académico de la Iglesia de Dios. Esta también fue una de las primeras escuelas graduadas en el movimiento pentecostal.

10. Una explosión educacional

La apertura de la escuela graduada fue parte de un resurgimiento general en las energías educacionales de la Iglesia de Dios. El período de 1968 a 1976 vio un gran resurgimiento en el genio del ministerio académico de la iglesia, que incluyó la introducción de programas y la ampliación de los antiguos. Lo que sucedió equivalía a una explosión de ideas, intereses e instituciones. La creación de una Junta General de Educación en 1968, fue seguida por el nombramiento de un director general en 1974. El nombramiento recayó sobre Robert White, quien había sido supervisor en los estados de Montana, Arizona y Virginia Occidental, y miembro de la Junta General de Educación desde sus comienzos.

La Junta General de Educación y el Colegio Lee iniciaron un programa de educación continua, como una manera de extender la calidad de adiestramiento a aquellos que no podían asistir como estudiantes de tiempo completo al colegio. El programa comenzó oficialmente el 1 de enero de 1976 y se matricularon 400 estudiantes durante el primer año de operaciones.[10] El programa fue diseñado para combinar el estudio independiente y el de salón de clases, que finalmente conduciría a un grado de licenciatura en el Colegio Lee.

Como parte de la explosión educacional, también se desarrolló una serie de institutos bíblicos ministeriales y de enriquecimiento laico. Estos institutos, iniciados en septiembre de 1971, fueron conducidos anualmente en más de cien ciudades con más de 400 estudiantes. Con el programa de educación continua y el programa

[10] El programa de educación continua se desarrolló por un comité especial compuesto por Martin Baldree, Stanley Butler y Charles Paul Conn, del Colegio Lee; Robert Fisher, David Lanier y A. M. Stephens, de la Junta General de Educación. Delton L. Alford, Decano del Colegio y Robert White, Director General de Educación, sirvieron como miembros *ex oficio* y H. D. Williams como consejero. Los cursos fueron preparados por una facultad de educación continua compuesta por 35 profesores. E. C. Christenbury sirvió como director interino durante el desarrollo y el primer año de operaciones.

de institutos bíblicos, la Iglesia de Dios brindó adiestramiento y avance a su propio fundamento.

11. Una escuela para la Costa Este

Además de la escuela graduada y el Instituto Ministerial Hispano, este período también vio la creación del Colegio Bíblico de la Costa Este, en Charlotte, Carolina del Norte. Bajo la dirección de C. Raymond Spain, Supervisor de Carolina del Norte, el nuevo colegio bíblico se construyó en las facilidades de las oficinas del estado. George D. Voorhis, ministro de Carolina del Norte, fue nombrado presidente. La escuela inició sus operaciones con 122 estudiantes, el 12 de septiembre de 1976.

A medida que se organizaban nuevas escuelas, los colegios más antiguos tomaban nueva vida y vigor. El Colegio Bíblico de la Costa Oeste, bajo la presidencia de Horace S. Ward, antiguo Decano de Estudiantes del Colegio Lee, logró una matrícula récord virtualmente en cada semestre desde 1971 hasta 1976, cuando se registraron más de 200 estudiantes para el semestre de otoño. El colegio fue acreditado por la Asociación Occidental de Escuelas y Colegios, y por la Asociación Americana de Colegios Bíblicos en 1976.

El Colegio Bíblico del Noroeste, bajo la presidencia de Laud O. Vaught y el Colegio Internacional, bajo la presidencia de Phillip Siggelkow, también hicieron avances considerables. Con las nuevas y prometedoras instituciones educacionales, y con el fortalecimiento de las antiguas escuelas, fue evidente que había llegado a su plenitud el día de la educación superior en la Iglesia de Dios.

12. Un sentido de herencia

Si la esperanza de la iglesia para el futuro descansaba en sus instituciones, de igual manera la herencia de ésta sería preservada por las instituciones. En sus días de formación, la iglesia sólo tenía un futuro; en la década del 70 también tenía un pasado. Ahora la denominación podía mirar en dos direcciones, teniendo al presente como su punto de enfoque entre el pasado y el futuro. La ventaja que tiene la madurez sobre la juventud es su capacidad para reflexionar en el pasado, pero al mismo tiempo puede contemplar el futuro. La juventud tiende a mirar en una sola dirección, mientras que los adultos tienden a mirar en dos direcciones. Con su experiencia obtenida en el pasado, la Iglesia de Dios podía mantener su dirección hacia el futuro.

Al principio de la década del 70, el Colegio Lee determinó iniciar programas para preservar la herencia pentecostal para las generaciones venideras. En la primavera de 1971, el colegio y la asociación de ex alumnos establecieron un Centro de Investigación Pentecostal. El centro fue destinado para la investigación especial y graduada. Su meta era tener en un solo lugar, hasta donde fuera posible, todo lo que se había escrito acerca del movimiento pentecostal.

> Un enfoque principal del Centro de Investigación Pentecostal es la historia de la Iglesia de Dios. El propósito del centro es "preservar para las futuras generaciones aquellas cosas del pasado que nos han hecho lo que somos"... La búsqueda intelectual en todas las dimensiones del pentecostalismo, entra en el radio de acción del centro, y el material coleccionado en el mismo estará disponible para la investigación. El Centro de Investigación Pentecostal está localizado en la biblioteca del Colegio Lee y está accesible para toda investigación seria.[11]

El espacio designado para el centro pronto se llenó con colecciones de materiales importantes y singulares, y en 1976 se proveyó un piso completo para el mismo en la biblioteca del Colegio Lee.

En 1972, el colegio comenzó un programa denominado "Semana de la Herencia", en donde se invitaba a los pioneros de la iglesia a visitar el campo para compartir sus experiencias con la comunidad colegial. Durante una semana al año, los estudiantes recibían experiencias de los ricos ministerios de veteranos tales como Houston R. Morehead (1972), Zeno C. Tharp (1976), y Earl P. Paulk, Señor (1977), Frank W. Lemons (1975). La presente generación aprendió mucho de sus raíces a medida que estos memorables ministros relataban cómo Dios había dirigido y

[11]Evaline Echols, *Church of God Evangel,* 11 de noviembre de 1974, pág. 19.

bendecido a la gente pentecostal, cuando las únicas comodidades que tenían en abundancia eran su fe y esperanza.

Este programa "capacitó a los estudiantes para obtener nuevas perspectivas de su magnífica herencia. Un aprecio del pasado da confianza para el futuro, y el futuro es tan brillante como gloriosa nuestra herencia".[12] A medida que la generación más reciente aumentaba sus conocimientos del pasado, también aumentaba su confianza en el futuro. De su herencia obtuvo perspectiva y de su perspectiva esperanza.

[12]Echols, *Ibíd.*, 10 de mayo de 1976, pág. 24.

Capítulo 35
LA JORNADA INCONCLUSA

1. Año de celebración

Los Estados Unidos se envolvieron en un año completo para celebrar de su pasado en el 1976. Era el año de la celebración del bicentenario de la nación; un año de reflexión y proyección; un año para honrar el pasado y proyectar el futuro. Este tiempo de celebración nacional tuvo un significado especial para la Iglesia de Dios, que cumplió noventa años en 1976. Las raíces culturales de la iglesia eran americanas, a pesar de que sus ramas se extendían a gran parte del mundo y que sus raíces espirituales estaban enclavadas en la eterna Palabra de Dios.

La iglesia fue honrada como parte de la herencia nacional, cuando el Colegio Lee fue declarado un campus bicentenario por el Comité Nacional del Bicentenario. La serie de la "Semana de la Herencia" y el Centro de Investigación Pentecostal fueron señaladas como dos de las razones para esta designación y honor. Además, los ahora famosos *Lee Singers* (Cantores de Lee), participaron destacadamente como artistas de Tennessee en una serie de conciertos para honrar a los Estados Unidos en el Centro Kennedy en Washington, D. C.

En muchas partes del país, congregaciones locales tuvieron series de conferencias, seminarios y eventos festivos para honrar los noventa años de la iglesia y el bicentenario de la nación. Pero la iglesia no se involucró en una celebración eufórica de victorias pasadas. Estaba demasiado ocupada con su visión para el futuro.

2. Debut en la televisión nacional

La iglesia hizo una irrupción gigante en las comunicaciones en 1974 y 1976, cuando el Departamento de Radio y Televisión, bajo el agresivo liderazgo de Carl Richardson, produjo dos programas de televisión a nivel nacional. El primero de éstos fue difundido en noviembre de 1974, en una red de 187 estaciones de televisión por toda la nación. Este programa especial se denominó "El nuevo mundo venidero". El programa fue televisado en las horas nocturnas de mayor audiencia televisiva y fue visto aproximadamente por 17 millones de televidentes.[1]

Esto sencillamente fue preliminar al segundo especial de televisión que fue difundido nacionalmente en julio de 1976. Este programa se denominó "Celebración de la libertad". El programa de una hora de duración fue filmado en Washington, con un segmento principal que consistía de un servicio de oración en las escalinatas del Capitolio. Aproximadamente cinco mil personas estuvieron presentes en este servicio. Otros segmentos fueron filmados en sitios históricos tales como el Memorial de Lincoln y el Monte Vernon. Esta difusión en horario de mayor audiencia televisiva fue vista por más de 20 millones de televidentes, a lo largo y ancho de la nación. En el mismo, además de presentar el sermón de Carl Richardson, se presentaron varios grupos musicales prominentes y entrevistaron a varios líderes nacionales. Se abrieron líneas telefónicas especiales para que cuando concluyera la presentación, los televidentes pudieran llamar pidiendo oración. La respuesta fue tan entusiasta y las peticiones de oración tan numerosas, que surgieron nuevas esperanzas para futuras difusiones a nivel nacional.

3. Énfasis en la literatura

La Casa de Publicaciones fue modificada continuamente para suplir las crecientes demandas de literatura pentecostal. El publicador, F. W. Goff, aumentó la capacidad de la planta e instaló un sofisticado equipo de imprenta. O. W. Polen, editor en jefe, hizo que la circulación del *Evangel* fuera uno de los principales objetivo de su trabajo. El triunfo fue sobresaliente. En el pasado, la más antigua publicación pentecostal generalmente había circulado entre 20 mil y 25 mil copias. Esta baja circulación

[1]Entrevista con Carl Richardson.

contradecía la buena calidad de la revista. Polen duplicó y luego triplicó la circulación hasta que alcanzó el alto número de 76,389 en abril de 1976.[2] La meta de "76,000 en el 76" llevó a la publicación a un respetable nivel de distribución.

4. El patrón de péndulo

A medida que se acercaba el tiempo para la asamblea de 1976, había cierto sentimiento de preocupación y ansiedad a través de toda la iglesia. Las tensiones de 1974 seguían vivas en la memoria de muchos que temían el surgimiento de nuevos debates que propiciaran el divisionismo. Pero los temores eran infundados, ya que la reunión del 6 al 12 de agosto en Dallas, fue de armonía y sanidad.

Históricamente, hay un patrón de péndulo en las asambleas generales de la Iglesia de Dios. No ha habido dos sesiones sucesivas que hayan estado llenas de tensión o división ideológica. Cuando se ha celebrado una asamblea con un alto grado de división, la próxima ha sido de unidad y tranquilidad. La iglesia parecía estar dividida en 1946, pero en 1948 el problema fue resuelto por medio del amor y el espíritu de hermandad. La asamblea de 1958 llegó al borde de una división, sin embargo, en 1960 fue bendecida en amor divino y hermandad. Se suspendieron todas las sesiones de negocios durante dos días para confesar, orar, testificar y regocijarse. El patrón había sido consistente a través de los años, y en 1976 no fue una excepción.

5. Asamblea de sanidad

Horton, el Supervisor General, abrió la asamblea de 1976 con un llamado a la oración en el Concilio General. Después de una hora entera en la que todos los ministros oraron de rodillas, la reunión procedió con tal armonía que se parecía a la asamblea de 1960. Hubo testimonios y expresiones de amor que eran una reminiscencia de aquellos tiempos antiguos de profunda emoción.

[2]Entrevista con O. W. Polen.

Dios le reveló a la Iglesia de Dios que Él todavía está en su trono y dirige los asuntos de su iglesia.

> Coincidiendo con la celebración bicentenaria de América, la Quincuagesimosexta Asamblea General... se caracterizó por un espíritu de unidad que tenía un origen divino. Sin lugar a dudas, siempre será recordada como una de las grandes convocaciones espirituales en los noventa años de historia de la iglesia.
>
> Con un panorama de crecimiento sin precedente dentro de las iglesias de más acelerado crecimiento en el mundo, Dios inspiró dramáticamente las deliberaciones de negocios, y le dio un mandato divino a la Iglesia de Dios para que acelerara su crecimiento durante los próximos diez años.[3]

Cecil B. Knight fue electo Supervisor General. Knight vino a la alta posición después de toda una vida de servicio en la Iglesia de Dios, con seis años de experiencia en el Comité Ejecutivo. Antes de llegar al comité en 1970, Knight había sido Director Nacional de la Juventud y Educación Cristiana, Supervisor de Indiana y Director de Evangelismo y Misiones Nacionales. Su obra como Director de Ministerio a los Militares había sido especialmente fructífera. Durante su trabajo con los militares, Knight desarrolló un programa de retiro a nivel estatal comparable con aquel que se había desarrollado en Europa y Asia. Ahora, a la edad de 51 años, Knight trajo gran experiencia y entusiasmo a la posición más alta de la Iglesia de Dios.

Ray H. Hughes, quien había dejado la posición de Supervisor General sólo dos años antes, regresó al comité como Primer Asistente del Supervisor General; J. Frank Culpepper fue elevado a la posición de Segundo Asistente; T. L. Lowery fue reelecto como Tercer Asistente al Supervisor General; y Floyd J. Timmerman fue reelecto como Secretario Tesorero General. El Supervisor General Knight se rodeó de un experimentado Concilio de los Doce. Los tres primeros hombres electos para ese cuerpo fueron los ex supervisores generales Wade H. Horton, Charles W. Conn y James A. Cross. Fue como si la iglesia hubiera alcanzado en su tiempo de oportunidad y necesidad a hombres con amplia experien-

[3] *Prefacio de las Minutas de la Quincuagesimosexta Asamblea General,* 1976.

cia. Sin embargo, la iglesia mantuvo la puerta abierta para nuevos líderes. Tres nuevos miembros también fueron electos al Concilio.[4] Esta fue una asamblea de unidad, armonía y equilibrio. Más que todo, fue una asamblea de sanidad.

6. Educación y Misiones

Hubo otros cambios administrativos a medida que la iglesia se preparaba para el futuro. Robert E. Fisher, Supervisor de Maryland y miembro de la Junta General de Educación, fue nombrado Director General de Educación. Fisher, un hombre que por mucho tiempo había sido partidario de la excelencia en la educación dentro de la iglesia, anteriormente había servido como Superintendente del Colegio Bíblico de la Costa Oeste. Robert White, quien había estado en la posición de educación por dos años, fue nombrado Secretario Ejecutivo de Misiones. Esto colocó a Fisher y a White en dos posiciones vitales de liderazgo, en donde su visión y vigor juvenil fueron cualidades importantes.

J. Herbert Walker, hijo, después de seis destacados años de servicio en Europa, vino al Departamento de Misiones como coordinador de las escuelas de misiones, de las cuales había 46 en 35 países. Lambert Delong reemplazó a Walker como Superintendente de Europa. Delong era un veterano de casi 25 años en Alemania, quien había llegado allí con su esposa Mary Lauster, en el verano de 1951. Floyd D. Carey, quien fuera electo Director General de la Juventud y Educación Cristiana, había sido líder juvenil en todos los niveles de la iglesia por mucho tiempo. El trabajo entre la juventud era una forma de vida para él.

7. Búsqueda de excelencia

La especialización en la Iglesia de Dios se convirtió en una fuerza distintiva en los albores de la década del 70. Esto sucedió a medida que hombres de disciplina similar buscaban la manera de utilizar sus conocimientos y habilidades para la gloria de Dios y el

---

[4] *Ibíd.*, pág. 74.

bienestar de la iglesia. Esto se convirtió en una búsqueda por la excelencia. En diciembre de 1969, un grupo de hombres que poseían todo un cúmulo de disciplinas, carreras y ministerios, organizaron una Academia de Cristianos Profesionales. Esta academia fue seguida por el establecimiento de una Asociación Nacional de Músicos Eclesiásticos en agosto de 1970, la cual fue formalmente establecida en agosto de 1972. La función principal de esta asociación era "apoyar la eficiencia personal y el crecimiento en las áreas de desarrollo espiritual, aprovechamiento académico y ejecución en la música de la iglesia".

En noviembre de 1970, los educadores de la Iglesia de Dios figuraron prominentemente en la formación de la Sociedad para Estudios Pentecostales, la cual era de carácter interdenominacional. Debido a que todos sus miembros tenían títulos académicos de universidades respetables, esta organización demostró el lugar que ahora ocupa la educación superior en los círculos pentecostales.

Otros esfuerzos especiales en la Iglesia de Dios produjeron seminarios para escritores cristianos, organizados por el Departamento Editorial en 1973 y 1975. También en 1975, el Comité Nacional de Música patrocinó una Conferencia Nacional de Música Sacra en el Colegio Lee. Más tarde, entre otras especializaciones populares, se organizó un ambicioso simposio de ciencias celebrado en el Colegio Lee, durante el año académico 1976-77. Este proyecto fue organizado por los *Liaisons*, un grupo de científicos de la iglesia y estudiantes de ciencias. El surgimiento de estos grupos y eventos especializados, indicaban una inclinación creciente de la iglesia por obtener la excelencia en cada campo del saber.

8. De regreso a las montañas

Después de la asamblea de 1976, los ejecutivos de departamentos y oficiales de estado se reunieron del 9-11 de noviembre para lo que se denominó "Retiro de Líderes". Cuando los líderes y sus respectivas esposas se reunieron en Gatlinburg, un pueblecito en las montañas del este de Tennessee, había más de 300 líderes de todos los 50 estados de la nación y de Europa. El retiro fue un tiempo de educación, inspiración, descanso y renovación. De manera inadvertida, hubo algo simbólico acerca del regreso a estas montañas cercanas al lugar donde la Iglesia de Dios se había fundado 90 años antes.

La reunión histórica comenzó con un seminario especial para los presidentes de los colegios de la iglesia. Bajo el liderazgo del Director General Fisher, los presidentes y demás personal educativo buscaron medios para unir a las entidades separadas en una potente fuerza para el crecimiento futuro de la fe y el conocimiento pentecostal. Después de este seminario, el Supervisor General Knight se dirigió a todo el liderazgo de la Iglesia de Dios con un gran candor espiritual:

> Parece que en este punto de la historia ya hemos organizado todos los departamentos y las agencias que se necesitan para cumplir la misión de la iglesia.
>
> De aquí en adelante, lo que resta es mejorar y trabajar juntos bajo los cuatro énfasis de la gran comisión: evangelismo, educación, misiones y mayordomía. La distinción de la madurez de una denominación es que sus departamentos y líderes trabajen juntos como un equipo.

Fue un llamado a la excelencia para todas las partes de un cuerpo maduro. Es probable que los años de infancia estuvieran por concluir, pero el día de eficiencia máxima estaba en sus albores.

9. Una esperanza razonable

Fue un gran tiempo para la Iglesia de Dios. La iglesia ahora era lo suficientemente grande como para hacer muchas de las cosas soñadas, aunque no lo suficiente como para no sentir el entusiasmo de toda empresa digna de esfuerzo. Era lo suficientemente fuerte como para tener confianza en sus habilidades, aunque no tanto como para no sentir la lucha de cada nuevo desafío. Era lo suficientemente antigua como para ser madura y asentada en sus asuntos, aunque no lo suficiente para ser indiferente e insensible en sus funciones. Ahora podía ver las masas, sin perder de vista al individuo. Podía disfrutar sus victorias sin disminuir su visión.

Al igual que los cristianos primitivos, la Iglesia de Dios estaba lista para dar a cada hombre razón de la esperanza que estaba en ella (1 Pedro 3:15). Al igual que sus predecesores, poseía y era poseída por una fe militante y una esperanza firme. Tenía razón para creer. Y, de hecho, creyó.

La iglesia fue llamada a "duplicarse en una década": a ser dos veces más grande, más fuerte y más capaz diez años después de 1976. Y la iglesia creyó que podía lograrlo. Creyó porque su confianza todavía permanecía en el liderazgo de Cristo y en el impartimiento de poder del Espíritu Santo. La Iglesia de Dios creyó que quien había marcado su rumbo en el pasado, también marcaría su rumbo para el futuro.

APÉNDICES

DOCUMENTOS

TABLAS

BIBLIOGRAFÍA

DOCUMENTO A

MINUTAS
de la
ASAMBLEA ANUAL
de las
IGLESIAS DEL ESTE DE TENNESSEE, NORTE DE GEORGIA Y EL OESTE DE CAROLINA DEL NORTE, CELEBRADA EL 26 Y 27 DE ENERO DE 1906
en Camp Creek, Carolina del Norte

Nota — Nosotros esperamos y confiamos que ninguna persona o cuerpo de personas jamás usen estas minutas, o cualquier porción de las mismas, como artículos de fe para establecer una secta o denominación. Los temas fueron discutidos sólo para obtener luz y entendimiento. Nuestros artículos de fe son inspirados y dados a nosotros por los Santos Apóstoles y están escritos en el Nuevo Testamento, que es nuestra única regla de fe y práctica.

La sesión llamada al orden y el pastor A. J. Tomlinson dirigió unas devociones.

Después de la debida consideración la asamblea aceptó el siguiente lema o norma: Nosotros no nos consideramos un cuerpo legislativo o ejecutivo, sino solamente judicial.

El decano J. C. Murphy y otras personas discutieron plenamente si se debía elaborar y preservar registros, de esta y otras asambleas similares, decidiendo hacerlo ya que las Escrituras lo recomiendan.

La asamblea discutió la conveniencia de que cada iglesia local elaborara y preservara sus propios registros. Considérese esto en armonía con la enseñanza del Nuevo Testamento, y se aconseja que cada iglesia local elabore y preserve registros de todos los procedimientos de la iglesia. Los Hechos de los Apóstoles son un ejemplo.

R. G. Spurling y otros discutieron plenamente la santa cena y el lavatorio de pies, y el sentir de esta asamblea es que tanto la santa cena como el lavatorio de pies son enseñados en las Escrituras del Nuevo Testamento, y se pueden celebrar en el mismo servicio o en ocasiones distintas, a opción de las iglesias locales. Con el fin de preservar la unidad del cuerpo, y para obedecer la sagrada Palabra, nosotros recomendamos que cada miembro participe en estos servicios sagrados. Además recomendamos que se observen estas santas ordenanzas una o más veces al año.

Reuniones de oración discutidas por el hermano Alexander Hamby y otros. Por lo tanto, el sentir de esta asamblea es que recomendemos, aconsejemos y urjamos a que cada iglesia local celebre una reunión de oración una vez a la semana. También recomendamos que alguna persona en cada iglesia, que se sienta guiada por el Espíritu Santo o sea seleccionada por la congregación, supervise y se encargue de que se celebre dicha reunión y con el debido orden.

Evangelismo discutido por el pastor y otros; informes de trabajo realizado el año pasado; consagración de algunos. Después de considerar los campos blancos y las puertas abiertas para el evangelismo en este año, hombres fuertes lloraron y expresaron que no sólo tenían deseos sino que estaban muy ansiosos de hacerlo. Por lo tanto, el sentir de esta reunión es que con el mayor celo y energía jamás desplegados, hagamos lo mejor para atravesar cada puerta que se abra este año con el fin de difundir el glorioso evangelio del Hijo de Dios.

El evangelista M. S. Lemons pronunció un discurso sobre "El uso del tabaco" y algunas personas lo discutieron. Después de la debida consideración, esta asamblea llega al acuerdo unánime de oponerse al uso del tabaco en cualquier forma. Es ofensivo para aquellos que no lo usan; debilita y afecta al sistema nervioso; es un pariente cercano de la borrachera; mal ejemplo y mala influencia para los jóvenes; gasto inútil, dinero que debe destinarse para vestir a los pobres, difundir el evangelio o hacer más cómodos los hogares de nuestro país; y por último, creemos que su uso es contrario a la enseñanza de la Escritura, y con Cristo como nuestro ejemplo, no podemos creer que Él lo usaría de ninguna forma o bajo cualquier circunstancia.

Nosotros también recomendamos y aconsejamos que los ministros y los diáconos de cada iglesia hagan un esfuerzo especial para influir en contra del uso del tabaco, tratando tierna y cariñosamente a aquellos de la iglesia que lo hagan, insistiendo con un espíritu afectivo que se deje de usar lo más posible. También aconsejamos que los diáconos hagan un informe al final de cada año, del número de personas que han sido inducidas a dejar el vicio y libradas del deseo del mismo. A su vez, que también se mencione el número de personas que lo sigue usando, y que se lleve dicho informe a la asamblea general.

Andrew Freeman y otros discutieron el altar familiar. Por lo tanto, el sentir de esta asamblea es que recomendemos y urjamos a que las familias de todas las iglesias participen en este servicio tan sagrado e importante por lo menos una vez al día, en el tiempo más conveniente para la familia, y que los padres velen porque a cada niño se le enseñe, tan pronto como sea posible, a ser reverente a Dios y a sus padres, oyendo atenta y silenciosamente la lectura de la Palabra de Dios y arrodillándose para orar. Además recomendamos que los ministros y los diáconos de cada iglesia usen su influencia y hagan un esfuerzo especial para animar a que cada familia de la congregación celebre diariamente este ejercicio devocional. También, que los diáconos obtengan la información debida y elaboren un informe del número de familias que han sido inducidas a celebrar este servicio durante el año; aquellas que lo practican regularmente y las que no lo hacen, y llevar dicho informe a la asamblea anual o general.

El anciano W. F. Bryant, junto con Malissie Murphy y otros, discutió brevemente la escuela dominical. Nosotros estamos altamente a favor de este importante servicio como un medio para enseñar a los niños a ser reverentes a la Palabra de Dios y a la casa designada para la adoración, y también para elevar la moral de una comunidad. Por lo tanto, el sentir de esta asamblea es recomendar, aconsejar y urgir a que cada iglesia local tenga una escuela dominical cada domingo, de ser posible durante todo el año. Nosotros aconsejamos que los obreros hagan todo lo posible por propagar los intereses de la escuela dominical, y busquen lugares donde no se celebre y organicen una donde sea posible. Nosotros creemos que a veces se puede organizar y mantener exitosamente una escuela dominical en donde no se ha podido establecer una iglesia, abriendo y allanando el camino para un trabajo más permanente en el futuro. También se recomienda que se celebre la escuela dominical por las mañanas, cuando sea posible hacerlo en ese tiempo.

Cuando un miembro de buen testimonio cambie de domicilio, recomendamos que la iglesia a la que asiste le dé una carta de recomendación para congregarse en una congregación más cercana, si así lo requiere, para estar de acuerdo con Romanos 16:1, 2: "Os recomiendo además nuestra hermana Febe, la cual es diaconisa de la iglesia en Cencrea; que la recibáis en el Señor, como es digno de los santos, y que la ayudéis en cualquier cosa en que necesite de vosotros; porque ella ha ayudado a muchos, y a mí mismo".

Nosotros recomendamos confraternidad y unión más íntimas entre todas las iglesias. Por lo tanto, nosotros concluimos que una asamblea anual compuesta por ancianos y hombres selectos, y las mujeres, de cada iglesia, como de capital importancia para la promoción del evangelio de Cristo y de su iglesia. Por lo tanto, de común acuerdo seleccionamos y apartamos el jueves, viernes y sábado anteriores al segundo domingo de cada enero para celebrar la asamblea anual especial, siempre y cuando no haya actos providenciales que lo impidan. Posteriormente se elegirá el lugar según la guianza providencial de Dios y su Espíritu.

Al Espíritu Santo y a nosotros nos pareció bien, reunidos juntos y unánimes en esta asamblea, contando con el Espíritu de Cristo en nuestro medio, después de mucha oración, discusión, escudriñando las Escrituras y buscando consejo, recomendar estas cosas necesarias y que sean ratificadas y observadas por todas las iglesias locales. El deber de la iglesia es ejecutar las leyes que Cristo nos ha dado por medio de sus Santos Apóstoles.

La asamblea concluyó: sábado, 27 de enero de 1906, a las 7:30 pm.

DOCUMENTO B

DECLARACIÓN DE FE

Creemos:

1. En la inspiración verbal de la Biblia.
2. En un Dios que existe eternamente en tres personas, a saber: el Padre, el Hijo y el Espíritu Santo.
3. Que Jesucristo es el unigénito del Padre, concebido del Espíritu Santo y nacido de la virgen María. Que fue crucificado, sepultado y resucitó de entre los muertos. Que ascendió a los cielos y está hoy a la diestra del Padre como Intercesor.
4. Que todos han pecado y están destituidos de la gloria de Dios; y que el arrepentimiento es ordenado por Dios para todos y necesario para el perdón de pecados.
5. Que la justificación, la regeneración y el nuevo nacimiento se efectúan por fe en la sangre de Jesucristo.
6. En la santificación, subsecuente al nuevo nacimiento, por fe en la sangre de Jesucristo, por medio de la Palabra, y por el Espíritu Santo.
7. Que la santidad es la norma de vida de Dios para su pueblo.
8. En el bautismo con el Espíritu Santo, subsecuente a la limpieza del corazón.
9. En el hablar en otras lenguas, como el Espíritu Santo dirija a la persona, lo cual es evidencia inicial del bautismo en el Espíritu Santo.
10. En el bautismo en agua por inmersión y en que todos los que se arrepientan deben ser bautizados en el nombre del Padre, del Hijo y del Espíritu Santo.

11. Que la sanidad divina es provista para todos en la expiación .
12. En la cena del Señor y en el lavatorio de pies de los santos.
13. En la premilenial segunda venida de Jesús. Primero, para resucitar a los justos muertos y arrebatar a los santos vivos hacia Él en el aire. Segundo, para reinar en la tierra mil años.
14. En la resurrección corporal; vida eterna para los justos y castigo eterno para los inicuos.

DOCUMENTO C

ENSEÑANZAS DE LA IGLESIA DE DIOS

La Iglesia de Dios cree y sostiene la Biblia completa, correctamente trazada. El Nuevo Testamento es su única regla de gobierno y disciplina.

1. La Iglesia de Dios sostiene hoy, como siempre ha sostenido, la Biblia completa debidamente interpretada, y el Nuevo Testamento, como la única regla de gobierno y disciplina. En algunas ocasiones ha sido necesario que la asamblea general investigue e interprete la Biblia para determinar las enseñanzas de la iglesia sobre los diferentes temas, pero siempre con el propósito y la intención de fundar nuestras enseñanzas estrictamente en la Palabra de Dios.
2. Con este fin se nombró un comité para que presentara en la Asamblea General de 1910 una colección de algunas de las enseñanzas prominentes de la iglesia, con sus respectivas citas bíblicas, lo cual fue realizado por dicho comité, cuyo informe apareció en la página 47 del libro de actas de dicha asamblea.
3. No obstante, en dicho libro no se indica que tal informe haya sido adoptado oficialmente por la asamblea. Los puntos que el mismo establece son únicamente una colección de las enseñanzas más importantes que hemos creído, practicado y enseñado, tal como se establecen en la Santa Biblia. No es nuestra intención, y nunca lo ha sido, crear una ley; lo que hemos hecho ha sido simplemente interpretar las Escrituras y dar a conocer las enseñanzas que hemos hallado en ellas.
4. Para que haya constancia de la ley divina, tal como se presenta en las Escrituras, y ha sido interpretada por la asamblea, declaramos y afirmamos aceptar y sostener la Biblia completa, debidamente interpretada, y el Nuevo

Testamento como nuestra regla de fe y práctica; asimismo declaramos que las leyes y enseñanzas de la Biblia, tal como las presentó el comité en la página 47 del libro de actas de la asamblea general de 1910, bajo el título *Enseñanzas de la Iglesia de Dios,* son las conclusiones e interpretaciones oficiales de la asamblea de 1930 de la Iglesia de Dios.

5. El suplemento de las *Minutas de la Asamblea General* (es decir, las *Enseñanzas, Disciplina y Gobierno de la Iglesia de Dios)* deberá ser enseñado en todas las escuelas bíblicas y facultades de la Iglesia de Dios, y se requerirá que los estudiantes ministeriales tomen un examen igual al cuestionario usado para los exámenes ministeriales.

PRINCIPIOS DOCTRINALES

1. Arrepentimiento: Marcos 1:15; Lucas 13:3; Hechos 3:19.
2. Justificación: Romanos 5:1; Tito 3:7.
3. Regeneración: Tito 3:5.
4. Nuevo nacimiento: Juan 3:3; 1 Pedro 1:23; 1 Juan 3:9.
5. Santificación, subsecuente a la justificación: Romanos 5:2; 1 Corintios 1:30; 1 Tesalonicenses 4:3; Hebreos 13:12.
6. Santidad: Lucas 1:75; 1 Tesalonicenses 4:7; Hebreos 12:14.
7. Bautismo en agua: Mateo 28:19; Marcos 1:9, 10; Juan 3:22, 23; Hechos 8:36, 38.
8. Bautismo en el Espíritu Santo subsecuente a la limpieza; el impartimiento de poder para el servicio: Mateo 3:11; Lucas 24:49, 53; Hechos 1:4-8.
9. Hablar en lenguas como el Espíritu dirija a la persona, como evidencia inicial del bautismo en el Espíritu Santo: Juan 15:26; Hechos 2:4; 10:44-46; 19:1-7.
10. Dones espirituales: 1 Corintios 12:1, 7, 10, 28, 31; 14:1.
11. Las señales siguen a los creyentes: Marcos 16:17-20; Romanos 15:18,19; Hebreos 2:4.

12. El fruto del Espíritu: Romanos 6:22; Gálatas 5:22, 23; Efesios 5:9; Filipenses 1:11.
13. Sanidad divina provista para todos en la expiación: Salmo 103:3; Isaías 53:4, 5; Mateo 8:17; Santiago 5:14-16; 1 Pedro 2:24.
14. La cena del Señor: Lucas 22:17-20; 1 Corintios 11:23-26
15. Lavatorio de los pies de los santos: Juan 13:4-17; 1 Timoteo 5:9, 10.
16. Diezmos y ofrendas: Génesis 14:18-20; 28:20-22; Malaquías 3:10; Lucas 11:42; 1 Corintios 9:6-9; 16:2; Hebreos 7:1-21.
17. Restitución donde sea posible: Mateo 3:8; Lucas 19:8, 9.
18. La premilenial segunda venida de Jesús. Primero, para resucitar a los santos que han muerto y levantar a los creyentes vivos, hacia Él, en el aire: 1 Corintios 15:52; 1 Tesalonicenses 4:15-17. Segundo, para reinar sobre la tierra por mil años: Zacarías 14:4; 1 Tesalonicenses 4:14; 2 Tesalonicenses 1:7-10; Judas versículos 14,15; Apocalipsis 5:10; 19:11-21; 20:4-6.
19. Resurrección: Juan 5:28, 29; Hechos 24:15; Apocalipsis 20:5, 6.
20. Vida eterna para los justos: Mateo 25:46; Lucas 18:30; Juan 10:28; Romanos 6:22; 1 Juan 5:11-13.
21. Castigo eterno para los inicuos, sin liberación ni aniquilación: Mateo 25:41-46; Marcos 3:29; 2 Tesalonicenses 1:8, 9; Apocalipsis 20:10-15; 21:8.

PRINCIPIOS PRÁCTICOS

I. Ejemplo espiritual

Demostraremos nuestro compromiso con Cristo poniendo en práctica las disciplinas espirituales; demostraremos nuestra dedicación al cuerpo de Cristo siendo leales a Dios y a su iglesia; y demostraremos nuestra dedicación a la obra de Cristo siendo buenos administradores.

A. La práctica de las disciplinas espirituales

Las disciplinas espirituales implican prácticas como la oración, la alabanza, la adoración, la confesión, el ayuno, la meditación y el estudio. A través de la oración expresamos nuestra confianza en Jehová Dios, el dador de todas las cosas buenas, y reconocemos nuestra dependencia en Él para suplir nuestras necesidades y las de otros (Mateo 6:5-15; Lucas 11:1-13; Santiago 5:13-18). A través de la adoración, tanto pública como privada, alabamos a Dios, tenemos comunión con Él y recibimos diariamente enriquecimiento espiritual y crecimiento en la gracia. A través del ayuno podemos acercarnos a Dios, meditar en la pasión de Jesucristo y disciplinarnos para vivir bajo el control del Espíritu Santo en todos los aspectos de nuestra vida (Mateo 6:16-18; 9:14-17; Hechos 14:23). Por medio de la confesión de nuestros pecados a Dios tenemos asegurado el perdón divino (1 Juan 1:9-2:2). El compartir nuestra confesión con otros creyentes da la oportunidad de pedir la oración y ayudarnos mutuamente a llevar nuestras cargas (Gálatas 6:2; Santiago 5:16). Por medio de la meditación y el estudio de la Palabra de Dios fortalecemos nuestro crecimiento espiritual y nos preparamos para guiar e instruir a otros en las verdades bíblicas (Josué 1:8; Salmo 1:2; 2 Timoteo 2:15, 23-26).

B. Lealtad a Dios y dedicación a la iglesia

La vida del discipulado cristiano implica el cumplimiento de nuestros deberes hacia el cuerpo de Cristo. Debemos reunirnos constantemente con otros miembros de la iglesia con el propósito de magnificar y alabar a Dios y escuchar su Palabra (Mateo 18:20; Juan 4:23; Hechos 2:42, 46, 47; 12:24; Hebreos 10:25). El domingo es el día cristiano de adoración. Como día del Señor, el domingo conmemora la resurrección de Cristo de entre los muertos (Mateo 28:1) y debe utilizarse primordialmente para la adoración, la confraternidad, el servicio cristiano, la enseñanza, la evangelización y la proclamación de la Palabra (Hechos 20:7; Romanos 14:5, 6; 1 Corintios 16:2, Colosenses 2:16, 17). Debemos proveer para las necesidades financieras de la iglesia a través de nuestros diezmos (Malaquías 3:10; Mateo 23:23) y ofrendas (1 Corintios 16:2; 2 Corintios 8:1-24; 9:1-15). Es nuestro deber respetar y someternos a aquellos que el Señor ha puesto sobre nosotros en la iglesia (1 Tesalonicenses 5:12, 13; Hebreos 13:7, 17). Cuando ejerzamos autoridad lo haremos como ejemplos espirituales; no como dueños ni señores del rebaño de Cristo (Mateo 20:25-28; 1 Pedro 5:1-3). Por otra parte, nuestra sumisión debe ser una manifestación de la gracia espiritual de la humildad (Efesios 5:21; 1 Pedro 5:5, 6). Finalmente, debemos evitar la afiliación a sociedades que requieren o practican juramentos. Tales sociedades pueden parecer espirituales pero, en realidad, al requerir un juramento y ser secretas, contradicen la espiritualidad cristiana (Juan 18:20; 2 Corintios 6:14-18). Los cristianos no deben pertenecer a ningún cuerpo o sociedad que requiera o practique una lealtad que esté por encima o excluya su comunión con otros en Cristo (Juan 17:21-23; Mateo 12:47-49).

C. Buena mayordomía cristiana

Las virtudes del ahorro y la sencillez son honrosas, mientras que el despilfarro y la ostentación son solemnemente prohibidas en las Escrituras (Isaías 55:2; Mateo 6:19-23). El vivir una vida piadosa y sobria requiere el uso sabio y frugal de nuestras bendiciones temporales, incluyendo el tiempo, talento y dinero. Como buenos administradores debemos sacar el máximo provecho de nuestro tiempo, tanto para esparcimiento como para trabajar (Efesios 5:16; Colosenses 4:5). El mal uso del tiempo libre degrada (1 Timoteo 5:13; 2 Tesalonicenses 3:6-13); pero cuando el tiempo se utiliza en forma constructiva, experimentamos renovación interna. Todo nuestro trabajo y diversión deben honrar el nombre de Dios (1 Corintios 10:31). Como buenos mayordomos debemos utilizar bien nuestros dones espirituales (Romanos 12:3-8; 1 Corintios 12:1-11, 27-31; Efesios 4:11-16; 1 Pedro 4:9-11), así como nuestros talentos naturales (Mateo 25:14-30) para la gloria de Dios. Como buenos mayordomos debemos reconocer que el uso sabio del dinero es parte esencial de la economía de la vida del cristiano. Dios nos ha encomendado bendiciones temporales para que cuidemos de ellas (Mateo 7:11; Santiago 1:17).

II. Pureza moral

Participaremos de toda actividad que glorifique a Dios en nuestro cuerpo y evitaremos la satisfacción de los deseos de la carne. Leeremos, miraremos y escucharemos todo lo que sea de beneficio para nuestra vida espiritual.

A. Debemos glorificar a Dios en nuestro cuerpo

Nuestro cuerpo es el templo del Espíritu Santo, por lo cual debemos usarlo para la gloria de Dios (Romanos 12:1, 2; 1 Corintios 6:19, 20; 10:31). Debemos andar en el Espíritu y no satisfacer los deseos de la carne (Gálatas 5:16). La Escritura contiene varios pasajes con ejemplos de una conducta carnal que no glorifica a Dios (Romanos 1:24; 1 Corintios 6:9, 10; Gálatas 5:19, 21; Apocalipsis 21:8). Las prácticas pecaminosas más prominentes que aparecen en estos pasajes incluyen: la homosexualidad, el adulterio, actitudes mundanas (como el odio, la envidia y los celos), comunicación corrupta (como el chisme y las palabras sucias), robo, asesinatos, borrachera y brujería. La brujería tiene que ver con prácticas de ocultismo las cuales son prohibidas por Dios y conducen a la adoración de Satanás.

B. Lo que leemos, miramos y escuchamos

La literatura que leemos, los programas que miramos y la música que escuchamos, afectan profundamente nuestros sentimientos, nuestro pensamiento y nuestra conducta. Es imperativo, por lo tanto, que el cristiano lea, mire y escuche las cosas que inspiran, instruyen y desafían a alcanzar un nivel moral más elevado. Por otro lado, debemos evitar literatura, programas y música de contenido mundano y de naturaleza pornográfica. Un cristiano no debe mirar en el cine (o la televisión) películas u obras teatrales que sean de naturaleza inmoral (Romanos 13:14; Filipenses 4:8).

C. Fomento del bienestar espiritual

El cristiano debe usar su tiempo libre en actividades que edifiquen tanto al individuo como al cuerpo de Cristo (Romanos 6:13; 1 Corintios 10:31, 32). Debemos evitar prácticas y lugares mundanos. Consecuentemente, un cristiano no debe participar en ningún tipo de entretenimiento que apele a la naturaleza carnal y traiga descrédito al testimonio cristiano (2 Corintios 6:17; 1 Tesalonicenses 5:21, 22; 1 Juan 2:15-17).

III. Integridad personal

Viviremos una vida que inspire responsabilidad y confianza, que produzca el fruto del Espíritu y manifieste el carácter de Cristo en toda nuestra conducta.

A. Responsabilidad y confianza

El cristiano debe ser una persona confiable y de palabra (Mateo 5:37; 1 Pedro 2:11, 12). Jurar es contrario a la confiabilidad del cristiano, por lo tanto debe evitarse (Mateo 5:34-37; Santiago 5:12). Cristo enseñó, por precepto y ejemplo, que debemos amar a nuestros enemigos y dar la preferencia a nuestro prójimo (Mateo 5:43-48; Romanos 12:10; Filipenses 2:3; 1 Juan 3:16). Debemos comportarnos de tal manera que nuestra conducta lleve a otros a Cristo (Mateo 5:16; 1 Corintios 11:1).

B. Fruto del Espíritu

Si vivimos en el Espíritu, manifestaremos el fruto (actitudes y acciones) del Espíritu y no satisfaremos los deseos de la carne (Gálatas 5:16, 22-25; 1 Juan 1:7). Las buenas relaciones con otros son el resultado natural de nuestra relación positiva con el Señor (Salmo 1:1-3; Mateo 22:37-40). Seremos juzgados por no llevar fruto en nuestra vida (Mateo 7:16-20; Lucas 13:6-9; Juan 15:1-8).

C. El carácter de Cristo

El distintivo de la vida en Cristo es el amor por otros (Juan 13:34, 35; 15:9-13; 1 Juan 4:7-11). En su relación con el Padre, Jesús mostró sumisión (Lucas 22:42; Juan 4:34; 5:30). En su relación con otros, demostró aceptación (Juan 8:11), compasión (Mateo 9:36; Marcos 6:34) y perdón (Mateo 9:2; Lucas 5:20). No podemos llevar el fruto del Espíritu y manifestar el carácter de Cristo si no estamos espiritualmente unidos a Él (Juan 15:4, 5) y sin tener la semilla de la Palabra sembrada en nuestro corazón (Juan 15:3; 1 Pedro 1:22, 23).

IV. Responsabilidad familiar

Daremos prioridad al cumplimiento de las responsabilidades familiares, preservaremos la santidad del matrimonio y mantendremos el orden bíblico en el hogar.

A. La prioridad de la familia

La familia es la unidad básica de las relaciones humanas y como tal es indispensable, tanto para la sociedad como para la iglesia (Génesis 2:18-24). El origen divino de la familia y su carácter institucional exigen que se le ministre con prioridad, tanto desde el punto de vista personal como colectivo. La práctica de las disciplinas y virtudes cristianas debe empezar en el hogar (Deuteronomio 6:6, 7). Por lo tanto, la familia cristiana debe establecer un plan para los devocionales familiares y proveer una atmósfera cristiana en el hogar (1 Timoteo 3:3, 4; 5:8).

B. La santidad del matrimonio

El matrimonio es ordenado por Dios y es un acto de unión espiritual en el que un hombre y una mujer se unen para vivir como una sola carne (Génesis 2:24; Marcos 10:7). Por su carácter divino, el matrimonio es un compromiso para toda la vida y el adulterio es la única concesión bíblica para el divorcio (Mateo 5:32; 19:9). La relación sexual ya sea antes del matrimonio o con otra persona que no sea el cónyuge se prohíbe estrictamente en la Biblia (Éxodo 20:14; 1 Corintios 6:15-18). Para alcanzar santidad en el matrimonio, los cónyuges deben esforzarse por mantener una relación placentera, armoniosa y santa. Si llegara a ocurrir el divorcio, la iglesia debe estar presta a proveer amor, comprensión y orientación a los afectados. Las segundas nupcias de personas divorciadas podrán realizarse únicamente después de un entendimiento y sometimiento pleno a las instrucciones bíblicas relacionadas con este asunto (Mateo 19:7-9; Marcos 10:2-12; Lucas 16:18; Romanos 7:2, 3; 1 Corintios 7:2, 10, 11). Si un cristiano desea permanecer soltero, su decisión debe ser respetada y vista como una alternativa bíblica (1 Corintios 7:8, 32-34).

C. Orden divino en el hogar

Cuando Dios creó al hombre, varón y hembra los creó (Génesis 1:27). Los dotó con características diferentes (1 Corintios 11:14, 15; 1 Pedro 3:7) y les dio responsabilidades diferentes (Génesis 3:16-19; 1 Pedro 3:1-7). En el orden bíblico, el esposo es la cabeza del hogar (Efesios 5:22-31; Colosenses 3:18, 19), los padres deben criar y disciplinar a sus hijos (Efesios 6:4; Colosenses 3:21) y éstos deben obedecer y honrar a sus padres (Éxodo 20:12; Efesios 6:1-3; Colosenses 3:20). Para que haya armonía en el hogar debe observarse el orden bíblico de responsabilidades.

V. Templanza en la conducta

Practicaremos la templanza en la conducta y evitaremos actitudes y actos ofensivos a nuestros semejantes o que conduzcan a la adicción o esclavitud a las drogas.

A. Templanza

Una de las virtudes cristianas cardinales es la templanza o dominio propio (1 Corintios 9:25; Tito 1:8; 2:2). Se encuentra en la lista del fruto del Espíritu (Gálatas 5:23). Se nos amonesta a ser moderados y equilibrados en nuestra conducta (Filipenses 4:5). La Escritura indica que tenemos la prerrogativa de controlar nuestro pensamiento (Filipenses 4:8), nuestro enojo (Efesios 4:26) y nuestro hablar (Efesios 4:29; Colosenses 3:8). El ejercicio del dominio propio refleja el poder de Dios en nuestra vida (1 Corintios 9:27; 2 Pedro 1:5-11).

B. Conducta ofensiva

La Biblia enseña claramente que debemos ser sensibles a las necesidades y los sentimientos de los demás, como una demostración de nuestro amor por ellos (Mateo 22:39; Romanos 12:9-21; 13:10; Filipenses 2:3-5). A veces tenemos que controlar nuestros impulsos para no ofender a otros (Romanos 14:13-21; 1 Corintios 8:9-13). De la manera en que conocemos a Cristo según el Espíritu, así también debemos comprender a los demás para que no los juzguemos solamente por su conducta externa (2 Corintios 5:16). Nuestras relaciones con los demás deben caracterizarse por el respeto y la tolerancia hacia sus diferencias (Romanos 14:2,3; 1 Corintios 8:8; Efesios 4:2; Colosenses 3:13; 1 Timoteo 4:1-5).

C. Adicción y esclavitud

Uno de los beneficios principales de nuestra libertad en Cristo es la facultad que tenemos de dominar los impulsos negativos (Juan 8:32, 36; Romanos 6:14; 8:2). Se nos aconseja no volver a quedar bajo el yugo de esclavitud (Gálatas 5:1). Por lo tanto, un cristiano debe abstenerse totalmente de toda bebida alcohólica y de cualquier substancia química que forme hábito y altere el ánimo. Se debe evitar el uso del tabaco en cualquier forma, la marihuana y cualquier otra substancia que cause adicción. Debemos también abstenernos de actividades como los juegos de azar y la glotonería, los cuales profanan el cuerpo, que es el templo de Dios, o que dominan y esclavizan el espíritu que ha sido libertado en Cristo (Proverbios 20:1; 23:20-35; Isaías 28:7; 1 Corintios 3:17; 5:11; 6:10; 2 Corintios 7:1; Santiago 1:21).

VI. Apariencia modesta

Demostraremos el principio bíblico de la modestia vistiendo y luciendo de una manera que realce nuestro testimonio cristiano y evitando el orgullo, la presunción y la sensualidad.

A. Modestia

De acuerdo con el concepto bíblico, la modestia es una gracia espiritual interna que evita todo lo que parece indecente e impuro. Es limpia en pensamiento y conducta y no actúa con crudeza ni con indecencia en el vestir ni en el comportamiento (Efesios 4:25, 29, 31; 5:1-8; 1 Timoteo 2:9, 10). Por lo tanto, la modestia incluye la apariencia, la conducta, el vestir y el hablar, y puede ser aplicada a todas las situaciones. El punto esencial es: ¿estamos agradando o desagradando a Dios con nuestro estilo de vida?

B. Apariencia y vestido

La vida, el carácter y el concepto que tengamos de nosotros mismos se reflejan en nuestra apariencia y manera de vestir. La amonestación bíblica "no os conforméis a este siglo" nos recuerda que la manera de vestirnos debe ser modesta y decente en todo sentido (Romanos 12:2; 1 Tesalonicenses 5:22, 23). A Dios no le desagrada que nos vistamos y arreglemos bien. Sin embargo, debemos buscar, sobre todo, la belleza espiritual, la cual no viene por el adorno externo de joyas, vestidos y cosméticos costosos, sino de las buenas obras, de la conversación pura y de un espíritu afable y apacible (Filipenses 4:8; 1 Pedro 3:3-5).

C. Orgullo, presunción y sensualidad

Como pueblo santo debemos abstenernos de toda lascivia de la carne y evitar vestirnos de un modo que provoque pensamientos, actitudes y estilos de vida inmorales (Gálatas 5:13-21; 1 Pedro 2:11; 2 Pedro 1:4). Nuestra belleza no depende de vestidos ostentosos, atavíos extravagantes y costosos, del uso de joyas y cosméticos, sino de nuestra relación con Cristo. El adorno externo, sea vestido o joyas, como una demostración externa del valor personal, es contrario a la actitud espiritual (Santiago 2:1-4).

VII. Obligaciones sociales

Nuestro objetivo será cumplir con las obligaciones que tenemos hacia la sociedad, siendo buenos ciudadanos, corrigiendo injusticias sociales y protegiendo la santidad de la vida.

A. Ser buenos ciudadanos

Como cristianos somos miembros del reino de Dios, aunque también somos miembros de la sociedad de este mundo. La obediencia a Dios nos requiere que actuemos de una manera responsable como ciudadanos de nuestros países (Marcos 12:13-17; Romanos 13:1-7; 1 Pedro 2:13-17). Por lo tanto, debemos apoyar la ley y el orden civil; tener respeto por nuestros líderes y orar por ellos; participar en actividades de las escuelas, de la comunidad y del gobierno; ejercer nuestro derecho al voto y expresarnos en relación con asuntos morales claramente definidos. La ley de Dios es suprema pero nosotros debemos obedecer las leyes de nuestro país, mientras que éstas no estén en conflicto con la obediencia a Dios (Hechos 5:29). Cuando sea necesario estar en desacuerdo con las prácticas y requerimientos del gobierno, debemos hacerlo motivados por la preocupación de promover la justicia y no por el simple deseo de disentir y estar en controversia.

B. Corregir la injusticia social

El amor por los demás y el reconocimiento de que todas las personas son iguales ante los ojos de Dios (Hechos 10:34; 17:26) deben motivarnos a hacer algo por mejorar la situación de los menos privilegiados, abandonados, hambrientos, sin hogar y víctimas de prejuicios, persecución y opresión (Mateo 22:39; Romanos 13:8-10; 1 Juan 3:17). En todas nuestras relaciones debemos ser sensibles a las necesidades humanas (Lucas 10:30-37; Santiago 1:17) y evitar la discriminación racial y económica. Toda persona debe tener libertad para adorar y participar en la vida de la iglesia, sin importar raza, color, sexo, clase social o nacionalidad.

C. Proteger la integridad de la vida

La vida es algo que sólo Dios puede dar (Génesis 1:1-31); por lo tanto, todos somos responsables ante el Creador de cuidar de la vida nuestra y la de otros. Si las circunstancias lo requieren, debemos estar dispuestos a cualquier sacrificio por servir a los demás (Juan 15:13); pero la regla general es que respetemos nuestra vida y utilicemos todos los medios posibles para conservarla. Dios es el único que confiere la vida y sólo Él decide cuándo debe terminar (Salmo 31:14, 15). En vista de que un feto humano es sagrado y bendecido por Dios, tenemos la responsabilidad de proteger la vida de los que aún no han nacido (Jeremías 1:5; Lucas 1:41). Es nuestra firme convicción que el aborto, la eutanasia (muerte provocada a los ancianos, impedidos mentales, enfermos de muerte, o incompetentes en cualquier forma), por razones de conveniencia personal, adaptación social o ventajas económicas, son moralmente incorrectos.

Además, creemos que es nuestra responsabilidad cristiana cuidar de la tierra y sus recursos. En el principio, Dios le dio al hombre dominio sobre la tierra (Génesis 1:26-30), sin embargo, esto no nos da derecho a contaminar nuestro medio ambiente o desperdiciar los recursos naturales.

TABLAS

EJECUTIVO

Tabla 1

SUPERVISORES GENERALES

A. J. TOMLINSON (1865-1943)	1909-1923	(14)
F. J. LEE[1] (1875-1928)	1923-1928	(5)
S. W. LATIMER (1872-1950)	1928-1935	(7)
J. H. WALKER, SR. (1900-1976)	1935-1944	(9)
JOHN C. JERNIGAN (1900-)	1944-1948	(4)
H. L. CHESSER (1898-)	1948-1952	(4)
ZENO C. THARP (1896-)	1952-1956	(4)
HOUSTON R. MOREHEAD (1905-)	1956-1958	(2)
JAMES A. CROSS (1911-)	1958-1962	(4)
WADE H. HORTON (1908-)	1962-1966; 1974-1976	(6)
CHARLES W. CONN (1920-)	1966-1970	(4)
R. LEONARD CARROLL[2] (1920-1972)	1970-1972	(1½)
RAY H. HUGHES (1924-)	1972-1974	(2½)
CECIL B. KNIGHT (1925-)	1976-	( )

[1]Fallecido en servicio activo el 28 de octubre de 1928.
[2]Fallecido en servicio activo el 26 de enero de 1972.
1909-1914 electo por la Asamblea General.
1915-1921 no se celebraron elecciones.
1922-1927 nominado por el Consejo de Doce, electo por la Asamblea General.
1928-1929 recomendado por los Consejos de Doce y Setenta, electo por la Asamblea General.
Desde 1930, nominado por el Consejo General, electo por la Asamblea General. (Nominación es equivalente a elección debido a que se hace por mayoría de votos, luego presentado sin oposición a la Asamblea General. La Asamblea sólo puede ratificar o rechazar. Nunca ha sido rechazada ninguna nominación.)

Tabla 2

ASISTENTES AL SUPERVISOR GENERAL

M. S. Lemons	1913-1914	(1)
S. W. Latimer[1]	1928	
R. P. Johnson	1929-1933; 1934-1944	(14)
E. C. Clark	1933-1934	(1)
Earl P. Paulk	1941-1944	(3)
H. L. Chesser[2]	1944-1948	(4)
Paul H. Walker[2]	1944-1945	(1)
A. V. Beaube[2]	1944-1945	(1)
E. L. Simmons[2]	1944-1945	(1)
E. W. Williams[2]	1944-1945	(1)
J. D. Bright[2]	1944-1945	(1)
Zeno C. Tharp	1948-1952	(4)
Houston R. Morehead	1952-1956	(4)
John C. Jernigan	1952-1954	(2)
James A. Cross	1954-1958	(4)
Earl P. Paulk	1941-1944; 1956-1960	(7)
H. D. Williams	1958-1962	(4)
Wade H. Horton	1960-1962; 1968-1974	(8)
A. M. Phillips[3]	1962	
Charles W. Conn	1962-1966	(4)
C. Raymond Spain	1964-1968	(4)
R. Leonard Carroll	1964-1970	(6)
Ray H. Hughes[4]	1966-1972; 1976-	( )
Cecil B. Knight	1970-1976	(6)
W. C. Byrd	1972-1974	(2)
T. L. Lowery	1974-	( )
J. Frank Culpepper	1974-	( )

[1]Dos días después de la selección de Latimer como Asistente al Supervisor General, la muerte del Supervisor General, F. J. Lee el 28 de octubre, lo asciende automáticamente a la posición de Supervisor General.

[2]Seis Supervisores Generales sirvieron concurrentemente en el período de 1944 a 1945.

[3]Sirvió menos de un año; falleció el 24 de diciembre de 1962.

[4]Hereda la posición de Supervisor General al fallecer R. Leonard Carroll el 26 de enero de 1972.

1913, nombrado por el Supervisor General, aprobado por la Asamblea General.

1928-1929, Recomendado por los Consejo de los Doce y Los Setenta, electo por la Asamblea General.

Desde 1930, nominado por el Consejo General, electo por la Asamblea General.

Tabla 3
SECRETARIOS-TESOREROS GENERALES

E. J. Boehmer	1921-1946	(25)
R. R. Walker	1946-1950	(4)
Houston R. Morehead	1950-1952	(2)
H. L. Chesser	1952-1954	(2)
H. D. Williams	1954-1958	(4)
A. M. Phillips	1958-1962	(4)
C. Raymond Spain	1962-1964; 1968-1970	(4)
Ralph E. Williams	1964-1968	(4)
G. W. Lane	1970-1974	(4)
Floyd J. Timmerman	1974-	( )

Este nombramiento no era de carácter oficial hasta 1924.
1924-1927 nominado por el Consejo de Doce, electo por la Asamblea General.
1928-1939 Recomendado por los Consejos de Doce y Setenta, electo por la Asamblea General.
Desde 1930, nominado por el Consejo General, electo por la Asamblea General.

Tabla 4
COMITE EJECUTIVO GENERAL[1]

A. J. Tomlinson[2]	1922-1923	(1)
F. J. Lee[3]	1922-1928	(6)
J. S. Llewellyn	1922-1927	(5)
J. B. Ellis	1923-1924; 1926-1932	(7)
T. S. Payne	1924-1932	(8)
S. W. Latimer	1926-1939	(13)
E. J. Boehmer	1926-1944; 1945-1946	(19)
J. W. Culpepper	1926-1927; 1929-1932	(4)
G. A. Fore	1926-1929	(3)
Alonzo Gann	1926-1927; 1929-1932	(4)
Efford Haynes	1926-1932	(6)
M. S. Lemons	1926-1929	(3)
T. L. McLain	1926-1929	(3)
J. A. Self	1926-1932	(6)
R. P. Johnson	1927-1932; 1937-1944	(12)
M. W. Letsinger	1927-1929; 1930-1931	(3)
S. J. Heath	1927-1929	(2)
E. C. Clark	1929-1935; 1942-1944	(8)
J. L. Goins	1929-1930	(1)
E. W. Williams	1929-1932; 1944-1945	(4)
S. J. Wood	1929-1932	(3)
H. N. Scoggins	1930-1932	(2)
J. H. Walker, Sr.	1935-1944	(9)

Zeno C. Tharp	1937-1944; 1948-1956	(15)
E. L. Simmons	1939-1942; 1944-1945	(4)
Earl P. Paulk, Sr.	1941-1944; 1956-1960	(7)
John C. Jernigan	1944-1948; 1952-1954	(6)
H. L. Chesser	1944-1954	(10)
Paul H. Walker	1944-1945	(1)
A. V. Beaube	1944-1945	(1)
J. D. Bright	1944-1945	(1)
R. R. Walker	1946-1950	(4)
Houston R. Morehead	1950-1958	(8)
Charles W. Conn	1952-1956; 1962-1970	(12)
James A. Cross	1954-1962	(8)
H. D. Williams	1954-1962	(8)
A. M. Phillips[4]	1958-1962	(4)
Wade H. Horton	1960-1966; 1968-1976	(14)
C. Raymond Spain	1962-1970	(8)
R. Leonard Carroll[5]	1964-1972	(8)
Ralph E. Williams	1964-1968	(4)
Vessie D. Hargrave	1964-1968	(4)
Ray H. Hughes	1966-1974; 1976-	( )
Cecil B. Knight	1970-	( )
G. W. Lane	1970-1974	(4)
W. C. Byrd[6]	1972-1974	(2)
T. L. Lowery	1974-	( )
J. Frank Culpepper	1974-	( )
Floyd J. Timmerman	1974-	( )

[1]Nombrado Consejo Ejecutivo de 1922 a 1926; Junta de Nombramientos de Supervisores de Estado de 1926 a 1952.

[2]Hasta 1922 el Supervisor General hacía todos los nombramientos y tomaba todas las decisiones. El Supervisor General era siempre el presidente del Comité Ejecutivo que consistía de lo siguiente:

1922-1926 Supervisor General, Secretario de Instrucción, Editor y Publicista—total 3.

1926-1932 Supervisor General, Consejo de los Doce—total 13.

1932-1937, Supervisor General, Secretario-Tesorero General, Editor y Publicista-total 3.

1937-1941, Supervisor General, Asistente al Supervisor General, Secretario-Tesorero General, Editor y Publicista, y el Secretario de Instrucción—total 5.

1941-1944, Supervisor General, Dos Asistentes del Supervisor General, Secretario-Tesorero General, Editor y Publicista, y el Secretario de Instrucción—total 6.

1944-1945, Supervisor General, Seis Asistentes al Supervisor General-total 7.

1945-1952, Supervisor General, Asistente al Supervisor General y Secretario-Tesorero General-total 3.

1952-1956, Supervisor General, Dos Asistentes al Supervisor General, Editor y Publicista—total 5.

1956-1964, Supervisor General, Dos Asistentes al Supervisor General, Editor y Publicista.

1956-1964, Supervisor General, Tres Asistentes al Supervisor General, Secretario-Tesorero-total 4.

1964-1968, Supervisor General, Tres Asistentes al Supervisor General, Secretario-Tesorero, Director de Misiones Mundiales-Total 6.

Desde 1968, Supervisor General, Tres Asistentes al Supervisor General y Secretario-Tesorero General-total 5.

[3]Falleció en el servicio en octubre 28 de 1928.

[4]Falleció en el servicio en diciembre 24 de 1962.

[5]Falleció en el servicio en enero 26 de 1972.

[6]Electo al Comité Ejecutivo en febrero de 1972, debido a los cambios que se hicieron necesarios por el fallecimiento de R. Leonard Carroll.

Método de selección:

Buscar bajo los oficios de aquellos que componen el Comité Ejecutivo General en el período a que se refieren.

Tabla 5

EL CONCILIO EJECUTIVO[1]

El Concilio Ejecutivo se compone del Comité Ejecutivo General con un Concilio de Doce que se reunen en sesión conjunta regularmente entre Asambleas Generales. Una comparación de esta tabla con la del Comité Ejecutivo General revelará los años que un individuo sirvió en el Concilio Ejecutivo General mientras servía en el Comité Ejecutivo o como uno de los Doce Consejeros.

A. J. Tomlinson[2]	1917-1923	(6)
F. J. Lee	1917-1928	(11)
T. L. McLain	1917-1929	(12)
T. S. Payne	1917-1941	(24)
M. S. Lemons	1917-1929	(12)
J. B. Ellis	1917-1932	(15)
Sam C. Perry	1917-1924	(7)
M. S. Haynes	1917-1924	(7)
George T. Brouayer[2]	1917-1923	(6)
S. W. Latimer	1917-1941	(24)
E. J. Boehmer	1917-1946	(29)
S. O. Gillaspie[2]	1917-1923	(6)
J. S. Llewellyn	1917-1927	(10)
Alonzo Gann	1924-1927; 1929-1932	(6)
John Attey	1924-1926	(2)
G. A. Fore	1924-1929	(5)
Efford Haynes	1924-1935	(11)
J. A. Self	1924-1933	(9)
J. W. Culpepper	1926-1927; 1929-1934	(6)
R. P. Johnson	1927-1948; 1950-1954	(25)
M. W. Letsinger	1927-1929; 1930-1931	(3)
S. J. Heath	1927-1929	(2)
E. C. Clark	1929-1948	(19)
J. L. Goins	1929-1930	(1)
E. W. Williams	1929-1942; 1943-1948	(18)
S. J. Wood	1929-1933; 1934-1939	(9)

H. N. Scoggins	1930-1935	(5)
Zeno C. Tharp	1932-1934; 1935-1960	(27)
J. H. Curry	1932-1938	(6)
F. M. Ellis[3]	1933-1935; 1938-1943; 1944-1945; 1948-1952; 1954-1958	(16)
Paul H. Walker	1933-1937; 1942-1948; 1950-1954; 1960-1964	(18)
J. H. Walker, Sr.	1934-1948; 1950-1954; 1958-1962	(22)
John C. Jernigan	1935-1954	(19)
John L. Stephens	1935-1939	(4)
R. B. Walker	1937-1944; 1945-1954	(16)
Earl P. Paulk, Sr.	1939-1945; 1946-1950; 1952-1964	(22)
E. L. Simmons	1939-1948; 1950-1952	(11)
H. L. Chesser	1941-1958	(17)
M. P. Cross	1941-1943	(2)
A. V. Beaube	1942-1948; 1950-1952	(8)
J. D. Bright	1942-1943; 1944-1945; 1946-1950; 1952-1956; 1958-1962	(16)
B. L. Hicks	1942-1945	(3)
F. W. Lemons	1942-1946; 1948-1950	(6)
U. D. Tidwell	1942-1946	(4)
Clyde C. Cox	1943-1945	(2)
J. T. Roberts	1943-1946; 1948-1952; 1954-1958; 1964-1966	(13)
J. Stewart Brinsfield	1946-1950	(4)
Houston R. Morehead	1946-1962; 1966-1970	(20)
Albert H. Batts	1948-1950	(2)
W. E. Johnson	1948-1952; 1954-1958; 1960-1964	(12)
James L. Slay	1948-1952; 1954-1958; 1960-1964; 1966-1970	(16)
A. M. Phillips[4]	1948-1952; 1956-1962	(10)
Charles W. Conn	1952-1960; 1962-1974; 1976-	( )
James A. Cross	1952-1966; 1968-1972; 1974-	( )
H. D. Williams	1952-1966	(14)
John L. Byrd	1952-1956; 1962-1964	(6)
T. W. Godwin[5]	1952-1953	(1)
J. H. Hughes	1952-1956	(4)
Wade H. Horton	1952-1956; 1958-	( )
L. H. Aultman	1954-1958; 1960-1962; 1964-1968	(10)
J. Frank Spivey	1954-1958	(4)
Ray H. Hughes	1956-1960; 1962-	( )
Ralph E. Williams	1956-1960; 1962-1972; 1974-	( )
H. B. Ramsey	1958-1962; 1964-1968	(8)
W. C. Byrd	1958-1962; 1968-	( )
C. Raymond Spain	1958-1974; 1976-	( )
D. C. Boatwright	1958-1962	(4)
F. W. Goff	1962-1966; 1968-1972; 1976-	( )
David L. Lemons	1962-1966; 1968-1972	(8)
G. W. Lane	1962-1966; 1970-1974	(8)
R. Leonard Carroll[6]	1964-1972	(8)
Vessie D. Hargrave	1964-1972; 1974-1976	(10)

T. L. Lowery	1964-1968; 1970-	( )
Floyd J. Timmerman	1964-1968; 1970-	( )
William J. Brown	1964-1968	(4)
Cecil B. Knight	1966-	( )
John D. Smith	1966-1970; 1972-1976	(8)
D. A. Biggs	1966-1970; 1974-	( )
O. W. Polen	1966-1970; 1972-1976	(8)
J. Frank Culpepper	1970-	( )
George W. Alford	1970-1974; 1976-	( )
Paul F. Henson	1972-1976	(4)
P. H. McCarn	1972-1976	(4)
John D. Nichols	1972-1976	(4)
E. C. Thomas	1972-1976	(4)
Bennie S. Triplett	1976-	( )
Gene D. Rice	1976-	( )
Raymond E. Crowley	1976-	( )

[1]Llamado Consejo de Ancianos hasta 1929; Consejo Supremo de 1929 al 1964.
[2]Posiciones del Consejo, dejadas vacantes por acusación en 1923, se llenaron en la Asamblea de 1924.
[3]Falleció el 31 de diciembre de 1957. [5]Falleció el 22 de mayo de 1953.
[4]Falleció el 24 de diciembre de 1962. [6]Falleció el 26 de enero de 1972.

1917-1925, el Supervisor General seleccionaba dos; después éste con los otros dos seleccionaban los diez restantes.
1926—Electo por el Consejo General en grupos de tres, quienes servían por el término de cuatro años, expirando alternadamente, de manera que fuera necesario seleccionar cada año a tres de los consejeros.
1927-1928, los tres hombres a ser electos eran escogidos por el Consejo de los Doce y Setenta de los seis nombres nominados por el Supervisor General.
1929—El Supervisor General seleccionaba uno; y la Asamblea General seleccionaba uno—total 2; éstos dos consejeros seleccionaban uno; total 3; los tres consejeros seleccionaban dos, total 5; los cinco consejeros seleccionaban dos, total 7; los siete consejeros seleccionaban dos, total 9; los nueve consejeros seleccionaban tres para el total de doce.

Desde 1930, electo por el Consejo General.

———————————————

Tabla 6
DIRECTORES EJECUTIVOS DEL DEPARTAMENTO DE MINISTERIO A LOS MILITARES

H. D. Williams	1960-1962	(2)
Charles W. Conn	1962-1966	(4)
C. Raymond Spain	1966-1970	(4)
Cecil B. Knight	1970-1976	(6)
J. Frank Culpepper	1976-	( )

No era una posición a tiempo completo. Un miembro del Comité ejecutivo es designado por el Supervisor General para que sirva como Director Ejecutivo.

Tabla 7

DIRECTORES DE RELACIONES PUBLICAS

Charles W. Conn	1960-1962	(2)
Lewis J. Willis	1962-1966; 1972-	( )
Hollis L. Green	1966-1972	(6)

Esta posición era desempeñada por el Editor en Jefe hasta 1966. Desde 1966, nombrado por el Comité Ejecutivo.

Tabla 8

SINDICOS — GENERALES

J. S. Llewellyn	1916-1927	(11)
M. S. Lemons	1916-1929	(13)
T. L. McLain	1916-1937	(21)
George T. Brouayer	1916-1923	(7)
T. S. Payne	1916-1936	(20)
J. B. Ellis	1923-1924	(1)
S. W. Latimer	1924-1940	(16)
E. M. Ellis	1927-1946	(19)
I. C. Barrett	1929-1939	(10)
E. J. Boehmer	1936-1945; 1952-1953	(10)
E. W. Williams	1937-1944	(7)
Glover P. Ledford	1939-1956	(17)
R. P. Johnson	1940-1943	(3)
W. J. Milligan	1943-1945	(2)
E. C. Clark	1944-1950	(6)
T. W. Godwin	1945-1952	(7)
J. A. Bixler	1945-1952	(7)
J. A. Muncy	1946-1952	(6)
Cecil Bridges	1950-1956	(6)
Lee Bell	1952-1962	(10)
Luther Carroll, Sr.	1952-1958	(6)
Russell Fowler	1953-	( )
E. C. Thomas	1956-1962	(6)
J. Haynes Lemons	1956-	( )
Paul Carroll	1958-	( )
Joshua E. Thomas	1962-	( )
H. Bernard Dixon	1962-1968	(6)
H. D. Williams	1968-1970	(2)
Harold D. Medford	1970-	( )

1916-1942—nombrado por el Supervisor General.
Desde 1943, nombrado por el Comité Ejecutivo.

Tabla 9

SUPERVISORES DE IGLESIAS NEGROIDES

Thomas J. Richardson[1]	1922-1923	(1)
David LaFleur	1923-1928	(5)
J. H. Curry	1928-1939	(11)
N. S. Marcelle	1939-1945	(6)
W. L. Ford	1945-1950; 1954-1958	(9)
George A. Wallace	1950-1954	(4)
J. T. Roberts	1958-1965	(7)
David L. Lemons	1965-1966	(1)
H. G. Poitier	1966-1968[2]	(2)

[1]Sirvió menos de un año.

[2]Esta posición nacional fue descontinuada debido a la integración de las iglesias de blancos y negros.

Nombrado por el Comité Ejecutivo.

Tabla 10

REPRESENTANTES DE ASUNTOS NEGROIDES

H. G. Poitier	1968-1970	(2)
W. C. Byrd	1972-1974	(2)
J. Frank Culpepper	1974-1976	(2)
T. L. Lowery	1976-	( )

1968-1970 nombrado por el Comité Ejecutivo.

Desde 1972, ocupado por un miembro del Comité Ejecutivo.

EDUCACION

Tabla 11

JUNTA DE DIRECTORES DEL COLEGIO LEE[1]

J. B. Ellis	1926-1928	(2)
Frank W. Lemons	1926-1929; 1942-1946	(7)
Alonzo Gann	1926-1936	(10)
J. A. Muncy	1926-1936	(10)
P. F. Fritz	1926-1936	(10)
E. M. Ellis	1928-1936	(8)
H. L. Whittington	1929-1936	(7)
U. D. Tidwell	1936-1943; 1946-1948	(9)

Sam C. Perry	1936-1938	(2)
Robert Bell	1936-1938	(2)
E. C. Clark	1938-1942; 1945-1946	(5)
R. P. Johnson	1938-1941	(3)
M. P. Cross	1940-1942	(2)
E. M. Tapley	1940-1945	(5)
J. D. Bright	1941-1944	(3)
J. T. Roberts	1942-1944	(2)
B. L. Hicks	1943-1944	(1)
R. R. Walker	1944-1946	(2)
J. H. Hughes	1944-1946	(2)
C. J. Hindmon	1944-1952	(8)
J. H. Walker, Sr.	1946-1948	(2)
A. V. Beaube	1946-1950	(4)
Houston R. Morehead	1946-1950	(4)
H. D. Williams	1948-1952	(4)
L. H. Aultman	1948-1957	(9)
James A. Cross	1950-1954	(4)
John L. Byrd	1950-1958	(8)
John L. Meares	1952-1956	(4)
D. C. Boatwright	1952-1966	(14)
H. L. Chesser	1954-1960	(6)
James A. Stephens	1956-1968	(12)
Lewis J. Willis	1958-1962; 1970-1972	(6)
James L. Slay	1958-1962	(4)
Lee Watson	1958-1968	(10)
J. P. Johnson	1958-1962	(4)
A. V. Howell	1960-1964	(4)
W. Paul Stallings	1962-1974	(12)
David L. Lemons	1962-1964	(2)
Virgil W. Smith	1962-1964	(2)
Cecil B. Knight	1964-1968	(4)
Grady P. O'Neal	1964-1968	(4)
H. D. Williams	1964-1966	(2)
Donald B. Gibson	1966-1970	(4)
Philemon G. Roberts	1966-1974	(8)
Ralph E. Williams	1968-	( )
Louis H. Cross	1968-1976	(8)
Thurman J. Curtsinger	1968-1972	(4)
Fred P. Hamilton	1968-	( )
William A. Lawson	1968-1976	(8)
Lynwood Maddox	1968-1974	(6)
F. J. May	1968-1976	(8)
H. B. Ramsey	1968-1976	(8)
Russell C. Miller	1970-1972	(2)
Bill Higginbotham	1972-	( )
William G. Squires	1972-1976	(4)
Garold D. Boatwright	1972-1976	(4)
Paul L. Walker	1974-	( )
H. W. Babb	1974-	( )
Clifford V. Bridges	1974-	( )

E. C. Thomas	1976-	( )
Elton Chalk	1976-	( )
Richard L. Tyler, Jr.	1976-	( )
Robert E. Daugherty	1976-	( )
Paul F. Barker	1976-	( )
Cleo Watts	1976-	( )

[1]Llamada Junta de Educación de 1926 a 1936.

1926, El Superintendente General seleccionaba al primer hombre, el Consejo de Doce el segundo, el Consejo de Setenta al tercero, luego los tres miembros de la Junta seleccionaban a los diez restantes.

1927-1942 nombrado por el Superintendente General.

Desde 1943, nombrado por el Comité Ejecutivo.

Tabla 12

PRESIDENTES DEL COLEGIO LEE[1]

A. J. Tomlinson	1918-1922	(4)
F. J. Lee	1922-1923	(1)
J. B. Ellis	1923-1924	(1)
T. S. Payne	1924-1930	(6)
J. H. Walker, Sr.	1930-1935; 1944-1945	(6)
Zeno C. Tharp	1935-1944	(9)
E. L. Simmons	1945-1948	(3)
J. Stewart Brinsfield[2]	1948-1951	(2)
John C. Jernigan	1951-1952	(1)
R. Leonard Carroll	1952-1957	(5)
R. L. Platt	1957-1960	(3)
Ray H. Hughes	1960-1966	(6)
James A. Cross	1966-1970	(4)
Charles W. Conn	1970-	( )

[1]Llamado Superintendente de Educación, 1918 a 1947.

El Colegio Lee era conocido como la *Escuela de Adiestramiento Bíblico,* de 1918 a 1941, y *Escuela de Adiestramiento Bíblico y Colegio* de 1941-1947.

[2]Sirvió 2-1/2 años; la posición de presidente interino fue ocupada por Earl M Tapley, Decano.

1918-1921 — El Superintendente General sirvió como Superintendente de Educación.

1922-1925 Nominado por el Consejo de Doce, electo por la Asamblea.

1926-1935 seleccionado por la Junta de Educación.

1936-1941 Nominado por el Consejo General, electo por la Asamblea.

Desde 1942, seleccionado por la Junta de Directores del Colegio Lee.

Tabla 13

PRESIDENTES DEL COLEGIO BIBLICO DEL NOROESTE[1]

F. W. Lemons	1935-1937	(2)
D. C. Boatwright	1937-1939	(2)
Glyndon Logsdon	1939-1943; 1944-1945	(5)
E. E. Coleman	1943-1944	(1)
C. C. McAfee	1946-1948	(2)
T. M. McClendon	1948-1949	(1)
Glynn C. Pettyjohn	1949-1951	(2)
M. G. McLuhan	1951-1953	(2)
L. E. Painter	1953-1956	(3)
W. Paul Stallings	1956-1958	(2)
Paul H. Walker	1958-1964	(6)
Laud O. Vaught	1964-	( )

[1]Conocido como Academia Bíblica y de Música del Noroeste hasta 1958.
1935-1964 El Superintendente de las Dakotas era el presidente *ex-officio.* Desde 1964, *seleccionado* por la Junta de Directores del Colegio Bíblico del Noroeste.

Tabla 14

PRESIDENTES DEL COLEGIO BIBLICO DE LA COSTA OESTE

J. H. Hughes[1]	1949-1950	(1)
H. B. Ramsey	1950-1954	(4)
Ralph E. Williams	1954-1958	(4)
L. W. McIntyre	1958-1962; 1968-1969	(5)
Floyd J. Timmerman	1962-1966	(4)
Wayne S. Proctor	1966-1968	(2)
R. Terrell McBrayer	1969-1971	(2)
Horace S. Ward, Jr.	1971-	( )

[1]J. H. Hughes sirvió como presidente desde la inauguración de la escuela el 16 de febrero de 1949, hasta la Asamblea de 1950, o sea, un año y medio.

1949-1969, el Superintendente del Estado de California era el presidente *exofficio.*

Desde 1969 seleccionado por la Junta de Directores del Colegio Bíblico de la Costa Oeste.

Tabla 15

DIRECTORES DE EDUCACION GENERAL

R. Leonard Carroll[1]	1968-1970	(2)
Ray H. Hughes[1]	1970-1972	(2)
Cecil B. Knight[1]	1972-1974	(2)
Robert White	1974-1976	(2)
Robert E. Fisher	1976-	( )

**[1]Un miembro del Comité Ejecutivo sirvió como director de 1968 a 1974.
Desde 1964, nombrado por el Comité Ejecutivo.**

Tabla 16

JUNTA DE EDUCACION GENERAL

H. D. Williams	1968-1976	(8)
James M. Beaty	1968-1974	(6)
Robert E. Fisher	1968-1976	(8)
Albert M. Stephens	1968-1976	(8)
Robert White	1968-1974	(6)
David Lanier	1974-	( )
Robert D. Crick	1974-	( )
French L. Arrington	1974-	( )
Walter Barwick	1976-	( )
H. Allen Gross	1976-	( )
Harold Stephens	1976-	( )
William T. George	1976-	( )

Nombrado por el Comité Ejecutivo

Tabla 17

ESCUELA GRADUADA DE MINISTERIOS CRISTIANOS JUNTA DE DIRECTORES

R. H. Sumner	1975-	( )
Donald S. Aultman	1975-	( )
Walter P. Atkinson	1975-1976	(1)
J. Herbert Walker, Jr.	1975-1976	(1)
Robert A. Blackwood	1975-	( )
Richard Dillingham	1976-	( )
Philemon Roberts	1976-	( )

Nombrado por el Comité Ejecutivo.

EVANGELIZACION

Tabla 18

JUNTA DE EVANGELIZACION Y MISIONES DOMESTICAS

C. Raymond Spain	1956-1958	(2)
Doyle Stanfield	1956-1960	(4)
Ray H. Hughes	1956-1960	(4)
G. W. Lane[2]	1956-1963	(7)
W. Edwin Tull[2]	1956-1960	(4)
C. S. Grogan[2]	1956-1960	(4)
L. Luther Turner	1958-1960	(2)

Ralph E. Williams	1960-1964		(4)
Walter R. Pettitt	1960-1963		(3)
A. M. Phillips[3]	1962		
W. H. Compton	1962-1968		(6)
John D. Smith	1964-1968		(4)
J. Frank Culpepper	1964-1966		(2)
Gene D. Rice	1964-1966;	1972-1976	(6)
John D. Nichols	1964-1970		(6)
Curtis Hill	1966-1968		(2)
Mark G. Summers	1966-1968		(2)
B. E. Ellis	1968-1976		(8)
Carl H. Richardson	1968-1972		(4)
Harvey L. Rose	1968-1976		(8)
Bennie S. Triplett	1968-1976		(8)
Aubrey D. Maye	1970-		( )
William E. Winters	1972-1976		(4)
Ray H. Sanders	1972-		( )
V. R. Mitchell	1976-		( )
Robert E. Blazier	1976-		( )
W. E. Dowdy	1976-		( )
J. D. Golden	1976-		( )
Bill J. Webb	1976-		( )

[1]Llamado Comité de Evangelización Nacional de 1956 a 1960; Comité de Evangelización y Música Nacional de 1960 a 1964.

[2]Miembro del Comité Nacional de Música antes de que los dos Comités fueran unidos en 1960.

[3]Fallecido en servicio activo el 24 de diciembre de 1962.

Nombrado por el Comité Ejecutivo.

Tabla 19

DIRECTORES DE EVANGELISMO Y MISIONES DOMESTICAS

Walter R. Pettitt	1963-1968	(5)
Cecil B. Knight	1968-1970	(2)
C. Raymond Spain	1970-1974	(4)
John D. Nichols	1974-	( )

1963, nombrado por el Comité Ejecutivo.
Desde 1964, nominado por el Consejo General, electo por la Asamblea General.

Tabla 20

COMITE DE ARQUITECTURA

Walter R. Pettitt	1964-1968	(4)
Lowell T. Shoemaker[1]	1964-	( )
M. Fred Taylor[1]	1964-1976	(12)
Cecil B. Knight	1968-1970	(2)
Gene D. Rice	1968-1972	(4)
William E. Winters	1968-1972	(4)
C. Raymond Spain	1970-1974	(4)
L. E. Heil	1972-	( )
L. D. Hudson	1972-	( )
John D. Nichols	1974-	( )
James Ezell[1]	1976-	( )

[1]Consejero del Comité.
Nombrado por el Comité Ejecutivo.

Tabla 21

JUNTA DE LAICOS

Lynwood Maddox	1966-1968	(2)
Charles R. Beach	1966-1974	(8)
Arthur Hodge	1966-1968; 1976-	( )
H. A. Madden	1966-1970	(4)
J. D. Silver	1966-1976	(10)
Farrell R. Cornutt	1968-1976	(8)
Lee Watson	1968-1972	(4)
Robert D. Annis	1970-1974	(4)
Al Taylor	1972-1976	(4)
John Shambach	1974-	( )
Wilson Kilgore	1974-	( )
J. C. Childers	1976-	( )
Robert Gaines	1976-	( )

Nombrado por el Comité Ejecutivo.

BENEVOLENCIAS

Tabla 22

DEPARTAMENTO DE DIRECTORES DE BENEVOLENCIAS

F. R. Harrawood	1943-1944	(1)
J. A. Muncy	1944-1948	(4)
William F. Dych	1948-1953	(5)
R. R. Walker	1953-1956	(3)

Cecil Bridges	1956-1964	(8)
P. H. McCarn	1964-1970	(6)
E. K. Waldrop	1970-1972	(2)
B. A. Brown	1972-1976	(4)
W. J. Brown	1976-	( )

[1]Llamados Superintendentes de Orfanatorios de 1943 al 1954. Superintendentes para Casas de Niños de 1954 a 1974.
Nombrado por el Comité Ejecutivo.

———————————

Tabla 23

JUNTA DEL DEPARTAMENTO DE BENEVOLENCIAS[1]

J. B. Ellis	*c.* 1920-1924	(4)
J. S. Llewellyn	*c.* 1920-1927	(7)
T. L. McLain	*c.* 1920-1927; 1929-1931	(9)
F. J. Lee	1924-1928	(4)
S. W. Latimer[2]	1927-1935	(8)
I. C. Barrett[2]	1927-1935	(8)
E. J. Boehmer	1931-1935; 1943-1944	(5)
R. R. Walker[3]	1935-1939; 1946-1953	(11)
Zeno C. Tharp	1935-1939	(4)
M. P. Cross	1935-1936	(1)
W. J. Milligan	1936-1938	(2)
D. B. Yow	1938-1941	(3)
E. L. Simmons	1939-1941	(2)
John C. Jernigan	1939-1941	(2)
J. D. Bright	1941-1942	(1)
Russell Huff	1941-1943	(2)
F. R. Harrawood	1941-1943	(2)
Robert E. Blackwood	1942-1943	(1)
L. H. Aultman	1943-1944	(1)
U. D. Tidwell	1943-1946	(3)
E. M. Ellis	1944-1945	(1)
T. A. Richard	1944-1945	(1)
James A. Cross	1945-1950	(5)
John D. Smith	1945-1950	(5)
E. C. Clark	1946-1948	(2)
J. M. Baldree	1948-1954	(6)
J. Frank Spivey	1950-1954	(4)
Houston R. Morehead	1950-1952	(2)
William F. Dych	1950-1952	(2)
John E. Douglas	1952-1954	(2)
H. L. Chesser	1952-1954	(2)
C. B. Godsey	1953-1954	(1)
Howard Russell	1954-1956	(2)
Cleo Watts	1954-1956	(2)

C. H. Webb	1954-1960	(6)
H. D. Williams	1954-1958	(4)
B. L. Alford	1954-1956	(2)
Lloyd L. Jones.	1956-1964	(8)
Floyd J. Timmerman	1956-1958	(2)
Claude E. Yates	1956-1958	(2)
A. M. Phillips	1958-1962	(4)
T. W. Day	1958-1960	(2)
L. G. Alford	1958-1960	(2)
E. K. Waldrop	1960-1964	(4)
R. Leonard Carroll	1960-1964	(4)
C. J. Hindmon	1960-1962	(2)
C. Raymond Spain	1962-1964	(2)
Charles E. Tilley	1962-1968	(6)
W. Doyle Stanfield	1964-1970	(6)
Earl F. Causey	1964-1970	(6)
James H. Kear	1964-1966; 1968-1974	(8)
Sylvia Norman Britt[1]	1964-	( )
Garland Griffis	1964-1968	(4)
Lucille Walker	1964-1966	(2)
Anna Mae Carroll	1966-1972	(6)
Marshall E. Roberson	1966-1972	(6)
Earl T. Golden	1968-1974	(6)
James A. Stephens	1970-1976	(6)
B. J. Moffett	1970-1972	(2)
Mildred Lowery	1970-1974	(4)
Otis Clyburn	1972-	( )
Mrs. T. A. Perkins	1972-	( )
Warren Beavers	1972-	( )
Jeffrey F. Simpson	1974-	( )
Mrs. O. L. May	1974-	( )
Jewel L. Travis	1974-	( )
Aubrey C. Lowery	1976-	( )
P. F. Taylor	1976-	( )

[1]Llamado Junta de Orfanatorios de 1920 a 1956; Junta de Casas para Niños de 1956 a 1974.

[2]Nombrado por el Superintendente General entre Asambleas, ratificado por la Asamblea de 1928.

[3]Desde 1946, el Secretario-Tesorero General es miembro automáticamente.

[4]Consejero desde 1970.

1920-1942, nombrado por el Supervisor General.

Desde 1943, nombrado por el Comité Ejecutivo.

PUBLICACIONES

Tabla 24

EDITORES EN JEFE

A. J. Tomlinson	1910-1922	(12)
J. S. Llewellyn	1922-1927	(5)

S. W. Latimer	1927-1928; 1935-1939	(5)
M. W. Letsinger	1928-1931	(3)
R. P. Johnson[2]	1931-1932	(1)
E. C. Clark[3]	1932-1935; 1942-1946	(7)
E. L. Simmons	1939-1942	(3)
J. H. Walker, Sr.	1946-1948	(2)
J. D. Bright	1948-1952	(4)
Charles W. Conn	1952-1962	(10)
Lewis J. Willis	1962-1970	(8)
O. W. Polen	1970-	( )

[1]Llamado Editor y Publicador de 1910 a 1944; Editor de Administración de 1944 a 1946.

[2]Sirvió concurrentemente como Asistente al Supervisor General.

[3]Sirvió concurrentemente como Asistente al Supervisor General de 1933 a 1934.

1910-1921 electo por la Asamblea General.
1922-1925 nominado por el Consejo de los Doce, electo por la Asamblea General.
1926-1929 Seleccionado por el Comité de Publicación.
1930-1954 Nominado por el Consejo General, electo por la Asamblea General.
Desde 1956 nombrado por el Consejo Ejecutivo y Junta de Publicaciones y Editorial.

Tabla 25

PUBLICADO

E. C. Clark	1946-1948	(2)
A. M. Phillips	1948-1950	(2)
Cecil Bridges	1950-1955	(5)
E. C. Thomas	1955-1970	(15)
F. W. Goff	1970-	( )

[1]El Editor y Publicador sirvió como Gerente de Comercio hasta 1946. Llamados Gerentes de Comercio de la Casa de Publicaciones de 1946 a 1950.

Nombrados por el Consejo Ejecutivo y la Junta de Publicaciones y Editorial.

Tabla 26

EDITORES DE LA SENDA ILUMINADA

Alda B. Harrison	1929-1948	(19)
Charles W. Conn	1948-1952	(4)
Lewis J. Willis	1952-1962	(10)
Clyne W. Buxton	1962-	( )

Publicada privadamente hasta 1936.

1937-1950 seleccionados por la Junta de Publicaciones y Editorial.

Tabla 26

1937-1950 seleccionados por la Junta de Publicaciones y Editorial.

Tabla 27

EDITORES DE MUSICA[1]

Otis L. McCoy	1934-1945; 1947-1952; 1958-1961	(19)
V. B. (Vep) Ellis	1945-1946;[1] 1952-1956	(5)
A. C. Burroughs	1956-1958	(2)
Connor B. Hall	1961-	( )

[1]Posición vacante desde el 1 de septiembre de 1946 hasta el 1 de enero de 1947.

1934-1937 nominado por el Consejo General, electo por la Asamblea general. 1938-1944 Seleccionado por el Editor y Publicador y por la Junta de Publicaciones y Editorial.

Desde 1945, seleccionado por el Editor en Jefe, la Junta de Publicaciones y Editorial, y el Publicador.

Tabla 28

JUNTA DE PUBLICACIONES Y EDITORIAL

A. J. Tomlinson	1910-1916	(6)
T. L. McLain	1910-1916; 1926-1930	(10)
F. J. Lee	1910-1922	(12)
M. S. Lemons	1910-1916; 1919-1922	(9)
Sam C. Perry	1910-1916	(6)
A. J. Lawson	1910-1922	(12)
George T. Brouayer	1910-1922	(12)
R. M. Singleton	1913-1916	(3)
J. L. Scott	1913-1919	(6)
T. S. Payne	1916-1922	(6)
Louis Purcell	1926-1927	(1)
E. C. Clark	1926-1927	(1)
W. S. Wilemon	1926-1927	(1)
J. W. Culpepper	1926-1927	(1)
E. M. Ellis	1927-1930	(3)
George D. Lemons	1927-1930	(3)
W. D. Childers	1927-1930	(3)
I. C. Barrett	1927-1930	(3)
Zeno C. Tharp	1935-1941; 1956-1962	(12)
R. R. Walker	1935-1937	(2)
M. P. Cross	1935-1938	(3)
R. P. Johnson	1937-1939	(2)
E. L. Simmons	1938-1939; 1950-1956	(7)
John C. Jernigan	1939-1941	(2)
Earl P. Paulk, Sr.	1939-1942	(3)
J. D. Bright	1941-1942	(1)
Robert E. Blackwood	1941-1942	(1)
A. V. Beaube	1942-1944	(2)
Linwood Jacobs	1942-1943	(1)

W. E. Johnson	1942-1944	(2)
A. H. Batts	1943-1946	(3)
L. W. McIntyre	1944-1945	(1)
J. A. Bixler	1944-1950	(6)
J. D. Free	1945-1946	(1)
James L. Slay	1946-1950	(4)
D. C. Boatwright	1946-1948	(2)
T. W. Godwin	1946-1952	(6)
S. Whitt Denson	1946-1952	(6)
V. D. Combs	1948-1954	(6)
W. P. Stallings	1950-1956	(6)
H. D. Williams	1952-1954	(2)
W. J. (Bill) Brown	1952-1968	(16)
J. Frank Spivey	1954-1966	(12)
Marshall E. Roberson	1954-1960	(6)
H. T. Statum	1954-1958	(4)
E. O. Byington	1954-1958	(4)
W. C. Byrd	1956-1964	(8)
E. O. Kerce	1958-1962	(4)
Ralph W. Tedder	1958-1972	(14)
William H. Pratt	1960-1964	(4)
G. Frank Dempsey	1962-1972	(10)
P. H. McSwain	1962-1972	(10)
F. W. Goff	1964-1970	(6)
H. L. Rose	1964-1966	(2)
Robert J. Johnson	1966-1968	(2)
Walter C. Mauldin	1966-1974	(8)
Paul J. Eure	1968-1976	(8)
O. W. Polen	1968-1970	(2)
Elmer E. Golden	1970-1976	(6)
O. C. McCane	1970-	( )
B. G. Hamon	1972-1976	(4)
J. Newby Thompson	1972-	( )
W. W. Thomas	1972-	( )
James D. Jenkins	1974-	( )
Owen McManus	1976-	( )
John Gilbert	1976-	( )
Leon Phillips	1976-	( )

[1]Llamado Comité de Publicación hasta 1930; de 1935 a 1946 Comité de Intereses de Publicación.

El Comité de Publicación fue descontinuado en 1922, y reactivado en 1926; descontinuado otra vez en 1930, y reactivado como Comité de Interes de Publicación en 1935.

1910-1925 electo por la Asamblea General.
1926, el Supervisor General seleccionaba al primer hombre, el Consejo de Doce seleccionaba al segundo hombre y el Consejo de los Setenta al tercer hombre. Luego estos tres hombres de la Junta seleccionaban los dos hombres restantes.
1927-1930; 1935-1942 nombrado por el Supervisor General.
Desde 1943, nombrado por el Comité Ejecutivo.

MISIONES MUNDIALES

Tabla 29

SECRETARIOS EJECUTIVOS DE MISIONES MUNDIALES

M. P. Cross	1942-1946	(4)
J. Stewart Brinsfield	1946-1948	(2)
J. H. Walker, Sr.	1948-1952	(4)
Paul H. Walker	1952-1958	(6)
L. H. Aultman	1958-1964	(6)
Vessie D. Hargrave[1]	1964-1968	(4)
James L. Slay	1968-1970	(2)
W. E. Johnson[2]	1970-1973	(3)
T. L. Forester	1973-1976	(3)
Robert White	1976-	( )

[1]**Llamado Director General de Misiones Foráneas, 1964-1968.**
[2]Renunció en abril, 1973, debido a enfermedad.

Nombrado por el Comité Ejecutivo.

Tabla 30

REPRESENTANTES DE AREA DE MISIONES FORANEAS

J. H. Ingram	1935-1938; 1939-1947	(11)
Paul H. Walker	1938-1939	(1)
Wade H. Horton	1952-1958	(6)
C. Raymond Spain	1958-1962	(4)
James L. Slay	1962-1968	(6)
T. L. Forester[1]	1968-1973	(5)
Jim O. McClain	1974-	( )

[1]Elevado a Secretario Ejecutivo de Misiones Mundiales, Mayo de 1973.

Nombrado por el Comité Ejecutivo.

Tabla 31

JUNTA DE MISIONES MUNDIALES

R. P. Johnson	1926-1930	(4)
E. L. Simmons	1926-1930	(4)
E. M. Ellis	1926-1932	(6)
M. W. Letsinger	1926-1929	(3)
M. P. Cross	1926-1942; 1946-1952	(22)
J. P. Hughes	1929-1936	(7)

E. W. Williams	1930-1941	(11)
Zeno C. Tharp	1930-1945	(15)
E. C. Clark	1932-1944	(12)
T. M. McClendon	1936-1939; 1945-1948	(6)
E. E. Winters	1939-1941	(2)
Earl P. Paulk, Sr.	1941-1943; 1952-1956	(6)
H. L. Chesser	1941-1944	(3)
J. Stewart Brinsfield	1942-1946	(4)
John C. Jernigan	1943-1944	(1)
Carl Hughes	1944-1945	(1)
George D. Lemons	1944-1950	(6)
J. L. Goins	1944-1946	(2)
Paul H. Walker	1945-1952	(7)
A. M. Phillips	1946-1958	(12)
Wade H. Horton	1948-1953	(5)
J. H. Hughes	1950-1952	(2)
T. Raymond Morse	1950-1958	(8)
W. E. Johnson	1950-1968	(18)
J. H. Walker, Sr.	1952-1958	(6)
S. E. Jennings	1952-1964	(12)
D. A. Biggs	1953-1970	(17)
T. L. Forester	1956-1968	(12)
L. H. Aultman	1957-1958	(1)
John D. Smith	1958-1960	(2)
Houston R. Morehead	1958-1962	(4)
J. D. Bright	1958-1962	(4)
H. B. Ramsey	1960-1966	(6)
P. H. McCarn	1962-1964	(2)
Wayne Heil	1962-1966	(4)
Estel D. Moore	1964-1972	(8)
Herschel L. Diffie	1964-1968	(4)
Antonio Collazo	1966-1974	(8)
John C. McClenden	1966-1970	(4)
A. W. Brummett	1968-1974	(6)
W. E. Dowdy	1968-1970	(2)
Walter R. Pettitt	1968-1976	(8)
James A. Cross	1970-	( )
Billy P. Bennett	1970-1976	(6)
G. M. Gilbert	1970-1976	(6)
W. Edwin Tull	1972-	( )
M. H. Kennedy	1974-	( )
Bob E. Lyons	1974-	( )
Russell Brinson	1976-	( )
Thomas Grassano	1976-	( )
Lamar McDaniel	1976-	( )

1926, el Supervisor General seleccionaba el primer hombre, el Consejo de Doce el segundo, el Consejo de Setenta al tercero, luego los tres miembros de la Junta seleccionaban los dos restantes.

1927-1942, nombrado por el Supervisor General.

Desde 1943, nombrado por el Comité Ejecutivo.

JUVENTUD Y EDUCACION CRISTIANA

Tabla 32

DIRECTORES NACIONALES DE JUVENTUD Y EDUCACION CRISTIANA

Ralph E. Williams	1946-1950	(4)
Lewis J. Willis	1950-1952	(2)
Ray H. Hughes	1952-1956	(4)
O. W. Polen	1956-1960	(4)
Cecil B. Knight	1960-1964	(4)
Donald S. Aultman	1964-1968	(4)
Paul F. Henson	1968-1972	(4)
Cecil R. Guiles	1972-1976	(4)
Floyd D. Carey, Jr.	1976-	( )

[1]Llamado Director Nacional Juvenil del 1946 a 1952; Director General de Juventud y Escuela Dominical de 1952 a 1954; y de 1968 al 1970; Director Nacional de Escuela Dominical y Juventud de 1954 al 1968.

1946—nombrado por el Comité Ejecutivo.
1948—nominado por el Consejo General, electo por la Asamblea General.
1950—nombrado por el Consejo Supremo.
Desde 1952, nominado por el Consejo General, electo por la Asamblea General.

Tabla 33

DIRECTORES ASISTENTES DE JUVENTUD Y EDUCACION CRISTIANA

O. W. Polen	1954-1956	(2)
Cecil B. Knight	1956-1960	(4)
Donald S. Aultman	1960-1964	(4)
Paul F. Henson	1964-1968	(4)
Cecil R. Guiles	1968-1972	(4)
Floyd D. Carey, Jr.	1972-1976	(4)
Lamar Vest	1976-	( )

1954-1960, Nombrado por la Junta de Juventud y Educación Cristiana.
Desde 1962, nominado por el Consejo General, electo por la Asamblea General.

Tabla 34

JUNTA GENERAL DE JUVENTUD Y EDUCACION CRISTIANA[1]

Ralph E. Williams	1946-1952	(6)
Paul Stallings	1946-1950	(4)
Robert Johnson	1946-1948	(2)

E. T. Stacy	1946-1948	(2)
Manuel F. Campbell[2]	1946	
Brady Dennis	1947-1952	(5)
Lewis J. Willis	1948-1954	(6)
Ray H. Hughes	1948-1956	(8)
L. E. Painter	1950-1952	(2)
J. Newby Thompson	1952-1956	(4)
O. W. Polen	1952-1954; 1956-1960	(6)
Earl P. Paulk, Jr.	1952-1958	(6)
Earl T. Golden	1954-1960	(6)
Fred Jernigan	1954-1956	(2)
Ralph E. Day	1956-1962	(6)
Donald S. Aultman	1956-1960	(4)
Hollis Green	1958-1962	(4)
Wallace C. Swilley, Jr.	1960-1962	(2)
Paul Henson	1960-1964	(4)
Clyne W. Buxton	1960-1962	(2)
L. W. McIntyre	1962-1966	(4)
Paul L. Walker	1962-1966	(4)
Thomas Grassano	1962-1974	(12)
Haskell C. Jenkins	1962-1968	(6)
Cecil R. Guiles	1964-1968	(4)
James A. Madison	1966-1970	(4)
Leonard S. Townley[3]	1966-1970	(4)
James F. Byrd	1968-	( )
Floyd D. Carey, Jr.	1968-1972	(4)
Bill F. Sheeks	1968-1976	(8)
Lamar Vest	1968-1972	(4)
Gale A. Barnett	1970-	( )
Elisha Parris	1972-1976	(4)
Travis D. Henderson[4]	1972-1973	(1)
W. A. Davis	1972-	( )
Emerson M. Abbott	1974-1976	(2)
Bill D. Wooten	1974-	( )
Lawrence Leonhardt	1976-	( )
Orville Hagan	1976-	( )
Robert P. Herrin	1976-	( )

[1]Llamada Junta General Juvenil de 1946 a 1962; Junta Nacional de Juventud y Escuela Dominical de 1954 a 1968; Junta General de Juventud y Escuela Dominical de 1952 a 1954; 1968 al 1970.

[2]Sirvió menos de un año.
[3]Falleció el 3 de diciembre de 1970.
[4]Sirvió menos de un año.

Nombrado por el Comité Ejecutivo.

RADIO Y TELEVISION

Tabla 35

MINISTROS NACIONALES DE LA RADIO

Earl P. Paulk, Jr.	1958-1960	(2)
Ray H. Hughes	1960-1963	(3)
G. W. Lane	1963-1966	(3)
Floyd J. Timmerman	1966-1972	(6)
Carl Richardson	1972-	( )

Nombrado por el Consejo Ejecutivo y la Junta de Radio y Televisión.

Tabla 36

JUNTA DE RADIO Y TELEVISION[1]

H. D. Williams	1958-1962	(4)
Ray H. Hughes	1958-1960	(2)
Earl P. Paulk, Jr.	1958-1960	(2)
Roy C. Miller	1960-1962	(2)
W. Edwin Tull	1960-1964	(4)
Marshall E. Roberson	1960-1966	(6)
Clifford V. Bridges	1960-1968	(8)
Charles W. Conn	1962-1964	(2)
Edward L. Williams	1962-1968	(6)
Harold F. Douglas	1964-1966	(2)
Jim O. McClain	1964-1966	(2)
John E. Black	1966-1970	(4)
William E. Lawson	1966-1968	(2)
E. H. Miles	1966-1972	(6)
Charles Mullinax	1966-1974	(8)
Don W. Rhein	1966-1972	(6)
Raymond E. Crowley	1968-1974	(6)
Arthur W. Hodge	1968-1976	(8)
A. V. Howell	1968-1970	(2)
A. M. Dorman	1970-1976	(6)
W. J. Brown	1970-1976	(6)
James R. Hockensmith	1972-	( )
F. L. Braddock	1972-	( )
Don Medlin	1974-	( )
Paul Jones	1974-	( )
Paul F. Henson	1976-	( )
Herbert Benton	1976-	( )
A. A. Ledford	1976-	( )

[1]Llamada Comisión Nacional de la Radio de 1958 a 1962; Comisión Nacional de la Radio y Televisión de 1962 a 1966.

Nombrado por el Comité Ejecutivo.

DAMAS AUXILIARES

Tabla 37

PRESIDENTAS DE LAS DAMAS AUXILIARES[1]

Mrs. Wade H. Horton	1964-1966; 1974-1976	(4)
Mrs. Charles W. Conn	1966-1970	(4)
Mrs. R. Leonard Carroll	1970-1972	(2)
Mrs. Ray H. Hughes	1972-1974	(2)
Mrs. Cecil B. Knight	1976-	( )

[1]Esta organización se conocía como las Trabajadoras Voluntarias hasta 1970. Se organizó formalmente en 1964.

La esposa del Supervisor General es la presidenta *ex officio.*

Tabla 38

SECRETARIAS EJECUTIVAS DE DAMAS AUXILIARES[1]

Ellen B. French	1964-1968	(4)
Willie Lee Darter	1968-	( )

[1]Llamadas Trabajadoras Voluntarias hasta 1970.

Nombrada por el Comité Ejecutivo.

Tabla 39

JUNTA DE DIRECTORAS DE LAS DAMAS AUXILIARES

Mrs. Wade H. Horton[1]	1964-1966; 1968-1976	(10)
Mrs. Charles W. Conn[1]	1964-1970	(6)
Mrs. C. Raymond Spain[1]	1964-1970	(6)
Mrs. R. Leonard Carroll[1]	1964-1972	(8)
Mrs. Ralph E. Williams[1]	1964-1968	(4)
Mrs. Vessie D. Hargrave[1]	1964-1968	(4)
Mrs. G. R. Watson	1964-1966	(2)
Mrs. Willie Lee Darter	1964-1968	(4)
Mrs. W. H. Pratt	1964-1968	(4)
Mrs. Ray H. Hughes[1]	1966-1974; 1976-	( )
Mrs. S. E. Jennings	1966-1974	(8)
Mrs. J. D. Bright	1966-1972	(6)
Mrs. Max Atkins	1968-1970	(2)
Mrs. T. W. Day	1968-1970	(2)
Mrs. Cecil B. Knight[1]	1970-	( )
Mrs. G. W. Lane[1]	1970-1974	(4)

Mrs. Wayne S. Proctor	1970-1976	(6)
Mrs. H. G. Poitier	1970-1976	(6)
Mrs. W. C. Byrd[1]	1972-1974	(2)
Mrs. J. Frank Culpepper[1]	1972-	( )
Mrs. T. L. Lowery[1]	1974-	( )
Mrs. Floyd J. Timmerman[1]	1974-	( )
Mrs. C. E. Landreth	1974-	( )
Mrs. P. H. McSwain	1974-	( )
Mrs. Janet Spencer	1976-	( )
Mrs. Neigel Scarborough	1976-	( )

[1]Miembro *ex-officio; esposa de un miembro del Comité Ejecutivo.*

Nombrada por el Comité Ejecutivo.

ESTADISTICO

Tabla 40

ASAMBLEAS GENERALES

1. 26-27 de enero de 1906, Cherokee County, North Carolina
2. 9-13 de enero de 1907, Bradley County, Tennessee
3. 8-12 de enero de 1908, Cleveland, Tennessee
4. 6-9 de enero de 1909, Cleveland, Tennessee
5. 10-16 de enero de 1910, Cleveland, Tennessee
6. 3-8 de enero de 1911, Cleveland, Tennessee
7. 9-14 de enero de 1912, Cleveland, Tennessee
8. 7-12 de enero de 1913, Cleveland, Tennessee
9. 4-9 de noviembre de 1913, Cleveland, Tennessee
10. 2-8 de enero de 1914, Cleveland, Tennessee
11. 1-7 de enero de 1915, Cleveland, Tennessee
12. 1-7 de enero de 1916, Harriman, Tennessee
13. 1-6 de enero de 1917, Harriman, Tennessee

—No se celebró Asamblea en 1918 debido a una epidemia.

14. 29 de octubre al 4 de noviembre de 1919, Cleveland, Tennessee
15. 3-9 de noviembre de 1920, Cleveland, Tennessee
16. 2-8 de noviembre de 1921, Cleveland, Tennessee
17. 1-7 de noviembre de 1922, Cleveland, Tennessee
18. 1-7 de noviembre de 1923, Cleveland, Tennessee
19. 29 de octubre al 4 de noviembre de 1924, Cleveland, Tennessee
20. 19-25 de noviembre de 1925, Cleveland, Tennessee
21. 18-24 de noviembre de 1926, Cleveland, Tennessee
22. 24-30 de noviembre de 1927, Cleveland, Tennessee
23. 22-28 de noviembre de 1928, Cleveland, Tennessee
24. 21-27 de noviembre de 1929, Cleveland, Tennessee
25. 20-26 de noviembre de 1930, Cleveland, Tennessee
26. 10-16 de noviembre de 1931, Cleveland, Tennessee
27. 8-14 de noviembre de 1932, Cleveland, Tennessee
28. 7-13 de noviembre de 1933, Cleveland, Tennessee
29. 6-12 de noviembre de 1934, Chattanooga, Tennessee
30. 5-11 de noviembre de 1935, Chattanooga, Tennessee

31. 2-8 de octubre de 1936,	Chattanooga, Tennessee
32. 8-14 de octubre de 1937,	Chattanooga, Tennessee
33. 30 de agosto—4 de septiembre, 1938,	Chattanooga, Tennessee
34. 11-15 de octubre de 1939.	Atlanta, Georgia
35. 1-6 de octubre de 1940,	Chattanooga, Tennessee
36. 2-3 de septiembre de 1941,	Chattanooga, Tennessee
37. 1-6 de septiembre de 1942,	Birmingham, Alabama
38. 27-29 de agosto de 1943,	Birmingham, Alabama
39. 28 de agosto—1 de septiembre de 1944,	Columbus, Ohio
40. 2-3 de septiembre de 1945,	Sevierville, Tennessee
41. 29 de agosto al 1 de septiembre de 1946,	Birmingham, Alabama
42. 28-31 de agosto de 1948,	Birmingham, Alabama
43. 24-27 de agosto de 1950,	Birmingham, Alabama
44. 14-17 de agosto de 1952,	Indianapolis, Indiana
45. 17-22 de agosto de 1954,	Memphis, Tennessee
46. 14-18 de agosto de 1956,	Memphis, Tennessee
47. 19-23 de agosto de 1958,	Memphis, Tennessee
48. 16-20 de agosto de 1960,	Memphis, Tennessee
49. 14-18 de agosto de 1962,	Memphis, Tennessee
50. 11-15 de agosto de 1964,	Dallas, Texas
51. 10-15 de agosto de 1966,	Memphis, Tennessee
52. 14-19 de agosto de 1968,	Dallas, Texas
53. 25-31 de agosto de 1970,	St. Louis, Missouri
54. 15-21 de agosto de 1972,	Dallas, Texas
55. 6-12 de agosto de 1974,	Dallas, Texas
56. 17-23 de agosto de 1976,	Dallas, Texas

Tabla 41

MIEMBROS DE LA IGLESIA DE DIOS

Año	E.U.A. y Canadá	Mundial
1886*	8	8
1896	*c.* 130	*c.* 130
1902	*c.* 20	*c.* 20
1903	*c.* 25	*c.* 25
1904	*c.* 39	*c.* 39
1910	1,005	1,005
1911	1,855	1,855
1912	2,294	2,323†
1913	3,056	3,116
1914	4,339	4,568
1915	6,159	6,503
1916	7,690	8,059
1917	10,076	10,566
1919	12,341	12,768
1920	14,606	15,051
1921	18,564	18,998
1922	21,076	21,673

1923	22,394	23,008
1924	23,560	24,220
1925	24,871	25,231
1926	25,000	25,410
1927	25,340	25,819
1928	24,332	24,902
1929	24,891	25,853
1930	25,901	27,149
1931	29,354	30,840
1932	41,680	43,439
1933	46,735	48,638
1934	46,923	49,310
1935	49,644	52,913
1936	57,417	64,614
1937	63,229	75.223
1938	55,424	64,215
1939	58,823	70,423
1940	63,216	83,552
1941	61,660	80,022
1942	61,762	81,508
1943	62,487	83,670
1944	67,137	91,078
1945	72,096	101,441
1946	77,926	115,978
1947	84,598	125,921
1948	93,315	135,452
1949	100,439	160,924
1950	115,425	174,960
1951	122,156	220,780
1952	127,151	229,836
1953	132,343	247,297
1954	138,349	263,676
1955	143,609	278,753
1956	147,929	288,737
1957	150,834	290,995
1958	155,541	304,271
1959	162,589	324,163
1960	170,088	335,297
1961	179,651	351,095
1962‡	190,776	368,795**
1964	206,141	396,227
1966	221,156	449,519
1968	244,261	511,034
1970	263,299	536,236
1972	276,598	600,024
1974	325,727	729,911
1976	361,099	828,643

*No se llevaron récords exactos ni se hicieron reportes estadísticos hasta 1910.
†La Iglesia de Dios ganó sus primeros miembros fuera de los Estados Unidos en 1911. Estos fueron reportados en 1912.

††Después de 1962 las estadísticas sobre la membresía se recopilaron bianualmente.
⋆⋆Estos números no incluyen el trabajo misionero de la Iglesia de Dios del Evangelio Completo en Africa del Sur.

Tabla 42

RECIBOS DE LA IGLESIA GENERAL

Año	Diezmo de Diezmos	Misiones Mundiales
1911		21.05
1912		22.55
1913		
1914	149.12	91.48
1915	206.82	196.58
1916	484.86	141.96
1917	491.19	1,815.72
1919	10,210.09	2,890.18
1920	16,330.23	1,926.19
1921‡	7,955.76	1,155.83
1922	10,612.66	975.88
1923	13,358.13	3,121.79
1924	11,597.17	2,966.13
1925	15,203.40	1,817.14
1926	16,312.27	1,747.64
1927	17,008.94	4,925.17
1928	19,366.28	2,205.95
1929	22,163.97	2,843.21
1930	22,308.74	2,476.18
1931	19,250.58	2,270.63
1932	16,550.32	3,308.59
1933	16,840.86	3,682.36
1934	25,767.49	6,533.37
1935	29,351.80	7,259.55
1936	37,862.22	14,719.85
1937	47,117.73	27,299.29
1938	43,049.64	28,429.74
1939	60,795.68	38,713.99
1940	63,526.34	53,963.30
1941	79,544.40	83,101.89
1942	117,549.29	106,665.19
1943	154,938.68	54,277.21
1944	208,452.79	170,229.61
1945	249,740.42	214,453.21
1946	269.248.92	340,848.54
1947	299,635.81	195,425.33
1948	346,467.43	295,778.36
1949	380,238.69	263,682.30
1950	386,540.01	264,216.98

1951	510,893.04	348,916.21
1952	521,902.20	311,232.42
1953	642,148.81	440,162.85
1954	649,254.26	535,171.07
1955	468,542.11	542,747.24
1956	623,669.42	590,432.03
1957	578,021.15	622,139.06
1958	597,033.77	577,448.71
1959	781,058.56	614,732.40
1960	625,594.92	665,721.99
1961	583,489.94	764,676.69
1962	780,318.81	787,852.55
1963	819,942.40	847,908.36
1964	948,023.47	1,017,341.51
1965	1,039,879.88	1,106,070.35
1966	1,308,373.17	1,317,223.33
1967	2,222,394.43	2,120,772.02
1968	2,162,804.75	1,656,220.57
1969	2,430,723.82	2,093,751.00
1970	2,688,210.81	1,925,260.87
1971	3,061,627.82	2,103,648.23
1972	3,245,818.09	1,938,466.06
1973	4,198,695.04	2,774,018.66
1974	4,565,426.00	4,293,428.30
1975	4,807,171.71	4,258,879.23
1976	5,615,569.05	4,426,696.79

⋆Esta tabla incluye los diezmos y las contribuciones de la membresía de la iglesia solamente y no el total de recibos.

†Diezmo de diezmos es un término que designa una décima parte (1/10) del diezmo de las iglesias locales enviados a las Oficinas Generales de la Iglesia.

††De enero de 1921 a junio de 1922 todos los diezmos locales se enviaban a las Oficinas Generales y eran distribuidos entre los predicadores. El diezmo de diezmo que aparece aquí es el 10% del total de los diezmos recibidos durante este período más los recibos de costumbre después que el sistema se cambió en el 1922.

Tabla 43

POBLACION DE LA LOCALIZACION DE LAS IGLESIAS
Estados Unidos y Canadá
(1956)

Población	*No. de Iglesias*	*Porcentaje*
Iglesias rurales	573	12.42
Pueblos menos de 1,000	672	14.56
Pueblos de 1,000 a 5,000	1,075	23.29
Pueblos de 5,000 a 25,000	1,048	22.71
Ciudades de 25,000 a 100,000	612	13.26
Ciudades de 100,000 a 250,000	234	5.07
Ciudades de 250,000 a 500,000	142	3.08
Ciudades sobre 500,000	259	5.61
Total	4,615	100.00

Tabla 44 — SUPERVISORES DE ESTADO

Estado	1911-1912	1912-1913	Ene.-Nov. 1913	1913-1914	1914-1915
Alabama	V. W. Kennedy	Geo. C. Barron	J. B. Ellis	Geo. T. Brouayer	W. S. Gentry
Arizona			R. M. Singleton		
Arkansas					
California			R. M. Singleton	R. M. Singleton	
Colorado		R. M. Singleton*	R. M. Singleton	R. M. Singleton	R. M. Singleton
Connecticut					
Delaware					
District of Columbia					
Florida	J. A. Giddens	M. S. Lemons	T. L. McLain	W. S. Caruthers	W. S. Caruthers
Georgia	H. W. McArthur	Geo. T. Brouayer	Geo. C. Barron	C. M. Padgett	W. R. Anderson
Idaho					
Illinois					
Indiana					
Iowa					
Kansas					
Kentucky	Sam C. Perry	Sam C. Perry	J. S. Llewellyn		W. F. Bryant
Louisiana					W. A. Capshaw**
Maine					
Maryland					
Massachusetts					
Michigan					
Minnesota					
Mississippi		Roy C. Miller	Z. D. Simpson	M. S. Lemons	M. S. Lemons
Missouri					

Nevada					
New Hampshire					
New Jersey					
New Mexico		R. M. Singleton*	R. M. Singleton	R. M. Singleton	R. M. Singleton
New York					
North Carolina	C. R. Curtis	R C. Spurling*	Geo. T. Brouayer	A. H. Bryans	J. A. Davis
North Dakota					
Ohio					
Oklahoma					
Oregon					
Pennsylvania					
Rhode Island					
South Carolina			H. B. Simmons		J. C. Underwood
South Dakota					
Tennessee	W. F. Bryant	T. L. McLain	F. J. Lee	F. J. Lee	Geo. T. Brouayer
Texas					
Utah					
Vermont					
Virginia	J. J. Lowman	J. J. Lowman	J. J. Lowman	J. J. Lowman	H. L. Trim
Washington					
West Virginia			W. H. Rogers		W. M. Rumler**
Wisconsin					
Wyoming					
Central Canada††					
Eastern Canada‡					
Western Canada‡‡					

SUPERVISORES DE ESTADO — Continuación

Estado	*1915-1916*	*1916-1917*	*1917-1918*	*1918-1919*	*1919-1920*
Alabama	**W. S. Gentry**	**T. S. Payne**	**J. B. Ellis**	**J. B. Ellis**	**Z. D. Simpson**
Arizona			**R. M. Singleton**	**R. M. Singleton**	
Arkansas			**E. J. Boehmer**	**John Burk**	**D. R. Holcomb**
California		**W. C. Hockett**	**W. C. Hockett**	**W. C. Hockett**	
Colorado				**O. R. Rouse**	**O. R. Rouse**
Connecticut					
Delaware					
District of Columbia					
Florida	**W. S. Caruthers**	**Sam C. Perry**	**Sam C. Perry**	**F. J. Lee**	**F. J. Lee**
Georgia	**J. S. Llewellyn**	**M. S. Lemons**	**M. S. Lemons**	**M. S. Lemons**	**S. W. Latimer**
Idaho					
Illinois		**D. P. Barnett**	**D. P. Barnett**	**D. P. Barnett**	**T. S. Payne**
Indiana		**W. H. Martin**			**S. O. Gillaspie**
Iowa					
Kansas					
Kentucky	**W. F. Bryant**	**W. F. Bryant**	**W. F. Bryant**	**Geo. T. Brouayer**	**Geo. T. Brouayer**
Louisiana	**A. B. Adams**	**M. S. Haynes**	**M. S. Haynes**	**M. S. Haynes**	**M. S. Haynes**
Maine					
Maryland		**John W. Pitcher**	**John W. Pitcher**	**J. W. Pitcher**	
Massachusetts					
Michigan					
Minnesota					
Mississippi	**M. S. Havnes**	**J. A. Davis**	**J. A. Davis**	**E. B. Culpepper**	**E. B. Culpepper**
Missouri			**Rov L. Cotnam**	**Roy L. Cotnam**	**E. L. Pinkley**
Montana					

Nevada					
New Hampshire					
New Jersey					
New Mexico	R. M. Singleton		O. R. Rouse	O. R. Rouse	O. R. Rouse
New York					
North Carolina	J. A. Davis	W. A. Capshaw	W. A. Capshaw	S. W. Latimer	J. A. Davis
North Dakota					
Ohio		Efford Haynes	Efford Haynes	Efford Haynes	Efford Haynes
Oklahoma		Roy L. Cotnam		Roy L. Cotnam	John Burk
Oregon					
Pennsylvania					
Rhode Island					
South Carolina	J. C. Underwood	W. A. Walker	W. H. Cross	W. H. Cross	W. H. Cross
South Dakota					
Tennessee	Geo. T. Brouayer	F. J. Lee	F. J. Lee	J. S. Llewellyn	J. S. Llewellyn
Texas		Geo. T. Brouayer	Geo. T. Brouayer	H. N. Scoggins	H. N. Scoggins
Utah					
Vermont					
Virginia	H. L. Trim	T. L. McLain	T. L. McLain	J. A. Davis	F. W. Gammon
Washington					
West Virginia	W. M. Rumler	W. M. Rumler	W. M. Rumler	W. M. Rumler	W. M. Rumler
Wisconsin					
Wyoming					
Central Canada††					
Eastern Canada‡					
Western Canada‡‡					

SUPERVISORES DE ESTADO — Continuación

Estado	1920-1921	1921-1922	1922-1923	1923-1924	1924-1925
Alabama	Z. D. Simpson	W. S. Wilemon	G. C. Dunn	G. C. Dunn	T. L. McLain
Arizona				J. A. Brown	J. A. Brown
Arkansas	John Burk	John Burk	E. C. Scarbrough	E. C. Scarbrough	J. M. Viney
California				J. A. Brown	J. A. Brown
Colorado		O. R. Rouse	O. R. Rouse	O. R. Rouse	O. R. Rouse
Connecticut					
Delaware					H. W. Poteat
District of Columbia					
Florida	F. J. Lee	F. J. Lee	John L. Stephens	John L. Stephens	J. A. Self
Georgia	S. W. Latimer	S. W. Latimer	S. W. Latimer	S. W. Latimer	John L. Stephens
Idaho					
Illinois	T. S. Payne	S. O. Gillaspie	S. O. Gillaspie 1 D. P. Barnett†	W. G. Rembert	G. A. Fore
Indiana	S. O. Gillaspie	F. W. Gammon	J. N. Hurley	W. G. Rembert	J. C. Coats
Iowa					
Kansas			J. M. Viney*	John Burk	J. C. Coats
Kentucky	F. W. Gammon	C. H. Randall	C. H. Randall 1 J. B. Ellis†	G. A. Fore	G. A. Fore
Louisiana	M. S. Haynes	H. B. Simmons	T. A. Richard 2 T. S. Payne†	T. A. Richard	G. C. Dunn
Maine					H. W. Poteat
Maryland	Paul H. Walker	Paul H. Walker	Paul H. Walker	H. W. Poteat	H. W. Poteat
Massachusetts					
Michigan		Efford Haynes	Efford Haynes	Efford Haynes	M. P. Cross
Minnesota				Paul H. Walker	Paul H. Walker
Mississippi	H. A. Pressgrove	H. A. Pressgrove	E. C. Rider 2 Efford Haynes†	Z. D. Simpson 3 E. B. Culpepper†	E. B. Culpepper
Missouri	E. L. Pinkley	E. L. Pinkley	J. M. Viney	John Burk	J. C. Coats

Nevada					
New Hampshire					
New Jersey		T. S. Payne			H. W. Poteat
New Mexico	O. R. Rouse	J. A. Davis	O. R. Rouse	O. R. Rouse	O. R. Rouse
New York					
North Carolina	W. M. Stallings	Geo. T. Brouayer	Geo. T. Brouayer 1 S. W. Latimer†	T. L. McLain	S. W. Latimer 5 E. C. Gault†
North Dakota	J. W. Barker	J. W. Barker	John Attey	Paul H. Walker	Paul H. Walker
Ohio	Efford Haynes	W. G. Rembert	W. G. Rembert	D. P. Barnett 4 Efford Haynes†	Efford Haynes
Oklahoma	B. H. Doss	B. H. Doss	John Burk	J. M. Viney	A. L. Jenkins
Oregon					
Pennsylvania		W. M. Rumler	H. W. Poteat	H. W. Poteat	H. W. Poteat
Rhode Island					
South Carolina	W. H. Cross	J. W. Culpepper	J. W. Culpeper	J. W. Culpepper	E. M. Ellis
South Dakota					
Tennessee	M. W. Letsinger	M. W. Letsinger	M. W. Letsinger	M. W. Letsinger	E. L. Simmons
Texas	Geo. T. Brouayer	H. N. Scoggins	H. N. Scoggins	H. N. Scoggins	R. P. Johnson
Utah					
Vermont					
Virginia	J. A. Davis	F. J. Crowder	J. A. Davis 2 H. B. Simmons†	H. B. Simmons	W. B. Davis
Washington					
West Virginia	W. M. Rumler	E. L. Simmons	E. L. Simmons	E. L. Simmons	H. N. Scoggins
Wisconsin					
Wyoming					
Central Canada††					
Eastern Canada‡					
Western Canada‡‡					

SUPERVISORES DE ESTADO — Continuación

Estado	1925-1926	1926-1927	1927-1928	1928-1929	1929-1930
Alabama	J. B. Ellis	E. M. Ellis	S. J. Heath	T. L. McLain	J. C. Padgett
Arizona	A. F. Sutter	C. W. Clelland	C. W. Clelland	C. W. Clelland	J. H. Ingram
Arkansas	J. M. Viney	Jesse Danehower	Jesse Danehower	Jesse Danehower	J. C. Coats 6 S. F. Beard†
California	A. F. Sutter	C. W. Clelland	C. W. Clelland	C. W. Clelland	J. H. Ingram
Colorado	O. R. Rouse	O. R. Rouse	O. R. Rouse	O. R. Rouse	M. E. Drake
Connecticut					
Delaware	H. W. Poteat	H. W. Poteat	H. W. Poteat	H. W. Poteat	H. W. Poteat
District of Columbia					
Florida	J. A. Self	J. A. Self	J. A. Self	R. P. Johnson	R. P. Johnson
Georgia	John L. Stephens 6 J. W. Culpepper†	J. W. Culpepper	J. W. Culpepper	J. W. Culpepper	T. L. McLain
Idaho					
Illinois	M. W. Letsinger	M. W. Letsinger	M. W. Letsinger	E. L. Simmons	E. L. Simmons
Indiana	E. C. Clark	J. L. Goins	J. L. Goins	J. L. Goins	C. H. Standifer
Iowa					
Kansas	E. C. Clark	D. R. Moreland	D. R. Moreland 7 F. R. Harrawood†	F. R. Harrawood	W. J. Milligan
Kentucky	G. A. Fore	G. A. Fore	R. H. Bell	G. A. Fore	R. H. Bell
Louisiana	J. C. Coats	J. C. Coats	G. C. Dunn	G. C. Dunn	E. E. Simmons
Maine	H. W. Poteat	H. W. Poteat	H. W. Poteat	H. W. Poteat	H. W. Poteat
Maryland	H. W. Poteat	H. W. Poteat	M. S. Lemons	M. S. Lemons 8 F. B. Marine†	F. B. Marine
Massachusetts					
Michigan	M. P. Cross	M. P. Cross	M. P. Cross	M. P. Cross	M. P. Cross
Minnesota	Paul H. Walker	M. L. Lowe	M. L. Lowe	M. L. Lowe	M. L. Lowe 3 Paul H. Walker†
Mississippi	G. C. Dunn	C. G. Edwards	C. G. Edwards	E. B. Culpepper	S. J. Heath
Missouri	E. C. Clark	D. R. Moreland	D. R. Moreland 7 F. R. Harrawood†	F. R. Harrawood	W. J. Milligan
Montana	Paul H. Walker	M. L. Lowe	M. L. Lowe	M. L. Lowe	M. L. Lowe

Nebraska					
Nevada					
New Hampshire					
New Jersey	H. W. Poteat				
New Mexico	O. R. Rouse	O. R. Rouse	O. R. Rouse	O. R. Rouse	M. E. Drake
New York					
North Carolina	Roy E. Blackwood	Roy E. Blackwood	Roy E. Blackwood	John L. Stephens	John L. Stephens
North Dakota	Paul H. Walker	Paul H. Walker	Paul H. Walker	Paul H. Walker	Paul H. Walker
Ohio	Efford Haynes	Efford Haynes	Efford Haynes	Efford Haynes	Efford Haynes
Oklahoma	A. L. Jenkins	E. W. Williams	B. L. Hicks	B. L. Hicks	L. L. Vaught
Oregon					
Pennsylvania	H. W. Poteat	H. W. Poteat	H. W. Poteat	H. W. Poteat	H. W. Poteat
Rhode Island					
South Carolina	E. M. Ellis	W. E. Raney	W. E. Raney	W. E. Raney	W. E. Raney
South Dakota				Paul H. Walker	Paul H. Walker
Tennessee	T. L. McLain	T. L. McLain	H. N. Scoggins	H. N. Scoggins	H. N. Scoggins
Texas	R. P. Johnson	R. P. Johnson	E. W. Williams	E. W. Williams	S. J. Wood
Utah					
Vermont					
Virginia	W. B. Davis 6 John C. Jernigan†	John C. Jernigan	John C. Jernigan	H. B. Simmons	B. L. Hicks
Washington					
West Virginia	H. N. Scoggins	H. N. Scoggins	T. L. McLain	E. C. Clark	E. C. Clark
Wisconsin					
Wyoming					
Central Canada††					
Eastern Canada‡					
Western Canada‡‡					

SUPERVISORES DE ESTADO — Continuación

Estado	1930-1931	1931-1932	1932-1933	1933-1934	1934-1935
Alabama	B. L. Hicks	B. L. Hicks	W. W. Harmon	W. W. Harmon	G. C. Dunn
Arizona	J. H. Ingram	J. H. Ingram	J. H. Ingram	J. H. Ingram	Simmie Tapley
Arkansas	J. A. McCullar	J. A. McCullar	J. A. McCullar	L. G. Rouse	S. J. Wood
California	J. H. Ingram	J. H. Ingram	J. H. Ingram	J. H. Ingram	W. G. Webb
Colorado	M. E. Drake	M. E. Drake	M. E. Drake	M. E. Drake	John E. Douglas
Connecticut					
Delaware	H. W. Poteat	F. B. Marine	D. G. Phillips	F. B. Marine	F. B. Marine
District of Columbia				F. B. Marine*	F. B. Marine
Florida	R. P. Johnson	E. W. Williams	E. W. Williams	E. W. Williams	E. W. Williams
Georgia	J. W. Culpepper	J. W. Culpepper	R. P. Johnson	J W. Culpepper	J. P. Hughes
Idaho					
Illinois	H. N. Scoggins	H. N. Scoggins	M. P. Cross	T. L. McLain	J. L. Goins
Indiana	C. H. Standifer	C. H. Standifer	C. H. Standifer	C. H. Standifer	C. H. Standifer
Iowa					
Kansas	W. J. Milligan	W. J. Milligan	W. J. Milligan	D. K. Murphy	John E. Douglas
Kentucky	John C. Jernigan	John C. Jernigan	John C. Jernigan	John C. Jernigan	John C. Jernigan
Louisiana	E. E. Simmons	E. E. Simmons	J. B. Cole	J. B. Cole	Robt. E. Blackwood
Maine	H. W. Poteat	H. W. Poteat	H. W. Poteat	H. W. Poteat	H. W. Poteat
Maryland	F. B. Marine	F. B. Marine	D. G. Phillips	F. B. Marine	F. B. Marine
Massachusetts					
Michigan	M. P. Cross	M. P. Cross	Earl P. Paulk	D. G. Phillips	D. G. Phillips
Minnesota	Paul H. Walker	Paul H. Walker	D. C. Boatwright	D. C. Boatwright	Paul H. Walker
Mississippi	S. J. Heath 4 G. G. Williams†	G. G. Williams	T. M. McClendon	T. M. McClendon	T. M. McClendon
Missouri	W. J. Milligan	W. J. Milligan	W. J. Milligan	W. J. Milligan	W. J. Milligan
Montana	M. L. Lowe	Leslie Cook	Robert Sevda	Robert Sevda	Paul H. Walker

Nevada					
New Hampshire				H. W. Poteat	H. W. Poteat
New Jersey			J. A. Muncy	J. A. Muncy	C. H. Blankenship
New Mexico	M. E. Drake	M. E. Drake	M. E. Drake	M. E. Drake	M. E. Drake
New York			W. M. Morrow	H. W. Poteat	H. W. Poteat
North Carolina	John L. Stephens	John L. Stephens	John L. Stephens	John L. Stephens	John L. Stephens
North Dakota	Paul H. Walker	Paul H. Walker	Paul H. Walker	Paul H. Walker	Paul H. Walker
Ohio	Efford Haynes	Efford Haynes	Efford Haynes	Efford Haynes	Efford Haynes
Oklahoma	Graham Oglesby	Graham Oglesby	Graham Oglesby	S. J. Wood	S. J. Wood
Oregon					
Pennsylvania	H. W. Poteat	H. W. Poteat	H. W. Poteat	H. W. Poteat	C. H. Blankenship
Rhode Island					
South Carolina	H. L. Whittington	H. L. Whittington	H. L. Whittington	H. L. Whittington	Earl P. Paulk
South Dakota	Paul H. Walker	Paul H. Walker	Paul H. Walker	Paul H. Walker	Paul H. Walker
Tennessee	Alonzo Gann	Alonzo Gann	T. S. Payne	T. S. Payne	M. P. Cross
Texas	S. J. Wood	S. J. Wood	J. C. Coats	J. C. Coats 9 R. P. Johnson†	R. P. Johnson
Utah				J. H. Ingram*	John E. Douglas
Vermont					
Virginia	L. L. Vaught	L. L. Vaught	L. L. Vaught	I. H. Brabson	I. H. Brabson
Washington					
West Virginia	E. C. Clark	E. C. Clark	H. N. Scoggins	H. N. Scoggins	H. N. Scoggins
Wisconsin					
Wyoming			Robert Seyda*	Sidney Pearson	Sidney Pearson
Central Canada††					
Eastern Canada‡					
Western Canada‡‡		Paul H. Walker	Paul H. Walker	Paul H. Walker	Paul H. Walker

SUPERVISORES DE ESTADO — Continuación

Estado	1935-1936	1936-1937	1937-1938	1938-1939	1939-1940
Alabama	G. C. Dunn	G. C. Dunn	H. L. Whittington	H. L. Whittington	H. L. Chesser
Arizona	W. G. Webb	E. M. Ellis	John E. Douglas	I. L. Benge	I. L. Benge
Arkansas	J. A. McCullar	Odis Smith	Odis Smith	W. H. Henry	W. H. Henry
California	W. G. Webb	E. M. Ellis	John E. Douglas	I. L. Benge	I. L. Benge
Colorado	John E. Douglas	John E. Douglas	S. J. Wood	S. J. Wood	H. E. Ramsey
Connecticut		H. G. Flowers	H. G. Flowers	Ralph Koshewitz	Paul H. Walker
Delaware	W. Carl Milligan	W. Carl Milligan	J. A. Muncy	W. E. Raney	W. J. Milligan
District of Columbia	W. Carl Milligan	C. H. Standifer 6 W. E. Raney†	W. E. Raney	W. E. Raney	W. J. Milligan
Florida	E. W. Williams	E. W. Williams	E. M. Ellis	E. M. Ellis	E. M. Ellis
Georgia	J. P. Hughes	John C. Jernigan	John C. Jernigan	John C. Jernigan	Earl P. Paulk
Idaho		J. B. Camp	J. B. Camp	J. B. Camp	J. B. Camp
Illinois	J. L. Goins	J. R. Thomas	J. R. Thomas	J. R. Thomas	H. O. Harris
Indiana	C. H. Standifer	W. M. Morrow	C. H. Standifer	Roy J. Staats	Roy J. Staats
Iowa	J. M. Snyder*	J. L. Goins	J. L. Goins	J. L. Goins	J. L. Goins
Kansas	J. M. Snyder	J. B. Baney	J. T. Campbell	J. T. Campbell	S. J. Wood
Kentucky	John C. Jernigan	T. M. McClendon	T. M. McClendon	B. L. Hicks	B. L. Hiicks
Louisiana	Robt. E. Blackwood	Robt. E. Blackwood	Clyde C. Cox	Clyde C. Cox	Clyde C. Cox
Maine	H. W. Poteat	G. M. Bloomingdale	M. J. Headley	Ralph Koshewitz	G. M. Bloomingdale
Maryland	W. Carl Milligan	W. Carl Milligan	(E.) J. A. Muncy (W.) W. E. Raney	W. E. Raney	W. J. Milligan
Massachusetts	H. W. Poteat*	H. G. Flowers	H. G. Flowers	Ralph Koshewitz	G. M. Bloomingdale 10 Paul H. Walker†
Michigan	D. G. Phillips	Paul H. Walker	Paul H. Walker	C. H. Standifer	E. O. Kerce
Minnesota	Paul H. Walker	H. E. Ramsey	H. E. Ramsey	H. E. Ramsey	J. J. Kisser
Mississippi	T. M. McClendon	H. J. Headley	T. W. Godwin	T. W. Godwin	J. L. Dorman
Missouri	W. J. Milligan	H. N. Scoggins	H. L. Marcum	H. L. Marcum	Houston R. Morehead

Nevada		E. M. Ellis	John E. Douglas	I. L. Benge	I. L. Benge
New Hampshire	H. W. Poteat	G. M. Bloomingdale	M. J. Headley	Ralph Koshewitz	G. M. Bloomingdale
New Jersey	C. H. Blankenship	C. H. Blankenship	Roy J. Staats	T. S. Payne	Paul H. Walker
New Mexico	John E. Douglas	John E. Douglas	S. J. Wood	S. J. Wood	H. E. Ramsey
New York	H. W. Poteat	D. R. Moreland			Paul H. Walker
North Carolina	John L. Stephens	John L. Stephens	E. W. Williams	E. W. Williams	E. W. Williams
North Dakota	Paul H. Walker	Frank W. Lemons	Frank W. Lemons	D. C. Boatwright	D. C. Boatwright
Ohio	Efford Haynes	D. G. Phillips	John L. Stephens	E. C. Clark	E. C. Clark
Oklahoma	S. J. Wood	S. J. Wood	G. M. Bloomingdale	G. M. Bloomingdale	S. J. Wood
Oregon		L. L. Milam	L. L. Milam	J. B. Camp	J. B. Camp
Pennsylvania	C. H. Blankenship	C. H. Blankenship	Roy J. Staats	T. S. Payne	Paul H. Walker
Rhode Island		H. G. Flowers	H. G. Flowers	Ralph Koshewitz	Paul H. Walker
South Carolina	R. P. Johnson	R. P. Johnson	A. V. Beaube	A. V. Beaube	J. D. Bright
South Dakota	Paul H. Walker	D. C. Boatwright	D. C. Boatwright	D. C. Boatwright	D. C. Boatwright
Tennessee	M. P. Cross	M. P. Cross	M. P. Cross	E. L. Simmons	John C. Jernigan
Texas	T. S. Payne	T. S. Payne	(N.) H. N. Scoggins (S.) T. S. Payne	H. N. Scoggins	H. N. Scoggins
Utah	John E. Douglas	John E. Douglas	S. J. Wood	S. J. Wood	H. E. Ramsey
Vermont		G. M. Bloomingdale	M. J. Headley	Ralph Koshewitz	G. M. Bloomingdale
Virginia	J. L. Dorman	J. L. Dorman	J. L. Dorman	J. L. Dorman	W. E. Johnson
Washington		J. B. Camp	J. B. Camp	J. B. Camp	J. B. Camp
West Virginia	E. C. Clark	E. C. Clark	E. C. Clark	M. P. Cross	M. P. Cross
Wisconsin		H. E. Ramsey	H. E. Ramsey	H. E. Ramsey	H. E. Ramsey 6 J. J. Kisser†
Wyoming	Paul H. Walker	D. C. Boatwright	D. C. Boatwright	D. C. Boatwright	D. C. Boatwright
Central Canada††				C. H. Standifer	E. O. Kerce
Eastern Canada‡	H. W. Poteat	Paul H. Walker	Paul H. Walker		G. M. Bloomingdale
Western Canada‡‡	Paul H. Walker	Charles Bowen	Max Brandt	Max Brandt	M. L. Lowe

SUPERVISORES DE ESTADO — Continuación

Estado	1940-1941	1941-1942	1942-1943	1943-1944	1944-1945
Alabama	H. L. Chesser	H. L. Chesser	E. M. Ellis	E. M. Ellis	J. T. Roberts
Arizona	I. L. Benge	C. C. Rains	C. C. Rains	O. C. Crank	O. C. Crank
Arkansas	A. C. Burroughs	A. C. Burroughs	A. L. Burroughs	A. L. Burroughs	M. B. Norris
California	I. L. Benge	James L. Slay	James L. Slay	John E. Douglas	John E. Douglas
Colorado	H. E. Ramsey	H. E. Ramsey	S. J. Wood	D. A. Biggs	D. A. Biggs
Connecticut	T. C. Messer	G. W. Lane	Wm. F. Morris	J. H. Davis	F. J. Thibodeau
Delaware	W. J. Milligan	D. C. Boatwright	D. C. Boatwright	D. C. Boatwright	C. C. McAfee
District of Columbia	W. J. Milligan	Wade H. Horton	Wade H. Horton	Wade H. Horton	C. C. McAfee
Florida	E. M. Ellis	John C. Jernigan	John C. Jernigan	John C. Jernigan	W. E. Johnson
Georgia	A. V. Beaube	A. V. Beaube	A. V. Beaube	A. V. Beaube	L. W. McIntyre
Idaho	John E. Douglas	John E. Douglas	John E. Douglas	Ray T. Hill	Ray T. Hill
Illinois	H. O. Harris	H. O. Harris	E. O. Kerce	E. O. Kerce	E. O. Kerce
Indiana	Clyde C. Cox	H. R. Corley	C. M. Jenkerson	C. M. Jenkerson	G. W. Lane
Iowa	J. L. Goins	J. L. Goins	J. L. Goins	J. L. Goins	W. H. Henry
Kansas	W. H. Henry	W. H. Henry	W. H. Henry	W. H. Henry	A. R. Pedigo
Kentucky	B. L. Hicks	W. J. Milligan	W. J. Milligan	W. J. Milligan	W. J. Milligan
Louisiana	A. H. Batts	Woodrow C. Byrd	Woodrow C. Byrd	Woodrow C. Byrd	C. M. Jenkerson
Maine	J. Stewart Brinsfield	J. Stewart Brinsfield	Wm. F. Morris	Wm. F. Morris	Wm. F. Morris
Maryland	W. J. Milligan	D. C. Boatwright	D. C. Boatwright	D. C. Boatwright	C. C. McAfee
Massachusetts	J. Stewart Brinsfield	J. Stewart Brinsfield	Wm. F. Morris	Wm. F. Morris	Wm. F. Morris
Michigan	E. O. Kerce	E. O. Kerce	Paul H. Walker	Paul H. Walker	Houston R. Morehead
Minnesota	D. L. Lemons	D. L. Lemons 11 H. A. Bobert†	Lemuel Johnson	Lemuel Johnson	Lemuel Johnson
Mississippi	J. L. Dorman	Clyde C. Cox	Clyde C. Cox	Clyde C. Cox	Wm. M. Stallings
Missouri	Houston R. Morehead	Houston R. Morehead	G. R. Watson	G. R. Watson	G. R. Watson

Nevada	I. L. Benge	James L. Slay	James L. Slay	John E. Douglas	John E. Douglas
New Hampshire	J. Stewart Brinsfield	J. Stewart Brinsfield	Wm. F. Morris	Wm. F. Morris	Wm. F. Morris
New Jersey	T. C. Messer	G. W. Lane	G. W. Lane	G. W. Lane	W. E. Tull
New Mexico	H. E. Ramsey	H. E. Ramsey	V. B. Rains	V. B. Rains	L. H. Aultman
New York	T. C. Messer	G. W. Lane	Roland Verrico	J. B. Camp	J. B. Camp
North Carolina	Earl P. Paulk	E. M. Ellis	H. L. Chesser	H. L. Chesser	R. P. Johnson
North Dakota	D. C. Boatwright	Glyndon Logsdon	Glyndon Logsdon	Glyndon Logsdon	Glyndon Logsdon
Ohio	E. C. Clark	E. C. Clark	E. W. Williams	E. W. Williams	J. H. Hughes
Oklahoma	S. J. Wood	H. D. Williams	H. D. Williams	J. L. Dorman	L. L. Hughes
Oregon	John E. Douglas	John E. Douglas	John E. Douglas	C. C. Rains	C. C. Rains
Pennsylvania	Paul H. Walker	Paul H. Walker	J. Stewart Brinsfield	J. Stewart Brinsfield	J. Stewart Brinsfield
Rhode Island	T. C. Messer	G. W. Lane	Wm. F. Morris	J. H. Davis	F. J. Thibodeau
South Carolina	J. D. Bright	M. P. Cross	L. W. McIntyre	L. W. McIntyre	Zeno C. Tharp
South Dakota	D. C. Boatwright	Glyndon Logsdon	Glyndon Logsdon	Glyndon Logsdon	Glyndon Logsdon
Tennessee	John C. Jernigan	J. D. Bright	J. D. Bright	J. D. Bright	U. D. Tidwell
Texas	T. W. Godwin	T. W. Godwin	T. W. Godwin	T. W. Godwin	V. B. Rains
Utah	H. E. Ramsey	H. E. Ramsey	S. J. Wood	D. A. Biggs	D. A. Biggs
Vermont	J. Stewart Brinsfield	J. Stewart Brinsfield	Wm. F. Morris	Wm. F. Morris	Wm. F. Morris
Virginia	W. E. Johnson	W. E. Johnson	W. E. Johnson	W. E. Johnson	D. C. Boatwright
Washington	John E. Douglas	John E. Douglas	John E. Douglas	C. C. Rains	C. C. Rains
West Virginia	M. P. Cross	B. L. Hicks	B. L. Hicks	E. L. Simmons	J. L. Goins
Wisconsin	D. L. Lemons	D. L. Lemons 11 H. A. Bobert†	Lemuel Johnson	Lemuel Johnson	Lemuel Johnson
Wyoming	D. C. Boatwright	John Sharp	R. H. Klaudt	R. H. Klaudt	W. H. Godwin
Central Canada††	M. L. Lowe	M. L. Lowe	M. L. Lowe	Harry Lane	Glenn C. Pettyjohn
Eastern Canada‡	J. Stewart Brinsfield	J. Stewart Brinsfield	Wm. F. Morris	Wm. F. Morris	Wm. F. Morris
Western Canada‡‡	John Sharp	John Sharp 6 Wm. Pospisil†	Wm. Pospisil	Wm. Pospsil	Wm. Pospisil

SUPERVISORES DE ESTADO — Continuación

Estado	*1945-1946*	*1946-1947*	*1947-1948*	*1948-1949*	*1949-1950*
Alabama	J. T. Roberts	J. T. Roberts	J. T. Roberts	W. E. Johnson	W. E. Johnson
Arizona	O. C. Crank	John E. Douglas	John E. Douglas	John E. Douglas	John E. Douglas
Arkansas	M. B. Norris	M. B. Norris	M. B. Norris	L. L. Hughes	L. L. Hughes
California	John E. Douglas	J. H. Hughes	J. H. Hughes	J. H. Hughes	J. H. Hughes
Colorado	R. C. Muncy	R. C. Muncy	R. C. Muncy	W. J. Cothern	W. J. Cothern
Connecticut	J. B. Camp	J. B. Camp	J. B. Camp	J. B. Camp	J. B. Camp
Delaware	Paul H. Walker	O. C. Crank	O. C. Crank	O. C. Crank 8 G. W. Lane†	G. W. Lane
District of Columbia	Paul H. Walker	O. C. Crank	O. C. Crank	O. C. Crank 8 G. W. Lane†	G. W. Lane
Florida	W. E. Johnson	W. E. Johnson	W. E. Johnson	J. T. Roberts	J. T. Roberts
Georgia	A V. Beaube	A. V. Beaube	A. V. Beaube	E. L. Simmons	E. L. Simmons
Idaho	Howard D. Statum	Howard D. Statum	Howard D. Statum	R. C. Muncy	R. C. Muncy
Illinois	E. O. Kerce	M. P. Cross	M. P. Cross	M. P. Cross	M. P. Cross
Indiana	G. W. Lane	C. C. Rains	C. C. Rains	C. C. Rains	C. C. Rains
Iowa	W. H. Henry	H. O. Harris	H. O. Harris	Carl Cox	Carl Cox
Kansas	A. R. Pedigo	A. R. Pedigo	A. R. Pedigo	W. E. Dowdy	W. E. Dowdy
Kentucky	E. W. Williams	L. H. Aultman	L. H. Aultman	L. H. Aultman	L. H. Aultman
Louisiana	John L. Byrd	John L. Byrd	John L. Byrd	T. M. McClendon	T. M. McClendon
Maine	J. B. Camp	J. B. Camp	J. B. Camp	J. B. Camp	J. B. Camp
Maryland	Paul H. Walker	O. C. Crank	O. C. Crank	O. C. Crank 8 G. W. Lane†	G. W. Lane
Massachusetts	J. B. Camp	J. B. Camp	J. B. Camp	J. B. Camp	J. B. Camp
Michigan	Houston R. Morehead	Houston R. Morehead	Houston R. Morehead	D. C. Boatwright	D. C. Boatwright
Minnesota	Lemuel Johnson	W. H. Godwin	W. H. Godwin	Y. W. Kidd	Y. W. Kidd
Mississippi	Wm. M. Stallings	Wm. M. Stallings	Wm. M. Stallings	John L. Byrd	John L. Byrd
Missouri	G. R. Watson	W. H. Henry	W. H. Henry	W. H. Henry	W. H. Henry
Montana	W. H. Godwin	[illegible]	[illegible]	[illegible]	[illegible]

Nebraska	W. E. Dowdy	W. E. Dowdy	W. E. Dowdy	Carl Cox	Carl Cox
Nevada	Howard D. Statum	Howard D. Statum	Howard D. Statum	J. H. Hughes	J. H. Hughes
New Hampshire	J. B. Camp	J. B. Camp	J. B. Camp	J. B. Camp	J. B. Camp
New Jersey	C. H. Blankenship	C. H. Blankenship	C. H. Blankenship	John Adair	John Adair
New Mexico	L. H. Aultman	Bascom Stanley	Bascom Stanley	Bascom Stanley	Bascom Stanley
New York	C. H. Blankenship	C. H. Blankenship	C. H. Blankenship	John Adair	John Adair
North Carolina	R. P. Johnson	E. W. Williams	E. W. Williams	E. W. Williams	E. W. Williams
North Dakota	C. C. McAfee	C. C. McAfee	C. C. McAfee 8 T. M. McClendon†	Glenn C. Pettyjohn	Glenn C. Pettyjohn
Ohio	J. H. Hughes	J. L. Goins	J. L. Goins	E. C. Clark	E. C. Clark
Oklahoma	L. L. Hughes	L. L. Hughes	L. L. Hughes	C. J. Hindmon	C. J. Hindmon
Oregon	C. C. Rains	Lemuel Johnson	Lemuel Johnson	R. C. Muncy	R. C. Muncy
Pennsylvania	J. Stewart Brinsfield	Glyndon Logsdon	Glyndon Logsdon	Glyndon Logsdon	Glyndon Logsdon
Rhode Island	J. B. Camp	J. B. Camp	J. B. Camp	J. B. Camp	J. B. Camp
South Carolina	Zeno C. Tharp	Zeno C. Tharp	Zeno C. Tharp	Houston R. Morehead	Houston R. Morehead
South Dakota	C. C. McAfee	C. C. McAfee	C. C. McAfee 8 T. M. McClendon†	Glenn C. Pettyjohn	Glenn C. Pettyjohn
Tennessee	U. D. Tidwell	U. D. Tidwell	U. D. Tidwell	A. V. Beaube	A. V. Beaube
Texas	V. B. Rains	E. O. Kerce	E. O. Kerce	E. O. Kerce	E. O. Kerce
Utah	R. C. Muncy	R. C. Muncy	R. C. Muncy	W. J. Cothern	W. J. Cothern
Vermont	J. B. Camp	J. B. Camp	J. B. Camp	J. B. Camp	J. B. Camp
Virginia	D. C. Boatwright	D. C. Boatwright	D. C. Boatwright	John C. Jernigan	John C. Jernigan
Washington	C. C. Rains	Lemuel Johnson	Lemuel Johnson	R. C. Muncy	R. C. Muncy
West Virginia	J. L. Goins	Paul H. Walker	Paul H. Walker	Paul H. Walker	Paul H. Walker
Wisconsin	Lemuel Johnson	W. H. Godwin	W. H. Godwin	Y. W. Kidd	Y. W. Kidd
Wyoming	W. H. Godwin	Wm. Pospisil	Wm. Pospisil	Wm. Pospisil	Wm. Pospisil
Central Canada††	Glenn C. Pettyjohn	Glenn C. Pettyjohn	Glenn C. Pettyjohn	Darrell L. Lindsay	Darrell L. Lindsay
Eastern Canada‡	J. B. Camp	J. B. Camp	J. B. Camp	J. B. Camp	J. B. Camp
Western Canada‡‡	Wm. Pospisil	J. B. Reesor	J. B. Reesor	J. A. Rafferty	J. A. Rafferty

SUPERVISORES DE ESTADO — Continuación

Estado	1950-1951	1951-1952	1952-1953	1953-1954	1954-1955
Alabama	E. W. Williams 4 H. D. Williams†	(N.) H. D. Williams (S.) H. T. Statum†	(N.) H. D. Williams (S.) H. T. Statum	(N.) H. D. Williams (S.) H. T. Statum	G. W. Lane 14 John L. Byrd†
Arizona	Y. W. Kidd	Y. W. Kidd	C. W. Collins	C. W. Collins	C. W. Collins
Arkansas	L. L. Hughes	L. L. Hughes	G. W. Hodges	G. W. Hodges	G. W. Hodges
California	H. B. Ramsey	H. B. Ramsey	H. B. Ramsey	H. B. Ramsey	Ralph E. Williams
Colorado	W. J. Cothern	W. J. Cothern	A. G. Thompson	A. G. Thompson	A. G. Thompson
Connecticut	D. G. Homner	D. G. Homner	D. G. Homner	D. G. Homner	V. D. Combs
Delaware	G. W. Lane	G. W. Lane	Woodrow C. Byrd	Woodrow C. Byrd	Woodrow C. Byrd
District of Columbia	G. W. Lane	G. W. Lane	Woodrow C. Byrd	Woodrow C. Byrd	Woodrow C. Byrd
Florida	J. T. Roberts	J. T. Roberts	E. L. Simmons	E. L. Simmons	Earl P. Paulk
Georgia	E. L. Simmons	E. L. Simmons	D. C. Boatwright	D. C. Boatwright	D. C. Boatwright
Idaho	F. W. Goff	F. W. Goff	Charles E. Tilley	Charles E. Tilley	Charles E. Tilley
Illinois	James L. Slay	James L. Slay 12 Floyd Timmerman†	Floyd Timmerman	Floyd Timmerman	F. W. Goff
Indiana	C. R. Spain	C. R. Spain	C. R. Spain	C. R. Spain	James A. Stephens
Iowa	Carl Cox	Carl Cox	Joseph L. McCoy	Joseph L. McCoy	Joseph L. McCoy
Kansas	W. E. Dowdy	W. E. Dowdy	Doyle Stanfield	Doyle Stanfield	Doyle Stanfield
Kentucky	R. R. Walker	R. R. Walker	R. R. Walker 15 A. M. Phillips†	A. M. Phillips	A. M. Phillips
Louisiana	T. M. McClendon	T. M. McClendon	Y. W. Kidd	Y. W. Kidd	Y. W. Kidd
Maine	D. G. Homner	D. G. Homner	D. G. Homner	D. G. Homner	V. D. Combs
Maryland	G. W. Lane	G. W. Lane	Woodrow C. Byrd	Woodrow C. Byrd	Woodrow C. Byrd
Massachusetts	D. G. Homner	D. G. Homner	D. G. Homner	D. G. Homner	V. D. Combs
Michigan	M. P. Cross	M. P. Cross	M. P. Cross	M. P. Cross	C. R. Spain
Minnesota	W. A. Nicholson	W. A. Nicholson 8 Estel D. Moore†	Estel D. Moore	Estel D. Moore	G. L. Waters
Mississippi	G. C. Hamby	G. C. Hamby	G. C. Hamby	G. C. Hamby	H. T. Statum
Missouri	Glyndon Logsdon	Glyndon Logsdon	Glyndon Logsdon	Glyndon Logsdon 1[illegible] B. E. Ellis†	B. E. Ellis

Nevada	H. B. Ramsey	H. B. Ramsey	H. B. Ramsey	H. B. Ramsey	Ralph E. Williams
New Hampshire	D. G. Homner	D. G. Homner	D. G. Homner	D. G. Homner	V. D. Combs
New Jersey	Walter Pettitt	Walter Pettitt	H. R. Appling	H. R. Appling	H. C. Stoppe
New Mexico	J. L. Summers	J. L. Summers	Brady Dennis	Brady Dennis	Brady Dennis
New York	Walter Pettitt	Walter Pettitt 10 M. W. Sindle†	M. W. Sindle	M. W. Sindle	M. W. Sindle
North Carolina	Earl P. Paulk	Earl P. Paulk	Earl P. Paulk	Earl P. Paulk	L. H. Aultman
North Dakota	T. L. Forrester	T. L. Forrester	L. E. Painter	L. E. Painter	L. E. Painter
Ohio	Paul H. Walker	Paul H. Walker	J. H. Walker	J. H. Walker	J. H. Walker
Oklahoma	C. J. Hindmon	C. J. Hindmon	T. A. Perkins	T. A. Perkins	T. A. Perkins
Oregon	F. W. Goff	F. W. Goff	F. W. Goff	F. W. Goff	D. C. Homner
Pennsylvania	James A. Cross	James A. Cross	C. J. Hindmon	C. J. Hindmon	C. J. Hindmon
Rhode Island	D. G. Homner	D. G. Homner	D. G. Homner	D. G. Homner	V. D. Combs
South Carolina	John L. Byrd	John L. Byrd	James A. Cross	James A. Cross	H. B. Ramsey
South Dakota	T. L. Forrester	T. L. Forrester	L. E. Painter	L. E. Painter	L. E. Painter
Tennessee	A. V. Beaube	A. V. Beaube	W. E. Johnson	W. E. Johnson	W. E. Johnson
Texas	L. H. Aultman	L. H. Aultman	J. D. Bright	J. D. Bright	J. D. Bright
Utah	W. J. Cothern	W. J. Cohern	A. G. Thompson	A. G. Thompson	A. G. Thompson
Vermont	D. G. Homner	D. G. Homner	D. G. Homner	D. G. Homner	V. D. Combs
Virginia	John C. Jernigan 13 T. W. Godwin†	T. W. Godwin	T. W. Godwin 9 George D. Lemons†	George D. Lemons	George D. Lemons
Washington	F. W. Goff	F. W. Goff	F. W. Goff	F. W. Goff	D. G. Homner
West Virginia	J. H. Hughes	J. H. Hughes	G. W. Lane	G. W. Lane	G. C. Hamby
Wisconsin	Estel D. Moore	Estel D. Moore	Estel D. Moore	Estel D. Moore	Estel D. Moore
Wyoming	Doyle Stanfield	Doyle Stanfield	Manuel F. Campbell	Manuel F. Campbell	A. E. Erickson
Central Canada††	Darrell L. Lindsay	Darrell L. Lindsay	Wm. F. Sullivan	Wm. F. Sullivan	Wm. F. Sullivan 7 George W. Ayers†
Eastern Canada‡	D. G. Homner	D. G. Homner	D. G. Homner	D. G. Homner	V. D. Combs
Western Canada‡‡	J. A. Rafferty	J. A. Rafferty 14 James A. Stephens†	James A. Stephens	James A. Stephens	Wm. H. Pratt

SUPERVISORES DE ESTADO — Continuación

Estado	*1955-1956*	*1956-1958****	*1958-1960*	*1960-1962*	*1962-1964*	*1964-1966*
Alabama	John L. Byrd	John L. Byrd	D. A. Biggs	D. A. Biggs	Houston R. Morehead	Houston R. Morehead
Alaska				Millard L. Cowdell	L. L. Hughes	L. L. Hughes
Arizona	C. W. Collins	David L. Lemons	David L. Lemons	J. H. Hughes	J. H. Hughes	O. C. McCane
Arkansas	G. W. Hodges	Brady Dennis	Brady Dennis	Harvey Rose	H. L. Rose	T. F. Harper
California	Ralph E. Williams	Ralph E. Williams	L. W. McIntyre	L. W. McIntyre	Floyd J. Timmerman	Floyd J. Timmerman
Colorado	E. W. Carden	E. W. Carden	James R. Ray	James R. Ray	Ray T. Hill	Ray T. Hill
Connecticut	V. D. Combs	George W. Ayers	George W. Ayers	O. C. McCane	O. C. McCane	P. H. McSwain
Delaware	W. C. Byrd	Ray H. Hughes	Ray H. Hughes	W. J. Brown	W. J. Brown	T. W. Day
Florida	Earl P. Paulk, Sr.	A. M. Phillips	Houston R. Morehead	Houston R. Morehead	James A. Cross	James A. Cross
Georgia	D. C. Boatwright	W. E. Johnson	W. E. Johnson	H. B. Ramsey	H. B. Ramsey	John D. Smith
Hawaii				Ronnie Helton	Z. E. Cagle	Z. E. Cagle
Idaho	Charles E. Tilley	Charles E. Tilley	A. G. Thompson	Howard L. Helms	George W. Broome	George W. Broome
Illinois	F. W. Goff	F. W. Goff	H. T. Statum	C. M. Jinkerson	C. M. Jinkerson	H. L. Rose
Indiana	James A. Stephens	James A. Stephens	L. E. Painter	David L. Lemons	David L. Lemons	Cecil B. Knight
Iowa	Joseph L. McCoy	Grady L. Waters	Grady L. Waters	Grady L. Waters	R. D. Harris	R. D. Harris
Kansas	Doyle Stanfield	L. E. Painter	Charles E. Tilley	Charles E. Tilley	H. D. Sustar	H. D. Sustar
Kentucky	A. M. Phillips	T. A. Perkins	T. A. Perkins	T. L. Forester	T. L. Forester	Earl P. Paulk, Sr.
Louisiana	Y. W. Kidd	V. D. Combs	J. H. Walker, Sr.	A. V. Beaube	A. V. Beaube	A. G. Thompson
Maine	V. D. Combs	George W. Ayers	George W. Ayers	O. C. McCane	O. C. McCane	P. H. McSwain
Maryland	W. C. Byrd	Ray H. Hughes	Ray H. Hughes	W. J. Brown	W. J. Brown	T. W. Day
Massachusetts	V. D. Combs	George W. Ayers	George W. Ayers	O. C. McCane	O. C. McCane	P. H. McSwain
Michigan	C. Raymond Spain	C. Raymond Spain	Floyd J. Timmerman	Floyd J. Timmerman	L. W. McIntyre	L. W. McIntyre
Minnesota	Grady L. Waters	W. J. Brown	W. J. Brown	T. W. Day	T. W. Day	Bert F. Ford
Mississippi	H. T. Statum	H. T. Statum	Wade H. Horton	John D. Smith	John D. Smith	T. L. Forester
Missouri	B. E. Ellis	B. E. Ellis	W. Paul Stallings	W. Paul Stallings	Paul T. Stover	Paul T. Stover

Nevada	Ralph E. Williams	Ralph E. Williams	L. W. McIntyre	L. W. McIntyre	Floyd J. Timmerman	Floyd J. Timmerman
New Hampshire	V. D. Combs	George W. Ayers	George W. Ayers	O. C. McCane	O. C. McCane	P. H. McSwain
New Jersey	Henry C. Stoppe	Henry C. Stoppe	Henry C. Stoppe	Henry C. Stoppe	Wayne S. Proctor	Wayne S. Proctor
New Mexico	Brady Dennis	D. G. Homner	D. G. Homner	W. M. Horton	W. M. Horton	W. M. Horton
New York	M. W. Sindle	M. W. Sindle	C. E. Yates	C. E. Yates	C. E. Yates	C. E. Yates
North Carolina	L. H. Aultman	L. H. Aultman	John L. Byrd	John L. Byrd	H. D. Williams	H. D. Williams
North Dakota	L. E. Painter	W. Paul Stallings	Paul H. Walker	Paul H. Walker	Paul H. Walker	John D. Nichols
Ohio	J. H. Walker, Sr.	D. C. Boatwright	D. C. Boatwright	F. W. Goff	F. W. Goff	H. B. Ramsey
Oklahoma	T. A. Perkins	G. W. Hodges	G. W. Hodges	A. G. Thompson	A. G. Thompson	Frank L. Muller
Oregon	D. G. Homner	Estel D. Moore	Estel D. Moore	John D. Nichols	John D. Nichols	J. Frank Culpepper
Pennsylvania	C. J. Hindmon	George D. Lemons	George D. Lemons	James A. Stephens	Walter R. Pettitt	Estel D. Moore
Rhode Island	V. D. Combs	George W. Ayers	George W. Ayers	O. C. McCane	O. C. McCane	P. H. McSwain
South Carolina	H. B. Ramsey	H. B. Ramsey	B. E. Ellis	B. E. Ellis	D. A. Biggs	D. A. Biggs
South Dakota	L. E. Painter	W. Paul Stallings	Paul H. Walker	Paul H. Walker	Paul H. Walker	John D. Nichols
Tennessee	W. E. Johnson	W. C. Byrd	W. C. Byrd	Earl P. Paulk, Sr.	Earl P. Paulk, Sr.	L. H. Aultman
Texas	J. D. Bright	(N) C. W. Collins (S) J. H. Walker, Sr.	(N) P. H. McCarn (S) C. W. Collins	P. H. McCarn	W. Paul Stallings	C. M. Jinkerson
Utah	E. W. Carden	E. W. Carden	James R. Ray	James R. Ray	Ray T. Hill	Ray T. Hill
Vermont	V. D. Combs	George W. Ayers	George W. Ayers	O. C. McCane	O. C. McCane	P. H. McSwain
Virginia	George D. Lemons	J. D. Bright	J. D. Bright	James L. Slay	James A. Stephens	James A. Stephens
Washington	D. G. Homner	Estel D. Moore	Estel D. Moore	T. F. Harper	T. F. Harper	M. H. Kennedy
West Virginia	G. C. Hamby	G. C. Hamby	Ralph E. Williams	Ralph E. Williams	P. H. McCarn	F. W. Goff
Wisconsin	Estel D. Moore	W. J. Brown	W. J. Brown	T. W. Day	T. W. Day	J. E. DeVore
Wyoming	A. E. Erickson	A. E. Erickson	C. W. Batson	C. W. Batson	P. F. Taylor	Robert White
Canada	(C) George W. Ayers (E) V. D. Combs (W) W. H. Pratt	(C) C. Raymond Spain (E) George W. Ayers (W) W. H. Pratt	(C) Floyd J. Timmerman (E) George W. Ayers (W) Darrell L. Lindsey			

SUPERVISORES DE ESTADO — Continuación

Estado	1966-1968	1968-1970	1970-1972	1972-1974	1974-1976	1976-1978
Alabama	G. W. Lane	G. W. Lane	James A. Cross	James A. Cross	E. C. Thomas	C. Raymond Spain
Alaska	L. L. Hughes	L. L. Hughes	Russell A. Brinson	Russell A. Brinson	Bill Rayburn	Bill Rayburn
Arizona	O. C. McCane	Robert White	Robert White	J. Frank Spivey	John E. Black	John E. Black
Arkansas	T. F. Harper	Frank L. Muller	Travis Henderson	Travis Henderson 6 C. E. Landreth†	C. E. Landreth	Billy P. Bennett
California	Wayne S. Proctor	(N) L. W. McIntyre (S) Wayne S. Proctor	(N) L. W. McIntyre (S) B. G. Hamon	(N) Donald S. Aultman (S) B. G. Hamon	(N) Manuel F. Campbell 14 (S) W. D. Watkins	(N) James A. Stephens† (S) Cecil R. Guiles
Colorado	Ray T. Hill	Clifford V. Bridges	Clifford V. Bridges	B. J. Moffett	B. J. Moffett	George W. Alford
Connecticut	P. H. McSwain	Earl P. King	Earl P. King	Earl P. King	R. H. Sumner	R. H. Sumner
Delaware	T. W. Day	O. W. Polen	A. W. Brummett	A. W. Brummett	Robert E. Fisher	B. J. Moffett
Florida	James A. Stephens	D. A. Biggs	D. A. Biggs	(T) Ralph E. Williams (J) H. G. Poitier	(T) Ralph E. Williams (J) W. C. Menendez	(T) Bennie S. Triplett (J) W. C. Menendez
Georgia	John D. Smith	W. C. Byrd	W. C. Byrd 16 Floyd J. Timmerman†	Floyd J. Timmerman	Ray H. Hughes	(N) Paul F. Henson (S) Robert J. Hart
Hawaii	Z. E. Cagle 6 C. E. Allred†	Robert E. Fisher	Robert E. Fisher	Robert E. Fisher	Bill F. Sheeks	Bill F. Sheeks
Idaho	George W. Broome	H. B. Thompson	H. B. Thompson	H. B. Thompson	Jessie M. Boyd	Jessie M. Boyd
Illinois	H. L. Rose	John D. Nichols	Wayne S. Proctor	Wayne S. Proctor	H. B. Thompson	H. B. Thompson
Indiana	Cecil B. Knight	P. H. McSwain	P. H. McSwain	Bennie S. Triplett	Bennie S. Triplett	A. A. Ledford
Iowa	W. M. Horton	Charles E. Tilley	A. A. Ledford	A. A. Ledford	A. A. Ledford	David Lanier
Kansas	W. L. Edgar	Bert F. Ford	Bert F. Ford	Rex Hudson	Rex Hudson	W. A. Bingham
Kentucky	W. C. Byrd	W. J. Brown	W. J. Brown	P. H. McSwain	P. H. McSwain	Clifford V. Bridges
Louisiana	A. G. Thompson	J. E. DeVore	J. E. DeVore	Clifford V. Bridges	Clifford V. Bridges	Terrell Taylor
Maine	Rex Hudson	Rex Hudson	Rex Hudson	E. M. Abbott	E. M. Abbott	A. S. Yorkman
Maryland	T. W. Day	O. W. Polen	A. W. Brummett	A. W. Brummett	Robert E. Fisher	B. J. Moffett
Massachusetts	P. H. McSwain	Earl P. King	Earl P. King	Earl P. King	R. H. Sumner	R. H. Sumner
Michigan	Estel D. Moore	Estel D. Moore	Lewis J. Willis	Walter R. Pettitt	Walter R. Pettitt	O. C. McCane
Minnesota	Bert F. Ford	Terrell Taylor	Terrell Taylor	James E. Allen	Ray H. Sanders	Ray H. Sanders
Mississippi	T. L. Forester	J. Frank Culpepper	H. D. Sustar	H. D. Sustar	B. G. Hamon	W. C. Ratchford
Missouri	A. W. Brummett	A. W. Brummett	R. D. Harris	R. D. Harris	Vessie D. Hargrave	E. M. Abbott

Nevada	Wayne S. Proctor	(N) L. W. McIntyre (S) Wayne S. Proctor	(N) L. W. McIntyre (S) B. G. Hamon	(N) Donald S. Aultman (S) B. G. Hamon	(N) Manuel F. Campbell 14 (S) W. D. Watkins	(N) James A. Stephens† (S) Cecil R. Guiles
New Hampshire	Rex Hudson	Rex Hudson	Rex Hudson	E. M. Abbott	E. M. Abbott	A. S. Yorkman
New Jersey	Travis Henderson	Travis Henderson	Paul J. Eure	Paul J. Eure	F. L. Braddock	Wayne Taylor
New Mexico	Mark G. Summers 14 B. G. Hamon†	B. G. Hamon	Thomas H. Ashley	Thomas H. Ashley	J. Newby Thompson	J. Newby Thompson
New York	R. D. Harris	R. D. Harris	Manuel F. Campbell	Manuel F. Campbell (NYC) J. D. Golden	John E. Lemons (NYC) J. D. Golden	John E. Lemons (NYC) J. D. Golden
North Carolina	David L. Lemons	David L. Lemons	P. H. McCarn	P. H. McCarn	C. Raymond Spain	E. C. Thomas
North Dakota	John D. Nichols	Bennie S. Triplett	Bennie S. Triplett	Robert J. Hart	Robert J. Hart	Delbert D. Rose
Ohio	H. B. Ramsey	(N) Raymond E. Crowley* (S) L. H. Aultman	(N) Raymond E. Crowley (S) L. H. Aultman	(N) Raymond E. Crowley (S) W. J. Brown	(N) Billy P. Bennett (S) W. J. Brown	(N) B. A. Brown (S) W. D. Watkins
Oklahoma	Frank L. Muller	O. C. McCane	O. C. McCane	Paul F. Henson	Paul F. Henson	F. L. Braddock
Oregon	J. Frank Culpepper	B. A. Brown	B. A. Brown	Terrell Taylor	Terrell Taylor	B. L. Kelley
Pennsylvania	Paul T. Stover	Paul T. Stover	Gene D. Rice	Gene D. Rice	Earl P. King	Earl P. King
Rhode Island	P. H. McSwain	Earl P. King	Earl P. King	Earl P. King	R. H. Sumner	R. H. Sumner
South Carolina	Wade H. Horton	Vessie D. Hargrave	J. Frank Culpepper	J. Frank Culpepper	P. H. McCarn	P. H. McCarn
South Dakota	John D. Nichols	Bennie S. Triplett	Bennie S. Triplett	Robert J. Hart	Robert J. Hart	Delbert D. Rose
Tennessee	L. H. Aultman	Ralph E. Williams	Ralph E. Williams	D. A. Biggs	D. A. Biggs	Gene D. Rice
Texas	C. M. Jinkerson	M. H. Kennedy	M. H. Kennedy	L. W. McIntyre	Gene D. Rice	C. E. Landreth
Utah	Ray T. Hill	John D. Nichols	H. B. Thompson	H. B. Thompson	Jessie M. Boyd	Jessie M. Boyd
Vermont	Rex Hudson	Rex Hudson	Rex Hudson	E. M. Abbott	E. M. Abbott	A. S. Yorkman
Virginia	H. D. Sustar	H. D. Sustar	E. C. Thomas	E. C. Thomas	M. H. Kennedy	M. H. Kennedy
Washington	M. H. Kennedy	George W. Broome	W. D. Watkins	W. D. Watkins	Russell A. Brinson	Russell A. Brinson
West Virginia	F. W. Goff	Walter R. Pettitt	Walter R. Pettitt	Robert White	Paul J. Eure	Paul J. Eure
Wisconsin	J. E. DeVore	Billy P. Bennett	Billy P. Bennett	Billy P. Bennett	Jack H. Adams	Jack H. Adams
Wyoming	Robert White	Clifford V. Bridges	Clifford V. Bridges	B. J. Moffett	B. J. Moffett	George W. Alford
Canada						

NOTAS A LAS TABLAS DE LOS SUPERVISORES DE ESTADO

⋆Nombrado entre Asambleas.
⋆⋆Nombrado extraoficialmente, pero supervisaba el trabajo del Estado.
⋆⋆⋆Comenzando en 1956 los listados son bianuales en vez de anuales.
†Sustituyó al supervisor anterior entre asambleas.
††Canadá Central se refiere a Ontario.
†††Canadá del Este se refiere a Nova Scotia.
††††Canadá del Oeste se refiere a Saskatchewan, Alberta y Manitoba.
1Destituido de la posición debido a abuso de confianza concerniente a la acusación de A. J. Tomlinson.
2Destituido de la posición debido a indecisión durante la acusación de Tomlinson; más tarde se probó su lealtad a la Iglesia.
3Destituido debido a no mudarse permanentemente al estado.
4Renunció debido a enfermedad.
5Renunció por convertirse en pastor de la Iglesia de Cleveland del Norte, Tennessee.
6Renunció por razones personales.
7Renunció para realizar trabajo evangelístico.
8Destituido de la posición.
9Falleció durante servicio.
10Renunció para dedicarse a tiempo completo a la supervisión de otros estados.
11Renunció por enfermedad en la familia.
12Renunció para realizar trabajo evangelístico-misionero en Sur Africa.
13Renunció para desempeñar el cargo de presidente del Colegio Lee.
14Renunció para aceptar funciones como pastor local.
15Renunció para convertirse en Superintendente de la Casa de Niños.
16Electo Tercer Asistente del Supervisor General el 15 de abril de 1972.

C—Central
E—Este
J—Jacksonville
N—Norte
S—Sur
T—Tampa
W—Oeste

BIBLIOGRAFÍA

ARCHIVOS

Archivos de la Iglesia de Dios, Cleveland, Tennessee.
Los expedientes oficiales de la Iglesia de Dios, correspondencia, registros, informes y minutas de las juntas y los comités, son archivados en las Oficinas Internacionales de la Iglesia de Dios.

Archivos de la Iglesia de Dios Europea, Urbach, Alemania.
Aquí se guardan los expedientes oficiales de la Iglesia de Dios en los países europeos. Esto fue muy beneficioso en la investigación de esta área.

Archivos de Misiones Mundiales de la Iglesia de Dios, Cleveland, Tennessee. Se tuvo acceso a los expedientes de todos los países donde opera la Iglesia de Dios fuera de los Estados Unidos de Norteamérica y Canadá.

Biblioteca de Investigación de la Casa de Publicaciones de la Iglesia de Dios, Cleveland, Tennessee. Esta biblioteca se especializa en materiales relacionados con los intereses de publicación de la Iglesia de Dios.

Centro de Investigación del Colegio Lee, Cleveland Tennessee.
Esta es la colección más extensa de materiales pentecostales en la Iglesia de Dios y una de las mejores en el mundo pentecostal. Ésta guarda todas las obras conocidas que se han publicado y numerosos manuscritos no publicados.

Expedientes Oficiales de América Latina, San Antonio, Texas.
Esta colección de materiales abarca todas las áreas de la Iglesia de Dios en Latinoamérica. Fue una fuente valiosa para los aspectos más importantes de mi investigación.

FUENTES PRIMARIAS Y OFICIALES

Admatha, Anuario del Instituto Preparatorio Internacional, San Antonio, Texas, 1952.

Alford, Delton L. *Music in the Pentecostal Church* (Música en la Iglesia Pentecostal). Cleveland, Tennessee: Pathway Press, 1967.

Book of Doctrine, The. A Symposium (Libro de Doctrina. Un Simposio). Cleveland, Tennessee: Casa de Publicaciones de la Iglesia de Dios, *c.* 1920.

Buckalew, J. W. *Incidents in the Life of J. W. Buckalew* (Incidentes en la vida de Buckalew.) Cleveland, Tennessee: Casa de Publicaciones de la Iglesia de Dios, *c.* 1920.

Church of God Evangel (Evangelio de la Iglesia de Dios). Volúmenes 1-67, Cleveland, Tennessee. Casa de Publicaciones de la Iglesia de Dios, 1910-1976.

Clark, E. C. *Marvelous Healings God Wrought Among Us* (Maravillosos Milagros que Dios Obró Entre Nosotros). Cleveland, Tennessee: Casa de Publicaciones de la Iglesia de Dios, *c.* 1946.

Conn, Charles Paul. *The Music Makers* (Los Hacedores de Música). Cleveland, Tennessee: Pathway Press, 1958.

Conn, Charles W. *Pillars of Pentecost* (Pilares de Pentecostés). Cleveland, Tennessee: Pathway Press, 1956.

--- *The Evangel Reader* (El Lector del Evangelio). Cleveland, Tennessee: Pathway Press, 1958.

--- *Where the Saints Have Trod* (Donde los Santos Han Caminado). Cleveland, Tennessee: Pathway Press, 1959.

--- *Journal.* 21 volúmenes, 1955-1976. Sin publicar.

Cook, Robert F. *A Quarter Century of Divine Leading in India* (Un Cuarto de Siglo de Dirección Divina en la India). Ootacamund, India del Sur: Ootacamund & Nilgiri Press, *c.* 1939.

--- *Half a Century of Divine Leading* (Medio Siglo de Dirección Divina). Cleveland, Tennessee: Departamento de Misiones de la Iglesia de Dios, 1955.

Cross, J. A. *Healing in the Church* (Sanidad en la Iglesia). Cleveland, Tennessee: Pathway Press, 1962.

Echols, Evaline, editora. *Lee College Faculty Handbook* (Manual de la Facultad del Colegio Lee). Cleveland, Tennessee: Colegio Lee, 1976.

Ellis, J. B. *Blazing the Gospel Trail* (Iluminando la Senda del Evangelio). Cleveland, Tennessee: Casa de Publicaciones de la Iglesia de Dios, *c.* 1941. (Reimpresión: Plainfield, New Jersey: Logos International, 1976).

El Evangelio de la Iglesia de Dios, volúmenes 1-14. Cleveland, Tennessee: Casa de Publicaciones de la Iglesia de Dios: San Antonio, Texas: Editorial Evangélica, 1945-1959.

Furman, Charles T. *Guatemala and the Story of Chuce* (Guatemala y la Historia de Chuce). Cleveland, Tennessee: Casa de Publicaciones de la Iglesia de Dios, 1940.

Gause, R. H. *Church of God Polity* (Política de la Iglesia de Dios). Cleveland, Tennessee: Pathway Press, 1973.

Hargrave, Vessie D. *Evangelical Social Work in Latin America* (Trabajo Social Evangélico en América Latina). San Antonio, Texas: Universidad Trinity, 1951. Una tesis de maestría en ciencias, sin publicar.

--- *South of the Rio Bravo* (Al Sur del Río Bravo). Cleveland, Tennessee: Departamento de Misiones de la Iglesia de Dios, 1952.

Harrison, Alda B. *Mountain Peaks of Experiences* (Cimas de experiencias). Cleveland, Tennessee: Casa de Publicaciones de la Iglesia de Dios, s.f.

Horton, E. Gene. *A History of Lee Junior College* (Una Historia del Colegio Junior Lee). Vermillion, Dakota del Sur: Universidad de Dakota del Sur, 1953. Una tesis de Maestría en Educación, sin publicar.

Horton Wade H., editor. *The Glossolalia Phenomenon* (El Fenómeno de la Glosolalia). Cleveland, Tennessee: Pathway Press, 1966.

Ingram, J. H. *Around the World With the Gospel Light* (Alrededor del Mundo con la Luz del Evangelio). Cleveland, Tennessee: Casa de Publicaciones de la Iglesia de Dios, 1938.

Juillerat, L. Howard, editor. *Libro de Minutas.* Minutas de la Asamblea Anual, 1-13, 1906-1917, Cleveland, Tennessee: Casa de Publicaciones de la Iglesia de Dios, 1922.

Knight, Cecil B. *An Historical Study of Distinctions Among the Divergent Grouping of American Pentecostalism* (Un Estudio Histórico de Distinciones Entre los Grupos Divergentes del Pentecostalismo Americano). Indianápolis, Indiana: Universidad Butler, 1968. Una tesis de Maestría en Artes, sin publicar.

Lauster, Herman. *The Hand of God in the Gestapo* (La Mano de Dios en la Gestapo). Cleveland, Tennessee: Departamento de Misiones de la Iglesia de Dios, 1952.

Lee, F. J. *Diario*, 4 volúmenes, 1914-1926. Sin publicar.

--- *Book of General Instructions for Ministry and Membership* (Libro de Instrucciones Generales para el Ministro y la Membresía). Cleveland, Tennessee: Casa de Publicaciones de la Iglesia de Dios, 1927.

Lee, Esposa de F. J. *Life Sketch and Sermons of F. J. Lee* (Bosquejo de la Vida y Sermones de F. J. Lee). Cleveland, Tennessee: Casa de Publicaciones de la Iglesia de Dios, *c.* 1929.

Lemons, F. W. *Our Pentecostal Heritage* (Nuestra Herencia Pentecostal). Cleveland, Tennessee: Pathway Press, 1963.

Lighted Pathway, The (La Senda Iluminada), Volúmenes 1-47. Cleveland, Tennessee: Casa de Publicaciones de la Iglesia de Dios, 1929-1976.

Macedonian Call, The (El Llamado Macedónico). Volúmenes 1-4. Cleveland, Tennessee: Casa de Publicaciones de la Iglesia de Dios, 1945-1950.

McBrayer, Terrell. *Lee College, Pioneer in Pentecostal Education* (El Colegio Lee, Pionero en la Educación Pentecostal). Cleveland, Tennessee: Pathway Press, 1968.

McCracken, Horace, editor. *History of Church of God Missions* (Historia de las Misiones de la Iglesia de Dios). Cleveland, Tennessee: Departamento de Misiones de la Iglesia de Dios, 1943.

McLain, T. L. *Diario.* Sin publicar.

Memorabilia. Anuario del Colegio Bíblico Internacional, Estevan, Saskatchewan, 1947-1948.

Minutas de la Asamblea General de la Iglesia de Dios. Volúmenes 1-56. 1906-1976, Cleveland, Tennessee: Casa de Publicaciones de la Iglesia de Dios.

O Evangelho da Igreja de Deus (El Evangelio de la Iglesia de Dios). Volumen 5. Río de Janeiro, 1957.

On Guard (En guardia), Volúmenes 1-15. Cleveland, Tennessee: Departamento de los Militares de la Iglesia de Dios, abril 1961 - diciembre 1976.

Paulk, Earl P., hijo. *Your Pentecostal Neighbor* (Su Vecino Pentecostal). Cleveland, Tennessee: Pathway Press, 1958.

Pullin, Alice. *In the Morning, Sow* (En la Mañana, Siembra). Cleveland Tennessee: Departamento de Misiones de la Iglesia de Dios.

Pulse. Vol. I. Cleveland Tennessee: Departamento de Educación de la Iglesia de Dios, 1976.

Simmons, E. L. *History of the Church of God* (Historia de la Iglesia de Dios). Cleveland, Tennessee: Casa de Publicaciones de la Iglesia de Dios, 1938. También el manuscrito de una edición revisada sin publicar.

Slay, James L. *This We Believe* (Esto creemos). Cleveland Tennessee: Pathway Press, 1963.

Sow (Revista SOW de Misiones Mundiales). Volúmenes 1-15. Cleveland, Tennessee: Departamento de Misiones de la Iglesia de Dios, 1961-1976.

Tomlinson, A. J. *Answering the Call of God* (Respondiendo al Llamado de Dios). Cleveland, Tennessee: The White Wing Publishing House. s.f.

--- *Journal of Happenings* (Diario de Acontecimientos). 5 Volúmenes, 1901-1923. Manuscritos originales.

Vindagua, Anuario del Colegio Lee. Cleveland, Tennessee, Volúmenes 1-36, 1941-1977.

Walker, J. H. hijo. *L'Eglise de Dieu, Ensignments et Organiations* (Iglesia de Dios, Tareas y Organismos). Puerto Príncipe; publicado privadamente, 1949.

Walker, John Herbert, hijo, y Walker, Lucille. *Haití*. Cleveland, Tennessee: Casa de Publicaciones de la Iglesia de Dios, 1950.

Walker, Paul H. *Paths of a Pioneer* (Sendas de un Pionero). Cleveland, Tennessee: Pathway Press, 1971.

Walker, R. R. *My Testimony* (Mi Testimonio). Cleveland, Tennessee: Casa de Publicaciones de la Iglesia de Dios, *c.* 1942.

FUENTES COLATERALES

Bartleman, Frank. *How "Pentecost" Came to los Angeles* (Cómo Llegó el "Pentecostés" a Los Angeles). Los Ángeles: F. Bartleman, 1925.

Brumback, Carl. *"What Meaneth This?"* ("¿Qué Significa Esto?"). Springfield, Missouri: The Gospel Publishing House, 1947.

Campbell, Joseph E. *The Pentecostal Holiness Church, 1898-1948* (La Iglesia de Santidad Pentecostal, 1898-1948). Franklin Springs, Georgia: The Publishing House of the Pentecostal Holiness Church, 1951.

Clark, Elmer T. *The Small Sects in America* (Las Pequeñas Sectas en América). Nashville, Tennessee: Abingdon-Cokesbury, 1937. Edición revisada, 1949.

Frodsham, Stanley H. *With Signs Following* (Con Señales que Siguen). Edición revisada. Springfield, Missouri: Gospel Publishing House, 1941.

Gee, Donald. *The Pentecostal Movement* (El Movimiento Pentecostal). London: Elim Publishing Company.

Hollenweger, Walter J. *The Pentecostals* (Los Pentecostales). Minneapolis: Augsburg Publishing House, 1972.

Miller, Elmer C. *Pentecost Examined* (Pentecostés Examinado). Springfield, Missouri; Gospel Publishing House, 1936.

Nichol, John Thomas. *Pentecostalism* (Pentecostalismo). New York: Harper & Rowe Publishers, 1966.

FUENTES DE TRASFONDO

Bainton, Roland. *Here I Stand* (Aquí Estoy Parado). Nashville, Tennessee: Abingdon-Cokesbury, 1950.

Callahan, North. *Smoky Mountain Country* (Las Tierras de Smoky Mountain). New York: Duell, Sloan y Pearse, 1952.

Cannon, William R. *The Theology of John Wesley* (La Teología de John Wesley). Nashville, Tennessee: Abingdon-Cokesbury, 1946.

Drummond, Andrew Landale. *Story of American Protestantism* (Historia del Protestantismo Americano). Boston: The Beacon Press, 1950.

Durant, Will. *The Story of Civilization: Caesar and Christ* (La Historia de la Civilización: César y Cristo). New York: Simon and Schuster, 1944.

Evangelical Action! (¡Acción Evangélica!). Un simposio. Boston: United Action Press, 1942.

Hamer, Philip M. *Tennessee - A History, 1673-1932* (Tennessee - Una Historia, 1673-1932). New York: La Sociedad Histórica Americana, Inc., 1933.

Hyma, Albert. *World History - A Christian Interpretation* (Historia Mundial - Una Interpretación Cristiana). Edición revisada. Grand Rapids, Michigan: Wm. B. Eerdmans Publishing House, 1952.

Kuiper, B. K. *The Church in History* (La Iglesia en la Historia). Grand Rapids, Michigan: Wm. B. Eerdmans Publishing Company, 1951.

Latourette, Kenneth Scott. *A History of Christianity* (Una Historia del Cristianismo). New York: Harper & Brothers Publishers, 1953.

Lindsell, Harold. *Park Street Prophet* (Profeta de la Calle Park). Wheaton, Illinois: Van Kampen Press, 1951.

Luccoch, Halford E.; Hutchinson, Paul; Robert W. *The Story of Methodism* (La Historia del Metodismo). New York: Abingdon Cokesbury, 1949.

Mead, Frank S. *The March of Eleven Men* (La Marcha de Once Hombres). New York: The Bobbs-Merill Company, 1932.

Miller Perry; Calhoun, Robert L.; Pusey, Nathan M.; y Niebuhr, Reinhold. *Religion and Freedom of Thought* (Religión y Libertad de Pensamiento). New York: Doubleday and Company, Inc., 1954.

Morris, Richard B. *Encyclopedia of American History* (Enciclopedia de Historia Americana). New York: Harper and Brothers, 1953.

Schaff, Philip. *History of the Christian Church* (Historia de la Iglesia Cristiana). Volúmenes 1-8. New York: Charles Scribner's Sons, 1910.

Smith, W. Earle. *Foundation for Freedom* (Fundamento para la Libertad). Filadelfia: The Judson Press, 1952.

Stuber, Stanley I. *How We Got Our Denominations* (Cómo Obtuvimos Nuestras Denominaciones). New York: Association Press, 1951.

Sweet, William Warren. *Revivalism in America* (Avivamiento en América). New York: Charles Scribner's Sons, 1944.